Het zevende sacrament

Van David Hewson verscheen eveneens bij Uitgeverij De Fontein:

De Vaticaanse moorden
Het Bacchus offer
De Pantheon getuige
De engelen des doods

David Hewson

Het zevende sacrament

De Fontein

Oorspronkelijke titel: *The Seventh Sacrament*
Oorspronkelijke uitgever: Macmillan, een imprint van Pan Macmillan Ltd.
© 2007 David Hewson
© 2009 voor deze uitgave:
Uitgeverij De Fontein, Postbus 1, 3740 AA Baarn
Uit het Engels vertaald door: Ineke van den Elskamp
Omslagontwerp: Wil Immink
Zetwerk: ZetSpiegel, Best

ISBN 978 90 261 2316 0
NUR 332

www.uitgeverijdefontein.nl
www.davidhewson.com

Hoofdpersonen

Het verleden
Alessio Bramante – schooljongen
Giorgio Bramante – zijn vader, een archeoloog
Leo Falcone – *sovrintendente* van politie
Arturo Messina – *commissario* van politie, meerdere van Leo Falcone
Ludo Torchia, Toni LaMarca, Dino Abati, Sandro Vignola, Raul Bellucci, Andrea Guerino – studenten van Giorgio Bramante

Het heden
Dino Abati – dakloze
Raffaela Arcangelo – partner van Leo Falcone
Ornella Di Benedetto – kerkbewaarder van de Santa Maria dell' Assunta
Beatrice Bramante – ex-vrouw van Giorgio, moeder van Alessio
Silvio Di Capua – rechterhand van Teresa Lupo
Nic Costa – rechercheur in de Questura in Rome
Cristiano – bioloog, gespecialiseerd in wormen
Emily Deacon – partner van Costa
Leo Falcone – inspecteur van politie, meerdere van Costa en Peroni
Pino Gabrielli – beheerder van het Piccolo Museo del Purgatorio
Lorenzo Lotto – linkse aristocraat en eigenaar van een tijdschrift

Teresa Lupo – hoofdpatholoog-anatoom
Arturo Messina – vader van Bruno, inmiddels oneervol ontslagen bij de politie
Bruno Messina – commissario van politie, meerdere van Leo Falcone
Gianni Peroni – rechercheur, directe collega van Nic Costa
Rosa Prabakaran – beginnende rechercheur
Prinzivalli – sovrintendente van politie
Judith Turnhouse – archeoloog
Enzo Uccello – een op vrije voeten gestelde crimineel

Woordenlijst

buon giorno	goedendag
Ca' d'Ossi	knekelhuis
caffè corretto	espresso met een glaasje grappa ernaast
carabinieri (enkelvoud: carabiniero)	Italiaans militair korps met algemene politietaken, maar ze fungeren ook als de Italiaanse militaire politie
centro storico	historisch stadscentrum
città	stad
commedia dell'arte	de gebruikelijke naam voor het Italiaanse geïmproviseerde toneel van de 16e tot 18e eeuw
commissario	commissaris
cornetto	croissant
crostini	stukjes geroosterd stokbrood
macchiato	espresso met melkschuim
palazzo	paleis
panini (enkelvoud: panino)	belegd broodje
piazza	plein
porchetto	gegrild varkensvlees
pronto	letterlijk: klaar, gereed
salute	op je gezondheid
signora	mevrouw
sovrintendente	hoofdinspecteur

Mithras, God of the Midnight, here where the great bull dies,
Look on thy children in darkness. Oh take our sacrifice!
Many roads thou hast fashioned – all of them lead to the Light,
Mithras, also a soldier, teach us to die aright!

A Song to Mithras (Hymn of the XXX Legion: circa 350 AD)
Rudyard Kipling

Deel 1

Een kind in duisternis

1

De jongen stond waar hij om die tijd 's ochtends meestal stond. Op de Piazza dei Cavalieri di Malta, boven op de Aventijnse heuvel, niet ver van huis. Alessio Bramante had de vreemde bril op die hij de vorige dag voor zijn verjaardag had gekregen en tuurde daarmee door het geheime sleutelgat.

De *piazza* lag op slechts twee minuten lopen van zijn huisdeur en even ver van de ingang van de Scuola Elementare di Santa Cecilia. Deze weg naar school legde hij vrijwel elke dag af, altijd met zijn vader, een nauwgezette en ernstige man die zou teruglopen naar het plein en daar de dependance van de universiteit waar hij werkte zou binnengaan. Zo'n vertrouwde gewoonte was het inmiddels, dat Alessio de wandeling met zijn ogen dicht had kunnen maken.

Hij hield van de piazza, die er in zijn ogen uitzag alsof het in een sprookjespaleis thuishoorde, niet op de Aventijn, een heuvel voor gewone, onopvallende mannen en vrouwen.

Palmen en grote, op kerstbomen lijkende coniferen omzoomden de witte muren, die het plein aan drie kanten omsloten en waren versierd met naaldvormige Egyptische obelisken en de wapens van belangrijke families, die op exacte afstanden van elkaar waren aangebracht. Ze waren, had zijn vader gezegd, het werk van Piranesi, een beroemd kunstenaar, die, zoals al zijn vakbroeders in het vroegere Rome, een even kundig architect als tekenaar was geweest.

Alessio wilde dat hij Piranesi had kunnen ontmoeten. Hij had een duidelijke voorstelling van hem: een magere, altijd in gedachten verzonken man, met een donkere huid, doordringende ogen en een dun, wasachtig snorretje op zijn bovenlip dat eruitzag alsof het erop was geverfd. Hij was een amuseur, een clown die je aan het lachen maakte door te spelen met hoe dingen eruitzagen. Als hij groot was, zou Alessio evenementen op de piazza organiseren, ze zelf regisseren, gekleed in een streng donker pak, zoals zijn vader bij sommige gelegenheden. Er zouden olifanten zijn, dacht hij, en kleine optochten met dansers en mannen in kostuums van de *commedia dell'arte* die op de vrolijke klanken van een fanfarekorps met ballen en kegels jongleerden.

Dat zou allemaal nog komen, op een bepaald moment in dat grijze gebied de toekomst genaamd, dat elke dag iets meer van zichzelf onthulde, als een gedaante die tevoorschijn kwam uit de alles opslokkende mist die soms in de winter over de Aventijn hing en er een spookwereld van maakte, een hem onbekende wereld vol verborgen, bedekte geluiden en onzichtbare wezens.

In zo'n mist kon je een olifant verbergen, dacht hij. Of een tijger, of een dier dat niemand behalve Piranesi zich op een van zijn duistere momenten kon voorstellen. Toen herinnerde hij zichzelf aan wat zijn vader nog maar een paar dagen geleden had gezegd, niet echt boos, niet echt. *Niemand heeft iets aan een overactieve fantasie.*

Niemand had die ook nodig op een dag als deze. Het was midden juni, een mooie, warme, zonnige ochtend, zonder een spoor van de helse hitte die later, nog voor augustus was begonnen, uit de helderblauwe hemel op de stad zou neerdalen. Op dat moment had hij plaats in zijn hoofd voor een enkel wonder, een wonder dat hij per se wilde zien voor hij naar de Santa Cecilia ging en aan de dag begon.

'Alessio,' zei Giorgio Bramante nogmaals, enigszins nors.

Hij wist wat zijn vader dacht. Met zijn zeven jaar, lang en sterk voor zijn leeftijd, was hij te oud voor deze spelletjes. Een beetje – wat was het woord dat hij hem een keer had horen gebruiken? – eigenzinnig, ja dat ook.

Alessio wist niet precies hoe oud hij was toen zijn vader hem voor het eerst liet kennismaken met het sleutelgat. Hij had algauw begrepen dat het een geheim was dat meer mensen kenden. Van tijd tot tijd liepen anderen naar de groene deur om een kijkje te nemen. Soms stopte een taxi op het plein en liet die een paar verbijsterde toeristen even uitstappen, wat een schande was. Dit was een geheim ritueel dat moest worden bewaard voor de uitverkorenen, zij die op de Aventijn woonden, vond hij. Het mocht niet zomaar aan iedereen worden doorgegeven.

Het zat op de piazza aan de kant van de rivier, in het midden van een witmarmeren poortgebouw, en het was fraai bewerkt en elegant, naar zijn overtuiging een van de lievelingsontwerpen van die man met het snorretje die in zijn hoofd voortleefde. Het bovenste deel van het gebouw was begroeid met klimop, die omlaag hing over vier rechthoeken, net ramen, hoewel ze waren opgevuld met steen – 'blind' was het woord dat Giorgio Bramante, die van architectuur en bouwtechnieken hield, gebruikte. Nu hij ouder was, besefte Alessio dat de stijl veel overeenkomsten vertoonde met die van de mausolea die zijn vader hem wel eens had laten zien wanneer ze samen naar een opgraving of tentoonstelling ergens in de stad gingen. Alleen had dit gebouw in het midden een zware, dubbele deur; een oude, stevige en duidelijk veelgebruikte deur die met zachte, besliste stem fluisterde: geen toegang.

Mausolea waren voor dode mensen. Die hoefden geen deuren die open- en dichtgingen te hebben. Dit gebouw, had zijn vader al die jaren geleden uitgelegd, vormde de ingang naar de tuin van het huis van de Grootmeester van de Ridders van Malta, leider van een oude en eerzame orde, met leden over de hele wereld, van wie sommigen soms het geluk hadden dat zij een pelgrimage naar deze plek konden maken.

Het moment waarop hij hoorde dat er vlak bij hun huis ridders woonden, kon hij zich nog goed herinneren. Hij had die avond wakker gelegen in bed en zich afgevraagd of hij hun paarden zou horen hinniken in de warme zomerwind, of het gekletter van zwaarden op wapenuitrustingen wanneer ze in de geheime tuin achter het plein van Piranesi een steekspel hielden. Namen ze jonge jongens aan als pages, als ridders in spe? Was er een ronde tafel? Een bloedeed waarmee ze zich verbonden tot een stilzwijgende, eeuwigdurende broederschap? Een boek waarin hun goede daden werden opgetekend in geheimtaal, ondoorgrondelijk voor iedereen buiten de orde?

Alessio had nog steeds geen idee. Er ging vrijwel nooit iemand de poort in of uit. Hij had het opgegeven en lette er niet meer op. Misschien kwamen ze alleen in het donker naar buiten, als hij, nog klaarwakker, in bed lag en zich afvroeg wat hij had misdaan dat hij zomaar uit de bedrijvige wereld was verbannen.

Meestal stond er bij het poortgebouw een auto van de *carabinieri* met twee verveeld kijkende agenten die demonstratief de voorbijgangers monsterden om te voorkomen dat er iemand al te nieuwsgierig werd. Hierdoor verloren de Ridders van Malta wel iets van hun glans. Het was op zijn zachtst gezegd vreemd dat een waarlijk dappere orde mannen in uniform, met vuurwapens duidelijk in het zicht, nodig had om de ingang naar zijn prachtige paleis te bewaken. Maar er was daar een wonder, een wonder waarmee hij naar zijn gevoel was opgegroeid. Hij herinnerde zich nog de tijd dat zijn vader hem optilde, stevige handen onder zijn dunne armpjes die hem voorzichtig omhooghesen tot zijn oog bij het sleutelgat was. Zijn neus raakte bijna de oude, in de loop der eeuwen afgebladderde groene verf met daaronder iets van lood, of dof zilver.

Piranesi – hij moest het geweest zijn, niemand anders zou het vernuft of het talent hebben gehad – had nog een laatste kunstje op het plein uitgehaald. Op de een of andere manier was het hem gelukt het sleutelgat van het huis van de Ridders precies op één lijn te leggen met de Sint-Pietersbasiliek die een paar kilometer verder aan de overkant van de Tiber stond. Als je door het piepkleine gaatje in de deur gluurde, was het of je naar een schilderij keek. Het grindpad wees recht de rivier over naar het onderwerp, omgeven door een tunnel van dikke cipressen, donkergroene uitroeptekens, zo hoog dat ze buiten het gezichtsveld van het sleutelgat doorliepen en een onzichtbare baldakijn vormden boven alles wat hij kon zien. Aan het einde van deze natuurlijke doorgang zag je, op mooie dagen in een helle, staande rechthoek van licht gevat, het grote koepeldak van de kerk, dat in de lucht leek te zweven, alsof er magie in het spel was.

Hij wist wel iets van kunstenaars. Het koepeldak was het werk van Michelangelo. Misschien hadden hij en Piranesi elkaar ontmoet en een verbond gesloten: jij bouwt je kerk, ik maak mijn sleutelgat en op een dag zal iemand het grapje ontdekken.

Alessio verbeeldde zich dat Piranesi bij dat idee aan zijn snorretje had gedraaid. Hij verbeeldde zich ook dat er andere raadsels waren, andere eeuwenlang verborgen gebleven geheimen, die hadden moeten wachten tot hij werd geboren en naar ze op zoek ging.

Zie je het?

Dit was een ritueel, een simpel maar belangrijk ritueel waarmee elke schooldag, elke wandeling in het weekend die over het plein van Piranesi voerde, begon. Wanneer Alessio door het sleutelgat van het huis van de Ridders van Malta tuurde, was wat hij tussen de rijen bomen door luisterrijk aan de overkant van de rivier zag staan, het bewijs dat alles goed was, dat het leven doorging. Pas de laatste tijd was tot Alessio doorgedrongen dat zijn vader deze geruststelling net zo hard nodig had als hij zelf. Door middel van deze kleine, dagelijkse ceremonie werd hun band bekrachtigd.

Ja. Het is er nog.

De dag kon beginnen. School en zingen en spelen. De veilige sleur van het gezinsleven. En andere rituelen ook. Het vieren van zijn verjaardag was ook een soort ceremonie. Het bereiken van die bijzondere leeftijd – zeven, het magische getal – vermomd als kinderfeestje. Waarbij zijn vader dat stomme cadeautje had uitgekozen, iets wat interessant leek toen Alessio de verpakking las, maar hem enkel in verwarring bracht nu hij het uitprobeerde.

Het 'vliegenoog' was een goedkope plastic speelgoedbril. Hij was groot en onhandig, van slechte kwaliteit ook, en de poten waren zo slap, dat ze om zijn oren flapten toen hij de uiteinden zorgvuldig onder zijn lange gitzwarte haar stopte in een poging hem stevig op zijn neus te zetten. Door de bril zou je de werkelijkheid moeten waarnemen zoals een vlieg. Hun facetogen hadden lenzen die op hun beurt nog veel meer lenzen herbergden, honderden misschien wel, als caleidoscopen zonder de snippertjes gekleurd papier, en ze lieten een wereld van verwante beelden van hetzelfde tafereel zien, allemaal gelijk, allemaal anders, allemaal samenhangend, allemaal opzichzelfstaand. En allemaal dachten ze dat zij waar waren en hun buurman denkbeeldig, en misschien hadden ze het allemaal mis, want Alessio Bramante was, zei hij bij zichzelf, niet gek. Alles wat hij zag kon illusie zijn, elke bloem die hij aanraakte, elke ademteug die hij nam, niet meer dan een piepklein fragmentje dat uit de aldoor veranderende dromen van iemand anders tuimelde.

Dicht tegen de deur aan gehurkt probeerde hij zich af te sluiten voor de strenge, ongeduldige stem van zijn vader en werd hij zich bewust van een andere volwassen gedachte, een van de vele die de laatste tijd bij hem waren opgekomen. Dit was niet alleen de manier waarop een vlieg alles zag. Het was ook die van God. Een afstandelijke, onpersoonlijke God ergens hoog in de hemel, die zijn blik een millimeter kon verschuiven, één groot oog kon sluiten, door het andere kon turen en op talloze verschillende manieren naar Zijn schepselen kon kijken in een poging ze beter te begrijpen.

Alessio keek nog aandachtiger en dacht peinzend: is dit één wereld verdeeld in vele, of hebben wij ons eigen speciale gezicht, een vermogen dat, uit barmhartigheid of voor het gemak – welke van de twee wist hij niet – de veelheid tot één vereenvoudigde?

Wonderlijke gedachten van een kind met een overactieve fantasie. Hij kon zijn vader die woorden horen herhalen, hoewel ze in feite niet over zijn lippen kwamen. Giorgio Bramante zei iets heel anders. 'Alessio,' zei hij, op half bevelende, half vragende toon. 'We moeten gaan. Kom.'

'Waarom?'

Wat maakte het uit of je te laat kwam? School duurde eeuwen. Wat maakten een paar verloren minuten uit als je door het sleutelgat van ridders tuurde om te kijken of je de koepel van de Sint-Pieter zag en probeerde vast te stellen wie er gelijk had: de mensen of de vliegen?

'Omdat het vandaag een bijzondere dag is!'

Daarop trok hij zijn gezicht dan toch weg bij het sleutelgat, haalde de slappe bril voorzichtig van zijn neus en stopte hem in zijn broekzak.

'Echt?'

Zijn vader wierp een snelle blik op zijn horloge, een overbodig gebaar. Giorgio Bramante wist altijd hoe laat het was. Het was of de minuten en seconden in zijn hoofd voorbij tikten en zich altijd lieten horen.

'Er is een vergadering op school. Je kunt pas om halfelf...'

'Maar...'

Hij had thuis kunnen blijven, kunnen lezen en dagdromen.

'Niks maar!'

Zijn vader was een beetje gespannen en onrustig, van zichzelf, niet door zijn zoon.

'Wat gaan we dan doen?'

Giorgio Bramante lachte.

'Iets nieuws,' zei hij, glimlachend om een gedachte die hij nog niet had uitgesproken. 'Iets leuks.'

Hij wachtte stil af.

'Je bent heel nieuwsgierig,' ging zijn vader verder. 'Naar wat ik gevonden heb.'

De ademhaling van de jongen stokte. Dit was een geheim. Groter dan alles wat je door een sleutelgat kon zien. Hij had zijn vader fluisterend aan de telefoon horen praten en het was hem opgevallen dat er veel mensen op bezoek kwamen en dat hij de kamer uit werd gestuurd zodra de volwassenenpraat begon.

'Ja.' Hij zweeg en vroeg zich af wat dit allemaal te betekenen had. 'Ik wil het graag weten.'

'Nou,' – Giorgio Bramante aarzelde met een achteloos schouder-ophalen en lachte naar hem op die speciale manier die ze allebei ken-den – 'ik kan het je niet vertellen.'

'Alstublieft!'

'Nee.'

Hij schudde krachtig van nee.

'Het is te... belangrijk om te vertellen. Je moet het zien!'

Hij boog zich met een grijns naar voren en woelde door Alessio's haar.

'Echt?' vroeg de jongen, toen hij eindelijk iets kon uitbrengen.

'Echt. En' – hij tikte op zijn overbodige horloge – 'nu direct.'

'O,' fluisterde Alessio, die Piranesi en zijn verborgen gebleven truc-jes al bijna was vergeten.

Giorgio Bramante boog zich nog verder naar voren en drukte een kus op zijn hoofd, een ongebruikelijk, onverwacht gebaar.

'Is het er nog?' vroeg hij terloops, zonder echt een antwoord te ver-wachten, terwijl hij Alessio's dunne, sterke arm pakte. Een man met haast, dat snapte zijn zoon onmiddellijk.

'Nee,' zei hij, hoewel zijn vader al niet meer luisterde.

Het bestond gewoon niet, niet in een van de honderden piepkleine, veranderende wereldjes die hij die ochtend had gezien. Het koepel-dak van Michelangelo hield zich schuil en ging ergens in de mist aan de overkant van de rivier verloren.

2

Pino Gabrielli wist niet zeker of hij in het vagevuur geloofde, maar hij wist wel waar het geacht werd te zijn. Ergens tussen de hemel en de hel, een portaal voor gekwelde zielen, die wachtten tot een der levenden, waarschijnlijk iemand die ze kenden, de juiste daad verrichtte, de goede schakelaar omzette om hen op weg te helpen. En nog ergens, veel dichterbij. Aan de muur van een zijvertrek in zijn geliefde Sacro Cuore del Suffragio, de kerk die sinds zijn pensionering bij de faculteit Bouwkunde van de universiteit La Sapienza bijna tien jaar geleden zijn voornaamste tijdsbesteding was geworden.

Niet dat dat nog een geheim was. Op die kille ochtend in februari, met flarden mist in de koude lucht boven de Tiber, zag Pino Gabrielli dat er al een bezoeker was, om tien voor halfacht, tien minuten voor hij de deuren opende. Er stond een man in de deuropening onder het kleine roosvenster. Hij stampte met zijn voeten tegen de kou. Terwijl Gabrielli een laatste blik op de rivier wierp, waar een eenzame aalscholver doelloos de grijze nevel in en uit scheerde, vroeg hij zich af wat iemand daar op dit uur van de dag te zoeken had. Een onopvallende figuur van middelbare leeftijd, niet de gebruikelijke jonge sensatiezoeker zo te zien. Hoewel, het was moeilijk te zeggen omdat de man dik was ingepakt in een zware, zwarte jas en een wollen muts ver over zijn oren had getrokken.

Gabrielli rende zigzaggend tussen het drukke verkeer door, liep met grote stappen naar de kerk, trok zijn mooiste welkomstglimlach en wierp een snel *buon giorno* in de richting van zijn bezoeker. Er werd iets terug gemompeld; het klonk in elk geval Italiaans, hoewel de woorden door een dikke sjaal kwamen die tot aan zijn neus was opgetrokken. Misschien verklaarde dat de vroege start, en de gevoeligheid voor de kou, hoewel het niet zo erg was als op sommige andere ochtenden in februari die Gabrielli had meegemaakt.

Toen, nog geen tel later, stelde de bezoeker de gebruikelijke vraag: 'Hangt het er nog?' Gabrielli was direct teleurgesteld. Zijn verschijning ten spijt was de man gewoon een van de vele nieuwsgierigen die iets wilden zien waar ze van konden griezelen.

De beheerder slikte een onvriendelijke opmerking in, haalde de oude sleutel van de hoofdingang tevoorschijn, liet de man binnen en wees hem de weg door het in de ochtendschemer flauw verlichte schip. Hij keek hem na en liep toen naar zijn kleine kantoortje, warmde zijn vingers aan een kartonnen bekertje cappuccino en verorberde met een enigszins onbehaaglijk gevoel zijn ene *cornetto* gevuld met jam die hij volgens zijn dieet mocht hebben. Hij was het gewend dat hij minstens een uur voor zichzelf had voor er iemand kwam, tijd om te lezen en na te denken, door een kerk te dwalen die hij was gaan beschouwen als zijn eigen kleine universum voor telkens een paar uur.

Gabrielli pakte een folder en vroeg zich af of hij hem moest gaan aanbieden. De bladen waren inmiddels zeker twintig jaar oud en roken een beetje muf door de vochtige kast in het kantoortje waar ze hoog opgestapeld in lagen. Als hij er een aanbood, schudden de mensen altijd hun hoofd en zeiden 'Nee'. Maar het ging hem niet om het geld. Gabrielli wilde ze best voor niets weggeven. Hij zou het gewoon fijn vinden als meer mensen de kerk naar waarde wisten te schatten en zich niet direct naar een uitstalling zouden haasten welke, naar hij veronderstelde, voornamelijk uit oude rommel bestond.

In een stad die was overladen met barok en overblijfselen uit de klassieke oudheid, was de Sacro Cuore een klein, stralend, scherp gesneden baken van noordelijke neogotiek. De kerk werd nauwelijks opgemerkt door de grote massa die vloekend en zuchtend zijn weg zocht in de files op de drukke weg langs de rivier ten westen van Castel Sant'Angelo. Maar Gabrielli kende elke centimeter van het gebouw, elke fraai bewerkte pilaar en kolom, elke boog van het sierlijk gewelfde plafond en begreep, als architect en als wereldlijke, kritische aanhanger van de Kerk, hoe waardevol het was.

De mensen die Italiaans beheersten konden in de folder lezen hoe Giuseppe Gualandi, een Bolognese architect, een volmaakte kathedraal in zakformaat had gebouwd in opdracht van een Franse priester die Rome een Chartres in het klein wilde geven, zij het met aanzienlijk minder kostbaar gebrandschilderd glas en op een onmiskenbaar stedelijke locatie. Hoe diezelfde priester, geïnspireerd door een merkwaardig voorval in de kerk zelf, ook een kleine tentoonstelling had ingericht, slechts twee vitrines aan de muur, een grote en een kleine, voorzien van een bescheiden aantal stukken.

Om de een of andere reden – Gabrielli wist niet waarom en het interesseerde hem ook niet – was deze kleine tentoonstelling bekend geworden onder de naam Il Piccolo Museo del Purgatorio, het Kleine Museum van het Vagevuur. Het had tientallen jaren bestaan in het zijvertrek zonder veel bezoekers te trekken. Maar tegenwoordig zochten steeds meer mensen bestemmingen buiten de gewone dingen als het Colosseum en de Sint-Pieter. Ergens in de loop der jaren was de Sacro Cuore uit de stoffige vergetelheid opgedoken en terechtgekomen op de lijsten met onbekende Romeinse bezienswaardigheden die kenners uitwisselden.

De vier dagen per week als vrijwillige bewaker in de Sacro Cuore waren voor Gabrielli vroeger een gelegenheid geweest om te mediteren en in alle rust de donkere hoekjes van de schepping van Gualandi te verkennen. Tegenwoordig was er een gestage stroom bezoekers, elk jaar steeds grotere aantallen, nu de nieuwsgierigen – vooral jongeren, voornamelijk agnostici veronderstelde hij – kwamen kijken naar een bezienswaardigheid waarvan ze, naar ze hoopten, konden griezelen. Die zou hen misschien doen geloven dat in een wereld waar het leven zo jachtig en banaal was, waar alles verklaarbaar was als je een computer aanzette, er iets, een fluisterzachte roep van elders bestond die zei: er is meer, je moest eens weten.

Voor de meesten werd het een teleurstelling. Ze dachten dat vagevuur synoniem was aan hel en verwachtten iets van Jeroen Bosch: echte demonen, echte afgronden, zaken om de sceptici ervan te overtuigen dat de duivel nog steeds op aarde rondwaarde, zoekend naar een opening, tussen de busrit naar huis en de televisie, waardoor hij in de levens van onschuldigen kon binnendringen. In werkelijkheid was er helemaal niets huiveringwekkends te zien. Gabrielli, een man met een voorliefde voor buitenlandse fictie, stelde het desgevraagd vaak zo: het Kleine Museum was meer M.R. James dan Stephen King.

Alles wat hij hun kon laten zien – discreet afgewend om geen getuige te hoeven zijn van hun teleurstelling – hing er al tientallen jaren, onveranderd: twee vitrines met daarin de elf kleine stukken, wereldlijke objecten die, naar men zei, het bewijs vormden dat er inderdaad gekwelde zielen waren, geestengestaltes die bij gelegenheid in de wereld van de levenden konden doordringen om een boodschap door te geven.

En dan was er nog iets. Maar als hij even de kans kreeg, ging Gabrielli daar met zijn rug naartoe staan. De kleine vitrine achter in het vertrek werd makkelijk over het hoofd gezien. Daarin hing het enige stuk uit de moderne tijd, een klein T-shirt, met het embleem van een basisschool op de voorkant. Het was een vreemde afbeelding voor een kinderuniform, en inmiddels begon het te vervagen, na veertien jaar aan de muur achter het glas van de vitrine, onder het harde licht van de tl-buizen. Toch kon je nog goed zien wat vroeger op het goedkope, witte katoen had gestaan: een zwarte zevenpuntige ster tegen de achtergrond van een donkerblauwe cirkel, met merkwaardige rode symbolen op de rand en zeven kleinere donkere sterren op gelijke afstand eromheen.

Een tijdlang had hij geprobeerd deze vreemde afbeelding te ontcijferen, tot iets – een knagend gevoel dat hij overdreven weetgierig was misschien – hem deed ophouden. Dat, en de zekere wetenschap dat het symbool, waarvan de oorsprong vooralsnog onduidelijk was, in elk geval niet christelijk was.

De tekens op de rand van de cirkel waren alchemistische symbolen voor de maanden van het jaar. De sterren eromheen stonden, geloofde hij nu, voor de zeven planeten die in de oudheid bekend waren: Mercurius, Venus, Jupiter, Mars, Saturnus, de Zon en de Maan. De binnenste ster was de Aarde zelf misschien, maar hij had geen goede bronnen kunnen vinden die dit idee bevestigden en, gepensioneerd of niet, de academicus in hem had moeite met deze hypothese. Wat het ook voorstelde, het symbool was voorchristelijk. Gabrielli had het vermoeden dat de binnenste ster de ziel voorstelde, de kern van het wezen van een individu, die zijn plaats tussen de eeuwige, hemelse zekerheden probeerde te vinden.

Maar tegen de tijd dat hij zich in die mogelijkheid wilde verdiepen, besefte hij dat het object in de vitrine hem inmiddels behoorlijk op de zenuwen werkte. Alle andere dingen waren van mensen die lang geleden waren gestorven. Dit was recent. Hij had de jongen zelfs een paar maal ontmoet, toen zijn vader hem had meegenomen naar de nabij gelegen afdeling Archeologie van La Sapienza waar hij werkte en hem door het gebouw had laten zwerven, waar hij iedereen die hij tegenkwam, voor zich had ingenomen. Alessio Bramante was een mooi kind, slank en lang voor zijn leeftijd, altijd nieuwsgierig, al was hij een beetje verlegen in het gezelschap van zijn vader, een man die zelfs over zijn oudere collega's de baas speelde. Gabrielli merkte tot zijn ontzetting dat hij zich hem nog heel goed voor de geest kon halen. Hij zag in gedachten de jongen nog, heel ernstig en beheerst, in zijn kamer staan en hoorde hem nog op zijn rustige wijze de intelligente vragen over zijn werk stellen. Hij had lang, glanzend zwart haar, levendige bruine ogen die altijd wijd openstonden en het knappe uiterlijk van zijn moeder, een kalme, ingetogen schoonheid van het soort dat, eeuwen geleden, zijn weg naar schilderijen had gevonden wanneer de kunstenaar een gezicht zocht dat de meest bekommerde kijkers met één sussende blik tot rust kon brengen, een blik die zei: ik weet het, maar zo is het nu eenmaal.

Zijn persoonlijke relatie met de jongen maakte het anders, zo anders, dat hij uiteindelijk zoveel mogelijk uit de buurt van het laatste stuk bleef. Het was ongezond om geobsedeerd te raken door het afgedankte kledingstuk van Alessio Bramante, een overleden kind, slachtoffer van een tragedie waar niemand iets van begreep. Op sommige momenten betreurde hij het dat het ook deels aan hem te danken was dat het T-shirt in het Piccolo Museo was opgenomen.

En er was nog een andere reden tot zorg, iets wat hem veel meer dwarszat wanneer hij erover durfde nadenken.

Het bloed.

Beatrice Bramante zei dat ze Alessio's T-shirt had gevonden toen ze de kamer van haar zoon doorzocht na zijn verdwijning. Op de onderste ster ontdekte ze iets onverklaarbaars: een rode vlek, die er nieuw uitzag, met rafelige randen, alsof hij pas enkele minuten geleden was ontstaan. Er was werkelijk geen verklaring voor. Het kledingstuk was onlangs nog gewassen, kort voor de tragedie, en had in de afschuwelijke dagen die waren verstreken voor ze het vond, onaangeroerd in een kast gelegen.

De moeder had hem benaderd met de vraag of het in de collectie van het Kleine Museum kon worden opgenomen, een eigentijds bewijs dat wie onder tragische omstandigheden was heengegaan, nog een boodschap aan de levenden kon sturen.

Er was enige discussie ontstaan. Gabrielli vond dat het naar de politie moest worden gebracht, terwijl anderen van mening waren dat dat gezien de situatie van de vader van de jongen nu ongepast was. De toenmalige priester had weinig op met de vreemde verzameling curiosa die hij had geërfd. Toch liet zelfs hij zich vermurwen toen hij werd geconfronteerd met Beatrice Bramante, die zowel radeloos als uitermate vastbesloten was. Bovendien was er dat simpele feit: er was een bloedvlek verschenen op het witte T-shirt van een jongen van zeven terwijl het netjes en schoon opgevouwen in een kast in zijn ouderlijk huis lag. En dat op een moment dat hij vermist was, naar algemeen werd aangenomen zelfs dood.

Dus hadden ze toegegeven, maar algauw hadden ze spijt gekregen van dat besluit. Drie jaar nadat het T-shirt aan de muur van het Kleine Museum was gehangen, was er een tweede bloedvlek op verschenen. En in de daaropvolgende jaren nog twee. Ze waren gelukkig klein en trokken geen nieuwe bezoekers die nog niet bekend waren met het object. De meer oplettende leden van de kerkelijke hiërarchie namen er stil nota van; de vitrine werd uit het zicht gehaald tot de vlek zijn frisse kleur verloor en vervaagde, daarna weer aan de muur gehangen; de metamorfose werd, uit angst voor ongewenste publiciteit, nooit meer ter sprake gebracht.

Gabrielli, die medeplichtig was aan deze listigheid, had altijd geweten dat hij daar ooit voor zou moeten boeten. Als je de vooronderstelling van een vagevuur accepteerde, was het duidelijk wat er gebeurde. De vlekken waren een boodschap. Ze zouden blijven verschijnen tot iemand luisterde, tot iemand het nodig vond iets te ondernemen. Het rationele deel van zijn geest vertelde hem dat dit onmogelijk, absurd was. Waar de schim van de ongelukkige Alessio ook naartoe was gegaan – alleen al het bij zichzelf noemen van de naam bracht een herinnering boven aan de jongen, stijf en rechtop in zijn kamer – hij kon niet bij machte zijn een teken achter te laten op een eenvoudig object in een vitrine aan de muur van een merkwaardige kerk aan de lawaaiige en van auto's vergeven Lungotevere Prati. Het aardse en het onwereldlijke hoorden niet zo bij elkaar te komen.

Om de een of andere reden knaagden deze gedachten meer aan hem dan anders toen hij met kleine slokjes zijn koffie dronk en aan zijn zoete broodje knabbelde. Hij wist ook waarom. Het kwam door die man, verstopt achter zijn muts en sjaal, maar toch – en Gabrielli wist dat het idioot was – min of meer bekend. En het kwam ook door zijn haast om in dat verduivelde vertrek te komen. De bezoeker had geen enkele vraag gesteld, behalve: hangt het er nog?

Het was net of hij er eerder was geweest en dat vond Gabrielli ook een verontrustende gedachte.

Met tegenzin – hij begon dat kleine vertrek intussen te haten – stond hij op en hij liep, met alle ongemotiveerde snelheid die een zevenenzestig jaar oude man kon opbrengen, de gang door en ging bij de deur naar het bekende kamertje staan. De te felle lampen in de gang verblindden hem. Eerst maakte hij zichzelf wijs dat de bezoeker was vertrokken, zonder een woord van dank of zelfs iets van een wegstervende voetstap. Er kwam nergens een menselijk geluid vandaan, afgezien van zijn eigen moeizame ademhaling, overgehouden aan een levenslange verslaving aan zware sigaretten. Het enige wat Pino Gabrielli hoorde, was het regelmatige, mechanische geronk van het verkeer, een onafgebroken golf van geluid die zo vertrouwd en voorspelbaar was dat hij hem nauwelijks opmerkte, hoewel hij vandaag luider dan anders klonk, zijn hoofd binnendrong en in zijn ontwakende fantasie rondkaatste.

Toen stapte hij het krappe, benauwde vertrek in en op hetzelfde moment wist hij dat hij een ruimte binnenging die verkeerd was, niet in overeenstemming met de wereld die hij wilde bewonen.

Hij geloofde niet in het vagevuur. Niet echt. Maar op dat moment, met een hart dat onder zijn nauwsluitende vest een samengesteld ritme klopte en met een droge keel van angst, besefte Pino Gabrielli dat zelfs een man als hij, een belezen, bereisde emeritus hoogleraar in de bouwkunst, met een open, onderzoekende geest, soms werkelijk heel weinig wist.

De gedaante in het zwart was bezig in de harde schaduwvlek bij de muur waar het T-shirt van Alessio Bramante werd bewaard. Het kledingstuk hing niet meer in de vitrine, maar werd tegen het oude lichte pleisterwerk gedrukt door de linkerhand van de indringer. Uit zijn rechtervuist stak een stuk vieze stof waaruit een donkere, stroperige vloeistof droop. Gabrielli keek, als aan de grond genageld, hoe de man vier keer uithaalde naar het jongensshirt en op elke oude vlek een nieuwe maakte, groter, fel van kleur en glanzend van het verse bloed, en er ten slotte een extra vlek aan toevoegde, een dikke, bloederige spat op een tot dan toe smetteloze ster aan de linkerbovenkant.

Nog een boodschap, dacht de doodsbenauwde bewaker, om bij de vier eerdere te voegen die niet gehoord waren.

Misschien maakte Gabrielli een geluid. Misschien kwam het gewoon door zijn moeizame, onregelmatige ademhaling. Hij besefte dat zijn aanwezigheid was opgemerkt. De man hing het T-shirt met veel zorg terug in de vitrine en duwde het ruitje weer op zijn plaats. Op het glas bleven bloederige, kleverige afdrukken achter. Toen trok hij de dikke wollen muts af en draaide hij zich om.

'Jij...' mompelde Gabrielli, verbijsterd door wat hij zag.

Pino Gabrielli sloot zijn ogen, voelde zijn blaas slap en zijn hoofd leeg worden en schaamde zich dat hij, nu het er echt op aankwam, niet in staat was te bidden.

Toen hij de moed had zijn ogen weer open te doen, was hij alleen. Gabrielli wankelde naar het middenschip en viel daar bevend neer op een harde houten bank.

De Sacro Cuore was hem dierbaar. Hij kende de regels, de protocollen volgens welke de kerk, en elke andere kerk in Rome, werd bestuurd. Hij zou eigenlijk als eerste de priester en de leden van de parochieraad moeten bellen. Zoals hij in het verleden had gedaan.

Maar de boodschappen bleven komen, ditmaal samen met de boodschapper.

De maat was vol. Met trillende handen haalde Pino Gabrielli zijn telefoon uit zijn zak. Hij wachtte tot zijn vingers ophielden met beven. Hij vroeg zich af wie hij in deze omstandigheden moest bellen: 112 voor de carabinieri of 113 voor de politie. Er was geen makkelijk nummer voor God. Daarom bouwden mensen kerken.

Hij probeerde niet na te denken over het gezicht van de man die hij had gezien. Iemand die hij vroeger had gekend, bijna tot zijn vrienden had gerekend. Iemand die nu koude, harde ogen had en een strakke, bleke huid als van een lijk.

De carabinieri waren meer Gabrielli's slag. Middenklasse. Goedgekleed. Beleefd. Gedistingeerder.

Zonder precies te weten waarom dwaalde hij terug naar het kleine vertrek terwijl hij met zijn telefoon klungelde. Hij rook het bloed en was zich er vaag van bewust dat er nog iets was, iets wat hij had moeten zien. Zijn trillende vingers tastten naar de knopjes, kwamen overal terecht en drukten alsnog op de verkeerde. Misschien, dacht hij, was het gewoon voorbestemd. Dat waren de meeste dingen.

Te laat; hij hoorde een harde vrouwenstem op de lijn nors om een antwoord vragen.

Hij bekeek het Kleine Museum van het Vagevuur, deze keer goed, zonder te vrezen voor zijn leven vanwege een duistere, bekende vreemdeling die naar bloed stonk.

Zijn intuïtie had hem niet bedrogen. Er was iets nieuws. Een directe boodschap, geschreven op een manier die hij nooit zou vergeten.

Het duurde even voor Gabrielli iets kon uitbrengen. En toen hij het kon, ontsnapte er één woord aan zijn lippen.

'Bramante...' mompelde hij zonder zijn ogen van de bloederige regel op de muur te kunnen halen, van het scheeflopende schrift, de met overleg geschreven letters, het werk van iemand die vastbesloten was met weinig woorden iets duidelijk te maken.

Ca' d'Ossi.

Het knekelhuis.

3

Het was een goede winter geweest, de beste die Nic Costa zich kon herinneren in jaren. Er waren nog maar twee kistjes over van de *vino novello* die ze de vorige herfst hadden gemaakt. Tot Costa's verbazing had de bescheiden, zelf verbouwde wijn, de eerste die de kleine boerderij had geproduceerd sinds de dood van zijn vader, ook Leo Falcone kunnen bekoren. Hij was echt goed, of de oude inspecteur werd milder nu hij zich aan een voor hem ongewone lichamelijke zwakheid moest aanpassen.

Of allebei. Het leven, was Costa de laatste paar maanden gaan beseffen, zat soms barstensvol verrassingen.

Die dag hadden ze voor de lunch een paar flessen meegenomen naar het nieuwe huis waar Falcone met Raffaela Arcangelo woonde, een appartement op de begane grond in een rustige zijstraat in Monti, dat ze tijdelijk hadden gehuurd tot hij mobieler werd. De verwondingen die de inspecteur de vorige zomer had opgelopen, heelden maar langzaam en hij kon zich er maar moeizaam aan aanpassen. Zonder het uit te spreken wisten ze dat de maaltijd een soort mijlpaal voor hen allen was, voor Costa en Emily Deacon, Peroni en Teresa Lupo, Falcone en Raffaela, een manier om het verleden terzijde te schuiven en een hechte verbintenis voor de toekomst aan te gaan.

De afgelopen twaalf maanden waren zwaar en beslissend geweest. Hun laatste onderzoek als team, tijdens hun verbanning in Venetië, had bijna geresulteerd in de dood van Falcone. Peroni en Teresa waren er ongeschonden, misschien zelfs sterker dan ooit, uit tevoorschijn gekomen, toen het stof eenmaal was opgetrokken. Terwijl zij terugkeerde naar het politiemortuarium, werd Peroni weer een rechercheur in burger die de straten van Rome doorkruiste, op dit moment verantwoordelijk voor een nieuweling, een vrouw die hem, zoals hij maar al te graag vertelde tegen iedereen die het wilde horen, buiten zinnen dreef met haar grenzeloze enthousiasme en naïviteit.

Costa had de beste prijs van allemaal uit de zak getrokken: een winter lang de beveiliging regelen voor een zeer uitgebreide tentoonstelling rond de werken van Caravaggio, een expositie in het Palazzo Ruspoli die grote aantallen bezoekers had getrokken vanaf de opening in november tot de zeer betreurde sluiting twee weken geleden. Er waren nog een paar dingen te doen geweest; een laatste ronde vergaderingen over de beveiliging tijdens het vervoer van de stukken naar hun plaats van herkomst en een lange reis naar Londen om alles af te handelen met de National Gallery met name. En daarna, twee dagen geleden, niets meer. Geen vergaderingen. Geen deadlines. Geen telefoontjes. Alleen het besef dat deze bijzondere periode uit zijn leven, waarin zo veel nieuwe wegen waren geopenbaard, nu voorbij was. Na een week vakantie zou hij ook weer als rechercheur in het *centro storico* in Rome aan de slag gaan, onzeker van zijn toekomst. Niemand had hem verteld of hij zou worden herenigd met Peroni. Niemand had aangegeven wanneer Falcone mogelijkerwijs weer aan het werk zou gaan. Slechts één goede raad was hem van hogerhand gegeven door *commissario* Messina, een ambitieuze figuur die nog geen tien jaar ouder was dan hij. Het was voor een man van Costa's leeftijd de hoogste tijd, zei Messina op een avond op weg naar buiten, dat hij over zijn toekomst ging nadenken. De data voor de promotie-examens waren vastgesteld. Hij moest binnenkort toch eens een poging doen één stap omhoog te klauteren op de ladder: van rechercheur naar *sovrintendente*.

Emily had hem sceptisch aangekeken toen hij deze informatie doorgaf en simpelweg gezegd: 'Ik weet niet of ik me jou wel kan voorstellen als brigadier. Je zit óf daarboven op gelijke hoogte met Falcone, óf je bent buiten op straat met Gianni. Alhoewel we het geld wel zouden kunnen gebruiken.'

Er moesten altijd beslissingen worden genomen, beslissingen die botsten met zijn eigen wensen in het eeuwige dilemma waarvoor elke politieman met enthousiasme, ambitie en een geweten zich geplaatst zag. Hoeveel van zijn leven moest een man aan zijn werk geven? En hoeveel aan de mensen van wie hij hield?

Costa had het antwoord op die vraag acht weken geleden gevonden toen Emily zich in een duur restaurant in Londen bij hem had gevoegd na zijn laatste bijeenkomst in de Gallery aan Trafalgar Square. Ze woonde nu al een jaar in zijn huis aan de rand van Rome. De komende zomer zou ze over de juiste diploma's beschikken om werk te zoeken als beginnend architect.

Toen hij haar die avond in West End aankeek over een bord met het duurste slechte eten dat hem ooit was voorgezet, wist Nic Costa het eindelijk. Voor één keer aarzelde hij niet. Te vaak had ze hem terechtgewezen met een geamuseerde blik en de woorden: 'Weet je zeker dat je een Italiaan bent?'

Die zomer, waarschijnlijk in juni, of in de eerste helft van juli, afhankelijk van de vraag hoeveel familieleden van Emily de reis vanuit de Verenigde Staten wilden maken, zou er een trouwerij zijn, een burgerlijk huwelijk, gevolgd door een receptie in de tuin van het huis aan de Via Appia. Ergens eind juli – rond de vierentwintigste als de artsen zich niet vergisten – zouden ze een kind krijgen. Emily was nu zeven of acht weken zwanger, lang genoeg om de anderen op de hoogte te brengen van hun plannen. Die waren langzaam ontstaan, gegroeid als het kind dat als een stijf opgekruld verborgen balletje in haar nog platte buik langzaam vorm kreeg en iets werd wat eenvoudig en oneindig ingewikkeld, normaal en wonderbaarlijk tegelijk was. En als ze straks een kind hadden, zei Nic Costa tegen zichzelf, dan begon het leven pas echt. Dat had hij tegen hen vieren willen zeggen in de woonkamer van Leo Falcone, nadat hij en Emily hun twee nieuwtjes hadden verteld, alleen gingen zijn woorden in de herrie en het tumult om hen heen verloren.

Falcone hinkte, opgewonden redenerend over de bijzondere fles champagne – echte champagne, niet zomaar een goede prosecco – die hij voor zo'n gelegenheid had bewaard, naar de keuken. Raffaela draafde bezorgd achter hem aan en verzamelde nog meer eten om de tafel mee vol te zetten. Teresa Lupo, angstig dicht bij een huilbui, een aanval van hysterie of allebei, bedolf hen beiden onder de zoenen en rende daarna weg om Raffaela met de glazen te helpen.

En Gianni Peroni stond daar gewoon met een grote, zelfgenoegzame grijns op zijn gehavende gezicht, een grijns aan het adres van de weghollende Teresa, en die zei: ik heb het je toch gezegd.

Emily, die nog naast Costa stond, legde enigszins verbaasd door alle commotie haar hoofd op zijn schouder en fluisterde: 'Hebben ze in dit land al een tijdje geen trouwerijen meer gehad?'

'Blijkbaar niet,' antwoordde hij zacht en hij nam haar met een theatraal gebaar in zijn armen en kuste haar.

Ze maakte zich lachend los toen ze beiden door een woud van druk gebarende armen met glazen en schalen vol eten werden omringd.

'Gaat het in het vervolg altijd zo?' stamelde ze, terwijl ze de wijn liet passeren en haar hand uitstak naar een glas mineraalwater.

'Altijd,' herhaalde Gianni Peroni en daarna bracht hij een toost uit die zo welsprekend, ontroerend en grappig was, dat Costa zich maar moeilijk kon voorstellen dat hij hem al niet vele malen had geoefend.

4

Pino Gabrielli was niet de enige kerkbewaarder in Rome die die ochtend voor een verrassing kwam te staan. Een halfuur nadat hij de deuren van de kleine witte kerk in Prati had geopend, stond Ornella Di Benedetto voor de kettingen met het hangslot aan de dichtgetimmerde, aan zijn lot overgelaten ruïne van wat vroeger de Santa Maria dell'Assunta was geweest, en vroeg hij zich af wat er anders was. Het logische antwoord – er was iemand binnen geweest – was te zot voor woorden.

Rome had veel kerken. Te veel voor de behoeften van een bevolking die met het jaar minder religieus werd. De Santa Maria dell' Assunta, gelegen aan de zuidoostzijde van de Aventijnse heuvel, niet ver van de Piazza Albania, had weinig wat de gelovigen trok. De historici zeiden dat het gebouw op de plaats stond van een van de oudste kerken in Rome, die dateerde uit de tijd dat het christendom een van de vele religies was, soms werd vervolgd, soms toegestaan, bij tijd en wijle gepropageerd. Van de oorspronkelijke kerk was geen spoor meer. In de loop der eeuwen was hij ten minste vijfmaal herbouwd, meer dan eens tot de grond toe afgebrand, en in de zestiende eeuw overgedragen aan een orde van kapucijner monniken. Het piepkleine, onopvallende gebouwtje dat bewaard bleef, ging nog drie eeuwen mee als heiligdom, raakte onder het antikerkelijke bewind van Napoleon in onbruik en werd later omgebouwd tot gemeentekantoor. Aan het begin van de twintigste eeuw werd het korte tijd een privéwoning in handen van een Britse schrijver op leeftijd met een voorkeur voor mystieke en macabere zaken. Na zijn dood raakte het geleidelijk in verval en moest al het onderhoud worden betaald van een kleine subsidie van de gemeente en een lokaal bisdom dat zich nog altijd enigszins schuldig voelde over het feit dat men het verwaarloosd had. Het gebouw was een allegaartje aan architectonische stijlen en enig belangrijk schilderij of beeldhouwwerk ontbrak. Het had tot gevolg dat de vrouw van middelbare leeftijd die een oogje in het zeil hield, maanden achtereen de enige was die de stoffige, vermolmde eiken deuren in het smalle, doodlopende straatje op slechts een paar meter afstand van de drukte op de Viale Aventino binnenging.

Toch had de kerk één geheime bezienswaardigheid, verstopt in een crypte, slechts bereikbaar via een smalle, vochtige en bochtige gang die in de zachte steen van de heuvel was uitgehouwen. De kapucijner monniken die de kerk een tijdje in stand hadden gehouden, hadden ook nog een groter gebouw in Rome in eigendom, de Santa Maria della Concezione in de Via Veneto, iets voorbij de Amerikaanse ambassade. Hier hadden ze eveneens een curiosum gecreëerd: een crypte, veel groter dan die van de Santa Maria dell'Assunta, versierd – een ander woord was er niet voor – met het gebeente van zo'n vierduizend medebroeders. Dat was daar gedeponeerd tot de laat negentiende eeuw, toen men dit gebruik een beetje te weerzinwekkend begon te vinden voor de moderne smaak.

Ornella Di Benedetto kende die grafkelder goed en had hem tot in detail vergeleken met de crypte in haar eigen beheer, in de hoop dat ze op een dag bezoekers zou kunnen imponeren met haar uitgebreide kennis. Het knekelhuis in de Via Veneto was zonder enige twijfel indrukwekkend. Ze zou willen dat haar eigen dode monniken een vergelijkbaar aansprekend motto voor de inscriptie boven hun tombe op de Aventijn hadden verzonnen.

Quello che voi siete noi eravamo, quello che noi siamo voi sarete, luidde hun grafschrift.

Wat jij bent waren wij, wat wij zijn zul jij worden.

Maar haar kleine versie was, vond ze, smaakvoller, meer in overeenstemming met het oorspronkelijke doel. Hij had niets van het theatrale van de Concezione: skeletten nog in monnikspij met de kap rond hun schedel getrokken; wervels en kaakbeenderen in patroon gelegd als een gruwelijke fries, die de spot dreef met de toeschouwer en, naar haar idee, loochende dat het aardse leven enige waarde had.

De Santa Maria dell'Assunta was simpelweg een ondergrondse openbare graftombe, een plaats waar precies honderd monniken lagen die hadden besloten dat hun stoffelijke resten zichtbaar moesten zijn voor iedereen die ze wilde zien. Na een geëigende periode op de kapucijner begraafplaats in San Giovanni – ze had dit helemaal nageplozen voor haar denkbeeldige bezoekers – werden ze opgegraven en naar de crypte gebracht. Daar werden alle lijken netjes op de kale aarde neergelegd, in vijf rijen van twintig, de knokige armen keurig over de knokige borst gevouwen, geduldig wachtend op de opstanding.

De overleden Engelse schrijver had elektriciteit laten aanleggen en een paar zwakke lampen opgehangen om zijn bezoek van het spektakel te laten genieten. Het gerucht ging dat hij in zijn testament had laten opnemen dat hij bij hen moest worden bijgezet, een plan waar de gemeentelijke autoriteiten om redenen van volksgezondheid een stokje voor hadden gestoken. De man had een aantal jaren in Venetië gewoond in een klein *palazzo* naast het Ca' d'Oro aan het Canal Grande, voor hij naar Rome was verhuisd. Dat had hem waarschijnlijk op het idee gebracht om het gebouw de bijnaam te geven waaronder het in de buurt nog steeds bekendstond: Ca' d'Ossi. Niet dat Ornella die benaming ooit zou gebruiken.

De kapucijnen van de Santa Maria dell'Assunta hadden naar haar mening toekomstige generaties een menswaardige en leerzame tentoonstelling nagelaten, zonder het op de toeristen gerichte theatrale gedoe van de crypte in de Via Veneto. De kerk verdiende meer bekendheid, en mogelijk een klein bedrag voor de restauratie, waarvan een deel uiteraard in de zak zou verdwijnen van de enige die de kerk al die jaren onder haar hoede had gehad.

Evenmin – zoals ze in de loop der jaren herhaaldelijk aan vrienden en bekenden had moeten uitleggen – had de Santa Maria dell' Assunta haar ooit schrik aangejaagd. Voor Ornella Di Benedetto was de dood een gewone, onopvallende figuur die net als ieder ander op de aardbodem rondliep en zich probeerde te kwijten van de taak die het lot hem had toebedeeld. Soms, stelde ze zich voor, nam hij tram 3, die door Testaccio over de rivier naar Trastevere reed, en vandaar weer terug naar het centrum, keek naar de gezichten van zijn medereizigers en probeerde te besluiten wie van hen in aanmerking kwam voor een geheel andere reis. Daarna, wanneer het werk gedaan was, zat hij een tijdje aan de oever van de Tiber en liet het verkeersrumoer zijn gedachten overstemmen.

Ornella Di Benedetto was nooit bang voor de lijken die aan haar zorg waren toevertrouwd. Daarom was het des te vreemder dat ze die ochtend de kerk niet wilde binnengaan. Het hangslot en de ketting waren kapotgemaakt. Dat was al eens eerder gebeurd, lang geleden. Een paar jongeren op zoek naar een slaapplaats, of iets om te stelen, hadden in het gebouw ingebroken. Waarschijnlijk waren ze op beide punten teleurgesteld. Het was koud en bedompt in de kerk, die werd bevolkt door ratten waarvoor ze gif neerlegde. Er was niets waardevols meer, niet eens een behoorlijk meubelstuk. In het kleine schip, dat de Engelsman als ontvangstkamer en eetzaal had gebruikt, stonden nog slechts enkele waardeloze kerkbanken en een kapotte preekstoel.

Een andere keer, twintig jaar geleden, was een dronkenlap doorgedrongen tot in de kelder. Hij had het licht aangedaan en was gillend de straat weer op gerend. Daar had ze om moeten lachen. De idioot verdiende niet beter.

Geen enkele serieuze crimineel zou de Santa Maria dell'Assunta een tweede blik waardig keuren. En ze kon zich niet voorstellen dat er sensatiebeluste tieners waren die dachten dat het de moeite waard was om er in te breken; er waren door heel Rome veel sfeervollere ondergrondse ruimten, als ze daarnaar op zoek waren.

Toch bleef ze zeker twee minuten daar staan, met de tas met nieuw rattengif aan haar arm. Het was belachelijk.

Met een korte verwensing aan het adres van haar eigen schroom gooide Ornella Di Benedetto de kapotte ketting en het hangslot aan de kant. Terwijl ze zich voornam iemand – de gemeente of het bisdom – de rekening te presenteren voor de kosten om ze te vervangen, trok ze de eikenhouten deur open.

5

Ze bevonden zich vijftig meter onder de rode aarde van de Aventijnse heuvel en zochten langzaam hun weg door een smalle, bochtige gang die bijna twintig eeuwen geleden in de zachte steen was uitgehouwen. Het was er bedompt en vochtig en het rook er naar schimmel en de dierlijke stank van onzichtbare vogels en beesten. Zelfs met hun zaklantaarns en de schouderlampen die ze uit de opslag hadden gestolen, konden ze maar een klein stukje vooruit kijken.

Ludo Torchia bibberde een beetje. Dat kwam gewoon doordat het koud was, wist hij, minstens tien graden koeler onder de oppervlakte, waar – op diezelfde warme dag in juni, zonder dat hij het wist – Alessio Bramante en zijn vader voor het poortgebouw van het huis van de Cavalieri di Malta stonden, door de steen en de aarde boven hun hoofd nog geen halve kilometer bij hen vandaan.

Hij had rekening moeten houden met de verandering in temperatuur. Dino Abati had dat wel gedaan. De jonge student uit Turijn droeg de juiste kleren: dikke, waterdichte, felrode speleokleding die vloekte bij zijn rossige krullenbos; zware laarzen; touwen en andere benodigdheden vastgemaakt aan zijn jack. Hij zag eruit alsof hij helemaal in zijn element was in deze door mensen gemaakte ader, die tot en met de laatste bochtige meter met de hand was uitgehakt. De anderen waren allemaal beginnelingen, in een spijkerbroek en een jasje; sommigen hadden zelfs gymschoenen aan. Abati had hen boven afkeurend bekeken, voor ze de sloten van de wiebelige ijzeren toegangshekken begonnen open te maken.

Nu waren ze net twintig minuten binnen, hun ogen nog niet helemaal aan het donker gewend, en Toni LaMarca begon al te klagen, te jeremiëren met die hoge stem van hem. De trillende klanken weer-kaatsten tegen de ruw gehouwen stenen muren die net zichtbaar waren in het licht van hun lampen.

'Hou je mond, Toni,' beet Torchia hem toe.

'Help me eens herinneren. Waarom zijn we hier ook alweer?' jam-merde LaMarca. 'Mijn ballen vriezen er nu al af. Stel nou dat we be-trapt worden. Wat dan, hè?'

'Ik heb je toch gezegd dat dat niet zal gebeuren,' antwoordde Tor-chia. 'Ik heb op hun rooster gekeken. Er komt vandaag niemand hier-beneden. Vandaag niet. Morgen ook niet.'

'En waarom?'

'Om jou hierbeneden te laten wegrotten, debiel,' zei iemand achter aan de rij. Het was Andrea Guerino, zo te horen aan de norse, noor-delijke stem, en hij bedoelde het niet echt als grapje.

Ludo Torchia bleef staan. De rest van de groep volgde zijn voor-beeld. Tot zo ver werd zijn superioriteit, zijn leiderschap, al erkend.

'Wat hebben we gisteravond gezegd?' vroeg hij streng.

'Weet ik veel. Ik was er niet helemaal bij,' antwoordde LaMarca. Hij zocht bevestiging bij de anderen en keek hen een voor een aan. 'Geldt dat niet voor ons allemaal?'

Het was een lange avond geweest in de bar in de Viale Aventino. Ze hadden allemaal te veel geld uitgegeven. Ze hadden zich allemaal, met uitzondering van Dino Abati, helemaal suf geblowd toen ze terug waren in het smerige huis dat ze bewoonden vlak bij het oude slachthuis in Testaccio, dat met het standbeeld. Boven op het abattoir stond de worstelende gedaante van een gevleugelde man die een stier tegen de grond probeerde te drukken in een zee van dierlijk en menselijk gebeente. Mithras leefde, dacht Torchia. Hij was alleen on-zichtbaar voor het gewone volk.

'We hebben gezegd dat we dit zouden afmaken,' zei Torchia.

Hij stak zijn pols uit, liet hun het wondje zien dat ze allemaal had-den, van het botte scheermesje dat hij laat op de avond uit de bad-kamer had gehaald.

'We hebben gezegd dat we dit samen zouden doen. In het geheim. Als broeders.'

Eigenlijk waren het stuk voor stuk droplullen. Hij vond ze geen van allen aardig. Vond niemand aardig in de werkgroep Archeologie van Giorgio Bramante, als hij eerlijk was. Behalve Bramante zelf. Die man had stijl en een grote kennis en fantasie; drie eigenschappen die

Torchia uitermate belangrijk achtte. De anderen waren marionetten, konden door iedereen die daar zin in had, worden gemanipuleerd, hoewel hij deze vijf met zorg en reden had uitgekozen.

LaMarca, de magere nakomeling van een onbeduidende crimineel uit Napels, met een donkere huid en een onbetrouwbaar gezicht dat nooit iemand recht aankeek, was snel en achterbaks en zou zeker kunnen helpen als het misliep. Guerino, een niet al te slimme boerenzoon uit Abruzzo, was groot genoeg en gemeen genoeg om iedereen in het gareel te houden. Sandro Vignola, de ziekelijk uitziende knul uit Bologna, klein en sullig achter zijn dikke brillenglazen, was zo goed in Latijn dat hij snelle, vloeiende gesprekken kon voeren met Isabella Amato, het lelijke, intelligente, dikke meisje dat Vignola zozeer bewonderde, dat hij bloosde wanneer ze elkaar spraken, en toch niet mee uit durfde vragen. Raul Bellucci, altijd op de rand van paniek, had een advocaat als vader, die onlangs een zetel in de senaat had veroverd. Hij was het soort man dat altijd zou komen opdraven om zijn zoon te helpen, mocht het soort invloed waarover LaMarca beschikte niet het gewenste resultaat opleveren. En Dino Abati was er om hen allemaal in leven te houden, de eersteklas grottenfanaat. Hij was fit, slim, kleiner dan Guerino, maar fysiek even sterk.

Abati zei niet veel. Torchia vermoedde dat hij helemaal niet in hun onderneming geloofde en er alleen op uit was zijn kennis te vergroten, nog een mysterie in het uitgestrekte, onbekende territorium van het ondergrondse Rome te doorgronden. Maar hij wist meer van deze vreemde en gevaarlijke omgeving dan wie ook. Abati had de leiding gehad over het team dat in een oude stoep dicht bij de Trajaanse markt het luik had gevonden. Dit bleek toegang te geven tot een catacombe waarin zich een verborgen kamer en graftombe daterend uit de tweede eeuw, vol schilderingen en inscripties, bevonden. Zijn idee van een uitje in het weekend was uren achter elkaar in een wetsuit tot aan zijn middel in het water, en wat al niet meer, de hele Cloaca Maxima uit te wandelen. Dat oude riool liep nog steeds door de stad, onder het Forum door, naar de Tiber en het nam, zoals Torchia had gezien die ene keer dat hij beneden was geweest, nog altijd smerig spul uit onbekende pijpen mee en spoelde het weg in de richting van alles wat tot zijn geheimen probeerde door te dringen.

Maar het belangrijkste, de reden dat Torchia hem bij dit plan betrokken had, was dat Abati alles van grotten wist, met touwen en lampen, knopen en katrollen overweg kon en ook wist wat je moest doen bij een noodgeval: een gebroken been, een onverwachte overstroming, het instorten van een gang of plafond.

Om de een of andere reden – jaloezie, vermoedde Torchia, aangezien het duidelijk was dat Abati ooit archeoloog van beroep zou worden – had de hoogleraar hem van dit laatste deel van de opgraving buitengesloten. Torchia had zelf ook slechts toevallig van de vondst vernomen, toen hij Bramante en de Amerikaanse promovendus, Judith Turnhouse, er na het college in de gang van de universiteit zachtjes over had horen praten. Daarna had hij een bos sleutels gestolen van de afdeling Beheer, ze allemaal nagemaakt en zijn versies geprobeerd tot ze werkten. Toen had hij zichzelf binnengelaten in het labyrintische doolhof waar Giorgio Bramante, met Turnhouse en slechts een kleine kring vertrouwelingen van de faculteit, steeds dieper in doordrong. Het was ook makkelijk om het geheim te houden. Aan de oppervlakte was niets te zien, alleen een ijzeren hek zoals bij de meeste Romeinse ondergrondse opgravingen stond, vooral uit veiligheidsoverwegingen, om kinderen en vandalen en feestgangers te weren. De buitenkant verried niets van wat er in de zachte steen onder de rode aarde lag op kleine afstand van het gebouw van de vakgroep Archeologie, naast de Santa Sabina Niemand wist wat er onder het parkje lag, met zijn verliefde stelletjes en oude mannen en honden, dat de plaatselijke bevolking, tot Torchia's grote ergernis, de Sinaasappeltuin noemde.

De echte naam, zoals hij en Bramante heel goed wisten, was Parco Savello, naar de oude Romeinse straat, de Clivo di Rocca Savella, die van de overvolle moderne weg langs de Tiber omhoog liep, nog altijd een smal, in de rots uitgehouwen keienpad, tegenwoordig bezaaid met afval, lege injectiespuiten, gebruikte condooms en incidenteel een uitgebrande Lambretta.

Er had vroeger een fort op de top van deze heuvel gestaan. Bataljons soldaten hadden over die weg, een van de eerste in Rome die werd geplaveid, omlaag gemarcheerd om het rijk te gaan verdedigen of uit te breiden, al naar gelang hun meesters eisten. En onder hun barakken hadden ze een magische nalatenschap gecreëerd. Torchia wist het jaartal niet precies. Het mithraïsme was in de eerste eeuw na Christus van Perzië naar Rome gekomen en had vooral in het leger veel aanhangers gehad. Bijna tweeduizend jaar geleden moesten die soldaten op een bepaald moment stiekem onder hun barakken zijn gaan graven aan een labyrint dat één doel diende: hen dichter bij hun god brengen en vervolgens door een reeks beproevingen en ceremonies een hecht, onverbrekelijk verbond tussen hen tot stand brengen, een rangorde van gezag en gehoorzaamheid waaraan ze zich tot aan hun dood gebonden zouden weten.

Hij had dat aanvankelijk niet helemaal naar waarde weten te schatten. Toen hij de sleutels stal en met stijgende verbazing ontdekte wat zich in het doolhof van gangen en grotten van tufsteen bevond, begon het pas ten volle tot hem door te dringen, en dat zou beslist ook voor hen gelden. In de laatste zaal – het ontwijde, door een brute, alles aan zich onderwerpende macht vertrapte heilige der heiligen – kwam de openbaring, een revelatie die hem de adem benam en deed duizelen, zodat hij zich aan de vochtige stenen muur had moeten vastgrijpen.

Zijn gedachten kwamen tot stilstand. De tunnel was hier zo laag dat ze moesten bukken en tegen elkaar aan botsten. Ze kwamen steeds dichterbij. Hij wilde dat hij Giorgio Bramantes kaart had kunnen vinden, want die moest er zijn. Ze waren er nu bijna. Hij was enkele van de voorvertrekken gepasseerd zonder hen mee naar binnen te nemen. De tijd ontbrak. Hij moest hun aandacht vasthouden.

Toen begon Toni LaMarca opeens te schreeuwen. Hij klonk nog meer als een meisje dan anders en zijn hoge gegil kaatste door de gang, vooruit, achteruit.

'Wat is er?' vroeg Torchia kwaad. LaMarca begon hem op de zenuwen te werken.

Hij scheen met de grote lantaarn op de idioot, die als aan de grond genageld tegen de rotsige, ruwe muur bleek te staan. LaMarca keek doodsbenauwd naar zijn rechterhand, die hij net van de steen had afgehaald. Hij was ergens tegenaan gekomen, tegen iets wat leefde. Het was ongeveer vijftien centimeter lang, zo dik als een vinger en ook ongeveer van dezelfde kleur. Toen ze stonden te kijken bewoog het een beetje en kronkelde het zijn gladde, soepele lijf alsof het de aanraking van Toni LaMarca evenzeer verafschuwde als hij het beestje.

Dino Abati scheen met zijn eigen lamp op het diertje en bekeek het eens goed.

'Platworm,' verklaarde hij. 'Die vind je hier beneden. Alhoewel...' Hij keek nog eens goed. 'Zo eentje heb ik nog nooit gezien.'

'Doe er je voordeel mee,' bromde LaMarca en hij wipte de worm met één snelle vingerbeweging van de muur en trapte er met zijn rechtergymschoen op totdat er alleen nog een hoopje brij van over was.

'Wauw,' zei Abati op sarcastische toon, toen LaMarca klaar was. 'Je hebt een worm vertrapt. Wat indrukwekkend.'

'Krijgt toch de pest!' gilde de idioot terug. 'Ik heb er genoeg van. Ik ben weg. Ciao.'

'Zelfs voor iemand als jij,' antwoordde Abati, zo kalm als wat, 'lijkt een premature aftocht uitermate stom in de omstandigheden. Weet je nog wat van geologie, Toni? Dit is tufsteen, waar we in staan. Waardevol gesteente. Deze gangen zijn niet natuurlijk gevormd door water of zo. Ze zijn uitgehouwen. Hoorden misschien ooit bij een mijn. Of...'

Abati's zelfvertrouwen liet hem even in de steek.

'Iets anders wat ik niet ken.'

'Dus?' vroeg de knul met een domme, knorrige agressie.

'Dus aan door mensen gemaakte groeven komt een einde,' zei Abati vermoeid. 'Het kan ook niet veel verder meer zijn. Ik heb nog nooit in mijn leven zo'n lange uitloper van een tufsteengroeve gezien.'

Torchia knikte naar de diepe, fluwelen duisternis voor hen.

'Dit is nog niks. Wacht maar af.'

6

Het licht in het binnenportaal brandde nog. Ornella Di Benedetto deed het uit. Daarna liep ze het kleine middenschip in, waar een beetje licht van een schraal winterzonnetje door het gebarsten gebrandschilderde glas aan de westzijde van het gebouw viel.

Tot haar ontzetting stond de deur naar de crypte open. Daar was ook licht. De bekende zwakke gele waas kroop uit de ondergrondse ruimte omhoog.

Ze ontstak in woede toen ze het zag. Ze had een hekel aan verspilling. Elektriciteit was nog nooit zo duur geweest. Maar ze moest proberen uit te zoeken wat er was gebeurd. Bepalen of het de moeite waard was de politie te bellen.

De kans bestond dat er misschien nog iemand beneden was, zich schuilhield bij haar vertrouwde skeletten, met niets goeds in de zin. Die gedachte was niet bij haar opgekomen tot haar vingers de oude, vochtige poederige pleisterkalk op de gangmuur aanraakten.

Maar waarom zou iemand inbreken in een leegstaande, ontwijde kerk? Het was belachelijk, hield ze zichzelf voor, en toen werd ze zich bewust van de geur, eerst ondefinieerbaar, maar algauw bekend. Het was de geur van de markthal in Testaccio, de kleine, lokale markt vlak bij de Mastro Giorgio, waar ze elke ochtend haar boodschappen deed: sla en groenten en een klein stukje vlees bij een van de vele kramen met de helderrode uitstallingen van varkens- en rundvlees, konijn en lam. In een weinig bezocht hoekje zelfs paardenvlees, dat tegenwoordig alleen nog door de oude mensen werd gegeten.

Ze deed het licht niet uit. Die geur had iets wat dat onmogelijk maakte. In plaats daarvan ging Ornella Di Benedetto drie treden van de smalle, uitgesleten trap af, net ver genoeg om in de crypte met de aaneengesloten ordelijke rijen grijs gebeente te kijken.

En nog iets anders, ertussen. Iets wat glansde onder de gloeilampen, een vorm die haar bekend voorkwam, op de een of andere manier getransformeerd, veranderd in de bron van die sterke, doordringende stank die maar niet uit haar neus wilde gaan.

Toen ze uiteindelijk, wauwelend als een krankzinnige, weer buiten stond en de aandacht probeerde te trekken van voorbijgangers die haar schrille suggesties negeerden, had ze werkelijk geen idee hoelang ze beneden was geweest en wat ze er had gedaan.

Ze keken naar haar. Allemaal. Alle winkelende mensen in de markthal. Alle koopmannen. Iedereen.

Ik ben niet gek, wilde ze tegen hen schreeuwen. Dat ben ik niet!

Ook al kon ze zich niet herinneren hoe ze van de Piazza Albania in Testaccio in de markthal was gekomen en hoelang ze daarover had gedaan. Minstens een uur, dat was althans op te maken uit de marktklok die nu op vijf over elf stond. Ergens onderweg, dacht ze, was ze gaan zitten en een tijdje buiten bewustzijn geweest, als de eerste de beste door goedkope grappa bedwelmde dronkenlap.

Haar blik zocht zijn weg door de hal, naar de rijen met slagerskramen waar het vlees, vers en blauwig, aan de haak hing, scharlakenrood vlees, wasachtig wit vet, aders en organen, poten en karkassen, ingewanden en de sporadische varkenskop.

Vanaf haar vroegste jeugd was de markt een bron van genot geweest. De geur van bloemen vermengd met de frisse, zoutige doordringende lucht van de viskramen. Sinaasappels uit Sicilië lagen naast stalletjes waar verse witte mozzarella van buffelmelk werd verkocht tegen prijzen die zelfs gewone mensen konden betalen.

Ze had eigenlijk nooit over de stalletjes met vlees nagedacht tot op dat moment, toen de aanblik en de geur van de crypte weer bij haar bovenkwamen. Ornella Di Benedetto draaide haar hoofd af van de slagerskramen om te voorkomen dat de vlezige, organische stank in haar mond en neusgaten kroop, haalde een keer diep adem in de nu afschuwelijke bedorven geur van de markt en was bang dat ze zou moeten overgeven.

Het duurde ontstellend lang voor er iemand luisterde. Het was de persoon die haar, voor zover ze kon nagaan, het meest nastond: het vriendelijke meisje van het groentestalletje op de markt, die naar haar gebrekkige, onsamenhangende verhaal luisterde en haar met een sterke kop *caffè corretto* op een stoel zette voor ze de politie belde.

Toen ze opkeek, nog steeds vechtend tegen de misselijkheid, kwam ze tot de ontdekking dat een vrouw met een donkere huid, een Indiase wellicht, met een bezorgde en nieuwsgierige blik in haar ogen peinzend naar haar stond te kijken.

'Ik ben Rosa Prabakaran,' zei de vrouw. 'Ik ben van de politie.'

'De kerk...' mompelde ze, niet goed wetend waar ze moest beginnen.

De jonge politievrouw knikte zo vol vertrouwen, dat Ornella Di Benedetto zich direct iets beter voelde.

'We weten het, *signora*,' zei ze en ze wierp een blik door de hal, maar vermeed ook de slagerskramen. 'Ik kom er net vandaan.'

7

Er zat een hele kolonie cafés in de Via degli Zingari, de smalle straat om de hoek die slingerend omlaag voerde naar het Forum. Toen de fles champagne van Falcone leeg was, stelde hij voor een wandelingetje te maken en een goede kop koffie te halen. Aan die vrijgezellengewoonte was geen einde gekomen; de inspecteur wilde nog altijd niet geloven dat het mogelijk was thuis een behoorlijke *macchiato* te maken.

Een halfuur later kuierden ze, genietend van de schrale warmte die zich had aangediend toen de grijze ochtendnevel was opgelost, in een opgewekte stemming naar het door Falcone uitverkoren cafeetje. De huwelijksplannen en de zwangerschap waren besproken, in een hoos van onbesuisde vragen, knuffels en een niet onaanzienlijke hoeveelheid tranen van de kant van Teresa. Daarna hadden ze, zoals zo vaak gebeurde bij zulk ingrijpend persoonlijk nieuws, de behoefte gevoeld over te gaan op andere zaken. Wat Costa betrof kon het niet veel beter worden. Emily; vrienden; Rome, zijn geboortestad; een paar dagen vrij. En Peroni en Teresa op hun praatstoel, allebei nagenietend van de maaltijd, zij druk redenerend over het werk, Peroni erop gebrand dat onderwerp te vermijden.

Na een korte woordenwisseling die onbeslist eindigde, haalde de patholoog-anatoom hen in. Ze zwaaide van verrukking met haar dikke armen, wees naar de overkant van het plein, de kant van de Via dei Serpenti op, trok aan Emily's mouw en riep met haar hese stem: 'Kijk! Kijk! Daar heb ik eens een prachtige klant gehad. Een of andere vreselijke accountant die aan een zwaard was geregen. Het was –'

'Het was afschuwelijk,' zei Peroni somber.

'O,' reageerde Teresa, opgeruimd en verrast. 'We worden kieskeurig op onze oude dag? Dat komt zeker door die nieuwe partner van je, die brengt je zeker op die idiote gedachten.'

'Niet over zeuren.'

Dit was geen populair onderwerp bij hen.

'Wie is het?' vroeg Emily.

'Een Indiaas meisje,' merkte Teresa op. 'Nog knap ook. God mag weten waarom ze bij de politie werkt.'

De grote man bromde: 'Rosa – en dat klinkt mij niet erg Indiaas in de oren – is in een huurhuis ergens in Monte Sacro geboren. Zoals ik al ik weet niet hoe vaak tegen je heb gezegd, is van Indiase afkomst zijn niet hetzelfde als Indiaas zijn.'

Teresa was niet overtuigd.

'Dat is een beetje een achterhaald standpunt. Natuurlijk is ze een Indiase. Haar vader komt uit Cochin. Hij verkoopt paraplu's en aanstekers en meer van dat soort rommel in een kraampje op straat in Tritone. Maar dan nog. India zit in haar genen. Dat merk je al als je met haar praat. Ze wordt nergens kwaad om, niet aan de buitenkant in elk geval. Dat zal wel karma zijn of zo.'

Peroni hief een vermanend vingertje.

'Ze is nota bene katholiek!'

'Dat maakt nog geen Italiaan van haar,' bracht Costa te berde. 'Zelfs niet vanwege de eer tegenwoordig.'

'Ik bedoel maar,' ging Teresa verder. 'En haar vader is ook katholiek. Dat was hij al in India lang voordat hij hierheen kwam. Wist je dat?'

Peroni slaakte een zachte vloek, zei toen knorrig: 'Nee...'

'Je moet eens vaker met haar praten,' ging ze verder. 'Rosa is een lief, serieus, betrouwbaar mens. En dat brengt me weer bij mijn oorspronkelijke punt. Waarom werkt ze in godsnaam bij de politie? Wat gaat er gebeuren als ze lange tijd met mensen zoals jullie omgaat? Jullie, met al die bijzondere talenten? Ik meen het.' Dit laatste was tot Emily gericht. 'Ik werk nu al tien jaar in dat mortuarium en als zij er niet zijn, is het soms gewoon saai. Dan mis je de kwaliteitsklanten. Geen rotzooi van deze jongens. Geen tijdverspilling. Alleen...'.

Ze zuchtte met een gelukzalige uitdrukking op haar gezicht.

'...het echte werk.'

Peroni schudde zijn hoofd en slaakte een zucht.

'Werk waar ik heel goed buiten kan.'

'Werk dat brood op de plank brengt, Gianni. Iémand moet het

doen. Tenzij je erover denkt naar de verkeersdienst over te stappen,' voegde ze er sluw aan toe. 'Of fantaseer je nog steeds over... wat was het ook alweer?'

'Ja, ja,' gaf hij toe. 'Daar hoef je ons niet aan te herinneren.'

'Een varkenshouderij,' ging Teresa verder. 'Thuis in Toscane. En ik dan aan de slag als dorpsdokter. Boeren hechten na hun knokpartij op zaterdagavond. Dikke zwangere huisvrouwen bijstaan.'

Ze gaf hem een tik op zijn arm, een vrij harde.

'Hoe kwam je erbij?'

'Hoe kwamen wíj erbij?' vroeg hij zacht.

'We wilden vluchten,' antwoordde ze, op slag ernstig. 'We wilden geloven dat je je problemen in de goot kunt dumpen en dan ergens anders naartoe gaan en ze vergeten. Dat heb ik bijna mijn hele leven gedaan. Uiteindelijk wordt het gewoon vervelend. Bovendien hebben die kleine schoften toch de gewoonte weer uit de goot op te krabbelen en achter je aan te komen. En maar jammeren, hè: "Kijk naar mij! Kijk naar mij!"'

'Ik zou een goede varkensfokker zijn geworden! Een heel goede.'

'Zeker,' zei ze vol oprechte sympathie. 'Tot het moment dat je ze naar het abattoir moest brengen. Wat dan, hè, Toscaanse beer van me? Zou je buiten lekker op je *panino* met *porchetto* gaan zitten kauwen, terwijl je ze binnen hoorde gillen?'

Peroni zei niets, keek alleen naar de keien die door generaties van voeten waren afgesleten.

Opeens bleef Teresa staan, omdat ze merkte dat er iemand ontbrak.

'Ik wist niet dat Leo zo langzaam liep,' zei ze. 'Zo slecht gaat het toch niet meer met hem?'

Ze waren een klein stukje terug een hoek omgeslagen. Toen Costa achteromkeek was er geen sterveling te zien. Er klopte iets niet. Leo's gezondheid ging langzaam maar gestaag vooruit. Binnenkort, dacht Costa, zou hij weer aan het werk gaan en hun nieuwe baas, commissario Messina, dwingen een moeilijk besluit te nemen. Liet hij hen weer met elkaar werken, of juist niet?

'Nic...?' zei Emily zacht, met een lichte bezorgdheid in haar stem.

Hij draaide zich om om op zijn schreden terug te keren en Peroni wilde net zijn voorbeeld volgen toen van ergens dichtbij, van de kant van de naburige brede hoofdstraat, de Via Cavour, het bekende geluid van een politiesirene kwam, gevolgd door een tweede en een derde en het getoeter van nijdige claxons.

'Volgens mij...' begon Teresa, maar opeens zweeg ze.

Vlakbij schreeuwde iemand. En hoewel de geluiden woordeloos waren en door paniek gedreven, toch wist Nic Costa, op die merkwaardige manier waarop de menselijke geest werkte, dat ze afkomstig waren van een doodsbange Raffaela Arcangelo, die onzichtbaar en een paar vertwijfelde momenten lang ook onbereikbaar was.

Toen wankelden twee gedaanten in zicht: Leo Falcone in de armen van een sterk, krachtig individu wiens gezicht schuilging onder een zwarte wollen muts die laag over zijn oren was getrokken.

Een man die een vuurwapen tegen Falcones hals aan hield, het ertegenaan duwde en iets schreeuwde wat Costa niet goed kon verstaan.

8

Na ongeveer een minuut – Ludo Torchia vond de tijd moeilijk te schatten in deze half verlichte wereld waar de dimensies onnatuurlijk en daardoor onmogelijk te peilen waren – verscheen aan zijn linkerkant een lage doorgang. Deze zag er bekend uit. Hier moest het zijn.

Tot zijn verwondering begon LaMarca opnieuw te zeuren.

'Je zei toch...' mompelde hij.

'Wat?'·

'Je zei toch dat er zeven moesten zijn.'

'Er zouden er zeven geweest zijn. Als die klootzak van een Vincenzo niet te schijterig was geweest.'

'Je zei dat het er zeven moesten zijn. Anders werkte het niet. Je –'

Woedend draaide Torchia zich om en greep LaMarca bij zijn jasje. Hij pakte hem stevig vast, trok hem met een zwaai voor zich uit en gooide hem met zijn hoofd vooruit het ruwe trapje af, het vertrek in dat nu aan hun linkerkant zichtbaar werd.

Daarna pakte hij alle grote lampen van de anderen, die zwijgend, enigszins ontdaan, bij elkaar stonden, en zette ze zo naast elkaar op de grond, dat ze allemaal naar binnen schenen.

Toen hun ogen eraan waren gewend, kwam de ruimte voor hen uit het halfduister tevoorschijn. Een verblufte stilte viel over de groep. Zelfs Torchia kon zijn ogen niet geloven. In beter licht was het vertrek opzienbarender dan hij had durven hopen.

'Wat is dit in hemelsnaam, Ludo?' vroeg Abati. Er zat nu een ondertoon van dankbare verbazing in zijn stem.

Met meer lampen kon hij de details bewonderen: de schilderingen op de zeven wanden, met de oorspronkelijke kleuren, oker, rood en blauw, nog duidelijk te zien, hoewel in de loop der jaren iets fletser geworden. De twee rijen lage stenen banken, keurig opgesteld voor de beschilderde muren van het vertrek, allemaal gericht op het altaar, in de wand tegenover de hoofdingang, met het grote beeld van Mithras die de offerstier slachtte; een studie die uiterst karakteristiek was voor de cultus, een schoolvoorbeeld. Torchia had het beeld een uur bestudeerd toen hij hier de eerste keer was binnengeslopen, het spookachtig witte marmer aangeraakt, de precieze contouren van de figuren betast. Hij had nu hetzelfde gevoel als toen: dat hij was geboren om hier deel van uit te maken, geschapen om te horen bij wat het vertegenwoordigde.

Hij pakte twee grote lampen en liep naar de vlakke witte plaat marmer voor het beeld. De figuren leken te leven: de menselijke Mithras, sterk en krachtig, die schrijlings boven de door zijn poten gezakte, angstige stier in doodsstrijd stond. De god droeg een gevleugelde, hoge Frygische muts en hield de kop van het beest omhoog met zijn rechterhand, terwijl hij met zijn linker een kort zwaard in zijn keel stak. Uit het gebeeldhouwde gras kwam een schorpioen omhoog die zich gretig vastbeet in de punt van de slappe penis van de stier. Een gespierde, opgewonden hond en een kronkelende slang hingen aan de rechterschoft van het beest en dronken van het bloed uit zijn wond.

'Zo op het eerste gezicht,' zei Torchia, die de vraag van Abati beantwoordde toen het hem uitkwam, 'zou ik zeggen dat we in de grootste en belangrijkste Mithrastempel staan die iemand ooit heeft gezien. In Rome althans.'

Hij liep naar de altaartafel, liet een vinger over de bovenkant glijden en zag hoe deze door zowel het stof als de kleur ging. Hij had het de eerste keer al bij het rechte eind gehad. De vlekken op het altaar, net oude roest, waren geen tekeningen in het marmer.

'Tot de slachters kwamen en er een einde aan maakten. Of vergis ik me?'

Ze waren stil achter hem aan gekomen. Abati stond met grote ogen om zich heen te kijken.

'Wat is hier gebeurd, Ludo?' vroeg hij.

'Kijk om je heen. Zeg het maar.'

Abati liep een stukje door en raapte enkele potscherven van de grond. Het aardewerk was door een of andere harde klap gebroken.

Daarna keek hij van dichtbij naar de muurschilderingen: een idyllisch landelijk tafereel, met de god te midden van een grote groep vurige aanbidders. Door de verf liepen diepe, evenwijdige kerven, afkomstig van een bijl. Het gezicht van de god was uit de steen weggehakt en nu niet veel meer dan schimmel en stof.

'De tempel is ontheiligd,' zei Abati. 'En niet zomaar door een paar grafschenners.'

Torchia raapte nog enkele potscherven op, zo te zien van een offerkruik.

'Het is Constantijn geweest.'

Het was hem nu duidelijk: ze stonden midden in de voorloper, het sjabloon van alles wat zou volgen: van de kruistochten, de oorlog in Bosnië, christenen die christenen ombrachten tijdens de plundering van Constantinopel, en katholieken die, gezegend door de priesters die onaangedaan toekeken, Azteken vermoordden. Dit was het moment, kort nadat Rome in handen van de troepen van Constantijn was gevallen, dat het christelijke zwaard het bloed van een andere religie zocht, niet op het slagveld maar in het heilige der heiligen. Die dag, 28 oktober 312, had het verloop van de geschiedenis veranderd en in deze ondergrondse ruimte, mogelijk slechts enkele korte uren na het oversteken van de Milvische brug, waren de onderdrukten de onderdrukkers geworden en hadden ze wreed en beslissend wraak genomen voor alles wat vooraf was gegaan.

Abati lachte.

'Dat kun je niet weten. Het moet vroeg geweest zijn. Maar...'

Abati was zowel verbaasd als van zijn stuk gebracht door wat hij zag. Dat deed Ludo Torchia genoegen.

'Het is gebeurd op de dag dat Constantijn Rome binnentrok. Of misschien de dag erna. Een andere verklaring is er niet. Ik zal het je laten zien...'

Hij nam Abati mee naar een lage deuropening aan de linkerkant. Torchia hield de grootste zaklamp in zijn hand. Hij was blij dat hij gezelschap had. Die eerste keer, toen hij er alleen voor stond, was hij van streek geraakt door deze vondst.

'Na jullie,' zei hij, terwijl hij Abati en de anderen door het gat duwde. Toen richtte hij de lamp vol op wat voor hen lag, een zee van menselijke botten: ribben en schedels, verbrijzelde armen en benen, als de afgedankte rekwisieten van een horrorfilm uit de oudheid, op een hoop gegooid toen ze niet meer nodig waren.

'Allemachtig,' kreunde Abati.

Achteraan begon LaMarca te hinniken van angst. .

'Wat is dit in hemelsnaam?' vroeg Abati.

'Dit is de plaats waar ze ze hebben vermoord,' zei Torchia onbewogen. 'Kijk maar. Volgens mij zijn het er meer dan honderd, misschien wel veel meer. Ik ben geen deskundige, maar ik denk dat het voornamelijk mannen zijn, hoewel er volgens mij ook een paar kinderen bij liggen. Ze waren waarschijnlijk naakt toen ze werden gedood.'

Hij scheen met de zaklantaarn in de verste hoek.

'Kijk daar, daar liggen hun kleren. Ik heb geen uniformen en wapens kunnen vinden. Ze waren niet van plan te vechten, niet meer. Ze werden gedwongen zich uit te kleden. Daarna werden ze neergehouwd. Je kunt het nog aan hun botten zien als je de moeite neemt om goed te kijken. Het was een bloedbad.'

De knul uit Napels stond weer te beven, van nieuwsgierigheid en angst tegelijk. LaMarca hield van geweld, vermoedde Torchia. Maar alleen op veilige afstand.

'Ik hoef dit niet meer te zien,' mompelde LaMarca en hij sloop ontdaan terug naar het grote vertrek.

Abati dacht er hetzelfde over. Hij keek nog één keer naar de botten die verspreid op de stenen vloer lagen en verdween.

'Professor Bramante weet hiervan?' vroeg hij toen ze weer bij het altaar stonden. 'En hij heeft het tegen niemand verteld?'

Torchia had daar zijn eigen theorie over.

'Wat moet je zeggen? Dat je de grootste Mithrastempel hebt gevonden die er bestaat? O ja, en een paar honderd door de christenen aan mootjes gehakte gelovigen? Hoe moet je dat op dit moment in de publiciteit brengen?'

'Het wil er bij mij niet in...' begon Abati en toen viel hij stil.

Ludo Torchia had deze discussie in gedachten al gevoerd. Giorgio Bramante had een van de grootste archeologische vondsten ter wereld blootgelegd, en een van de eerste voorbeelden van religieuze genocide. Dat waren echte botten, de overblijfselen van echte mensen in die kamer, een schokkende uitstalling van op een hoop gegooide verbrijzelde schedels en ledematen als een weerzinwekkende voorloper van een tafereel uit Bergen-Belsen. Of de duizenden in Srebrenica die door de 'vredesmacht' aan de Serviërs waren overgedragen en vervolgens routineus en efficiënt waren afgemaakt toen een andere groep christenen besloot de genenpoel te zuiveren. Dat verhaal haalde nog altijd de voorpagina's. Er heerste schaamte in heel Europa dat zoiets nog steeds kon gebeuren op slechts een paar kilometer afstand van de stranden waar tevreden vakantiegangers lagen te zonnen. Dus misschien wachtte Bramante op het juiste moment, de juiste woorden, of een andere vondst die de klap zou verzachten. Misschien had hij sowieso de moed niet en wilde hij dit zeer grote geheim voor altijd voor zich houden, wat in Torchia's ogen op zichzelf een misdrijf zou zijn.

Iets aan Abati's gezicht vertelde Torchia dat hij nu het ware plaatje begon te zien.

'Waarom zijn ze volgens jou hierheen gekomen?' vroeg hij. 'Om nog een laatste keer stelling te nemen?'

'Nee,' zei Torchia beslist. 'Dit was een tempel, een heilige plek. Geen plek voor menselijk bloed. Denk je dat de paus voor het altaar in de Sint-Pieter zou hebben gevochten? Deze mannen waren soldaten. Als ze hadden willen vechten, hadden ze buiten positie gekozen. Ze kwamen hierheen' – hij keek het vertrek rond – 'om nog één keer een eredienst te houden.'

In gedachten zag hij hen nu allemaal voor zich, onbevreesd, wetende dat het einde nabij was, vastbesloten nog een laatste keer eerbied te betuigen aan de god wiens kracht de stier slachtte en leven aan de wereld schonk.

Hij bukte zich en richtte de lamp op de vloer. Daar stond een ruw houten kooi, en in die kooi lagen botten, waarschijnlijk van een kip, die eruitzagen als de stoffige overblijfselen van een miniatuurdinosaurus, met de poten opgevouwen onder het karkas, de gesnavelde kop nog herkenbaar. De tempelgangers hadden geen tijd gehad het offer te volbrengen. Want toen kwamen de christelijke soldaten, schreeuwend om nog meer doden op een dag dat de stad al rood gekleurd moest zijn geweest van het bloedvergieten, en masse de heiligste kamer binnenstormen met Constantijns symbool, het Chi-Rho-symbool, voor *christos*, op hun schild.

'Ze kwamen hier om een laatste offer te brengen,' zei hij. 'Voor het voorgoed gedaan was met hun god. En het was hun niet eens gegund dat te volbrengen.'

Ludo Torchia zwaaide de rugzak van zijn schouder op de grond en trok de rits open. Twee scherpe ogen keken hem fonkelend aan. De jonge haan was glanzend zwart en had een rechtopstaande beweeglijke rode kam. Het dier had hem veel geld gekost die ochtend op de drukke markt in Testaccio, dicht bij de Via Marmorata onder aan de heuvel.

De vogel bleef roerloos en stil zitten toen hij de kooi uit de rugzak tilde.

'Wauw...' fluisterde LaMarca opgewonden in het donker. 'Wat krijgen we nu?'

Er waren genoeg verwijzingen te vinden in de Latijnse standaardteksten over hoe je op de juiste manier een offer bracht. Het was niet moeilijk. Torchia kon het net zo doen als een keizer vroeger.

Er zat hem echter iets dwars. Toni LaMarca had gelijk. Zeven was het magische getal. En ze kwamen er één tekort.

9

Hij had geen wapen.

Die gedachte kwam bij Costa op toen hij de straat door rende en zich een oordeel probeerde te vormen over wat er voor zijn ogen gebeurde. Het was maanden geleden dat hij een wapen had aangeraakt. Maanden geleden dat hij aan vuurwapens had gedacht. Erg belangrijk kon het niet zijn. Ze waren midden in Rome, in een zeer drukke buurt. In deze omgeving kon je hoogstens te maken krijgen met een tasjesdief, meer niet, hoewel iets in de wanhopige stem van Raffaela Costa ertoe had bewogen tegen de vrouwen te roepen dat ze daar moesten blijven, voor het geval dat. Gianni Peroni kwam achter hem aan en rende zo hard als hij kon. Maar Costa was twintig jaar jonger dan zijn partner. Zodra hij de hoek om ging naar het smalle zijstraatje waar Falcones aanvaller de oude inspecteur heen had gesleept, stond hij er alleen voor, wist hij, ongewapend. Hij zou zelf zo gewiekst moeten zijn een oplossing te vinden voor wat hij aantrof.

Het geluid van de sirenes werd harder in de Via Cavour, de dichtstbijzijnde doorgaande weg. Dat maakte de zaken er niet eenvoudiger op. Costa sloeg links af de smalle doorgang in. Het was niet veel meer dan een steegje, donker door de hoge huizen die het zonlicht tegenhielden.

Er stond een wit bestelbusje, geparkeerd in een merkwaardige hoek, dwars over de keien om de weg voor andere auto's te versperren. Raffaela Arcangelo lag een klein stukje bij hem vandaan op de grond. Ze schreeuwde en zag eruit alsof ze was getroffen. Leo Falcone verzette zich krachteloos in de armen van een aanvaller, die een wapen tegen zijn linkerslaap hield en de zwaar beproefde inspecteur achteruit trok in de richting van de openstaande portieren van het busje.

Peroni arriveerde zwetend en hijgend bij de kruising.

'Laat het aan mij over,' beval Costa, met een handgebaar in zijn richting. 'Zorg dat de vrouwen niet dichterbij komen. Hij heeft een wapen. Aantallen doen er niet toe.'

'Nic!' riep Emily boos tegen hem.

Hij draaide zich om en keek haar aan. Door de zwangerschap zag ze bleek. Die ochtend had hij haar kokhalzend in de badkamer aangetroffen. Luidruchtig, een beetje boos en geschokt omdat iets binnen in haar, iets waarvan ze zou gaan houden, haar zomaar opeens lichamelijk zo kon krenken.

'Toe,' zei hij resoluut. 'Er gaat niets gebeuren. Blijf waar je bent.'

Makkelijke woorden, domme woorden. Maar ze zouden even werken.

Hij wandelde kalm het straatje in en negeerde de geraakte vrouw op de grond. Costa probeerde in de ogen te kijken van de man in de zwarte jas, te bepalen wat er in hem omging. Hij keek eerder vastbesloten dan zelfverzekerd. Iedereen in de Questura was getraind in terrorismebestrijding. Iedere politieman wist hoe een professionele huurmoordenaar of ontvoerder zich over het algemeen gedroeg; welke grepen, welke tactieken ze gebruikten om het beoogde slachtoffer te pakken. Wat hij zag paste niet in het plaatje. Dit was een amateur die handelde naargelang de situatie.

Costa keek nog eens goed. Het was een goede amateur, kalm, vastbesloten.

Peroni was weer op adem gekomen en stapte in het licht op de kruising – in de vuurlinie, anders kon Costa het niet zien.

'Achteruit! Wat zei ik nou!' schreeuwde hij, ditmaal boos op zijn partner. Er mocht geen verwarring ontstaan. De situatie was op zichzelf al delicaat genoeg. Hij was opgelucht toen hij zag dat de man ogenblikkelijk bleef staan, met een frons op zijn gezicht.

Daarna keek hij naar Leo Falcone en voelde hij zich langzaam boos worden. Er zat bloed op de mond van de inspecteur. Maar bovendien iets vreemds, iets ongewoons, in zijn ogen, een soort gelaten, verbijsterde aanvaarding die naar zijn weten absoluut niet bij Falcones karakter paste.

Er schoot een verdwaalde gedachte door Costa's hoofd.

Je kijkt alsof je een geest hebt gezien, Leo, dacht hij.

10

Het verjaardagsfeestje was in de tuin van zijn ouderlijk huis gehouden, in de schaduw van de stoffige pergola met wijnranken, op het terras met het vrije uitzicht van de Aventijn op de langwerpige groene vlakte van het Circus Maximus. Er waren negen klasgenootjes aanwezig, uitgenodigd door zijn moeder.

Maar van alle getallen was er slechts één belangrijk en dat niet alleen omdat het zijn leeftijd was. Zijn vader had hem apart genomen en er wat over verteld voordat de andere kinderen kwamen.

Zeven was het magische getal.

Er waren zeven heuvels in het keizerlijke Rome; de Bramantes woonden op een heuvel waaraan in bepaalde opzichten niet zoveel was veranderd in al die eeuwen.

Zeven in getal waren de planeten die in de oudheid bekend waren. Er waren zeven wereldwonderen, zeven primaire kleuren, zeven hemelen waarvan men meende dat ze bestonden, ergens in de lucht, verborgen voor het oog van de levenden.

Dit waren, zei Giorgio Bramante, universele ideeën, ideeën die dwars door continenten, völken, religies heen liepen, in identieke vorm opdoken in situaties waar de voor de hand liggende verklaring – een Venetiaan vertelde het tegen een Chinees die het tegen een Azteeks opperhoofd vertelde – niet opging. Zeven verscheen buiten de mens om, deed uit eigen beweging zijn intrede in het bestaan van mensen. De vrijmetselaars, die vrienden waren van de Ridders van Malta, geloofden dat zeven hemelse schepsels, de Machtige Elohim, het universum en alles erin hadden geschapen. De joden en christenen dachten dat God de wereld had geschapen in zes dagen en had gerust op de zevende. Voor de hindoes was de aarde een land dat volledig werd omsloten door zeven schiereilanden.

Jezus sprak precies zeven keer aan het kruis voor hij stierf. Zeven kwam overal in de Bijbel voor, zei zijn vader, tijdens dat intieme moment dat ze hadden vóór de ballonnen en de cake en het stomme, zinloze zingen. In iets wat hij Spreuken noemde – een woord dat Alessio mooi vond en besloot te onthouden – stond een uitspraak die zijn vader woordelijk kon herhalen, hoewel ze nooit naar de kerk gingen.

'"Een rechtvaardige komt zevenmaal ten val, maar telkens staat hij op. Een goddeloze struikelt door zijn slechte daden, en komt voorgoed ten val."'

Alessio had gevraagd wat de spreuk betekende. Hij begreep niet veel van de Bijbel. Misschien begreep zijn vader er ook niet veel van.

'Het betekent dat een goed mens misschien wel telkens het verkeerde doet, maar dat hij of zij het uiteindelijk toch nog kan rechtzetten. Terwijl een slecht mens...'

Hij had geluisterd en gewenst dat het gehate feestje snel zou beginnen en snel afgelopen zou zijn. Hij wilde geen cake eten. Hij zou pas weer gelukkig zijn als hij alleen werd gelaten met zijn fantasie, terwijl zijn vader verdiept was in zijn boeken en zijn moeder in haar atelier boven met haar stinkende verf en onvoltooide schilderijen in de weer was. Op school zeiden sommigen dat het niet goed was enig kind te zijn. Uit wat hij opving van de zachte gesprekken van zijn ouders, die verhit werden wanneer ze dachten dat hij hen niet kon horen, maakte hij op dat het geen kwestie van kiezen was.

'Een slecht mens blijft altijd slecht, wat hij ook doet?' opperde Alessio.

'Voor altijd,' beaamde Giorgio Bramante en hij knikte wijs en gewichtig met zijn hoofd, iets wat Alessio zó geweldig vond dat hij het van tijd tot tijd nadeed. Dat gebaar, dat bedachtzame en imponerende knikken, liet zien wat zijn vader was: een professor. Een geleerd man met geheime kennis, die langzaam in de loop der jaren zou worden onthuld.

'Voor altijd' was oneerlijk. Een hard oordeel, geen oordeel dat iemand als Jezus, die toch in vergeving geloofde, zou vellen.

Die gedachte kwam de volgende dag weer bij hem boven toen hij, in de heuvel onder het park met de sinaasappelbomen, nog meer geheimen hoorde, groter en prachtiger dan hij zich ooit had kunnen voorstellen. Alessio Bramante en zijn vader bevonden zich in een kleine, felverlichte ondergrondse ruimte op slechts korte afstand van het ijzeren hek, in een afgelegen tunnel aan de rivierzijde van het park vlak bij de school. Giorgio had het hek bij aankomst, duidelijk tot zijn verrassing, onafgesloten aangetroffen, hoewel hij zich er niet erg druk om scheen te maken.

Zeven.

Hij keek het vertrek rond. Het rook er vochtig en het stonk er naar oude sigarettenrook. Er waren tekenen dat hier regelmatig mensen kwamen: een woud van zeer felle elektrische lampen, aangesloten op zwarte snoeren die slingerend naar de deuropening liepen; kaarten en tekeningen en grote vellen papier aan de muur; en één lage tafel met vier goedkope stoelen, bij elkaar geplaatst onder de gele gloeilampen die aan het rotsplafond hingen.

Alessio zat tegenover zijn vader op een van de wiebelige stoelen vol ontzag te luisteren en om zich heen te kijken toen hij vertelde wat ze gevonden hadden en welke andere grote geheimen misschien nog elders in dit labyrint onder de heuvel lagen.

Op de ruimte kwamen zeven gangen uit, die nog net zichtbaar waren in de plotse duisternis achter het licht dat de lampen wierpen, zeven zwarte gaten die naar iets leidden waar hij alleen naar kon raden.

'Mithras hield van het getal zeven,' zei Giorgio vol overtuiging, alsof hij het over een goede vriend had.

'Iedereen houdt van het getal zeven,' merkte Alessio op.

'Als je zijn volgeling wilde worden,' hernam Giorgio Bramante zonder acht te slaan op de opmerking, 'moest je je aan de regels houden. Elk van die gangen leidde naar een soort... belevenis.'

'Een leuke?'

Zijn vader aarzelde.

'De mannen die hier bij elkaar kwamen, hadden een bepaald idee in gedachten, Alessio. Ze wilden iets. Eén worden met hun god. Dat dat gepaard ging met ongemak was een prijs die ze bereid waren te betalen. Ze wilden een sacrament ontvangen, in elk stadium van hun reis door de rangorde, om datgene te verwerven waar ze op uit waren. Kennis. Groei. Macht.'

Alessio was benieuwd wat voor geschenk zoveel teweeg kon brengen. Vooral toen zijn vader zei dat het sacrament, in elk van de zeven in belangrijkheid opklimmende rangen van de orde herhaald, wellicht groter gemaakt moest worden.

Corax, de Raaf, de laagste beginner, die stierf en dan werd herboren wanneer hij de god ging dienen.

Nymphus, de bruidegom, getrouwd met Mithras – een idee dat Alessio vreemd voorkwam.

Miles, de soldaat, die geblinddoekt en geboeid naar het altaar werd geleid en pas werd vrijgelaten wanneer hij een straf had ondergaan waarvan de inhoud verloren was gegaan.

Leo, de leeuw, een bloeddorstig schepsel, die de dieren offerde die uit naam van Mithras werden gedood.

Perses, de Pers, de brenger van een geheime kennis aan de hoogste rangen.

Heliodromus, de Zonneloper, het dichtst bij de menselijke vertegenwoordiger van de god op aarde, de man die de hoogste plaats binnen de cultus innam, zijn schaduw en beschermer.

Hij wachtte. Toen Giorgio de laatste naam niet noemde, vroeg hij ernaar. 'Wie was die laatste?'

'De leider werd Pater genoemd. Vader.'

Met rimpels in zijn gezicht van het denken probeerde hij te begrijpen wat dat betekende.

'Was hij hun vader?'

'In zekere zin. Hij was de man die beloofde dat hij altijd voor hen zou zorgen. Zolang als hij leefde. Ik zeg dat tegen je omdat ik je echte vader ben. Maar als je hier Pater was, was je een groot man. Je was uiteindelijk verantwoordelijk voor iedereen. De mannen in de cultus. Hun vrouwen. Hun gezinnen. Je was een soort belangrijkere vader, met een grotere familie, kinderen die niet je echte kinderen waren, hoewel je wel voor hen zorgde.'

Hij wist wat voor soort wezen dat moest zijn.

'U bedoelt een god?'

'Een god die in een mens woont, wellicht.'

'Wat voor sacrament heb je nodig,' vroeg hij, 'om zo te worden?'

Giorgio Bramante trok een peinzend gezicht.

'Dat weten we niet. We weten niet zoveel. Misschien dat we op een dag...' Hij keek om zich heen. Op dat moment stond er teleurstelling op zijn gezicht te lezen. 'Als we het geld krijgen. De toestemming. Je zou kunnen helpen bij het zoeken naar die geheimen. Als je straks groot bent.'

'Ik zou nu ook kunnen helpen!' zei die jongen enthousiast. Hij was ervan overtuigd dat zijn vader dat wilde horen.

Toch twijfelde hij. Er was hier zoveel onzichtbaar, zoveel wat zich schuilhield aan de rand van de gele lichtpoel van de gloeilampen boven hun hoofd. En de geur... Die deed hem denken aan iets wat in de koelkast lag te bederven en langzaam een harige laag schimmel kreeg. Iets wat van zichzelf dood was, maar iets nieuws bevatte, iets wat leefde en van binnenuit naar buiten groeide.

'U weet een paar van de geschenken die ze gaven,' drong Alessio aan. 'Dat hebt u verteld. Over Miles en de leeuw.'

'Een paar zijn er bekend. We weten wat Corax moest ondergaan...'

Hij aarzelde. Alessio wist dat hij uiteindelijk zou zeggen wat hij op zijn hart had.

'Corax moest alleen gelaten worden. Waarschijnlijk ergens in een van die lange, donkere gangen. Men moest hem daar laten zitten tot hij zo bang werd, dat hij dacht dat niemand hem zou komen halen. Nooit meer. Dat hij zou sterven.'

'Wat gemeen!'

'Hij wilde een man worden!' antwoordde zijn vader met enige stemverheffing. 'Een man wordt gemaakt. Niet geboren. Je bent nog een kind. Je bent te jong om dat te begrijpen.'

'Leg het me dan uit.'

'In een wrede wereld moet een man soms wrede dingen doen. Dat hoort bij het volwassen worden. Een man is er om die last te dragen. Uit liefde. Uit praktische overwegingen. Denk je dat het minder wreed is zwak te zijn?'

Zijn gezicht vertrok van afschuw toen hij dat laatste woord zei. Zwakheid, begreep Alessio Bramante, was een soort zonde.

'Nee,' antwoordde hij zacht.

De stem van zijn vader werd weer wat zachter.

'Wreedheid is soms relatief, Alessio. Is een arts wreed als hij het zieke ledemaat amputeert dat je dood zou kunnen worden?'

Alessio Bramante had nog nooit zo over artsen nagedacht. Hij werd er akelig van.

'Nee,' antwoordde hij, omdat hij dacht dat dat het goede antwoord was.

'Natuurlijk niet. Mannen zijn er om dat soort beslissingen te nemen. Ik heb dat geleerd. Jij zult het ook leren. Wat ons pijn doet, kan ons ook sterk maken.'

Giorgio Bramante hield zijn hoofd schuin naar één kant, als een merel in de tuin die luisterde of hij wormen hoorde.

'Hoor je dat?' vroeg hij.

'Nee...'

'Ik hoorde iets,' zei hij. Hij stond op en keek naar de donkere gaten van de gangen. Zeven in getal. Hij vroeg zich af welke hij moest nemen.

'Het is hier veilig, Alessio. Blijf gewoon op je stoel zitten. Niet ongeduldig worden. Ik moet even iets doen. Wacht tot ik terugkom.'

Alessio rilde, keek naar het oude blad van de goedkope tafel en probeerde niet na te denken. Giorgio had een dikke jas bij zich. Zijn zoon bedacht zich dat zijn vader had geweten dat ze naar deze koude, vochtige ruimte onder de grond gingen, maar niets tegen hem had gezegd. Alessio droeg alleen een dunne katoenen schoolbroek en zijn witte T-shirt, die ochtend schoon aangetrokken, met het symbool dat zijn moeder voor de school had ontworpen in heldere kleuren op de voorkant: een ster in een donkerblauwe cirkel, met een aantal op gelijke afstand van elkaar gelegen kleinere sterren eromheen.

Zeven sterren. Zeven punten.

'Dat zal ik doen,' beloofde hij.

11

Leo Falcone kon vrijwel alles aan wat het leven voor hem in petto had. Zelfs een kogel in het hoofd die de neurale verbindingen tussen zijn hersens en zijn ledematen – tijdelijk, zeiden de artsen allemaal – had verbroken. Maar wat hem nu overkwam lag buiten zijn verwachtingswereld. Op het gezicht van de inspecteur stond echte angst te lezen en daardoor zag hij er oud en zwak en kwetsbaar uit.

Banden piepten aan het einde van het straatje, op de Cavour. Drie blauwe politiewagens waren het drukke trottoir op gereden en met gillende banden tot stilstand gekomen voor de betonblokken die daar stonden om auto's te weren. Agenten in uniform stapten uit en keken het smalle steegje in naar de twee mannen bij het busje en naar Costa, onbeschut in het bleke lentezonnetje op de kruising.

Dat moet je vooral doen in dit soort situaties, dacht Costa met stijgende ontzetting. De druk opvoeren.

Hij deed een paar stappen naar voren, tot hij nog slechts enkele meters bij Falcone en zijn aanvaller vandaan stond, met zijn armen in de lucht, handen open, vingers gespreid, kalm pratend, niet boos, niet onbeheerst, zo koel als hij in de omstandigheden kon.

'Er gaan geen gewonden vallen,' zei Costa. 'Laten we het simpel houden. Jij legt het wapen neer. We praten.'

'Nic...' gromde Falcone, die vastgeklemd in die pijnlijke positie nog genoeg venijn over had om zijn punt te maken. Costa kende die zachte, toornige toon. Laat dit aan mij over, betekende die toon.

Hij wierp een blik over zijn schouder. Een grote politiebus, te groot voor de smalle straten, versperde het steegje aan de andere kant. Zo te horen kwamen er door de Via degli Zingari uit beide richtingen nog meer wagens aan scheuren om elke mogelijke ontsnappingsroute af te sluiten.

Costa keek eens goed naar die slimme, donkere ogen. De man ging niet meer zo ruw om met Falcone. Hield hem alleen stevig vast, met een arm om zijn nek en aan de andere het wapen. De grote zwarte revolver – afkomstig uit het leger, vermoedde Costa – hield hij in een neutrale positie, vanwaar hij alle kanten op kon: naar voren, naar achteren, wat hij maar wilde, bliksemsnel.

Tijdens de training leerden ze je twee dingen over dit soort situaties. Ten eerste, dat een man altijd het gevaarlijkst was wanneer hij in het nauw was gedreven. En ten tweede, dat je ervoor moest waken dat je emoties met je op de loop gingen en je vergat dat er eigenlijk maar één ding belangrijk was: het slachtoffer levend bevrijden.

'Je kunt nergens heen...' begon Costa, maar hij werd overstemd door een bekend geluid.

Het hoge gegier van een kleine, overbelaste scooter, een mechanisch, te hard bijengezoem, klonk op in de Cavour en werd aldoor luider en nijdiger.

Tot zijn verbijstering was de scooter langs de betonnen versperringen gereden, had zich tussen de politiemensen en surveillancewagens door gewurmd en kwam nu heuvelopwaarts gesneld. De man van middelbare leeftijd aan het stuur gaf gas en schakelde naar een andere versnelling om meer snelheid te krijgen, terwijl hij zich een beetje wankel – en dat misschien niet alleen door de zwaartekracht – omdraaide en zijn vuist schudde tegen de politiemensen.

Costa herkende het model. Het was een vuurrode Piaggio Vespa ET4, een retroscooter uitgevoerd in de stijl van de jaren zestig om hem op het origineel uit een oude zwart-witfilm in het Rome van Fellini en Rossellini te laten lijken.

Dit ongerijmde schouwspel bracht hen allemaal tot zwijgen: Falcone en zijn overweldiger, de verbijsterde en woedende politiemensen die hem hadden laten passeren.

De persoon in het zwart keek hoe de Vespa naderbij kwam. Toen trok hij Falcone aan de kraag van zijn overjas rechtop en zag iets, een kans misschien.

Costa beoordeelde de situatie. Zeker twaalf politiemensen, ten minste zes voertuigen, allemaal met vier wielen. Een perfecte afsluiting voor een man te voet of in een auto. Maar met een klein scootertje...

Hij deed een stap naar voren en keek recht in de loop van het wapen.

'Doe geen domme dingen,' zei Costa kalm.

Falcone vond zijn stem terug. Hij draaide zo goed en zo kwaad als het ging zijn hoofd om, keek de man recht in het gezicht en zei met iets van zijn oude zelf: 'Dit is Giorgio Bramante. Hij heeft naar mijn weten in zijn hele leven maar één keer iets doms gedaan. Ik dacht dat hij daar nog voor boette.'

'Dat heb je goed gedacht,' zei de man en hij drukte de loop van het wapen hard tegen de zijkant van Falcones hoofd.

Raffaela schreeuwde het opnieuw uit. Het gerammel van de scooter werd luider. Costa schatte zijn kansen in: vrijwel nihil. Dat maakte niet uit. Hij moest een poging wagen.

Toen gebeurde er iets opmerkelijks. Bramante boog zich naar Leo Falcone toe en fluisterde iets zonder Costa een moment uit het oog te verliezen, aldoor klaar voor de aanval. Het wapen sloeg hard tegen Leo's schedel. Bramante liet zijn greep verslappen. De inspecteur greep naar zijn hoofd en viel neer.

De namaak-Vespa kwam aan geslingerd over de keien en minderde vaart uit nieuwsgierigheid. De dronkaard aan het stuur brulde een schunnige opmerking. Bramante koos precies het juiste moment voor wat volgde. Voor Costa tussenbeide kon komen, sprong hij voor de scooter, zwaaide met het wapen naar de bestuurder tot hij stopte, sloeg de idioot van het zadel, tilde de lichte scooter van de grond, voerde het toerental van die schelle motor op tot in het rood en schoot steigerend de heuvel op.

De twee agenten uit de Fiat aan de overkant van de kruising hadden hun wapen al getrokken. De man week uit naar rechts om langs hen te komen, naar het doolhof van steegjes die steeds smaller werden naar het hart van de wijk Monti toe, zodat geen enkele auto daar enige kans maakte tegen een man op een snelle, wendbare scooter.

'Niet schieten!' gilde Falcone, terwijl hij overeind krabbelde op onvaste zwabberbenen. 'Denk om de omstanders, verdomme!'

Niemand sprak de oude inspecteur tegen als hij zo klonk. De agenten lieten hun wapen zakken.

Costa liep naar hem toe en bood Falcone zijn arm aan. Hij accepteerde hem, woedend. Toen hobbelde hij, duidelijk met pijn, naar de kruising en staarde naar de uitlaatgassen van de wegrijdende scooter toen deze een eind verderop een hoek om verdween.

'Je bloedt,' zei Costa en hij bood Falcone een schone witte zakdoek aan.

Dat was niet nodig. Raffaela Arcangelo was al aan Falcones zijde en veegde bezorgd zijn gezicht schoon, inspecteerde de schade, die meeviel. Een kapotte lip. Een blauwe plek die langzaam opkwam op zijn hoofd waar het wapen van Bramante hem had geraakt.

Falcone liet zich door haar bemoederen en keek ondertussen kwaad in de richting van de verdwenen scooter.

'Er is niets met me aan de hand, Raffaela,' zei hij knorrig. 'Toe. Maak niet zo'n ophef.'

Nog een grote politiebus was tussen de omstanders in de Via degli Zingari door gelaveerd. Hij stond nu met draaiende motor achter Peroni, Emily en Teresa Lupo, die geen van allen wisten wat ze moesten doen.

Een gezette, sterk uitziende man stapte uit. Hij was in de dertig, gehuld in een zwarte wollen jas en had de laatdunkendheid die met een hoge rang gepaard ging. Nic Costa had al, zonder goede reden, besloten dat hij commissario Bruno Messina niet mocht.

Falcone keek naar de nieuwkomer toen hij kwam aanlopen.

'Weet je, Leo,' zei hij, zijn hoofd schuddend alsof hij met amateurs te maken had. 'Het zou leuk zijn als je nu eens één keer was waar je hoorde te zijn. Thuis.'

Falcone zei niets, knikte alleen met dat snelle glimlachje dat te professioneel was om als onbeschaamdheid te worden opgevat.

'Heeft hij wat gezegd?' vroeg Messina. 'Een verklaring? Iets anders?'

Costa dacht aan die laatste gefluisterde boodschap. Bramante had die een bepaalde persoonlijke betekenis willen geven, meende hij.

'Hij zei,' antwoordde Falcone, die een enigszins trage, verbijsterde indruk maakte, 'dat het hem speet, maar dat ik nu de laatste zou moeten worden. Nummer zeven.'

Commissario Messina luisterde en barstte toen tot Costa's afgrijzen in lachen uit.

'Iedereen in het busje,' beval Messina toen zijn plezier tot bedaren was gekomen. Hij wees naar Falcone, Costa, Peroni en Teresa Lupo. 'Jullie vieren hebben vanaf dit moment weer dienst.'

Raffaela begon heftig te protesteren, over Falcones ziekteverlof, zijn verwondingen, zijn lichamelijke problemen.

'Jij,' onderbrak Messina haar, 'en de vriendin van rechercheur Costa hier worden in bewaring gesteld voor jullie eigen veiligheid.

Een van de auto's zal jullie naar de Questura brengen. Dan kunnen jullie daar wachten.'

'En waar,' zei Teresa Lupo, net hard genoeg om boven de kreten van protest van Emily en Raffaela uit te komen, 'gaan wij naartoe als ik vragen mag?'

Bruno Messina glimlachte.

'Wij gaan nummer vijf bekijken.'

12

Het was begonnen met Giorgio's college van vorige maand, wist Torchia. De drie uur van een lange, warme middag in de bedompte aula op de Piazza dei Cavalieri di Malta, die het college had geduurd, zou hij nooit vergeten. Bramante was bijzonder op dreef geweest: briljant, bezielend, scherp. In naam was het onderwerp het weinige wat bekend was over de filosofie van de Romeinse militaire mithraïsche sekten. Maar het ging over veel meer, hoewel Ludo Torchia vermoedde dat hij de enige was die dat doorhad. Bramante had het eigenlijk over het leven zelf gehad, over de overgang van kind tot man, de aanvaarding van plichten en achting voor degenen boven je, en de absolute, stellige noodzaak van gehoorzaamheid, vertrouwen en geheimhouding binnen de hechte, gesloten gelederen van de sociale groep waartoe een individu behoorde.

Stijf rechtop op zijn stoel had hij geluisterd zonder zijn blik los te kunnen maken van Giorgio, die fit en gespierd in een strak T-shirt en een spijkerbroek van Gucci op zijn bureau zat, een leider op zijn gemak met zijn kudde.

Een bepaald deel kwam nu weer bij Torchia boven. Bramante had het over de zevenlaagse hiërarchie gehad. Vignola stelde een vraag die op het eerste gezicht redelijk leek. Hoe ontstonden dit soort structuren? Op welk moment in de beginstadia van de opkomst van het mithraïsme bepaalde iemand dat er zeven rangen zouden zijn, met vaste rituelen voor de overstap van een lagere naar een hogere rang? Waar, vroeg hij zich af, kwam het allemaal vandaan?

Bramante had naar hen gelachen, een aantrekkelijke, veelbetekenende glimlach, als een vader die zijn zoon ter wille is.

'Ze hoefden die vraag niet te stellen, Sandro,' had hij met zijn afgemeten, krachtige stem gezegd. 'Ze wisten het antwoord al. Hun religie kwam van hun god.'

'Ja, maar... in het echt,' had Vignola tegengeworpen. 'Ik bedoel, zo is het niet gegaan. Dat kan niet.'

'Hoe weet je dat?' vroeg Bramante.

'Omdat het gewoon niet kan! Als Mithras echt was, waar is hij dan gebleven?'

'Ze hebben hem vermoord,' had Torchia zonder nadenken gezegd en Giorgio's reactie op zijn antwoord had hem blij gestemd en ook een beetje in verwarring gebracht. Bramante had hem aangestaard met een blik van verbazing en bewondering op zijn knappe gezicht.

'Constantijn heeft hem vermoord,' had Giorgio beaamd. 'Constantijn en zijn bisschoppen. Zoals ze alle oude goden hebben vermoord. Als je met de theologen praat, zullen ze je andere antwoorden geven. Maar ik ben geen theoloog, en dit is ook geen college theologie. Wij zijn historici. We kijken naar feiten en trekken op grond daarvan conclusies. De feiten zeggen dat een groot deel van het Romeinse leger Mithras bijna drie eeuwen lang heeft aanbeden. Toen, met de komst van het christendom, ging Mithras heen en met hem de overtuiging van hen die hem waren toegewijd. Of je dat nu letterlijk opvat of niet, dat is ontegenzeglijk wat er is gebeurd. Als je complexere antwoorden zoekt zit je bij de verkeerde faculteit.'

'Wat zal dat verschrikkelijk geweest zijn,' had Torchia gezegd, die zijn ogen niet van de hoogleraar af had kunnen houden.

'Wat?' vroeg Bramante.

'Je religie verliezen. Zien hoe hij je wordt ontrukt.'

'De christenen hebben daar drie eeuwen mee te maken gehad,' had Bramante opgemerkt.

'De christenen hebben gewonnen.'

Op dat moment had Giorgio Bramante een wetende, mogelijk onzekere blik in zijn ogen gekregen. Torchia had ernaar moeten kijken, of hij wilde of niet. Giorgio was een geduldige, goed geïnformeerde hoogleraar, maar hij leidde hen zoals een generaal zijn troepen. Hij streefde naar een uitbreiding van hun kennis, niet naar hun goedkeuring. Dat begreep Torchia impliciet en hij begreep ook dat de andere studenten eigenlijk nog kinderen waren, en hij wist wat je van kinderen kon verwachten. Angst, belangstelling, dan een beginnende verveling vóór er, bij een goede leider, in de juiste omstandigheden van de rituele fase, inzicht ontstond.

'Wat volgens mij werkelijk verschrikkelijk zou zijn geweest,' had Giorgio gezegd, 'was als je een laatste kans werd ontzegd om je te verzoenen met wat je verloor. Een christen hoopt voor zijn dood te biecht te gaan. Als die laatste troost je wordt ontnomen...'

Daar had hij het bij gelaten. Het zou twee weken duren voor Ludo Torchia eindelijk de wazige, bijna schuldbewuste blik in zijn ogen op dat moment begreep.

Dus hij had niet alleen de levende jonge haan meegenomen van de markt in Testaccio. Toen hij daar was, was hij langsgegaan bij een dealer in een van de huurflats en had op krediet twee gedraaide joints aangeschaft, zware zwarte Afghaan vermengd met goedkope tabak. Uit boeken had hij begrepen dat er in het begin hier beneden een of andere drug was gebruikt. De Romeinen kenden hennep. Ze hadden dat middel, evenals vele andere dingen, meegebracht uit de kolonies die ze in de loop der jaren hadden ingenomen. Alcohol kenden ze oók. Veel van de mithraïsche riten waren gestolen en in het christendom opgenomen. Bij de winterzonnewende, die elk jaar rond 25 december werd gevierd, hadden ze met elkaar wijn gedronken en brood gegeten, een symbolisch feestmaal van het bloed en het lichaam van de offerstier. Hij vroeg zich af hoezeer katholieken dat beseften wanneer ze in het licht van de kaarsen knielden om de heilige hostie te ontvangen.

Toni LaMarca viel direct gretig aan op een joint en trok zich stilletjes terug in de schaduw, de idioot. Raul Bellucci en die sukkel Guerino stonden aan de tweede te hijsen en kinderachtig te giechelen van pret omdat ze stiekem op een vreemde en verboden plaats waren. Torchia was niet van plan hun voorbeeld te volgen. Er was te veel om over na te denken in deze magische ruimte. Ook de kleine nerd Vignola was niet erg geïnteresseerd. Sinds ze de tempel waren binnengekomen, had hij met grote ogen om zich heen gekeken en hij zat nu op zijn kleine handen en knieën voor een platte steen naast het altaar. Hij leek zo wel een pafferige koorknaap die eer kwam brengen aan de god die met het zwaard in de hand schrijlings boven de stier met de kling in zijn gekromde hals stond.

Torchia keek hoe Vignola de woorden prevelde van de Latijnse inscriptie op de steen, die onder een uitgehouwen halve maan was gegraveerd, en wenste dat hij zelf beter in talen was. Hij knikte naar de letters.

'Wat staat er?'

Latijn was zelden eenvoudig, oude woorden voor nieuwe. Het was een taal uit een ander tijdperk, dichtbij maar ook onbekend, een code, een verzameling van symbolische letters, elk met een betekenis die alleen de ingewijden duidelijk was.

Hij scheen met zijn zaklantaarn op de inscriptie in de stoffige witte steen.

DEO INV M

L ANTONIUS

PROCULUS

PRAEF COH III P

ET PATER

V·S·L·M

'Wat staat er?' vroeg Torchia nogmaals, nu iets luider aangezien Vignola hem had genegeerd.

'"Deo Invicto Mithrae, Lucius Antonius Proculus, Praefectus Cohors Tertiae Praetoria, et Pater, votum solvit libens merito."'

De slimme, opengesperde ogen keken hem van achter de buitensporig grote bril aan.

'"Aan de onoverwinnelijke god Mithras heeft Lucius Antonius Proculus, commandant van het derde cohort van de Pretoriaanse Garde, en Pater, vrijwillig en waardig zijn gelofte vervuld." Dat je dat niet begrijpt.'

'Ik ben niet zo goed in Latijn.'

Dino Abati kwam bij hen staan. Hij was met zijn uitrusting op onderzoek uit geweest, felrood haar dat overal in het vertrek opdook, op plaatsen waar hij niet hoorde.

'De naam zou je toch moeten kennen. We hebben het er op de universiteit over gehad. Lucius Antonius Proculus zat bij de Pretoriaanse Garde ten tijde van de slag om de Milvische brug. De Pretoriaanse Garde stond aan de kant van Maxentius. De keizer die verloor. Weet je nog wel?'

Torchia vond het niet leuk om als domkop behandeld te worden.

'Ik verspil geen tijd aan oude namen,' mompelde hij. 'Denk je dat hij hier is geweest?'

Abati wierp een blik op het voorvertrek, waar de doden lagen.

'Misschien is hij er nog steeds,' opperde hij. 'Constantijn heeft de Pretoriaanse Garde volledig van de kaart geveegd nadat hij Rome was binnengetrokken. Ze hadden de verkeerde partij gesteund. Hij meende dat hij hen niet kon vertrouwen. Daarom heeft hij dat hoofdkwartier van hen met de grond gelijkgemaakt... Hoe heet het ook alweer?'

'De Castra Praetoria,' antwoordde Vignola.

'Volledig van de kaart geveegd. En dit ook, denk ik,' voegde Abati eraan toe. 'Eigenlijk is het hier doodeng. Wist iemand dat het bestond voor Giorgio het vond?'

'Natuurlijk niet!' piepte Vignola. 'Denk je niet dat het dan in de boeken had gestaan? Dit is het beste mithraeum in Rome. Misschien het beste ter wereld.'

Abati dacht even na.

'En Giorgio weet niet of hij het aan anderen durft te vertellen? Het is te gek voor woorden. Hij kan het niet blijven geheimhouden.'

Vignola schudde zijn hoofd, kwam moeizaam overeind en wreef het vuil van zijn handen.

'Hij kan het net zo lang geheimhouden als hij wil. Deze hele opgraving valt onder verantwoordelijkheid van de faculteit. Hij kan gewoon op dezelfde voet doorgaan, rustig doorwerken met Judith Turnhouse en wie er verder van het geheim weten. Dan, op een goeie dag, als de tijd er rijp voor is, belt hij de juiste mensen en zegt: "Moet je horen wat we hebben gevonden." En ziedaar: Giorgio de held. De ontdekker van onbekende wonderen. Schliemann en Howard Carter in één persoon verenigd. Zou hij dat niet geweldig vinden?'

'Dit is heilige grond,' zei Torchia opeens, zonder nadenken.

'Dus wat moeten we dan doen, Ludo?' vroeg Abati met die ergerlijke, slepende stem van hem. 'Een paar liederen zingen? De haan slachten? Ons voor de god in het stof werpen en dan naar huis gaan om te gaan studeren? Je moet dat Mithras-gedoe niet te serieus nemen. We maakten allemaal maar een geintje. Hé! Hé!'

Hij schreeuwde, opeens alert en boos. Hij vloog de half verlichte ruimte door en greep Toni LaMarca beet, die op het punt stond een kleine rechthoekige doorgang aan de andere kant, achter het altaar met de beeltenissen, in te dwalen.

'Waar denk je dat je mee bezig bent?' riep Abati.

'Kijken...' antwoordde LaMarca, met een dikke stem van de dope.

'Niet doen...'

'Maar –'

Iets op het gezicht van Abati bracht hem tot zwijgen. Toen pakte de figuur in de rode speleokleding, die hier zo goed thuis leek te zijn, een steen van de grond en gooide die in het zwarte gat, waar LaMarca in had willen gaan. Er klonk geen geluid. Geen enkel. Pas na enige tijd, een verre echo van een hard, eenzaam object dat in het water viel.

Dino Abati keek hen een voor een vuil aan.

'Dit is geen speeltuin, kinderen,' zei hij venijnig. 'Er is reden genoeg om bang te zijn voor het donker.'

13

Giorgio Bramante was een modelgevangene geweest. Commissario Messina had het volledige gevangenisdossier van de man die ochtend in zijn grote, zwarte aktekoffer en nam het zorgvuldig door toen het politiebusje van Monti naar de Aventino laveerde. Bramante had veertien onopvallende jaren in de gevangenis doorgebracht nadat hij was veroordeeld voor moord in een rechtszaak die destijds veel tegenstrijdige emoties had losgemaakt. Niemand hield van verhalen over vermiste kinderen met een open einde. Niemand was blij wanneer een onderzoek misliep omdat de politie er een puinhoop van had gemaakt. In dit geval was het wel heel onverwacht gegaan, omdat de benadeelde partij, Bramante, naar de gevangenis ging terwijl de schuldigen, de studenten die zijn zoon blijkbaar hadden ontvoerd en weigerden te vertellen wat er van hem geworden was, vrijuit gingen.

Vijf van hen in elk geval.

Toen Costa naar Bruno Messina luisterde en ondertussen de uitdrukking op Falcones aandachtige gezicht bestudeerde, begon hij te beseffen dat de zaak-Bramante voor deze twee mannen nog altijd leefde. Falcone had destijds vlak voor zijn promotie tot inspecteur gestaan, een veelbelovende sovrintendente onder de vader van Messina, die niet lang nadat de zaak tegen de studenten in een fiasco was geëindigd, oneervol uit zijn ambt was ontslagen. Messina senior had zijn carrière ten onder zien gaan door wat er in de nasleep van de verdwijning van Alessio Bramante was gebeurd. Dat feit deed zijn zoon kennelijk tot op de dag van vandaag verdriet. Ze stamden, zoals de hele Questura wist, uit een politiegeslacht. Het uniform zat hun in het bloed. Er waren voor Messina en zijn vader ook beroepsmatige redenen om misnoegd te zijn, redenen die Falcone beslist onderschreef. In zaken waarbij het om vermiste kinderen ging, was een oplossing noodzakelijker dan anders. Voor beide ouders, aangezien Beatrice Bramante – hoewel ze van haar echtgenoot was gescheiden toen hij in de gevangenis zat – nog leefde en in Rome woonde. En voor de betrokken politiemensen.

Peroni, die altijd recht op zijn doel afging, wachtte tot het politiebusje de rondweg bij het Colosseum af was en vroeg toen: 'Even voor de duidelijkheid. Waarom gingen die vuilakken eigenlijk niet naar de gevangenis?'

'Vanwege de juristen,' zei Messina smalend. 'Die zeiden dat het onmogelijk was.'

Falcone streek over zijn zilverkleurige sikje en slaakte een diepe, gepijnigde zucht.

'Het is belangrijk dat wij dit gesprek hebben, commissario, zodat we allebei precies weten waar we staan. In tegenstelling tot u was ik erbij...'

'En weet ik er niets van?' antwoordde Messina met een gezicht als een donderwolk.

Falcone gaf geen krimp. Costa had hem mensen zien aanpakken die veel lastiger waren dan deze jonge, overambitieuze commissario die pas enkele maanden in het zadel zat.

'Goed. Dan zal ik het uitleggen. Er zijn twee redenen waarom geen van Bramantes studenten terecht heeft gestaan. Ten eerste hadden we geen bewijs. Zij kwamen nergens mee over de brug. De technische recherche kwam nergens mee over de brug. We hadden geen lijk. Geen idee waar het kind naartoe was gegaan en wat ermee was gebeurd. Alleen vermoedens, die hoofdzakelijk ontstonden doordat die studenten niet erg genegen waren zichzelf te helpen. Er was niets waarop we een vervolging konden baseren...'

Bruno Messina was een gezette man met een enorme bos zwart haar. Zijn gezichtsuitdrukking kon van het ene op het andere moment van beleefd in boosaardig omslaan.

'Ik had het uit ze kunnen krijgen,' zei hij, niet zo'n beetje dreigend.

'Dat dacht uw vader ook. Maar het lukte hem niet. Toen heeft hij de leider een uur alleen gelaten met Giorgio Bramante in een rustige cel achter in het arrestantencomplex in de kelder die we allemaal heel goed kennen. En dat brengt me bij de tweede reden waarom er nooit iemand is aangeklaagd voor de verdwijning van Alessio Bramante. Ik vind het vervelend om u eraan te moeten herinneren, maar tijdens dat uur heeft Bramante de ongelukkige jongen afgerost. Ludo Torchia overleed waar ik bij was, in de ambulance onderweg naar het ziekenhuis. Daarna werden we onder de voet gelopen door advocaten. Die zorgden ervoor dat de andere verdachten, voor zover ze zich van dat feit nog niet bewust waren, de dans konden ontspringen zonder een woord tegen iemand te zeggen. Wij waren immers zo dom geweest om een van hen de facto voor onze ogen te laten vermoorden.'

Falcone wierp Messina een blik toe die hij normaal gesproken bewaarde voor brutale, domme beginnelingen.

'Zaak gesloten,' merkte de inspecteur onbewogen op.

Peroni keek hem boos aan.

'Nou ja, zeg, ik weet nog wat er destijds in de kranten stond. Zo duidelijk lag het nu ook weer niet. Jij hebt geen kinderen. Ik wel. Als ik dacht dat er eentje van mij misschien nog in leven was, als daar ook maar enige kans op was, had ik die studenten ook helemaal lens geslagen.'

Falcone haalde zijn schouders op.

'En wat wil je daar nu precies mee zeggen?'

Peroni verstrakte, van zijn stuk gebracht door de achteloze toon in Falcones stem. Costa zag dat Bruno Messina schrok toen zijn partner zo boos werd. Hij herinnerde zichzelf eraan dat mensen die relatief nieuw waren in de Questura Peroni's fysieke verschijning – het grote, gehavende gezicht; het gezette, indrukwekkende boevenlijf – intimiderend vonden.

'Dat iedere vader daar zo over zou hebben gedacht!' voerde Peroni aan.

'Ik vind het vervelend om mezelf te moeten herhalen, maar blijkbaar is het nodig. Ik was erbij. Ik ben die cel in gegaan omdat ik er niet meer tegen kon die jongen aldoor te horen gillen. Ik was degene' – Falcone keek boos naar Messina – 'die ervoor zorgde dat het naar een autoriteit ging die boven uw vader stond. Dat was niet moeilijk aangezien hij, naar ik me herinner, besloot een vergadering bij te gaan wonen toen hij Bramante alleen had gelaten met die jongen.'

'Hij was commissario,' voerde Messina aan. 'Hij was wanhopig.'

'En ik was enkel de sovrintendente, de ondergeschikte, degene die naderhand de rotzooi moest opruimen. Het was een behoorlijke troep ook. Zoek de foto's maar op. Ze zullen nog wel in het archief liggen. Die cel zat onder het bloed. Ik heb nog nooit zoiets gezien, ervoor en erna niet. Giorgio Bramante heeft Torchia afgemaakt. Hij ademde nauwelijks nog toen ik daar binnenkwam. Een uur later was hij dood.'

Peroni zei nogmaals: 'Hij dacht dat het kind nog in leven was, Leo!'

'Dat was niet het enige,' hernam Messina. 'Hij was ervan overtuigd dat hij de waarheid uit die klootzak had kunnen slaan, als jij toen niet was binnengestormd om hem tegen te houden. Misschien had hij gelijk en hadden we de jongen kunnen vinden. Wie zal het zeggen?'

'Dat zal altijd een vraag blijven!' antwoordde Falcone met een vuur dat Costa lang niet bij hem had gezien. 'Niemand kan daar een zinnig woord over zeggen. In dat soort situaties gaan we uit van feiten, niet van vermoedens. Ludo Torchia werd op beestachtige wijze mishandeld, in een cel in onze eigen Questura, en overleed daarna. Zoiets kunnen we toch onmogelijk negeren? De wet is de wet. Wij maken niet uit op wie hij van toepassing is en wanneer.'

Teresa Lupo hief haar grote hand om bezwaar te maken. Costa zag de belangstelling op haar bleke, slappe gezicht. Ze liet zich vrijwel nooit onbetuigd in een zaak, vooral niet in een moeilijke zoals deze.

'Maar als Bramante nu dacht –'

'Niemand van ons weet wat hij dacht!' zei Falcone stellig. 'Ik was erbij toen hij naderhand werd verhoord. Ik vertelde hem dat Ludo Torchia dood was. Ik vertelde hem dat de arts in de ambulance had gezegd dat hij verschillende ribben had gebroken. Ik heb in mijn hele leven geen zwaardere mishandeling gezien, zo rustig, weloverwogen uitgevoerd ook. En Giorgio Bramante? Die deed alsof het de normaalste zaak van de wereld was. Ik heb geen idee wat hij dacht. Hij heeft daarna nauwelijks nog een woord gezegd. Tegen ons niet. Tegen zijn vrouw niet. Niet tegen de pers. Tegen niemand. Ja, ja, ik weet wat jullie willen zeggen. Het was te wijten aan zijn verdriet. Misschien. Maar we weten nog steeds niet wat er is gebeurd, en dat is een feit.'

Messina boog zich naar voren en tikte Falcone op de knie.

'Ik zal je vertellen wat er is gebeurd. Jij bent inspecteur geworden. Mijn vader werd ontslagen. Na dertig jaar trouwe dienst. Laten we dat voorlopig maar even vergeten. Als je jezelf maar niets wijsmaakt. Die klootzakken waren op de een of andere manier verantwoordelijk voor de dood van die jongen. Mijn vader niet. Giorgio Bramante ook niet. Afgezien van Ludo Torchia zijn ze allemaal vrijuit gegaan. Hebben hun naam veranderd, de meesten. Zijn volwassen geworden en aan een ander leven begonnen, meestal ergens waar niemand wist wie ze waren. Ze dachten dat het voorbij was, als een nare droom die je 's nachts de stuipen op het lijf jaagt en de volgende ochtend gewoon langzaam vervaagt.'

'Wat hun betreft, is het ook voorbij,' antwoordde Falcone. 'Zo luidt de wet.'

Messina haalde een stapel mappen uit zijn ruime aktekoffer.

'Voor Giorgio Bramante is het dat niet.'

14

Bruno Messina scheen op de hoogte te zijn van het hele verleden van Bramante vanaf het moment dat hij gevangen werd gezet.

'Hij hielp andere gedetineerden met hun werk. Hij leerde hun lezen en schrijven. Stond hen bij wanneer ze wilden afkicken. Haalde overal een wit voetje. De volmaakte gevangene. Na drie jaar kreeg hij vervroegd dagverlof en hij is niet één keer naar de pers gehold. Niets wees erop dat hij iets anders was dan een ongelukkig mens die zijn zelfbeheersing had verloren en daar een zware prijs voor betaalde, in omstandigheden waar de meeste mensen met hem zouden meevoelen.'

'En?' vroeg Falcone, geïnteresseerd.

'Er waren zes studenten in die grotten toen Alessio zoekraakte. Torchia overleed die dag. Een andere student, Sandro Vignola, verhuisde naar Puglia en kwam drie jaar na dato een dagje terug naar Rome. We weten niet waarom. Hij is nooit meer teruggezien. Van de overige vier...'

Hij spreidde een aantal vellen papier uit en nam ze door.

'Andrea Guerino. Boerenzoon. Veranderde zijn naam. Verhuisde naar de omgeving van Verona, waar hij een kleine fruitkwekerij begon. Dood aangetroffen op zijn land, neergeschoten, in juni, drie jaar geleden. De lokale politie zegt dat zijn vrouw een dag eerder als vermist was opgegeven. Zij duikt gezond en wel weer op. Zijn halve kop wordt eraf geschoten, en zij is te bang om een woord te zeggen over waar ze is geweest, met wie, wat dan ook. De lokale politie schrijft het toe aan een uit de hand gelopen affaire en het komt niet tot een arrestatie.

Vijftien maanden geleden, Raul Bellucci. Hij werkte als taxichauffeur in Florence, ook onder een nieuwe naam. Hij wordt thuis gebeld. Iemand heeft zijn dochter ontvoerd en wil losgeld, anders gaat ze eraan. De idioot komt niet naar ons toe, natuurlijk. Waarschijnlijk is hij bang dat we ontdekken wie hij eigenlijk is. De volgende dag ligt hij dood op een industrieterrein aan de rand van de stad dat door hoeren als afwerkplek wordt gebruikt. De politie' – Messina's stem klonk opvallend snerend – 'komt tot de conclusie dat het het werk is van een Afrikaanse bende, aangezien zijn keel is doorgesneden van oor tot oor en zijn geslachtsdelen zijn verwijderd. De meeste hoeren daar in de buurt zijn Nigeriaans.'

'En vandaag?' Teresa keek belangstellend. Ze had geklaagd over het gebrek aan uitdagend werk.

'Vandaag, of liever gezegd gisternacht te oordelen naar wat we hebben gezien, was het de beurt van Toni LaMarca, de enige die in Rome bleef. Hij was de zoon van een crimineel uit Napels. Misschien dacht hij dat dat verschil maakte. Akelig stuk vreten. Betrokken bij een paar drugs- en prostitutiebendes rond het Termini. Gaat niet veel aan verloren. Het was hetzelfde verhaal. Nou ja, vergelijkbaar. Het jonge vriendje van LaMarca is op weg naar huis uit de bioscoop ontvoerd. Hij wist zich vanochtend uit een of andere garagebox in de buurt van het Clodio te bevrijden en kwam rechtstreeks naar ons toe. Heeft verder niet veel te zeggen. Je hoeft geen genie te zijn om te begrijpen wat er is gebeurd. Iemand had LaMarca gebeld. Losgeld misschien. Hij ging de deur uit...'

'Commissario,' merkte Peroni op. 'U zei toch dat Bramante tot drie maanden geleden gevangenzat? Hij kan misschien die jongen hebben ontvoerd en LaMarca hebben vermoord. Maar de rest?'

Messina haalde een gevangenisdossier tevoorschijn en duwde hun dat onder de neus.

'Zoals ik al zei, was Giorgio Bramante een modelgevangene. Hij kreeg al het verlof dat hij wilde. Ze lieten hem zelfs van tijd tot tijd vrij om bij mensen thuis klusjes op te knappen. Allemaal heel legaal. Allemaal keurig vastgelegd. Toen Vignola verdween was hij met familieverlof om zijn zieke moeder te bezoeken. Hier in Rome. Toen Guerino overleed had hij weekendverlof. Genoeg tijd om het allemaal uit te voeren. Hetzelfde bij Raul Bellucci.'

'Die mensen hadden hun naam veranderd,' merkte Teresa op. 'Hoe wist hij dan in hemelsnaam waar hij ze kon vinden?'

'Dat mogen jullie uitzoeken,' antwoordde Messina. Hij stopte de vellen papier terug in de aktekoffer en overhandigde die aan Falcone. 'Nog één ding. De moeder van de jongen heeft een schoolshirt aan een of ander raar kerkje in Prati gegeven. Daar hangt een verzameling memorabilia die psychopaten aanspreekt. Ze vertelde hun dat ze het kort nadat Alessio was zoekgeraakt, en Ludo Torchia dood was verklaard, bij haar thuis had gevonden. Met een verse bloedvlek op de voorkant. Alsof de twee gebeurtenissen met elkaar samenhingen. De Kerk houdt blijkbaar van dat soort dingen.'

Teresa fronste.

'Laat mij hier maar buiten. Ik ben een wetenschapper. Ik doe niet aan hekserij. Had er niet iemand een bloedneus gehad?'

'Nee,' zei Messina. 'Dat T-shirt heeft er in de loop der jaren nog een paar bloedvlekken bij gekregen, hoewel we dat niet wisten tot vanochtend. De kerkbewaarder probeerde het allemaal stil te houden. Maar het is een pietje precies. Hij heeft de data genoteerd. Wat denk je?'

Ze keken elkaar aan en zwegen.

'De eerste verscheen vlak nadat Sandro Vignola zoekraakte. Daarna, na elk sterfgeval, één, hoogstens twee dagen later, treft de bewaarder een nieuwe vlek op het T-shirt van Alessio Bramante aan. Het is allemaal niet zo schokkend. Die kerk is nauwelijks beveiligd. Iedereen kan er naar binnen gaan, die vitrine openmaken en iets op het shirt gieten. Daar komt geen magie bij kijken. Vanochtend...'

Hij zweeg en keek even naar buiten. Ze draaiden eindelijk de Viale Aventino in. Het kon niet ver meer zijn.

'...kreeg de kerk bezoek. Van een man alleen, met een signalement dat overeenstemt met dat van Bramante. Dat was omstreeks halfacht. Daarna waren er verschillende nieuwe vlekken. Gróte vlekken ditmaal, vlekken die hij niet kon verzwijgen. En er was iets geschreven. Het duurde even voor we begrepen wat het betekende, maar uiteindelijk voerde het ons hierheen. Helaas was de beheerder toen al binnen geweest. Rosa Prabakaran praat met haar.'

Peroni's gezicht begon te glimmen van boosheid.

'Hebben jullie een beginnende politieagent die zo uit de schoolbanken komt op deze zaak gezet? Zijn er geen volwassenen meer?'

Messina wierp hem een koele, autoritaire blik toe. Hij stelde de onderbreking niet op prijs.

'Zij hoeft zich nergens zorgen over te maken. Jullie daarentegen...'

Zelfs Falcone was op dat moment kennelijk de draad even kwijt.

'Hij heeft er nog twee op zijn lijst staan,' ging Messina verder. 'Dino Abati. God mag weten hoe hij zichzelf tegenwoordig noemt en waar hij woont. En de politieman die hij het kwalijk neemt dat hij hem er veertien jaar geleden van heeft weerhouden de waarheid uit Ludo Torchia te slaan. Ik hoop trouwens dat je de noodverblijven in de Questura wat vindt, Leo. Daar slapen jullie, alle vier, tot dit achter de rug is.'

'O nee,' verklaarde Peroni, wapperend met zijn hand. 'Ik ben tegenwoordig een gewone wijkagent. Je moet dit niet op mijn bordje schuiven.'

'Daar ligt het al op,' beet Messina hem toe. 'Snap het dan toch. Bramante vermoordt deze mensen niet gewoon een voor een, alleen om wraak te nemen. Vooraf pakt hij iemand die hun nastaat, houdt hem of haar vast tegen losgeld, probeert...' De commissario zocht naar de juiste woorden.

'Hij wil ze precies dezelfde nachtmerrie bezorgen die hij heeft beleefd,' zei Falcone kalm. 'Maar waarom denkt u dat hij mij wil hebben?'

'Toen we hadden uitgezocht wat hier aan de hand was, heb ik een team naar het appartement gestuurd waar Bramante is ingetrokken nadat hij uit de gevangenis was ontslagen. Hij was allang weg. Maar hij heeft het druk gehad. Te druk om alles mee te nemen. Kijk hier maar eens naar.'

Hij haalde drie mapjes foto's uit de aktekoffer, controleerde de etiketten en gaf iedereen een mapje. Ze begonnen in stilte de inhoud door te nemen.

Nic Costa was halverwege zijn eigen mapje toen hij stopte omdat hij zich niet kon voorstellen hoe dit had kunnen gebeuren.

Hij keek naar een foto van hemzelf en Emily, genomen toen ze blij, lachend, arm in arm het Palazzo Ruspoli uit kwamen. Hij herkende de nieuwe rode jas die ze aanhad. De foto was twee dagen geleden genomen. Ze waren die ochtend bij de huisarts geweest, hadden het standaardpraatje gehad over wat ze moesten doen, wat ze konden verwachten, tijdens de komende maanden van aanstaand ouderschap.

'Wat denkt die idioot wel, zomaar foto's van mij nemen?' vroeg Teresa boos, terwijl ze naar het mapje in Peroni's hand wees.

Costa wierp er een blik op en daarna op de foto's van Falcone. Hij zag Raffaela, winkelend in de Via degli Zingari. Er klopte iets niet.

'Hij heeft vandaag geen poging gedaan iemand van ons te pakken,' zei Costa, die nog steeds probeerde te bepalen wat hij van de foto van hen samen moest denken en zijn ogen niet van Emily's vermoeide, gespannen gezicht kon houden. 'Hij ging recht op Leo af.'

Messina trok een gezicht vanwege de familiariteit.

'Dat weet ik. Misschien zag hij gewoon zijn kans schoon. Hij is intelligent genoeg om te improviseren, nietwaar?'

'Hij is intelligent genoeg om bij zijn eerste poging te slagen in wat hij wil,' antwoordde Falcone met een belangstellende blik op Costa.

De commissario scheen in zijn nopjes te zijn met deze reactie.

'Ik ben blij dat je het de moeite waard vindt, Leo. Het is nu jouw zaak. Zoals ik al zei, je ziekteverlof eindigt vandaag. De tijd als museumcurator van onze vriend Costa is voorbij. Peroni wordt uit de straatdienst gehaald. Neem de leiding in handen, of ga in de Questura proberen of je nog kunt schaken. Je ziet maar.'

Wat een keuze, dacht Costa. De gretige blik in Falcones ogen vertelde hem dat de keus al was gemaakt. Ergens deed het hem plezier te zien dat de oude inspecteur weer aandacht kon opbrengen voor iets anders dan zichzelf. Maar het liefst wilde hij naar Emily, haar bij deze nieuwe bedreiging uit de buurt halen, haar ergens neerzetten, laten rusten, iets van de kracht laten herwinnen die ze zonder dat het hem was opgevallen de laatste weken verloren scheen te hebben.

'En de dames?' vroeg Peroni.

Messina glimlachte.

'Ja, de dames. We hebben een familiehuis in de buurt van Orvieto. Het is een mooi huis. Groot, afgelegen en moeilijk te vinden. Ze zullen daar rechtstreeks vanuit de Questura per auto naartoe worden gebracht. Mijn vader is daar. Giorgio Bramante is niet naar hem op zoek. Dus ze zijn daar veilig. Noem het een onverwachte vakantie. Ik wil geen extra complicaties omdat zij in Rome zijn.'

'Dat maken zij toch uit,' protesteerde Costa.

'Nee,' antwoordde Messina. 'Helaas niet.'

Teresa Lupo boog zich voren en tikte de commissario hard op de knie.

'Sorry dat ik het zeg, maar ik ben ook een dame. Misschien zou ik die vakantie goed kunnen gebruiken.'

'Jij bent patholoog-anatoom,' antwoordde hij. 'En ik wil je voorstellen aan Toni LaMarca. Of wat er van hem over is.'

15

'De grondbeginselen van speleologie,' zei Abati en hij duwde LaMarca terug naar het midden van het vertrek. 'Weet waar je je bevindt en wat eromheen zit. Dit is niet altijd een tempel geweest. Dat had ik al gezegd. Dit waren tufsteenmijnen. Iemand heeft de tempel hier later in gebouwd, toen ze hier geen tufsteen meer wonnen. Dit is een ondergrondse steengroeve. De helft van de dingen waarvan jullie denken dat het gangen zijn, gaan nergens heen, of komen uit bij een spleet of breuk in het gesteente.'

'Ik hoorde water stromen,' zei Vignola verbaasd.

'Dat is normaal in Rome,' verklaarde Abati. 'Er zijn bronnen. Breuklijnen. Oude mijnschachten die nergens naartoe leiden. Er moeten kanalen zijn die helemaal omlaag naar de rivier lopen. Het zou op de een of andere manier in verbinding kunnen staan met de Cloaca Maxima zelf. Als ik de juiste spullen had...'

Hij keek om zich heen met die neerbuigende blik waar Torchia zich aan begon te storen.

'...en de mensen, zou ik het kunnen uitzoeken. Maar ik denk niet dat een van jullie daar echt geschikt voor is. Dus blijf in de buurt, zodat ik jullie kan zien. Ik ben echt niet in de stemming voor reddingswerk.'

In gedachten had Ludo Torchia ieder van hen een rol toebedeeld. Abati was Heliodromus, de beschermer van de leider. Vignola was Perses, slim, snel en niet altijd bereid te vertellen wat hij wist. De dikke, domme Andrea Guerino zou een goede Miles zijn, de soldaat. Raul Bellucci, een sul die altijd deed wat hem werd gezegd, kon voor Leo doorgaan, het mechanisme voor het offer. En als Nymphus, de bruidegom, een wezen dat zowel mannelijk als vrouwelijk was in één lichaam, koos hij de listige, vervelende gluiperd Toni LaMarca, een knul wiens seksualiteit nog niet leek te zijn uitgekristalliseerd.

Er kon slechts één Pater zijn. Torchia begreep precies wat dat betekende. Pater had te maken met leiderschap, niet met bloedverwantschap, en zeker niet met liefde. Hij had het gedrag van zijn eigen vader gezien, de ongecompliceerde, botte dictatoriale houding die zei: hier in mijn eigen huis ben ik ook een soort god. Gehoorzaamheid leidde tot kennis en veiligheid. Zo was het altijd voor Ludo Torchia geweest tot hij negen jaar oud was en zijn vader op een dag de deur uit was gegaan naar zijn werk in de haven van Genua en nooit meer was teruggekomen. Een jaar later, toen zijn zwakke, onbekwame moeder dacht dat hij eroverheen was, was Torchia de kade waar het ongeluk had plaatsgevonden op geslopen. Hij had naar de gigantische zwarte kraan gekeken, met de kop die op die van zo'n stompzinnige zwarte kraai leek, en geprobeerd zich voor te stellen wat er was gebeurd, hoe het voelde als die massa kwaadaardig staal omviel en dreigend op je af kwam.

Vanaf dat moment had Ludo de Kerk verfoeid, terwijl hij zag hoe zijn moeder elke avond trouw in de Bijbel las en troost probeerde te vinden in een geloof dat, naar de vaste overtuiging van de jonge Ludo Torchia, had gefaald door toe te staan dat de kraan omviel.

Toen hij op La Sapienza kwam en onder de consciëntieuze leiding van een kenner als Giorgio Bramante het mithraïsme begon te bestuderen, begreep hij wat er in zijn leven had ontbroken en hoe dat gapende gat kon worden gevuld. Met plichtsbesef, verantwoordelijkheden, leiderschap. Dat kenmerkte zijn identiteit, een die hem van de nietsnutten zou onderscheiden. Hij zou op een bepaald moment ook Pater worden, onderdeel van de oude religie, een religie die zijn geheimen onder de grond bewaarde en niet deelde met het gewone volk in reusachtige gouden paleizen. Hier, in de tempel die Bramante had ontdekt, hadden alle stukjes aanwezig moeten zijn, zodat hij kon beginnen met het voltooien van de taak waarmee die lang geleden overleden soldaten bijna achttien eeuwen geleden een aanvang hadden gemaakt.

Alleen ontbrak er één ding. De laffe Vincenzo had hem laten zitten, had zich onttrokken aan zijn lotsbestemming, die van Corax, de nieuweling, de beginner, een kind zelfs, als de oude boeken het juist hadden.

'Bovendien,' voegde Abati er snel aan toe, terwijl hij met een zekere bedoeling – Torchia wist niet welke – naar het altaar terug beende, 'ben ik niet van plan dit soort onzin zomaar te laten passeren.'

Tot Torchia's verbijstering had Abati nu de vogelkooi in zijn handen, tilde deze hoog op en maakte het deurtje open. De glanzende zwarte haan klapperde met zijn vleugels en stootte een zacht, agressief gekraai uit.

'Blijf af,' beval Torchia. 'Ik zei...'

Dino Abati stond aan de kooi te prutsen.

'Ludo. Denk nu eens na. We zitten al genoeg in de problemen zonder dit soort stomme spelletjes.'

'Andrea,' gilde Torchia. 'Hou hem tegen.'

Guerino had de joint in zijn mond. De dikke boerenzoon was al half stoned.

'Wat...?' mompelde hij.

Ze snapten het geen van allen. Ludo Torchia hoorde nog de woorden van Giorgio Bramante. Hoe verschrikkelijk moest het wel niet zijn als je je religie verloor? Als je geloof aan je werd ontrukt, vlak voor de dood, als het laatste sacrament je werd ontzegd, de laatste gelegenheid die je op deze aarde had om met je god in het reine te komen?

Abati had de kooi open, draaide hem op zijn kant en probeerde de jonge haan eruit te schudden in de vochtige, donkere ruimte.

'Laat dat,' zei Torchia en hij liep op de gedaante in het rood af.

Heliodromus droeg altijd rood. Hij begeerde de positie van Pater. Moest wel. Tot Pater stierf, kon hij niet verder komen.

Ludo Torchia pakte onder het lopen heimelijk een vuistgrote steen van een van de hardstenen banken, hield hem laag uit het zicht in zijn rechterhand.

'Ik zei –' begon hij. Toen zweeg hij omdat hij een wolk stinkende zwarte veren moest wegwuiven die wild om zijn gezicht fladderde.

Misschien gilde hij. Hij wist het niet zeker. Iemand lachte. Toni LaMarca, zo te horen. Doodsbang, krijsend van angst en razernij zette de jonge haan zijn klauwen in Ludo Torchia's kruin en lanceerde zichzelf wild fladderend over hem heen in de richting van de uitgang. Zijn schorre, metalen stem galmde door de stenen ruimte die hen als een graftombe omsloot.

Hij wist niet waarom hij een vogel had uitgekozen die zwart was. Net een kraai, met zijn vleugels en poten uitgestrekt. Net een piepkleine, spottende imitatie van een hijskraan.

Soms wist Ludo helemaal niet waarom hij bepaalde dingen deed. Toen hij weer op adem was merkte hij dat hij op zijn knieën zat, neerkeek op het bebloede hoofd van Dino Abati en de figuur in de rode speleokleding tegen de grond gedrukt hield.

Niet dat dat nodig was. De ogen van Abati waren glazig en zagen er dood uit. Zijn mond hing open, met slappe kaken, roerloos. Hij kon zich niet herinneren dat hij Abati had geslagen en dat, besefte Torchia, betekende dat hij talloze malen achter elkaar met de grote, scherpe steen die nog in zijn hand zat, op zijn schedel kon hebben ingehakt.

De anderen stonden inmiddels om het tweetal heen. Niemand scheen veel zin te hebben iets te zeggen. Het stonk in het vertrek. Naar drugs en de vogel en ook naar hun gemeenschappelijke zweet en angst.

'Jezus, Ludo,' zei Toni LaMarca – wie anders – uiteindelijk. 'Ik geloof dat je hem hebt vermoord.'

Hij keek naar Abati. Er kwam bloed uit zijn neusgaten. Het bolde op en zakte in terwijl hij keek. Hij ademde. Abati was waarschijnlijk alleen buiten westen geslagen. Dat was alles. Maar hij had wel iets duidelijk gemaakt. Hij had zichzelf bewezen, zoals de Pater moest doen.

Torchia draaide zich om en keek hen allen aan, terwijl hij zijn vingers om de steen bleef klemmen. De Pater moest heersen. Zo werkte het.

'Luister. Allemaal.'

Hij besefte dat hij al met een ander soort stem sprak. Een oudere stem. Een stem met een gezag dat hij niet eerder bij zichzelf had opgemerkt.

'Als jullie straks zeggen dat het allemaal mijn schuld was, zal niemand jullie geloven. Ik zal ze vertellen dat we dit met elkaar hebben gedaan. Alles.'

'Ludo,' jammerde Guerino op dat stomme, pummelige zeurtoontje van hem. 'Dat is niet eerlijk.'

'Doe maar gewoon wat ik zeg,' beval Torchia met een autoritaire klank in zijn stem die hij hoopte te hebben gekopieerd van Giorgio Bramante. 'Is dat zo moeilijk? Hou je aan mij vast, dan komt alles goed. Anders...'

Dit was het moment waar alles van afhing. Ze waren met meer. Ze konden weglopen, gaan mekkeren bij mensen van de universiteit. Bij

86

Giorgio Bramante, en dat vooruitzicht riep een gevoel van angst en een diepe, innerlijke verwachtingsvolle vreugde bij Ludo Torchia op.

Onder hem kreunde Dino Abati. Zijn ogen gingen knipperend open.

Torchia hief de steen opnieuw, zag het bloed dat eraan zat en deed zijn arm naar achteren, alsof hij Abati nogmaals op het hoofd wilde slaan.

'Jullie zeggen het maar,' zei hij kalm.

Ze keken elkaar aan. Toen raapte Sandro Vignola, de kleinste, intellectueel gezien de scherpste, maar toch gewoon een domme, bange puber in zijn ogen, al zijn moed bij elkaar en nam het woord.

'Laten we dit gewoon onder ons houden, Ludo. We kunnen Dino een beetje opknappen. Het was eigenlijk gewoon een ongeluk. Laten we zorgen dat we hier snel klaar zijn. En dan maken dat we wegkomen.'

Vignola was weer slim als altijd. Perses. Nummer drie achter Abati en hemzelf.

Torchia keek naar Andrea Guerino en was zich ervan bewust dat het hem als vanzelf afging autoritair te doen.

'Hé, boerenpummel, ga die vogel halen.'

Toen klonk, hoorbaar voor ieder van hen, een kort hoog geluid, onverstaanbaar, half angstig, half opgewonden.

Het zou een kind kunnen zijn dat iets probeerde te zeggen wat verloren ging in de schaduwen.

'En haal dat ook,' beval iemand en tot zijn verbazing merkte Ludo Torchia dat hij dat was.

16

Ze wilden geen van allen lang in de oude crypte onder de leegstaande Santa Maria dell'Assunta blijven, niet toen ze zagen wat daar lag. Dat lieten ze over aan Teresa Lupo en haar assistent, Silvio Di Capua, die onder de booglampen die ze hadden meegebracht, aan het werk togen, bijgestaan door een team van verbijsterde mortuariummieren. Dit was een ongebruikelijk geval, zelfs voor hen.

Bruno Messina ging terug naar de Questura. Hij had zijn verantwoordelijkheid overgedragen. Falcone begon zijn team samen te stellen, aanvankelijk langzaam, maar al snel met meer zelfvertrouwen. Agenten werden weggestuurd om het laatste nieuws over de zoektocht naar Dino Abati op te halen. Twee anderen werden teruggestuurd naar de oude kerk in Prati om het met bloed bevlekte T-shirt te bekijken. Falcone stond erop dat het daar aan de muur bleef hangen, zodat er dag en nacht een politieman op de uitkijk kon worden gezet om te zien of Bramante terugkwam. Het forensische bewijsmateriaal op het T-shirt zelf leek Falcone irrelevant. Ze kenden de man die ze zochten al. De leegstaande kerk op de Aventijn zou het team van Teresa Lupo van genoeg materiaal voorzien om de eerstkomende tijd aan te werken.

Zodra dat stel weg was, namen Falcone, Costa en Peroni plaats in het politiebusje en luisterden naar het relaas van Rosa Prabakaran over haar gesprek met de vrouw die het lijk in de crypte had gevonden.

Costa had de jonge agente al eens in de Questura gezien, een gereserveerde, rustige vrouw van begin twintig die zich afzijdig hield, en dat niet alleen vanwege haar achtergrond. Ze maakte een bijzonder ambitieuze indruk en stelde zich afwachtend en terughoudend op.

Zo'n houding had hij vaker gezien bij mensen die direct na aankomst al op zoek gingen naar de lift naar boven. Ze was net zes maanden bij de politie, waar ze dienst had genomen nadat ze de vorige zomer in Milaan haar doctoraal filosofie had behaald. Jong, hoogopgeleid, intelligent, scherp en met een etnische achtergrond... Ze beschikte zo ongeveer over alle kwalificaties die het korps zocht in zijn volgende generatie politiemensen.

Het enige wat misschien ontbrak was een harde kennismaking met de echte wereld. Hij had hierover kort met Peroni gesproken, toen hij de grote man van de plaats delict diep onder de grond naar buiten vergezelde, zodat zijn partner niet snel om de hoek een pakje sigaretten zou gaan kopen en terugviel in zijn slechte gewoonten. Rosa had bij het korps gewone werkzaamheden verricht en misschien zelfs een enigszins bevoorrechte positie gehad. Maar nu zat ze op de zaak-Bramante en ze had daar al zeker een halve dag aan gewerkt voor de zaak hen opslokte. Ze was naar de kerk in Prati gegaan, had met de beheerder gesproken en uitgezocht waar de boodschap op de muur naar verwees. Vroeg in de ochtend, toen zij zich opmaakten voor een gezellige lunch en het nieuws van een ophanden zijnde bruiloft, een genoeglijk moment dat nu al lang geleden leek, was ze de crypte in gelopen en had daar het verse nieuwe lijk gezien. Daarna, na haar gesprek met de vrouw die de kerk beheerde, was ze alle beschikbare gegevens over Giorgio Bramante gaan verzamelen. Die had ze opgevraagd toen Pino Gabrielli de binnendringer in zijn kleine kerk had geïdentificeerd. Haar was het gelukt de data van de sterfgevallen in verband te brengen met de bloedvlekken in de Sacro Cuore del Suffragio, sneller dan de meeste oudgedienden in het korps het voor elkaar hadden kunnen krijgen. Toen Costa luisterde naar haar vlotte, precieze opsomming van alles wat ze al over Bramante en zijn activiteiten na zijn vertrek uit de gevangenis wisten, werd hem duidelijk dat Rosa Prabakaran ooit een geweldige politievrouw zou kunnen worden. Slechts één ding zat hem dwars. Het was net of alles voor haar een beetje onwerkelijk was, een soort intellectuele puzzel, zoals de argumenten waarmee ze in een academische dissertatie goochelde. Een dergelijke afstandelijkheid kon naar zijn mening gevaarlijk zijn, zowel voor haar als voor het verloop van een onderzoek. Als hij één ding in zijn korte loopbaan had geleerd, dan was het wel dat resultaten werden geboren uit betrokkenheid, hoe pijnlijk die soms ook bleek te zijn.

Costa dwong zichzelf zijn zorgen over Rosa Prabakaran, die waarschijnlijk uitsluitend uit haar onervarenheid voortkwamen, terzijde te schuiven en mengde zich weer in het gesprek.

'Hebben ze hem zijn oude baan weer aangeboden?' vroeg Peroni stomverbaasd.

'Academici...' zei Falcone met een grimas.

Volgens Rosa was Bramante, toen hij, na veertien jaar van een levenslange gevangenisstraf wegens moord te hebben uitgezeten, de bajes uit liep, onmiddellijk een hoogleraarschap op La Sapienza aangeboden, met een geïndexeerd salaris en een vaste aanstelling bij de universiteit, een baan voor het leven in feite. En hij had het aanbod afgeslagen.

'Waarom zou hij daar nou nee tegen zeggen?' wilde Peroni weten.

Costa vond het nogal voor de hand liggen.

'Omdat hij een klus te doen had, Gianni. Hij was er al aan begonnen toen hij nog gevangenzat. Bramante had het gevoel dat hij een...'

'...hogere roeping had?' opperde Falcone droog.

'Precies. Hij wilde zich daar niet van af laten brengen. En dan...'

Een man die jarenlang in de gevangenis zorgvuldig en minutieus de dood van de mensen die hij verantwoordelijk hield voor het verlies van zijn zoon voorbereidde, moest tot sterke emoties in staat zijn.

'Misschien zou hij zich ook schuldig voelen,' ging Costa verder. 'Als hij op zijn oude leven terugkreeg en er niets was veranderd.'

Falcone keek Rosa aan.

'Ben je het daarmee eens?'

Ze haalde haar schouders op, met het laatdunkende zelfvertrouwen van de jeugd.

'Waarom zou je de zaken ingewikkelder maken en proberen je in hem te verplaatsen? Wat maakt het uit wat hij denkt?'

Costa kon het niet laten haar een teleurgestelde blik toe te werpen. Hij had op haar leeftijd vrijwel dezelfde mening gehad en gedacht dat een zaak neerkwam op feiten en procedures. Pas toen hij ouder werd en meer ervaring kreeg, kwam er een subtielere waarheid naar voren: motivatie en persoonlijkheid deden er ook toe en waren, wanneer harde forensische bewijzen ontbraken, vaak de enige sporen die een onderzoeksteam kon volgen.

'Sorry,' zei ze kregelig. 'Het ligt zo voor de hand. Hij wist wat hij wilde gaan doen. Hij was niet van plan zich ergens door te laten afleiden. Waarom zou hij anders de baan hebben aangenomen die hij had?'

'En dat was?' vroeg Peroni.

'Dat baantje dat hij parttime in de gevangenis had,' antwoordde ze. 'In een abattoir. Voor een van de slagers hier op de markt.'

Ze liet dat tot hen doordringen.

'Een paardenslager,' voegde ze eraan toe. 'Ik wist niet eens dat die nog bestonden.'

Maar ze waren hier in Testaccio, dacht Costa. Een van de oudste arbeidersbuurten in het centrum van Rome. Nog geen kilometer van waar zij waren stond het oude slachthuis, een gigantisch gebouw dat nu, na jaren van verwaarlozing, was overgedragen aan de kunsten. Het doden was naar elders verplaatst, naar de onzichtbare buitenwijken. De winkels waren er nog wel, in de smalle straatjes van de wijk, en op de drukke markt waar Rosa Prabakaran de bewaarster van de Santa Maria dell'Assunta had aangetroffen die ochtend. Het goedkope flatje van Bramante was daar vlakbij. Dat werd nu uitgekamd op minder opvallende aanwijzingen dan de foto's van mannen en vrouwen die hem bij Leo Falcone konden brengen. Hoewel er naar Costa's idee niet veel te vinden zou zijn wat hen verder kon helpen. Bramante was weg, vertrokken naar een schuilplaats die hij ongetwijfeld van tevoren in orde had gemaakt. Hij was een intelligent, ordelijk, nauwgezet individu. Dat was inmiddels wel duidelijk. Het soort man dat zichzelf waarschijnlijk niet snel zou blootgeven.

'Waar woont die vrouw?' vroeg hij.

Ze keek even nerveus.

'Drie straten verderop. En het is zijn ex-vrouw. Ze zijn niet lang nadat hij naar de gevangenis ging, gescheiden.'

'Bramante mag dan nog zo slim zijn,' merkte Costa op, 'je kunt je toch moeilijk voorstellen dat hij dit allemaal in zijn eentje heeft kunnen doen. Toen hij uit de gevangenis was, misschien. Maar om die mensen te doden toen hij met proefverlof was, had hij vervoer nodig, geld, informatie.'

'Zijn vrouw was het niet,' zei ze stellig. 'Ik heb Beatrice Bramante vanochtend gesproken. Nadat ik die oude dame had thuisgebracht. Vijf minuten maar. Dat was genoeg.'

Falcones grijze wenkbrauwen schoten omhoog. Hij zei niets.

'Ze heeft Giorgio één keer op straat gezien na zijn vrijlating, ongeveer twee maanden geleden. Ze is achter hem aan gelopen naar zijn flatje en heeft geprobeerd met hem te praten. Het leidde nergens toe. Die vrouw is alles kwijtgeraakt. Haar echtgenoot. Haar kind. Haar geld. Ze woont in een smerig klein woninkje in een volksbuurt, niet veel beter dan dat flatje van hem. We hebben daar niets te zoeken.'

De drie mannen wisselden een blik met elkaar. De ambities van Rosa Prabakaran zaten haar in de weg, meende Costa.

'Rechercheur,' zei Falcone kalm. 'Als je een mogelijke verdachte verhoort, doe je dat in gezelschap. Met een ervaren politieman erbij. En op mijn bevel. Is dat begrepen?'

Ze sperde haar bruine ogen open van boosheid.

'U zat nog niet eens op de zaak toen ik Beatrice Bramante sprak.'

'Maar nu wel,' beet Falcone haar toe. 'Verhoorregels zijn verhoorregels. Als de moeder je iets belastends had verteld, zou het in de rechtbank niet-ontvankelijk worden verklaard. Begrijp je dat?'

Ze wees naar de gele versperringen voor de kerk.

'Ik had net gezien wat daar was gebeurd! Ik wilde helpen.' Haar bruine ogen werden glazig door een plotselinge waas van tranen.

'Als je voor mij werkt, werk je als lid van een team. En anders niet.'

Ze barstte niet in huilen uit. Niet echt. Toen verbrak Peroni de ijzige sfeer met zijn brede, lelijke glimlach.

'Jeugdig enthousiasme, inspecteur,' verklaarde hij. 'Daar hebben we allemaal last van gehad. Zelfs jij.'

Falcone keek hem boos aan.

'Er zal nog een keer iemand naartoe moeten om met haar te praten. En goed deze keer. Uitzoeken wat Bramante deed als hij niet aan het werk was.'

'Grotonderzoek,' zei ze. 'Hij wilde haar niet binnenlaten in zijn flat omdat die vol dingen lag die hij nodig had. Ze zag door de deur allerlei spullen liggen. Touwen. Zaklantaarns. Kleren.'

'Dus ze heeft je wél iets verteld!' verklaarde Falcone. 'Laten we in godsnaam maar hopen dat ik dat niet als bewijs aan de rechtbank hoef voor te leggen binnenkort.'

Rosa Prabakaran zweeg, sprakeloos van boosheid en mogelijk van schaamte. Falcone was alweer verdiept in de papieren van Bruno Messina.

'Over twee uur eindigt je dienst,' zei hij tegen haar, terwijl hij naar een foto keek van Raffaela Arcangelo met boodschappentassen in haar handen, die ze naar hun appartement in Monti zeulde. 'Het is een veelbewogen dag geweest. Ga maar naar huis. Ik zal ervoor zorgen dat je morgen een andere, passender taak krijgt toegewezen.'

'Een andere taak?'

'Je hebt me wel gehoord.'

'Ik heb uitgezocht wat die boodschap op de muur betekende. Ik heb dat lijk gevonden. Ik heb de vrouw opgespoord die het had ontdekt. Ik –'

'Je hebt gewoon je werk gedaan waar je voor wordt betaald,' onderbrak Falcone haar. 'En nu naar huis.'

17

Witheet en hijgend van woede, in de wetenschap dat hun aandacht al op iets anders was gericht voor ze goed en wel uit het politiebusje was gestapt, stond Rosa Prabakaran tussen het voertuig en de oude, leegstaande kerk. Ze vroeg zich af wat ze nu moest doen. De drie mannen hadden haar het gevoel gegeven dat ze een indringer was, iemand die een privébijeenkomst had verstoord. Ze was lang genoeg bij de politie om te weten dat deze mannen een sterke, ongebruikelijke band met elkaar hadden, een band waar andere politiemensen met nogal wat argwaan over spraken.

Ze was, besefte ze opeens, jaloers.

De patholoog-anatoom stond buiten bij de gele linten omhoog te kijken naar het bleke winterzonnetje. Ze was een forse, beminnelijke vrouw wier stralende, intelligente ogen geen moment stil leken te staan. Ze kwam aan geslenterd, glimlachte en stak een hand uit.

'Rosa?' zei ze.

Opnieuw een onderzoekende blik van een van de intimi uit Falcones team.

'Hoorde ik daar het zeer gemiste geluid van onze geliefde inspecteur die zijn zelfbeheersing verloor?' vroeg de vrouw.

'Komt dat vaak voor?'

'Vroeger wel. Ik heb het al een tijdje niet meer meegemaakt. Je zult het raar vinden, maar het is een hele geruststelling hem weer eens flink te horen foeteren. Dat betekent dat de kans bestaat dat we de oude Leo terugkrijgen.' Ze zweeg even. 'Hij is vorig jaar bijna de pijp uit gegaan. Vergeet dat niet.'

'Ja, dat weet ik. Maar dat geeft hem nog niet het recht onbeschoft te zijn.'

Teresa Lupo fronste.

'Ik ken Leo al heel lang. Hij raakt... gefixeerd. Hij bedoelt het niet persoonlijk.'

'Het klonk wel persoonlijk.'

'Dat is een van Leo's hebbelijkheden, ben ik bang. Zo klinkt het altijd. Had je het, eh' – ze glimlachte sluw – 'toevallig verdiend?'

Daar gaf Rosa Prabakaran geen antwoord op.

'Ah.'

Teresa Lupo keek naar het blauwe busje en de drie hoofden die zichtbaar waren door de nog openstaande deur.

'Gelijk hebben is nog zo'n akelig trekje van Leo. Je kunt er maar beter aan wennen. Je kunt veel van hem leren. Bovendien kom je genoeg onbenullen tegen die je ook uitkafferen. Kun je beter een uitbrander krijgen van iemand die je iets kan bijbrengen. Dat moet je in gedachten houden, juist jij. Er zijn in bepaalde delen van de Questura nog altijd... ouderwetse ideeën in omloop.'

Ze hadden de huidskleurkwestie al eens besproken, hadden hem een paar maanden geleden afgehandeld in het kleine cafeetje vlak bij de Questura. Toen had Teresa haar apart genomen en stilletjes een paar tips gegeven over hoe ze Gianni Peroni moest aanpakken. Het had niet veel tijd gekost. Rosa Prabakaran had nooit het gevoel gehad dat de kwestie van haar huidskleur een groot probleem vormde voor de mensen met wie ze werkte. Rome was een multiculturele, multiraciale gemeenschap. Het was niet zo belangrijk. Ze zou zich waarschijnlijk eerder een vreemde eend in de bijt voelen vanwege haar geslacht.

'Ik zal geen fouten meer maken,' zei Rosa emotioneel.

'Natuurlijk wel. Dat doen we allemaal.'

De patholoog-anatoom stond na te denken. Dat leek ze voortdurend te doen.

'Vertel me nog eens: wat deed die man die we zoeken?'

'Hij was hoogleraar aan de universiteit. Archeoloog.'

Het bleke, slappe gezicht van Teresa Lupo vertrok van ongenoegen. Ze leek, vond Rosa, in sommige opzichten opmerkelijk veel op Peroni.

'Dat was jaren geleden.'

Ze zuchtte. Alweer een ontevreden klant.

'Dat deed hij. Oké?'

'Nee, wat dééd Giorgio Bramante?' drong Teresa aan. 'In de gevangenis. Na zijn vrijlating. Toen hij geen hoogleraar aan de universiteit was? Vergeet even hoe je hem zou willen zien. Als een aardige burgerman die een fout heeft begaan. Vertel me wat je weet over hem uit de tijd nadat hij zijn zoon had verloren.'

'In de gevangenis werkte hij in een slachthuis. Na zijn vrijlating is hij dat werk blijven doen. Bij een slagerij in Testaccio die ergens anders een abattoir heeft. Een paardenslager nota bene.'

De patholoog-anatoom dacht hier even over na en lachte toen opnieuw, een brede, zelfverzekerde, blije glimlach.

'Merkwaardig, vind je ook niet? Een intelligente man had toch veel beter werk kunnen krijgen.'

'Ik heb dat allemaal al met Falcone besproken. Hij had andere dingen aan zijn hoofd.' Ze had gehoopt dat het beeld van wat ze in de crypte had gezien, niet meer zou terugkomen. De aanwezigheid van deze nieuwsgierige, ergerlijke patholoog-anatoom, die zoveel meer wist dan ze wilde loslaten, maakte dat onmogelijk. Met de herinnering kwam de onvermijdelijke vraag.

'Wat voor vuurwapen is het geweest?' vroeg ze. 'Ik heb vaker foto's van schotwonden gezien. Maar geen...'

Ze had de aanblik van de man nog altijd in haar hoofd zitten, een luguber schouwspel verlicht door haar felle zaklamp. En de geur was er ook nog. De stank van vlees en de doordringende ijzerlucht van bloed.

'Wat heb je gezien?'

'Je weet wat ik heb gezien!'

'Natuurlijk niet. Vertel het me. Dat is belangrijk.'

Ze wilde naar huis. Haar echte huis, niet het lelijke appartementje dat ze zo nodig van zichzelf had moeten huren om iets te bewijzen. Ze wilde met haar vader praten, rustig met hem eten, tv-kijken, een blik op haar oude wetboeken werpen. Ze vroeg zich af waarom ze zijn raad niet opvolgde en een prettige, goed betaalde baan zocht waarin ze criminelen veroordeelde in plaats van een lastige, slecht betaalde waarin ze hen van de rest van de maatschappij moest zien te scheiden.

'Ik heb een naakte man gezien die doelbewust op de grond was neergelegd, alsof hij een lijk in een soort ritueel was. Hij lag in een crypte vol skeletten. Oude geraamtes, allemaal op een rij. De vreemde eend in de bijt. Helemaal alleen. Vooraan.'

'Goed. En verder?'

'Iets... een jachtgeweer, ik weet niet, had een gat in zijn borst geslagen. Ik zag...' Ze schudde haar hoofd. 'Waarom moet dit?'

'Het moet,' zei Teresa Lupo streng, 'omdat jij geacht wordt een politieagent te zijn. Je kijkt, of je kijkt niet. Maar je kijkt niet half.'

Rosa voelde dat ze weer boos werd, klaar om uit te varen.

'Ik héb gekeken.'

'Nee, dat is niet waar. Is hij in die crypte vermoord?'

'Dat weet ik niet... Nee. Ik kan me niet herinneren dat er veel bloed was. Je zou verwachten dat er dan heel veel is. Als je iemand neerschiet.'

'Dat is er ook als je iemand neerschiet, althans met iets dat zo'n grote wond kan veroorzaken. Maar hij is niet neergeschoten.'

'Ik heb het toch gezien!'

'Je hebt een wond in zijn borst gezien. Daarna heb je een simpele, snelle conclusie getrokken. Je moet het jezelf niet zo zwaar aanrekenen. De meeste mensen zouden hetzelfde hebben gedaan. Maar als je met Leo Falcone wilt werken, zul je jezelf aan de categorie van "de meeste mensen" moeten ontworstelen. Dat geldt voor mij ook trouwens.'

'Ik zag...' Ze probeerde er opnieuw over na te denken, hoe pijnlijk dat ook was. De borstkas van de man was een puinhoop, erger dan alles wat ze ooit op een foto van een auto-ongeluk of een moord had gezien.

Teresa Lupo wachtte.

Uiteindelijk zei Rosa: 'Ik zag botten. Geen gebroken botten. Een stuk van een ribbenkast. Het was niet kapot. Het zag eruit als al die andere skeletten daar. Alleen was het wit. Heel wit.'

De patholoog-anatoom knikte en keek tevreden.

'Mooi zo. Ik zou het fijn vinden als ik dat de volgende keer niet uit je zou hoeven trekken. Goed, dan zal ik je nu iets vertellen wat ik heb gezien toen ik hem nader onderzocht. Op zijn rug, onder het schouderblad, zat nog een wond. Deze was afkomstig van een scherp, puntig object van metaal, dat door het vlees was gegaan en onder het bot een zeer grote bloeduitstorting had veroorzaakt. Alsof datgene wat de wond had veroorzaakt ook het gewicht van de dode man had gedragen, een tijdje althans.'

Rosa probeerde er een conclusie aan te verbinden.

'Dus hij werd in zijn rug gestoken? Met iets puntigs?'

Teresa Lupo trok haar neus op van teleurstelling.

'Je neemt het weer te letterlijk. Stel nou dat het puntige ding ergens aan bevestigd zit en hij eraan werd opgehangen.'

Ze wilde gillen. Dit was niet de manier waarop ze haar op de opleiding hadden leren werken. Dit was fantasie, niet de langzame, systematische techniek waarmee de meeste criminele onderzoeken naar haar overtuiging moesten worden aangepakt.

'Dat is bespottelijk,' zei ze ten slotte. 'Dat slaat nergens op.'

De blik van geamuseerde ergernis op het gezicht van Teresa Lupo benauwde haar. Rosa Prabakaran voelde een barstende hoofdpijn opkomen.

'O, mijn god,' riep ze, geschrokken, en verbijsterd omdat ze niet wist welk denkproces die twee ongelijksoortige eindjes kennis aan elkaar had geknoopt. 'Hij werkte in een slachthuis.'

'Geweldige plek om iemand te vermoorden, als je erover nadenkt,' zei Teresa met een grijns. 'Vol haken ook. Goed, wil je nu dat ik je, bij wijze van dank, deze zaak weer in praat of niet?'

18

Twintig minuten later reed een onopvallende blauwe Fiat op hoge snelheid langs de ouder wordende betonnen gevel van de filmstudio's van Cinecittà naar de smakeloze moderne buitenwijk Anagnina. Peroni zat achter het stuur. Teresa en haar rechterhand, Silvio Di Capua, zaten achterin als een stel vijfjarigen op weg naar een partijtje, hoewel ze voor dit partijtje nog geen uitnodiging hadden. Er waren geen papieren die garandeerden dat ze toegang kregen tot het slachthuis waar Giorgio Bramante werkte. Papieren vroegen tijd en voorbereiding. Ze hoopten beide te kunnen omzeilen. Op de een of andere manier...

Costa keek door het rechterraampje naar buiten. Slechts iets meer dan een kilometer verderop stond zijn huis. Hij had die ochtend samen met Emily de boerderij verlaten om een aangename, luie dag in de stad door te brengen met vrienden. Opeens was dat eeuwige werk ertussen gekomen. Hij had geen idee wanneer hij terug zou zijn, of wanneer hij haar weer zou zien. Zij zat in de auto op weg naar Orvieto, zoals Messina had beloofd, slechts een paar minuten van de villa die eigendom was van zijn vader. Ze was een beetje verward geweest, maar had erin berust dat ze een tijdje de stad uit zou zijn omdat er niet veel anders op zat. Raffaela Arcangelo dacht er hetzelfde over, had ze gezegd. Costa was benieuwd of Falcone al kans had gezien haar te spreken.

Hij zag het vlakke, uitgestorven land van de moderne buitenwijken voorbij het raampje schieten. Hij had het onderwerp van haar gezondheid niet ter sprake gebracht. Hij had geen geschikt moment gezien. Niet tijdens een telefoongesprek vanuit een politiebusje bij een voormalige kerk, overlopen door technische rechercheurs die een moord in beeld probeerden te brengen. Het moest maar even wachten.

Vanaf de achterbank kwam een hand en die tikte op zijn schouder. 'Ze slachten paarden bij jou op de stoep,' verklaarde Di Capua met zijn gebruikelijke tact. 'Ik durf te wedden dat je dat niet wist.'

'Als vegetariër,' merkte Costa op, 'weet ik eigenlijk niet of mij dat wel aangaat. Hoe denken jullie carnivoren erover?'

'Over het eten van paarden?' vroeg Peroni met een zwaai van zijn grote, bleke hand. 'Barbaars. Koeien. Varkens. Lammeren. Die worden ervoor gefokt. Paarden... Dat voelt gewoon niet goed.'

'Mee eens,' beaamde Teresa.

Silvio Di Capua zei niets, tot een por tussen zijn ribben van zijn metgezel, vermoedde Costa, hem aanzette tot spreken.

'Ik heb al eeuwen geen paardenvlees gegeten,' jeremieerde hij. 'Je kunt het tegenwoordig nauwelijks meer krijgen. Bovendien is zo'n beest toch al dood, nietwaar?'

De hand van Teresa mepte hem hard op de schouder.

'Als je het niet kocht, zouden ze toch geen paarden hoeven slachten zodat jij het kon eten, idioot.'

'In dat geval zouden ze die beesten niet fokken, toch? Behalve als pony's voor rijke kinderen en' – hij gebaarde naar de woonwijken die buiten voorbijschoten – 'daar is hier niet veel markt voor, lijkt me. Dus in plaats van dood zouden ze dan gewoon niet in leven zijn. Willen jullie beweren dat dat een verbetering is?'

Daarna zei een tijdje niemand iets, alleen Peroni mompelde nog een keer 'barbaars' en stuurde de auto een klein industrieterrein op. Hij reed met een slakkengangetje door tot hij bij het goede nummer was en stopte voor een groot metalen hek waar een nikszeggend laag gebouw, een fabriekshal zoals zoveel andere, achter schuilging. Op een bord op het hek stond simpelweg: CALVI. Alleen de naam van de eigenaar. Geen enkele aanwijzing wat er binnen gebeurde. Paardenslagers maakten hun aanwezigheid niet al te luid kenbaar.

Ze stapten uit, Peroni drukte op de bel en het viertal wachtte.

'Op welke tijden wordt er in een slachthuis gewerkt?' vroeg Teresa. 'Ik bedoel... Ik heb geen idee. Ik heb nog nooit iemand ontmoet die in een slachthuis werkt. Ik heb er nooit over nagedacht...'

Ze viel stil. Een kleine, wat oudere man die moeizaam liep, alsof hij heupproblemen had, was door een zijdeur naar buiten gekomen en kwam op hen toe gehobbeld.

Toen hij voor hen stond en achterdochtig tussen de ijzeren spijlen van het hek door keek, liet Costa zijn identiteitskaart zien en vroeg: 'Calvi?'

Hij had een dikke walrussnor en droeg een zwaar houthakkershemd. Vol vlekken.

'De enige echte. Dit gaat vast over Giorgio.'

'Waarom denkt u dat?'

Hij zuchtte en haalde het hek van het slot. Het was een zwaar mechaniek. Zonder sleutel zou je niet makkelijk binnen kunnen komen. Vooral niet als je tegenstribbelend gezelschap bij je had.

'De mensen van de reclassering hebben vanochtend gebeld. Zeiden dat hij zich niet had gemeld of zoiets. Ik snap er niets van. Hij is vrij. Of hij is niet vrij. Zeggen jullie het maar. Wat is het?'

'Hebt u het nieuws niet gehoord?' vroeg Costa.

De lugubere omstandigheden rond de dood van Toni LaMarca hadden het nieuws al gehaald. Costa wilde er niet aan denken welke bloemrijke verzinsels morgen in de kranten zouden staan. Maar de Questura kon hiermee wel omgaan. Ergens was de naam van Giorgio Bramante genoemd als voornaamste verdachte. Omdat de oorspronkelijke zaak bij sommigen nog vers in het geheugen lag, was de kans groot dat de media zich vol overgave op het verhaal zouden storten. Hij kon het niet helpen dat hij zich afvroeg of Bruno Messina daaraan had gedacht en een paar vrienden bij de tv en de krant had gebeld om de boel een beetje op te stoken. Veertien jaar geleden was alle sympathie naar één partij uitgegaan. Naar Bramante en, bij implicatie, de ontslagen vader van Messina. Als het een belangrijk verhaal werd – en dat leek onvermijdelijk – zou Messina er zeker van willen zijn dat het werd verteld zoals hij wilde. Zo veel politiek inzicht had hij wel.

'Is er iets met Giorgio gebeurd?' vroeg Calvi, plots bezorgd. 'Dat is toch niet waar, hè? Die arme vent heeft al genoeg meegemaakt. De gevangenis in draaien voor wat hij had gedaan. Ongelooflijk.'

'We willen graag weten waar hij is,' antwoordde Costa voorzichtig. 'Hebt u enig idee? Wanneer hebt u hem voor het laatst gezien?'

'Hij was hier gisteren; toen had hij ochtenddienst. Tot drie uur 's middags. Daarna is hij naar huis gegaan. Niet meer terug geweest. Ik weet niet waar hij de rest van zijn tijd doorbrengt. Dat zou je aan Enzo Uccello moeten vragen. Ze hebben samen in de gevangenis gezeten. Zijn ongeveer tegelijk vrijgekomen. Nee, Enzo een paar maanden eerder dan Giorgio. Goede kerels. Harde werkers. Ik geef ze graag een kans.'

Teresa ving Costa's blik. Dit was de opening.

'Waar kunnen we Enzo vinden?' vroeg hij terloops.

Calvi knikte naar het gebouw.

'Aan het werk.'

'Mogen we even binnenkomen?'

'Het is een slachthuis,' waarschuwde Calvi hen. 'Dat je het maar weet. Het is schoon, zo hygiënisch als de gemeente zegt dat het moet zijn. We overtreden de wet niet. We doen het netjes, zo diervriendelijk als maar kan. Maar ik waarschuw je...'

'Bedankt,' zei Teresa met een glimlach. 'Na u.'

Calvi ging voorop, de anderen liepen achter hem aan.

Ze had hun in de auto verteld wat het probleem was. Op het eerste gezicht – en Teresa's eerste ingevingen waren zelden verkeerd – waren Toni LaMarca twee zware verwondingen toegebracht. Het puntige object door de rug, onder het schouderblad, wat bijzonder pijnlijk geweest moest zijn, maar niet fataal. Daar had ze al een idee over. Plus – en dat moest daarna zijn gebeurd – een omvangrijk, tot nu toe onverklaard, letsel in zijn borst, precies ter hoogte van zijn hart. Een letsel waarbij een aanzienlijke hoeveelheid weefsel was weggehaald, in de vorm van een cirkel met een diameter van zo'n veertig centimeter, helemaal tot op de ribben, waarna er iets was doorgedrongen tot het hart daaronder. Het was Rosa Prabakaran niet kwalijk te nemen dat ze dacht dat het door een van dichtbij gelost schot van een jachtgeweer was veroorzaakt. Ware het niet dat er geen kruitsporen waren – wel die glanzende, schone, onbeschadigde ribben die haar in de crypte tegemoet blonken – zei Teresa, dan zou ze in eerste instantie vrijwel hetzelfde hebben gedacht. Maar wat LaMarca had gedood, was geen gewoon wapen. Het had, zei ze, op de een of andere manier te maken met het werk dat Bramante in het slachthuis deed. Een mes. Een werktuig. Een ding dat in de bloederige arena achter die gesloten deuren thuishoorde en in de wereld daarbuiten niet vaak ter sprake kwam.

De eigenaar opende de deur en onmiddellijk werden ze getroffen door de stank en het licht. In het slachthuis stonk het naar vlees en bloed en er hing een doordringende urinelucht. Eindeloze rijen felle schijnwerpers hingen, als een leger miniatuurzonnen, aan het plafond. Zodra zijn ogen er eenmaal aan waren gewend, zag Costa dat het slachthuis leeg was, op een eenzame figuur aan de andere kant na, die een smerige stroom bruin water in een centrale, lagergelegen afvoer bezemde.

'Jullie mogen van geluk spreken,' zei Calvi. 'We zitten tussen twee zendingen in. Maar' – hij keek demonstratief op zijn horloge – 'buiten staat een vrachtwagen die er over een halfuur doorheen moet. Dat je het weet. Ik moet de administratie gaan bijwerken. Praat maar even apart met Enzo. Die gevangenen vinden het niet prettig als er mensen bij zijn wanneer ze het over bepaalde dingen moeten hebben.'

Hij zweeg. Ze werden allemaal stil. Ergens buiten klonk het geluid van een hinnikend paard. Het was een angstig geluid, hoog en hard, de schreeuw van een schepsel dat om hulp riep. Daarna het lawaai van boos geschraap van hoeven op hout.

'Je raakt eraan gewend na verloop van tijd,' merkte Calvi op. Toen hinkte hij weg en liet hen alleen.

19

Het licht was zo fel, dat het pijn deed. Alessio Bramante keek naar de schakelaars aan de muur en wist dat hij iets moest ondernemen, dat hij niet veel langer alleen in deze gloeiende gele zee kon zitten. Het was net of hij onder de ogen van een weerzinwekkende, elektrische draak zat. Hij hield van het donker. Niet van de totale duisternis waar zijn vader zo vaak in verkeerde wanneer hij aan het werk was. Nee, van het rustige halfduister van de schemering en de vroege ochtend, een tijd dat er in de wereld plaats was voor fantasie. Een tijd dat hij over de komende dag kon nadenken, en over de wandeling naar de piazza van Piranesi, het moment dat hij door het sleutelgat zou kijken, het glanzende koepeldak in de verte zou opzoeken en, voor hen allebei, tegen zijn vader zou zeggen: 'Ik zie het. De wereld is er nog. Het leven kan doorgaan.'

Hij kon nu niet goed nadenken. En hoelang moest hij blijven wachten? Hij had het horloge niet om dat zijn grootmoeder van vaderszijde hem vorig jaar met Kerstmis had gegeven. Er stond een Kerstman op de wijzerplaat. Horloges waren vreselijke, opdringerige dingen, overbodige machines die zonder genade, zonder gevoel de minuten van iemands leven wegtikten. Het gezicht met de rode muts en sneeuwwitte baard keek hem de hele tijd grijnzend aan.

Hij weet of je lief of stout bent geweest...

De Kerstman was een verzinsel uit een sprookje. Een gezicht op een wijzerplaat. Een spion aan de pols. Alessio vond het geen prettig idee dat iemand hem zo in de gaten hield. Dat was niet goed.

Zoals hem achterlaten in het kale, lichte vertrek, tussen het rode en grijze steen, ook niet goed was. Er hing een vochtige, bedorven lucht.

Niet waar hij op had gehoopt: de scherpe citrusgeur van platgetreden oude vruchtenschillen.

Het zijn alleen boven de grond sinaasappelbomen, dacht hij. Er ligt iets anders onder. Botten en dode dingen, al het vergane materiaal van eeuwen.

Hij dacht eraan hoe hij die ochtend door die stomme bril had staan kijken en zich had afgevraagd wie er gelijk had. De manier waarop hij de dingen zag, of niet zag. Of de veelvoudige wereld die een vlieg waarnam.

Alessio ging aan de tafel zitten en zei, met kalme, emotieloze stem, meer voor zichzelf dan voor iemand die hem misschien kon horen: 'Giorgio.'

En nogmaals.

'Giorgio!'

Hij had zijn vader nog nooit bij zijn voornaam genoemd. Er bestond een regel, een wet, die kinderen verbood de echte naam van hun ouders hardop uit te spreken. Giorgio – in gedachten noemde hij hem al maanden zo – had hem verhalen verteld over magische namen. Dat de joden een woord voor God hadden dat niemand mocht zeggen, behalve de hoogste priester en dan nog alleen in speciale omstandigheden, diep in het heilige der heiligen. En hij wist nu ook van de vereerders van Mithras, met hun geheime rituelen, die in dit ondergrondse labyrint werden uitgevoerd.

Zeven rangen. Zeven beproevingen. Zeven sacramenten. Belangrijke riten, waarover nooit iets tegen buitenstaanders werd verteld. Nooit, tot het moment van initiatie, het punt dat op de lege, onbeschreven bladzijde van de nieuweling één krabbel kwam, het begin van kennis.

De beginner werd Corax.

Na... wat?

Giorgio was een paar minuten geleden in het donker verdwenen. Alessio meende dat hij geluiden had gehoord in een van de onverlichte gangen. Een stem ver weg. Misschien meer dan één. Misschien was het zijn vader die hem vanuit het duister gadesloeg, of een echo van zijn eigen stem, die diep en vreemd klonk door de tunnels die wegschoten achter die zeven in het steen uitgehakte uitgangen van de ruimte waarin hij nu zat. Maar bang was hij niet; hij dacht alleen na en probeerde te bepalen wat dit was.

Spelletjes.

Giorgio speelde soms spelletjes. Een paar maanden geleden had zijn vader hem meegenomen naar een doolhof van opgegraven huizen op de Palatijn. Hij was via een labyrint van oude stenen kamers naar de keuken gegaan van een zekere Livia, de echtgenote van Augustus, een beroemde keizer, en een vrouw met een beangstigende reputatie, wreed en heerszuchtig, vastbesloten voor haar familie al het mogelijke te doen. Een soort Pater, maar dan in een jurk.

Hij was weg toen Alessio een hoek omsloeg en in een donkere, groen uitgeslagen alkoof vol stenen terechtkwam. Het krioelde er van de insecten, duizendpoten en kevers en er groeide als een ruwe, levende huid, harig mos op de vochtige muren die door een beginnend verval geel verkleurd waren.

Hij had niet gedaan wat Giorgio had gewild. Hij was niet gaan huilen, jammeren en schoppen; hij had niet gegild en met zijn nieuwe witte sportschoenen tegen de groene, glibberige stenen getrapt tot ze verpest waren.

Naderhand had Giorgio ijs gekocht en voor Alessio een stukje speelgoed dat hij niet hoefde. Allemaal in ruil voor de belofte dat hij het nooit tegen zijn moeder zou vertellen, een belofte die hij graag deed, omdat mannen geheimen, verbonden, nodig hadden, net als die van Mithras, die hier tweeduizend jaar geleden werden gefluisterd. Geheimen versterkten de band die ze met elkaar hadden, zorgden ervoor dat Giorgio hem meer verhalen vertelde, gewaagde verhalen, die soms eng waren. Over het donker en de oude dingen die zich daar schuilhielden.

Hij wierp een blik op de zeven uitgangen. Hij had niet gekeken welke Giorgio nam toen hij wegging. Hij was kwaad op hem. Giorgio had ook niet gewild dat hij keek en dat had hij geweten zonder dat het werd gezegd. Maar nu... Even vond hij het jammer dat hij dat horloge niet meer had. Het had een soort markeringspunt kunnen zijn aan de hand waarvan hij zijn vader en de dingen die hij deed had kunnen beoordelen.

Er kwam weer een geluid uit de gang en ditmaal wist hij het zeker. Het was een zachte mannenstem in de verte. Dat moest Giorgio zijn, die op hem wachtte, zich afvroeg wat hij zou doen. Het was weer hetzelfde als op de Palatijn, alleen zwaarder, een grotere test. Alessio keek omlaag naar zijn schone schoolkleren en vroeg zich af wat zijn moeder zou zeggen als ze straks als hij thuiskwam, helemaal waren verpest.

Spelletjes.

Er waren heel veel spelletjes toen hij erover nadacht. Hun relatie was volledig gebaseerd op spelen. Als Giorgio zich niet met een of ander duister vermaak bezighield, was hij immers altijd ergens anders, in een boek of met zijn hoofd diep over een computer gebogen, maar altijd zo ver mogelijk verwijderd van wat zijn moeder 'de echte wereld' noemde. Spelletjes verenigden hen. Verstoppertje. Ik zie, ik zie... Spelletjes die soms botsten met het verleden, en met de verhalen die hij vertelde ook.

Theseus en de Minotaurus.

Dat was een van zijn lievelingsverhalen. Een dappere eenzame krijger, een vreemdeling in een vreemd land, ontmoet een mooie prinses en moet, om haar voor zich te winnen, een uitdaging aannemen. Een monster houdt zich schuil in een hol, een verborgen labyrint van gangen onder de grond. Half mens, half stier, een vreselijk, onnatuurlijk wezen dat jonge mannen en vrouwen verslindt – zeven van elk, en dat was naar zijn idee een van de redenen dat hij het zo goed had onthouden.

Theseus biedt zichzelf aan als sacrament, gaat het labyrint in, vindt het monster en – dat stond ook in zijn geheugen gegrift – slaat het beest dood. Geen snel einde, in tweeën gehakt door een zwaard, maar met een primitieve, bloederige knuppel, want dit was geen mens, maar een beest en het verdiende niet beter.

Of half beest, half mens. Voor Theseus maakte dat niet veel verschil.

De prinses, Ariadne, hielp hem met een geschenk: een bol touw die hij afrolde toen hij de grotten binnenging en gebruikte om veilig de weg terug te vinden met de personen die hij had gered.

Alessio zat kalm aan de tafel in het ondergrondse vertrek aan dit alles te denken en zich af te vragen wat het betekende. Giorgio had dit verhaal een paar dagen geleden opnieuw verteld. Alessio was zich ervan bewust dat zijn vader een man was die zelden iets verspilde: geen ademhaling, geen woord, geen beweging, niets. Dus was dat gesprek kennelijk belangrijk.

Mithras, de god die zijn vader goed kende, doodde ook een monster. Een monster dat helemaal dier was. Hij had een keer in Giorgio's bureau gekeken en een plaatje gezien, dat daar lag als een geheim dat gevonden wilde worden. De dappere, sterke god, die schrijlings boven het doodsbange dier stond, zijn kop vasthield en een zwaard in zijn nek stak. Hij had niet zijn toevlucht genomen tot een knuppel. Maar dit was geheel en al dier, dus misschien was dat anders.

Nog een herinnering. Onder het dier zaten schepsels, onbekende en bekende, die dingen deden die hij niet helemaal begreep.

'Een spelletje,' zei hij zacht bij zichzelf. Uiteindelijk kwam het daar allemaal op neer, of je nu op zoek ging naar een monster in een grot om te bewijzen dat je respect verdiende, of door het sleutelgat van een oude ridderorde tuurde om te kijken of een vertrouwd silhouet aan de overkant van de rivier er was, een silhouet dat met zijn aanwezigheid de talloze werelden die hij door die stomme bril zag in evenwicht zou houden.

Giorgio wilde een spelletje spelen. Daarom waren ze hierheen gegaan. Het was een uitdaging. Misschien wel dé uitdaging, een die zo groot, zo afschrikwekkend, zo moeilijk was, zoals de Minotaurus tegenover Theseus, dat hij hem een stap hoger zou brengen. Giorgio Bramante wachtte tot zijn zoon het begreep, opstond en zijn lot aanvaardde, de moed had het donker in te lopen en uit te zoeken waar hij zich schuilhield. En dan...?

Het begon hem te dagen. Dit was het eerste sacrament, de nieuweling met angst vervullen. Daarna werd hij de Corax van Pater Giorgio, deelgenoot van het grotere geheim. De ongrijpbare familieverhoudingen, de eeuwige drie-eenheid – vader, moeder en kind – zouden worden versterkt en op een dag worden vervolmaakt door deze veranderingen, doorstaan zonder ooit te twijfelen, zelfs niet in die donkere ogenblikken dat hij hen tweeën hoorde, Giorgio en haar, dat ze vol van drank en razernij tegen elkaar schreeuwden en woorden uitbrulden die hij niet helemaal begreep.

Alessio Bramante keek het vertrek rond en lachte. Donkere deuropeningen maakten hem niet bang, evenmin als de galmende geluiden die hij naar zijn idee nog altijd van een geheime plaats ver weg hoorde komen.

Hij stond op, liep met gespitste oren langs elk van de zeven uitgangen en dacht na. Hij meende dat hij ergens in de onzichtbare verten de plagende stem van zijn vader hoorde.

Voor een spelletje waren twee mensen nodig. Ze moesten allebei spelen.

Hij keerde terug naar de tafel en pakte de grote zaklantaarn die zijn vader daar – met opzet, besefte hij nu – had laten liggen. Het was een groot ding, bijna even lang als Alessio's onderarm, met een omhulsel van hard rubber, en er kwam een felle gele straal uit toen hij hem aanzette.

Het licht wierp de vorm van een volle maan op de muur het dichtst bij de ingang. Die was nu vrijwel volledig in het donker gehuld en werd nauwelijks verlicht door de ene gloeilamp die hij had laten branden. Alessio hield twee vingers voor het glaasje en maakte een dierenvorm. Een beest met hoorns. De Minotaurus van Theseus. De stier die Mithras zocht.

Er lag een stapel gereedschap vlak bij de uitgang die hij had uitgekozen. Pikhouwelen en scheppen, ijzeren pinnen om iets mee te markeren, waterpassen. En een grote bol touw, waar iets aan vastgeknoopt zat, iets wat leek op een lange breinaald.

Alessio legde de zaklantaarn neer, pakte het touw en peuterde het ijzeren ding eraf. Hij bond het losse uiteinde aan zijn riem en trok. De bol rolde makkelijk af en er hing nu een lang stuk touw onder zijn hand. Alessio keek er nogmaals naar. Kennelijk had iemand een keer geprobeerd het door te knippen. Er zat een zwakke plek in, vlak bij het uiteinde. Snel haalde hij het touw nog een stuk verder onder zijn riem door en knoopte het vast, trok eraan om te controleren of het stevig zat en liet de bol op de grond vallen.

Vervolgens pakte Alessio de zaklantaarn op en draaide zijn gezicht naar de lange gang, terwijl hij zich afvroeg wat hij – of zijn vader – tegen zijn moeder zou durven vertellen wanneer ze straks thuiskwamen.

Niets, dacht hij. Dit waren geheimen, die nooit doorverteld mochten worden. Dit maakte deel uit van het grote avontuur, de reis van jongen naar man, van onwetendheid naar kennis. Hij ging op pad en voelde het afrollende touw tegen zijn been kriebelen als de uitgedroogde vleugels van een stervend insect, dat omlaag tuimelde naar het oeroude stof bij zijn voeten.

20

Gevieren keken ze Calvi na toen hij een kantoortje naast de deur in liep. Het kamertje had één raam, dat recht uitkeek op wat naar Costa's idee de productielijn van de slachterij was: levende dieren kwamen binnen aan de andere kant, waar Uccello stond te bezemen. Ze werden verdoofd, gedood en dan opgehangen aan een transportketting en stap voor stap geslacht terwijl de karkassen de hal door reisden.

Teresa schermde haar ogen af tegen de felle lampen in het plafond, keek omhoog naar het mechaniek waarmee de karkassen werden getransporteerd, pakte een van de grote haken beet en zei: 'Bewijsstuk nummer één, heren. Een van deze haken heeft dat gat in de rug van Toni LaMarca gemaakt.'

Peroni keek met half toegeknepen ogen de lange hal door.

'Er zijn er hier minstens honderd. En...'

Aan de tegenoverliggende muur grensde een aantal kleinere hallen, met dezelfde witte klinische aanblik en felle verlichting. Flinke stukken rood vlees met witte vetaders hingen aan de haken.

'...de rest. Wat is het hierbinnen licht.'

'Als je met dode dingen te maken hebt, moet je zien wat je doet,' mompelde Di Capua. 'Ik ga eens een kijkje nemen,' voegde hij eraan toe. Hij wandelde de hal door en trok intussen heimelijk een paar witte plastic handschoenen aan.

De persoon onder de laatste rij lampen hield op met bezemen en wierp een onzekere blik over zijn schouder. Het smerige water bij zijn voeten kolkte langzaam rond zijn laarzen en stroomde toen weg door de goot in het midden van de hal.

'Enzo!' riep Peroni.

Hij knikte. Ze liepen naar hem toe. Costa liet nogmaals de identiteitskaart zien.

'Bij je voornaam nog wel,' mompelde de man. 'Dat belooft niet veel goeds.'

Enzo Uccello was een kleine, magere man met een lang, niet onaantrekkelijk gezicht, vooruitstekende tanden en bedachtzame ogen. Hij was waarschijnlijk halverwege de dertig en zag eruit alsof het leven hem zwaar was gevallen.

'We hebben hulp nodig,' zei Costa. 'Wanneer heb je Giorgio Bramante voor het laatst gezien? En waar was je gisteravond?'

Hij mompelde iets onverstaanbaars. En daarna...

'Giorgio heeft hier gisteren tot drie uur gewerkt. Daarna heb ik hem niet meer gezien. Gisteravond ben ik thuis gebleven, heb mijn ene wettelijk toegestane biertje gedronken – meer kan ik me ook niet veroorloven – en tv-gekeken. Alleen, mocht je het willen weten.'

Uccello beantwoordde vragen op een natuurlijke, vlotte manier, een manier die iedere politieman herkende. Hij had het eerder meegemaakt.

Costa begon nieuwsgierig te worden.

'Waar woon je, Enzo?'

'In Testaccio. In hetzelfde blok als Giorgio. De reclassering heeft een of andere regeling.'

Teresa keek hem met open mond aan.

'En je hebt hem niet gezien?'

'Signora,' zei Uccello met een zucht. 'Giorgio en ik hebben bijna acht jaar samen in een cel ter grootte van een hondenhok gezeten. Ik heb respect voor die man. Hij had nooit veroordeeld mogen worden. Dat zou ook niet zijn gebeurd als jullie je werk een beetje goed hadden gedaan. Maar na al die tijd samen is het fijn om eventjes bij elkaar uit de buurt te zijn. Geloof me.'

'Daar kan ik inkomen,' beaamde Peroni. 'Heeft hij tegen je gezegd dat hij nog kwaad was? Was hij uit op een soort genoegdoening?'

'Hè?'

Uccello was de hele dag aan het werk geweest, vermoedde Costa. Hij had het nog niet gehoord.

'Hij heeft gisternacht iemand vermoord. Een van de studenten die onder verdenking stonden vanwege zijn zoon.'

'O nee...' mompelde Uccello.

'En het was ook niet de eerste,' ging Peroni verder. 'Heeft hij echt niets gezegd?'

De ex-gedetineerde gooide de bezem neer. Het smerige water spatte iedereen nat.

'Nee! Moet je luisteren, ik zit in mijn proeftijd. Ik hoef maar dát verkeerd te doen en ze stoppen me terug in dat stinkhol. Ik weet niet wat Giorgio allemaal doet. Dat zijn zíjn zaken. En die van jullie, als jullie dat zeggen. Ik heb er niets mee te maken. Niets!'

Ze drongen niet aan. Uccello stond te zweten. Peroni had een blik op zijn gezicht die Costa kende: hij hield er niet van mensen onder druk te zetten, zolang er geen goede reden voor was. Als het allemaal komedie was, dan speelde hij het goed. Uccello leek echt iemand die wilde voorkomen dat hij terug moest naar de gevangenis.

'Wat heb je gedaan?' vroeg Peroni. 'We zijn er snel genoeg achter. Ik wil het alleen graag van jou horen.'

Uccello spoog op de grond, raapte de bezem op, begon er doelloos mee heen en weer te zwaaien en vermeed hun blik.

'Ik kwam een keer thuis en vond de plaatselijke woekeraar in bed met mijn vrouw. Toen heb ik hem neergeschoten.'

Peroni trok een gezicht.

'Erg...'

'Ja. Het werd nog erger toen jullie erbij kwamen en ontdekten dat ik ook de plaatselijke drugsdealer was. Dus met mij hoef je niet zo veel medelijden te hebben. Giorgio... Dat is een ander verhaal. Hij hoorde daar helemaal niet. Van mij stond het vast dat ik er een keer terecht zou komen. Nu ben ik weer vrij en dat blijf ik. Zelfs als dat betekent dat ik hier de rest van mijn leven bloed en stront bij elkaar moet vegen. Nog meer vragen? We krijgen zo een nieuwe lading dieren binnen.'

'Zijn jullie tweeën hier de enigen? Met Calvi?'

'Het is tegenwoordig een klein bedrijf. We hebben twee man meer aan het werk als er geslacht wordt. Maar eerst...'

Hij hoefde het niet te zeggen. Teresa wierp een lange, vorsende blik op de hal.

'Hoe doden jullie ze?'

'Zoals je de meeste grote dieren doodt.'

Hij drukte een vinger tegen zijn voorhoofd.

'Slachtpen op het voorhoofd. Beng...'

Ze leek te twijfelen aan zijn antwoord.

'Wat doet zo'n pen?'

'Maakt een gat door de schedel de hersens in.'

'En dan is het dier dood?'

'Nee. Dan is het bewusteloos. Ik moet het steken. Een ader in zijn nek openen. Een minuut of vijf en dan is het dood.'

'De pen gaat dóór de schedel?' vroeg Teresa.

'Inderdaad.'

Ze keek nogmaals de hal door met een ongelukkig gezicht.

'En de rest,' ging ze verder, 'doen jullie gewoon met messen?'

'En zagen. Het is een proces. De meeste mensen willen het niet weten. Ben je ergens naar op zoek?'

Teresa Lupo schudde haar hoofd.

'Tja, een manier om een gat in het hart van een man te maken zonder zijn ribbenkast op enigerlei wijze te beschadigen. Er moet nog iets anders zijn.'

Costa had gezien hoe Silvio Di Capua de drie aangrenzende kleinere hallen doorzocht en er na elke ruimte treuriger uit ging zien.

'Wat gebeurt daar, Enzo?'

'Je begint met een levend paard,' legde Uccello quasigeduldig uit. 'Daarna heb je een dood dier. Als het een tijdje heeft gehangen, schuift het een stukje door en hoe verder het komt, hoe kleiner het wordt. Daar aan die kant beginnen we er pakketjes van te maken. Er een vorm aan te geven die mensen kunnen kopen zonder dat ze eraan hoeven denken wat het is geweest. Heb je daar wat aan?'

Costa probeerde zich iets te herinneren wat hem net niet te binnen wilde schieten.

'En de botten? Wat doen jullie met de botten?'

Uccello haalde zijn schouders op.

'Dat is ons werk niet. Die gaan gewoon weg. Die worden door iemand opgehaald. Als...'

Er viel hem iets in.

'Als wat?' drong Costa aan.

Uccello wandelde naar de derde hal, de ruimte waar Di Capua zojuist uit was gekomen. Ze liepen achter hem aan. Het was hier schoner dan in de grote hal, alsof er kortgeleden was schoongemaakt. Er hing een kleine rij haken, maar deze zaten vast in het plafond, niet aan een transportketting.

'Hebben jullie ooit van "mechanisch gewonnen vlees" gehoord?' vroeg Uccello.

'Allemachtig,' bromde Peroni, 'als ik hier nog meer over hoor, word ik ook vegetariër.'

Uccello moest bijna lachen.

'Maak je geen zorgen. Het gaat niet naar mensen. Niet meer. Het wordt gebruikt voor hondenvoer, kattenvoer. Diermeel. Dat soort dingen.'

'Mechanisch gewonnen vlees?' vroeg Teresa.

'We slachten ze met de hand, voor zover dat gaat. Je zou verwachten dat er daarna niet veel meer aan het karkas zat. Maar er zit nog van alles aan. Zeen. Kraakbeen. Een beetje vlees zelfs nog. Dat kun je er niet met een mes af krijgen. Daar heb je iets met meer kracht voor nodig.'

Silvio Di Capua was hem een stap voor. Hij was naar de muur gelopen. Daar hingen drie lange lansen, elk met een bijbehorend stel smerige handschoenen, een gezichtsmasker en veiligheidsbril. Hij haalde de dichtstbijzijnde lans van de muur en speelde met de trekker.

'Hé, niet aankomen...' zei Uccello.

Buiten sprong een apparaat aan dat een hard, mechanisch bromgeluid begon te maken. De lans schoot omhoog in de hand van Di Capua. Er spoot een harde, dunne straal water uit, in een rechte lijn naar de tegenoverliggende muur, een afstand van zeker acht meter, met zo veel kracht, dat ze allemaal in een fijne, koude nevel werden gehuld.

'Water,' riep Teresa lachend uit. 'Water!'

'Ja,' beaamde Uccello. 'Water. We konden deze hal vanochtend trouwens niet gebruiken. De afvoer zat verstopt. Hij liep niet goed door.'

Ze kraaide het opnieuw uit. Toen was ze, voor Costa iets kon zeggen, langs de goot gelopen tot bij de put waar hij in uitkwam. Daar zakte ze op haar knieën, rolde haar rechtermouw op en stak haar hand diep in de afvoer.

'Aangezien ik het bed met je deel, zou ik het echt prettiger vinden als je handschoenen aantrok voor je zoiets deed,' zei Peroni zacht. Hij zag zo wit als een laken.

Datzelfde gold voor Uccello toen zijn baas binnenstormde. Calvi was pisnijdig.

'Wat heeft dit te betekenen?' riep hij. 'Ik laat jullie binnen om met een van mijn medewerkers te praten. En voor ik het weet, zitten jullie met de apparatuur te klooien. Maak dat je wegkomt! Enzo! Wat moet dit voorstellen, man?'

'Ik wilde alleen...'

Er stond angst te lezen op Uccello's gezicht. Angst voor Calvi. Angst dat hij iets deed waardoor aan zijn broze vrijheid een einde zou komen.

'Ik wil dat jullie weggaan!' brulde Calvi. 'Jullie hebben het recht niet om... Eruit! Ogenblikkelijk!'

Teresa stond op, kwam naar hen toe en ging dicht bij de eigenaar van het slachthuis staan, zo dichtbij dat hij een stukje achteruitdeinsde. Ze had iets in haar hand. Costa hoopte dat hij er niet al te goed naar hoefde te kijken. Grijs vlees. Wit weefsel. Onmiskenbare strengen donkere, natte huid.

'Wat voor soort paarden slachten jullie hier?' vroeg Teresa.

Calvi keek haar boos aan.

'Dat ligt eraan wat we binnen krijgen. En wat jullie morgen willen eten.'

'Er zal heel lang niemand iets eten wat hier is geslacht,' zei ze. 'Dit is een plaats delict. Silvio, geef het door. Verzegel de boel. Ik wil hierbinnen geen burgers hebben tot ik klaar ben. Geen paarden ook.'

'Wat?' riep Calvi uit. 'Het kost me toch al zo'n moeite het hoofd boven water te houden. Dit kun je niet maken. Waarom?'

Ze haalde een stukje weefsel uit de moerassige verzameling in haar hand, een wit stukje, heel wit, schoongewassen, alsof het uren in het water had gelegen. Het was een flinter huid, net groot genoeg om in een handpalm te passen. In het midden zat de onmiskenbare bruine ronde vorm van een menselijke tepel.

'Omdat,' hernam ze kalm, 'Giorgio Bramante hier gisteravond is teruggekomen met een man die liever ergens anders, waar dan ook ter wereld, had willen zijn. Hij gaf hem een pak rammel. Hij hing hem aan een van die haken daarboven en hees hem van de vloer. En toen, terwijl hij nog leefde, spoot hij zijn hart eruit.'

Calvi had dezelfde kleur gekregen als Peroni. Alle twee zagen ze eruit alsof ze elk moment konden gaan spugen.

'Daarom dus,' besloot Teresa.

21

Het werd al donker tegen de tijd dat Falcone klaar was bij de Santa Maria dell'Assunta. Misschien was het de leeftijd, of kwam het door zijn broze gezondheid. Wat de oorzaak ook was, Falcone merkte voor het eerst dat hij er serieus voor moest gaan zitten om een lijstje te maken van alles wat gedaan moest worden, zodat hij de draad niet kwijtraakte. Er waren veel dingen waar hij aan moest denken, sommige uit het heden, andere uit het verleden. En praktische zaken ook. Falcone had een politieagent naar zijn appartement gestuurd om een paar persoonlijke spullen te halen voor het gedwongen verblijf in de Questura. Daarna had hij opdracht gegeven kopieën van de belangrijkste dossiers over Bramante naar de Questura van Orvieto te e-mailen, af te drukken met een begeleidend briefje dat hij had gedicteerd, en naar het huis van de vader van Bruno Messina te brengen in afwachting van de komst van Emily Deacon. Cold cases – en in veel opzichten was dit een cold case – vroegen om het oog van een buitenstaander. Ze had de analytische geest van een voormalig FBI-agent en was in geen enkel opzicht persoonlijk betrokken bij wat er bijna vijftien jaar geleden was gebeurd.

De enige die niet blij zou zijn was Nic Costa. Falcone meende dat hij daarmee kon leven.

Nadat hij die opdrachten had gegeven, was hij verschillende malen speurend, en voorzichtig vanwege zijn zwakke toestand, de crypte rond gelopen en had nagedacht over Giorgio Bramante. Hij had geprobeerd zich de man weer enigszins gedetailleerd voor de geest te halen en te begrijpen waarom hij naar deze plek zou terugkeren, zo dicht bij zijn vroegere huis, om zo'n barbaarse daad te plegen.

Dat bleek niet eenvoudig. Wat hij tegen Messina had gezegd, was waar. Bramante had na zijn arrestatie niet veel meer gezegd. Hij had alleen onmiddellijk schuld bekend en zijn handen uitgestoken voor de handboeien, alsof hij in zekere zin het slachtoffer was. De man had geen excuus gezocht, was niet op zoek gegaan naar mazen in de wet om aan een vervolging te ontkomen, of de aanklacht te laten verminderen tot een minder zwaar vergrijp.

Het leek wel of hij destijds de regie had gevoerd. Bramante was degene die de politie naar de opgraving op de Aventijn had geroepen toen zijn zoon verdween. Hij was rap akkoord gegaan toen de vader van Bruno Messina hem de kans bood alleen met Ludo Torchia te praten.

Falcone herinnerde zich de gevolgen van dat besluit het duidelijkst: het gegil van de student, dat met de minuut luider en wanhopiger werd toen Bramante hem alle hoeken van de kleine arrestantencel liet zien in een donker, verlaten stukje van de Questura, waar alleen een man die opdracht had daar voor de deur te zitten, het kon horen. Die geluiden zouden Leo Falcone altijd bijblijven, maar de herinnering leverde hem niets op, geen inzicht, geen kijkje in het hoofd van Giorgio Bramante, helemaal niets.

De man was een intelligente, beschaafde academicus, iemand die internationaal werd gerespecteerd, zoals de steunbetuigingen die Bramante ontving toen hij voor de rechtbank moest verschijnen, hadden aangetoond. Hij was kennelijk zonder enige schroom veranderd in een harteloos beest, bereid een medemens dood te slaan. Waarom?

Omdat hij geloofde dat Ludo Torchia zijn zoon had vermoord. Of, beter gezegd, dat Torchia wist waar de zeven jaar oude Alessio was, mogelijk nog in leven, en dat ondanks het pak slaag weigerde te vertellen.

Falcone dacht aan de opmerking van Peroni: dat iedere vader daar zo over zou hebben gedacht.

Falcone had bijna een uur naar dat gegil geluisterd. Als hij niet tussenbeide was gekomen, zou het zijn doorgegaan tot Torchia in de cel aan zijn einde was gekomen. Het was geen gewone woede-uitbarsting geweest. Bramante had Torchia systematisch afgetuigd, met een weloverwogen, meedogenloze precisie die alle begrip te boven ging.

Een herinnering kwam boven. Nadat Torchia dood was verklaard, toen de Questura in algehele paniek was en men zich afvroeg wat te doen, had Falcone de tegenwoordigheid van geest gehad aan de

fysieke toestand van Giorgio Bramante te denken en hij had gevraagd of hij zijn handen mocht zien. Zijn knokkels bloedden. De slagen die hij op Torchia had laten neerregenen, waren zo hard geweest,
dat het vlees eraf was gerukt. Op een paar vingers was het bot te zien.
Hij moest gehecht worden en had direct medische hulp nodig gehad.
Weken later hadden zijn advocaten voor elke rechtszitting met een
duidelijke bedoeling het verband van zijn handen gehaald en vervangen door huidkleurige pleisters, zodat het publiek nooit een andere kant zou zien van de man die dag in dag uit in de kranten werd
geprezen. De vader die had gedaan wat iedere vader zou doen...

'Dat dacht ik niet,' mompelde Falcone.

'Inspecteur?'

Hij was vergeten dat de vrouw er nog was en in een donker hoekje van het busje op zijn instructies zat te wachten. Enigszins tot zijn
verbazing kon Rosa Prabakaran inmiddels zijn goedkeuring wegdragen, nadat Teresa Lupo hem had overgehaald haar weer in zijn team
op te nemen. Ze was snel, had een goed geheugen en stelde geen
domme vragen. In het tijdsbestek van een paar uur had ze op een
paar belangrijke punten gescoord, met name in het contact met de
afdeling Inlichtingen om na te gaan of er nog meer uit bestaande
archieven kon worden afgeleid. Er was weinig te vinden. Dino Abati
was een maand nadat Bramante naar de gevangenis ging voorgoed
uit Italië vertrokken en had daarmee een veelbelovende academische
carrière opgegeven. Misschien had Giorgio Bramante hem al ergens
opgespoord, hem in het donker gevonden, gedaan wat hij juist achtte
in de omstandigheden. Falcone vroeg zich af of ze het ooit te weten
zouden komen.

Concentreer je.

Hij wist niet meer hoe vaak hij dat had gezegd tegen een jonge po-
litiefunctionaris die moeite had een overvloed aan informatie, een
reeks van net in de schaduwen te ontwaren halve mogelijkheden te
verwerken. Leo Falcone wist dat hij nu zijn eigen raad moest opvol-
gen. Hij was niet meer in vorm. Zijn hersens hadden niet meer goed
gefunctioneerd sinds hij was neergeschoten. Alles kostte tijd. Ook het
werk, iets wat hij al die tijd had gemist, besefte hij nu. De verrukkelijke aanwezigheid van Raffaela Arcangelo had zijn verstand beneveld, hem doen vergeten wat voor man hij was. Het werd tijd de
zaken recht te zetten.

Hij keek naar Rosa Prabakaran.

'Zorg dat Inlichtingen blijft zoeken. Ze moeten meer hebben.'

Ze knikte.

'Hoe gaan we hem vinden?'

Het was zo'n voor de hand liggende vraag. Het soort vraag dat nieuwelingen stelden. Falcone vond het opmerkelijk leuk hem te horen.

'Waarschijnlijk zullen wij hem niet vinden. Hij vindt ons. Giorgio Bramante is op zoek naar iets of iemand. Dat maakt hem zichtbaar. Zolang hij niet op zoek is, is hij waarschijnlijk ongrijpbaar. Hij is slim en zal geen duidelijke sporen hebben nagelaten. Niet verblijven bij mensen die hij kent.'

Hij dacht aan iets wat ze eerder had gezegd.

'Als hij over zo'n grote uitrusting beschikt, zal hij ergens in een grot zitten, denk ik. Bramante kent het ondergrondse Rome beter dan wie ook in de stad. Hij zou elke nacht ergens anders kunnen zijn zonder dat wij enig idee hebben.'

'Wilt u zeggen dat er niets is wat we kunnen doen? Alleen afwachten?'

'Helemaal niet! Wij gaan hard aan de slag, zodat we straks de informatie waarover we beschikken, begrijpen. We kijken wat we nog meer te weten kunnen komen. We doen wat we horen te doen. Maar eerlijk gezegd zie ik ons zo'n man niet op de gewone manier pakken. De gewone manier werkt bij gewone criminelen. Giorgio Bramante is allesbehalve gewoon. De enige troost is dat er, voor zover we weten, verder niemand in de stad op zijn lijst staat.'

'Behalve u,' zei ze en ze voegde er nog net op tijd 'inspecteur' aan toe.

'Dat schijnt zo, ja,' beaamde hij met een beleefd hoofdknikje.

22

Dino Abati was weer bij bewustzijn en stond een beetje suf uit zijn ogen kijkend tegen het altaar geleund. Hij hield een zakdoek tegen zijn hoofd. Zijn rode haar zat tegen de lichte huid van zijn voorhoofd geplakt, maar het bloeden werd minder. Hij zou het wel overleven. Misschien, dacht Torchia, zou hij er iets van leren. Daar ging het tenslotte om. De cultus. De rituelen. De processen die hier plaatsvonden. Mannen leerden wat ervoor nodig was om in de ogen van hun gelijken goed te zijn, werden voorbereid op de ontberingen van het leven. Gehoorzaamheid. Plichtsbesef. Zelfopoffering. Maar gehoorzaamheid bovenal. Dat ging sommige mensen makkelijk af. Niemand anders in de tempel had hem durven tegenhouden toen hij Abati aanviel. Niemand vroeg meer waarom ze hier waren.

Niet nadat hij hun, heel simpel, maar met een resoluutheid die niet mis te verstaan was, had gezegd: 'We zoeken die vogel. We doden hem. We zweren bij zijn bloed dat we nooit tegen iemand zullen vertellen wat zich hier heeft afgespeeld. Dan is het klaar. We hebben het er nooit meer over, met niemand. Nooit meer. Begrepen?'

Andrea Guerino was nog op pad, ergens in de doolhof van gangen, om zijn bevel uit te voeren. Abati zou geen problemen meer geven. Sandro Vignola zat weer op zijn knieën met dwaas openhangende mond naar de inscripties in het steen te turen, nog altijd verbluft door wat ze hadden gevonden: een ondergronds heiligdom, gewijd aan een lang geleden verloren gegane god, dat door de christenen van Constantijn was geplunderd ten tijde van hun overwinning.

En dan was er die andere stem.

'Hoe ga je die vogel doden?' vroeg LaMarca belangstellend.

Torchia had dat voor de zekerheid nagekeken. Voor hem was dit een ritueel, zelfs als de anderen nu alleen nog maar uit angst, uit overlevingsdrang instemden met wat hij wilde. Rituelen moesten correct worden uitgevoerd, nauwkeurig. Anders konden ze een weerslag hebben op hen die ze verrichtten. De god boos maken, niet tevreden stemmen.

'Ik hou hem boven het altaar en dan snij ik zijn keel door.' Hij trok het pennenmes uit zijn zak. 'Hiermee.'

De ogen van LaMarca glinsterden in het licht van de grote lantaarn, die Abati had meegebracht en op de grond had gezet, waar hij zijn zwakke stralen in alle richtingen wierp.

'We waren een keer op een boerderij in Sicilië. Midden in de rimboe. Iedereen was elkaars broer of zus, snap je? En op een dag zie ik zo'n jochie op het erf. Niet ouder dan een jaar of zes. Ze hadden hem naar buiten gestuurd om een kip te halen. Hij rent er gewoon achteraan, tilt hem bij de poten op' – LaMarca deed het voor, bukte zich en maaide met zijn arm langs de grond – 'en begint hem rond te slingeren. Almaar rond. Alsof het een stuk speelgoed is.'

'Een stuk speelgoed?'

'Ja. En weet je wat er toen gebeurde?'

'Vertel op.'

'Valt zomaar opeens de kop eraf! Nee, geen geintje... Zo hard zwaait hij ermee in de rondte.'

Toni LaMarca kon niet tegen drank en drugs. Hij was volslagen stoned, een feit dat Torchia in zijn geheugen prentte voor het geval dat het nog van pas zou komen.

'Het ene moment gaat die kip kakelend alsof hij pisnijdig is almaar in de rondte. Het volgende moment vliegt de kop er finaal af en zit er alleen nog een nek waar...'

Dit moest een echte herinnering zijn, want op dat moment betrok zijn gezicht, waarschijnlijk vanwege een verdrongen beeld dat door de drug was opgepord.

'...bloed uit spuit. Net een kleine fontein. En het spuit maar door. Niet zo heel lang. We hebben hem bij het avondeten opgegeten. Zij hebben hem opgegeten. Ik had niet zo'n trek.'

Ludo Torchia zweeg, want hij dacht dat er nog meer zou komen. Er kwam niets meer. Maar nu nam Dino Abati het woord. Hij haalde de zakdoek van zijn hoofd en zei: 'Het is hier gevaarlijk. We horen hier niet te zijn.'

Toni LaMarca stootte hem aan met zijn voet.

'Als... de... kip... dood... is,' zei hij met de trage, moeizame precisie van iemand die stoned is en vervolgens begon hij dom te giechelen.

'Hou je poten thuis, Toni,' zei Abati kalm.

LaMarca deed een stap achteruit.

'We vertrekken,' herhaalde Torchia, 'als we klaar zijn.'

Abati schudde zijn hoofd en drukte de zakdoek weer tegen zijn wond.

'Als Giorgio dit hoort...'

'Hou Giorgio erbuiten,' beet Torchia hem toe.

Hij meende dat hij nu voetstappen in de gang hoorde, voetstappen die naderbij kwamen. Dat geluid had iets wat hem onrustig maakte. De anderen werden ook stil.

'Ludo...' begon Abati.

Toen kwam Bellucci binnen, grijnzend van oor tot oor. Hij had de zwarte haan stevig in zijn armen en knuffelde ermee alsof het zijn huisdier was. De vogel draaide zijn nek met een mechanische precisie heen en weer en maakte een zacht, verbaasd klagelijk geluid.

Andrea Guerino liep achter hem en duwde een klein kind voor zich uit, een jongetje dat Ludo Torchia kende, hoewel het even duurde voor hij wist waarvan. Hij had hem vorig jaar gezien op de kerstborrel, toen partners en kinderen waren uitgenodigd om de staf en hun studenten te ontmoeten, in een opzichtig versierde zaal – hij had niet gedacht dat Giorgio aan zo'n onbeschaamde christelijke idioterie mee zou doen – in het gebouw op de Piazza dei Cavalieri di Malta.

De jonge Alessio Bramante had de hele tijd verontwaardigd naar hen staan kijken, alsof hij jaloers op hen was vanwege hun leeftijd.

'Jezuschristus,' mompelde Abati en hij duwde zichzelf overeind. 'Daar heb je het al, Ludo. Tijd om de man te gaan ontmoeten.'

Torchia legde een hand op Abati's schouder. Het gezicht van de jongen had iets waardoor ze allemaal stil werden.

'Wat doen jullie hier?' schreeuwde de jongen boos, terwijl hij zich probeerde los te trekken uit de sterke armen die hem stevig beet hielden. 'Dit is geheim. Als mijn vader het hoort...'

Guerino pakte zijn lange haar vast en trok eraan tot hij ophield met zijn gemekker.

'Waar is je vader, Alessio?' vroeg Torchia.

'Hier.' Vervolgens, met een eigenaardige blik op zijn gezicht. Steels. Een blik die duidde op een herinnering, een idee in het hoofd van het kind dat het bloed naar zijn wangen joeg. 'Ergens. Weten jullie dat niet?'

Hij was boos en in de war, onzeker, van slag omdat hij in deze catacomben verdwaald was. Maar bang was hij niet.

'Ik weet wat dit is,' voegde Alessio er aarzelend, onzeker aan toe. 'Het is... een spel.'

Daarop trok hij met een beslist gebaar zijn handen uit zijn zakken. Er kwam een ding mee, dat op de grond viel. Ludo Torchia bukte zich en raapte een speelgoedbril op. Het kind protesteerde niet. Torchia keek er een moment doorheen, zag het vertrek, de mensen erin, talloze malen verveelvoudigd. Het had iets angstaanjagends. Hij stopte de bril in zijn zak.

'Het is een spel,' beaamde Torchia. 'Maar een heel belangrijk spel.'

Ze waren allemaal stil, zelfs Dino Abati. Een gelegenheid diende zich aan. Zelfs de stomsten onder hen zagen dat ongetwijfeld in. Ze wisten allemaal wat er zou gebeuren als Bramante hen daar aantrof. Schorsing. Verwijdering. Schande. Het einde van hun tijd op La Sapienza. Ludo Torchia was waarschijnlijk de enige die zich daar niet druk over maakte.

'Wat doen we nu?' vroeg Dino Abati.

Torchia pakte een van de grote lantaarns op en liep naar de deuropening. Naar links liep de gang enigszins schuin omlaag, steeds verder het gesteente in, steeds dieper onder de grond. In de verte zaten aan weerszijden nog meer zijtunnels. Er lag een labyrint voor hen, een spinnenwebachtig doolhof van mogelijkheden in de smalle, in het tufsteen uitgehouwen schachten. En daarvan, schoot Torchia door het hoofd, waren er slechts weinig onderzocht.

Dat Alessio Bramante zich bij hen bevond, had een reden.

'We spelen,' zei Torchia.

Hij greep de jongen bij de hand en trok hem mee de gang in, het duister tegemoet.

23

Falcone gaf Rosa Prabakaran opdracht een chauffeur te zoeken.

'Ik ken geen chauffeurs,' bekende ze.

'Zie je die grote sovrintendente van de uniformdienst? Die ene die kijkt alsof hij er dadelijk even tussenuit zal knijpen voor een sigaretje?'

'Taccone,' zei ze. 'Geloof ik.'

'Taccone. Je hebt gelijk. Ik dacht dat je geen chauffeurs kende.'

'Ik schijn soms meer te weten dan ik me in eerste instantie kan herinneren.'

'Ik leef met je mee,' zei hij droog.

'Sorry. Voor u is het erger. Ze zeiden dat u bijna dood was.'

'Ze beweren zoveel over me. Zeg tegen Taccone dat hij de auto voorrijdt. We gaan iemand een bezoekje brengen.'

'Wie?'

'Iemand die je al hebt ontmoet. Iemand die ik jaren geleden voor het laatst heb gezien. Beatrice Bramante.'

Hij zag de bezorgde blik op haar gezicht.

'Wees maar niet bang,' zei Falcone. 'Ik zal mijn best doen vriendelijk tegen haar te zijn.'

Ze woonde in de wijk Mastro Giorgio, vijf minuten verderop. Deze flats waren een stukje geschiedenis, ongeveer een eeuw geleden gebouwd, piepkleine woningen rond binnenplaatsen met elkaar verbonden door galerijen, een paar honderd doosjes waarin de bevolking van een dorp in de stad dicht op elkaar woonde. In vroeger tijden, toen Testaccio een van de armste wijken in Rome was, zaten de huizen vaak zo vol, dat sommige mensen permanent op de galerijen sliepen. Er lagen geen lichamen onder provisorisch beddengoed meer. Sommige woningen waren nu privé-eigendom en er werden op de exorbitant dure huizenmarkt in Rome soms hoge prijzen voor betaald. Maar de meeste werden nog altijd verhuurd en boden onderdak aan een gemengde bevolking van autochtonen, immigranten en studenten, die allemaal goedkope woonruimte zochten.

Hij probeerde zich het huis van Bramante op de Aventijn voor de geest te halen. Het was een vrij groot familiehuis, gezellig, een beetje haveloos hier en daar. Maar het moest in die tijd al een fortuin waard zijn geweest, zo mooi als het lag boven op de heuvel, zeker vijftig meter van aangrenzende huizen aan beide zijden, met uitzicht op het Circus Maximus aan de achterkant en een vrij grote tuin.

Toen zijn vinger boven de bel van het piepkleine appartement hing, was hij gedwongen in te zien hoezeer Beatrice Bramante aan lager wal was geraakt. De verdwijning van Alessio Bramante – als politie-inspecteur weigerde hij het etiket 'dood' te gebruiken zonder duidelijk bewijs – leek op alle andere vermissingen van kinderen waar hij ooit mee te maken had gehad. Het duurde jaren voor de rimpelingen, de gevolgen, de bijkomstige tragedies volledig zichtbaar werden. Iemands hele leven misschien wel. Soms, dacht Falcone, was dat zelfs niet lang genoeg om het hele verhaal, de hele waslijst van pijn en treurnis, aan de oppervlakte te brengen en in het niets te laten oplossen.

De deur ging open. Even herkende hij het gezicht daar niet. Ze was oud geworden. Het haar van Beatrice Bramante was even lang als vroeger, maar nu volledig grijs. Het hing slap en los rond haar schouders. Ze droeg een versleten blauw vest, dat ze strak om haar magere gestalte trok, met de lange mouwen in haar handen geklemd. Het intelligente, knappe gezicht dat hij zich herinnerde, vertoonde rimpels. Bitterheid had de plaats ingenomen van de smartelijke ontzetting die hij zich van veertien jaar geleden herinnerde.

Het duurde even voor ze begreep wie hij was. Toen verscheen in haar donkere ogen een uitgesproken haatdragende blik.

'Wat wil je?' vroeg ze met opeengeklemde kaken. 'Ik heb je niets te zeggen, Falcone. Helemaal niets.'

'Je echtgenoot...'

'Mijn voormalige echtgenoot!'

Hij knikte.

'Je voormalige echtgenoot heeft gisteren iemand vermoord. We hebben reden om aan te nemen dat hij dat eerder heeft gedaan. Vanochtend heeft hij mogelijk een poging gedaan mij te vermoorden.'

Het maakte geen enkele indruk op haar.

'Dat gaat mij allemaal niets aan. Helemaal niets...'

Ze keek strak naar de betonnen galerij waar de drie politiemensen stonden, een starre, boze gedaante.

'Signora,' zei Rosa Prabakaran opeens. 'Het spijt me. Dit is allemaal mijn schuld. Ik had vanochtend niet in mijn eentje bij u langs moeten komen. Dat was verkeerd van me. Toe. U moet wat u te zeggen hebt in aanwezigheid van deze politiemensen vertellen. Dan kunnen we weer weg.'

De vrouw verroerde zich niet. Leo Falcone keek over haar schouder. Overal in de kleine kamer zag hij schilderijen, grote en kleine, aan de muren, tegen kasten aan gezet, werkelijk overal.

'Je schildert nog?' merkte hij op. 'Dat had ik kunnen verwachten.'

Er stond maar één onderwerp op alle doeken die hij kon zien. Een knap jong gezicht met heldere, glanzende ogen die alles wat ze zagen in twijfel trokken, een vraag stelden waar de toeschouwer alleen naar kon raden.

'Ik moet Giorgio vinden voor hij nog meer schade kan aanrichten,' voegde hij eraan toe. 'Ik wil ook Alessio's zaak graag definitief afsluiten. Dat konden we eerder niet doen. Er was te veel...'

Hij zocht naar het juiste woord.

'...commotie. Betreurenswaardig voor een groot deel. Nu zou ik eens en voor altijd willen uitzoeken wat er met hem is gebeurd. Met jouw toestemming...'

Ze zei iets dat Falcone niet kon verstaan, hoewel het misschien niet meer was dan een gemompelde verwensing. Toen deed ze de deur verder open met in zijn ogen uitgesproken tegenzin.

'Dank je wel,' zei Falcone en hij gebaarde dat Rosa Prabakaran voor moest gaan.

24

Beatrice Bramante verontschuldigde zich en ging naar het toilet. Falcone, Rosa Prabakaran en Taccone namen dicht naast elkaar plaats op de kleine, harde bank naast een piepkleine eettafel. Ze konden in de naastgelegen slaapkamer kijken en de donkere binnenplaats daarachter zien. Het hele appartement was kleiner dan de woonkamer die Falcone zich herinnerde uit het huis van de Bramantes op de Aventijn.

'Je hebt met geen woord over de schilderijen gerept, Rosa,' zei hij zacht. Hij probeerde de verwijtende ondertoon in zijn stem te smoren.

'Die waren er niet,' antwoordde ze zonder haar blik van dat ene gezicht voor hen te kunnen halen, dat gezicht dat talloze malen was vermenigvuldigd, telkens met diezelfde verongelijkte uitdrukking.

'Nee,' verbeterde ze zichzelf. 'Ze waren er wel. Er lagen daar in de hoek een paar dingen opgestapeld. Ze stonden niet uitgestald zoals nu. Ik neem aan dat ik iets bij haar wakker heb gemaakt.'

Falcone zuchtte uit ergernis om de jeugd die altijd zo snel zijn conclusies trok. Toen kwam Beatrice Bramante terug. Voorzichtig, met meer tact dan hij vijftien jaar geleden zou hebben gehad, nam hij met haar alle punten door die ze die ochtend met de overijverige Rosa had besproken. De vrouw vertelde alles zonder aarzelen, emotieloos, met eenzelfde zakelijke houding als Bramante zelf na de verdwijning van Alessio had aangenomen. Falcone herinnerde zichzelf eraan dat hij destijds de indruk had gehad dat ze een hecht paar waren.

'Wat doe je tegenwoordig?' vroeg hij toen ze klaar was.

'Ik werk parttime in een kinderdagverblijf. Ik schilder een beetje. Alleen voor mezelf.'

Hij keek de kamer rond.

'Sorry. Ik moet het vragen. Waarom woon je hier? Waarom niet op de Aventijn?'

'Advocaten zijn duur,' zei ze mat.

'Maar Giorgio had schuld bekend. Het is niet tot een rechtszaak gekomen.'

'Dat was zijn keuze. Ik probeerde hem over te halen zijn zaak wel te bepleiten. Ik heb het grootste deel van het geld dat ik had aan advocaten uitgegeven die meenden dat ze hem van gedachten konden laten veranderen. We hadden trouwens een hoge hypotheek op dat huis. En dan, hij was weg, Alessio was weg...'

De donkere ogen keken hem van onder het zilveren wanordelijke haar beschuldigend aan.

'Het was geen huis voor een vrouw alleen.'

Hij knikte begripvol.

'En je bent gescheiden. Ik hoop dat je er geen bezwaar tegen hebt, maar wat ik vragen wilde... Was dat zijn idee of het jouwe?'

'Ik heb er wel bezwaar tegen, maar als ik jou daardoor sneller de deur uit kan hebben, kun je je antwoord krijgen. Het was Giorgio's idee. Ik ging één keer per week, elke vrijdag, in de gevangenis op bezoek. Het scheen hem niet veel uit te maken. Op een dag, na een jaar of zo, zei hij tegen me dat we gingen scheiden.'

'En u hebt daarmee ingestemd?' vroeg Rosa.

'Jij kent Giorgio niet,' antwoordde ze, terwijl ze de mouwen van haar vest stevig vastgreep. 'Als hij eenmaal een besluit heeft genomen...'

Falcone had zijn blik op het grootste schilderij gericht. Sommige waren naar zijn idee recent. Eentje, van de jongen in zijn schooluniform, met een merkwaardig embleem op zijn shirt, was kennelijk naar het leven geschilderd. In tegenstelling tot de andere zat er geen tragiek in, opwellend onder een gestolde zee van woelige olieverf.

'Je hebt nog meer schilderijen van Alessio,' zei hij, en het was geen vraag.

Haar gezicht verstrakte van schrik.

'O ja?'

'Je schijnt althans een voorkeur te hebben voor dat ene onderwerp. Mag ik even...?'

Hij liep naar de piepkleine slaapkamer. Het was een janboel. Onder het raam stonden een paar doeken, met de voorkant naar de muur. Hij draaide de eerste drie om en stopte toen. De paar eerste waren van Alessio. Maar dan zoals hij geweest zou zijn. Als hij tien of twaalf was geweest. Op één schilderij was hij veel ouder dan dat, een man bijna, met dezelfde licht meisjesachtige trekken, maar een uitdrukking op zijn gezicht die ernstig was, bijna onvriendelijk. Een blik die Falcone ook bij zijn vader had gezien.

Er viel hem iets merkwaardigs op. Op de meeste schilderijen, ook op dat waar hij volwassen was, droeg hij zo'n zelfde T-shirt als in het Piccolo Museo hing, met hetzelfde embleem: een zevenpuntige ster.

Falcone keerde terug naar de bank. Beatrice had zich niet verroerd.

'Ik heb nooit kinderen gehad, er nooit aan gedacht, om eerlijk te zijn,' bekende hij. 'Het is in de omstandigheden niet meer dan vanzelfsprekend dat je je probeert voor te stellen hoe ze zouden zijn opgegroeid.'

'Vanzelfsprekend?'

Ze bauwde zijn woorden op harde, sarcastische toon na.

'Wat voor symbool is dat? Dat met die sterren. Het is kennelijk belangrijk voor je.'

Ze haalde haar schouders op.

'Niet echt. Giorgio liet het me voor de school ontwerpen. De sterren komen uit het mithraïsme. Giorgio was een beetje... geobsedeerd door zijn werk soms. Het speelde een rol in de rest van ons leven.'

'Ging hij vreemd?' vroeg hij bruusk en hij hoorde hoe de politievrouw naast hem naar adem hapte.

Beatrice Bramante keek naar haar handen en schudde haar hoofd zonder iets te zeggen.

'En jij?'

Wederom zweeg ze.

'Het spijt me,' ging Falcone verder. 'Het zijn standaardvragen. We hadden ze moeten stellen toen Alessio verdween, maar om de een of andere reden heeft de gelegenheid zich nooit voorgedaan.'

Ze keek hem aan met een van haat vertrokken gezicht.

'Waarom stel je ze nu dan? Vind je het leuk om me te kwellen?'

'Ik probeer inzicht te krijgen.'

'We waren tot die dag een gewoon gezin. Geen overspel. Geen geheimen.'

'En toch nam hij Alessio mee naar die plek,' antwoordde hij. 'Je wist niet dat hij dat had gedaan. Je hebt dat destijds niet tegen ons gezegd. Dat weet ik. Ik wilde er geen punt van maken. Je had al genoeg ellende. Maar je wist het niet. Het was duidelijk dat je het ook niet begreep. Die indruk had ik althans.'

Ze schudde haar hoofd.

'Wat wil je van me? Ik stel mezelf die vraag elke dag. Elke ochtend. Elke avond. Als ik hem nou naar school had gebracht? Als hij nou ziek was geweest? Of een andere kant op was gegaan? Als je een kind verliest, Falcone, blijf je dat afschuwelijke spel altijd spelen.'

De grote sovrintendente naast Rosa ging verzitten. Hij wierp een blik op Falcone alsof hij zich afvroeg of hij tussenbeide mocht komen en nam vervolgens hoe dan ook maar het woord.

'En als ze nou de verkeerde hoek om waren gegaan en een of andere zatlap waren tegengekomen die met zijn auto aan de verkeerde kant van de weg reed?' vroeg Taccone. 'Wij van de politie horen elke dag mensen die zichzelf zo kwellen, signora. Je schiet er niets mee op. Het is begrijpelijk. Maar het is ook zinloos.'

Falcone wenste dat hij Costa en Peroni bij zich had, niet dit welwillende stel, de ene groen en onopmerkzaam, de andere fatsoenlijk en fantasieloos.

'Nee,' zei de inspecteur kalm, 'het is helemaal niet zinloos. Alessio is niet verdwenen vanwege een of andere dronken chauffeur. Zijn vader nam hem met een zekere bedoeling mee naar die rare plek. Misschien was wat er daarna is gebeurd in zekere zin een ongeluk, maar waarom hij daar nu moest zijn, begrijp ik werkelijk niet. Jullie wel?'

25

Chauffeurs van de politie hadden net zo weinig respect voor de maximumsnelheid als de gemiddelde burger. Dus kostte het tot verrassing van Emily Deacon minder dan twee uur om uit het centrum van Rome bij de afgelegen villa van Arturo Messina aan de rand van Orvieto te komen.

Haar slaapkamer lag naast die van Raffaela, op de tweede verdieping van het prachtige huis en had een bijzonder uitzicht, over het glooiende landschap van Umbrië, op de rotswand aan de voorzijde van het kleine, kasteelachtige stadje dat de streek zijn naam gaf. De indrukwekkend sierlijke kathedraal van Orvieto, de Duomo, torende trots boven de *città* uit met zijn ene roosraam als een monoculair oog dat waakte over alles onder zijn hoede. Maar het was februari. Het licht verdween te snel, zodat ze niet zo konden genieten van de rondleiding door het huis en de tuin die Messina senior, een man met een veel innemender karakter dan zijn zoon, hun gaf. Als Arturo al enige gêne voelde vanwege de omstandigheden van hun bezoek – toen hij hen na hun aankomst eenmaal vertrouwd had gemaakt met de feiten, was ze zich er sterk van bewust dat de zaak-Bramante hem zijn baan had gekost – liet hij het niet merken. Hij moest begin zestig zijn, maar zag er tien jaar jonger uit, met een stevig postuur van middelmatige lengte; donker, knap gezicht; kleine, keurige snor; en heldere, twinkelende bruine ogen.

Het huis was veel te groot voor één persoon. Messina, die zijn vrouw zo'n vijf jaar geleden na een ziekbed had verloren, vertelde zonder aarzelen dat het van generatie op generatie was doorgegeven nadat zijn overgrootvader het ongeveer tachtig jaar geleden had gekocht. Van de barokke ontvangsthal op de begane grond tot de gastenverblijven en de kleine maar onberispelijke tuin aan de achterkant, met het uitzicht op de Duomo, was het een volmaakt paleisje. Toen Emily terloops vroeg wat hij met zijn tijd deed, onthaalde Arturo hen op verhalen over tripjes in de onherbergzame heuvels om op wild te jagen, vissen in de rivieren in de omgeving en lange uitstapjes naar ver weg gelegen restaurants met zijn vrienden uit de Questura. Orvieto was blijkbaar een toevluchtsoord voor voormalige politiefunctionarissen. Twee waren er die middag langs geweest: eentje voor koffie en, meende ze, met een blik op het bezoek, de tweede met een paar fazanten voor het avondeten. Arturo Messina was niet eenzaam. Hij verveelde zich niet. Hij koesterde geen wrok. Dit idyllische uitstapje uit Rome leek te mooi om waar te zijn, totdat hij haar apart nam en haar het pakketje liet zien dat Falcone die middag had laten afleveren.

Ze had peinzend naar het wapen van de Questura van Rome op het begeleidend schrijven gekeken. Nadat ze het had opengemaakt, wierp Messina één blik op het bovenste vel papoer en liep toen naar een kast waar hij iets uit haalde dat hij vervolgens op tafel zette. Het deed haar ogenblikkelijk aan haar opleidingstijd bij de FBI in Langley denken, met een enthousiasme dat beangstigend was.

'Wat je daar hebt, Arturo,' verklaarde Emily, 'is een conferentietelefoon.'

'Zelfs een oude man als ik weet in welke eeuw we leven,' zei hij opgewekt. 'Ik blijf graag bij de tijd. Bovendien, als Leo Falcone jou voor deze zaak gaat strikken, mag ik vast ook meedoen. Het is tenslotte ooit mijn zaak geweest.'

'Maar...'

'Wat "maar"?' De bruine ogen fonkelden. 'Er spelen geen persoonlijke dingen, hoor. Zie ik eruit als een man die wordt verteerd door wrok? En zelfs als dat zo was, is de zaak niet belangrijker?'

'Ik heb er in feite niets over te zeggen, hè?'

'Ik zal met Leo praten als we zover zijn. Goed?'

Ze zei niets. Ze wist niet eens zeker of ze er zelf mee in wilde stemmen.

'Je bent toch wel bereid het te doen, hè?' vroeg hij vriendelijk.

Ze zag er niet ziek uit. Ze zag er niet eens zwanger uit. Het was alleen vermoeidheid. Voornamelijk. De lichamelijke symptomen waren uiterst miniem. Ze zouden snel overgaan en dan zou ze die blakende gloed krijgen die ze bij alle zwangere vrouwen verwachtte te zien.

Dus gingen ze met zijn tweeën aan tafel zitten en begonnen de stukken die Falcone haar van tevoren had opgestuurd te bestuderen. De zaak-Bramante, besefte Emily al snel, wierp veel intrigerende vragen op, waarvan sommige, zoals Arturo Messina ruiterlijk toegaf, destijds niet aan de orde waren gesteld. Dat was gebruikelijk bij alle complexe onderzoeken en een van de redenen dat er zoiets als analyse van cold cases bestond. Een frisse blik zag niet alleen nieuwe kansen. Het zag ook oude die onbenut waren gebleven, of domweg over het hoofd waren gezien. En soms waren die juist bijzonder veelbelovend.

26

Beatrice Bramante stond op en liep naar het kleine aanrecht naast het eenpitsstel. Ze haalde een fles met zo te zien goedkope brandewijn uit het kastje boven de gootsteen en schonk zichzelf een groot glas in. Daarna kwam ze terug, ging voor hen zitten en nam een grote, langzame teug.

'Het heeft een jaar geduurd voor ik genoeg moed had verzameld om het hem te vragen,' zei ze na enige tijd. 'Giorgio is geen man die je aan een verhoor kunt onderwerpen. Ik neem aan dat je dat al weet.'

Falcone merkte dat zijn snel opkomende boosheid even snel weer verdween. Hij merkte dat hij het vreselijk vond dat hij deze vrouw onder druk zou moeten zetten om te krijgen wat hij hebben wilde. Dat zelfbewustzijn was ook nieuw voor hem.

'En wat zei hij?'

De woorden kwamen niet makkelijk. Beatrice Bramante huilde inmiddels, in weerwil van zichzelf, in weerwil van de schaamte die ze duidelijk voelde toen zij zagen hoe ze haar tranen probeerde te bedwingen en daar niet in slaagde.

'Hij zei tegen me... dat er in het leven van ieder mens een moment kwam dat hij volwassen moest gaan worden. Dat was het enige wat hij erover te zeggen had. Daarna vertelde hij me dat hij wilde scheiden. Snel. Zonder gedoe. Dat was mijn beloning voor het stellen van die vraag. Er viel niets meer te zeggen. En dat is nu ook zo. Ik heb het wel gehad, Falcone. Ga alsjeblieft weg.'

Taccone probeerde het oude, vieze tapijt te lezen. Rosa Prabakaran borg haar blocnote op in haar tas en zat te popelen om te vertrekken.

Falcone boog zich haar naar toe, haalde de blocnote weer uit de tas, drukte hem haar in handen en duwde de pen die nog tussen haar vingers zat op het papier.

'Wat betekende dat volgens jou?' drong hij aan. 'Dat het tijd werd dat Alessio op de een of andere manier volwassen ging worden?'

'Hij was nog een kind! Een mooi, onhandig, verwend, koppig, ondeugend jongetje. En...'

Ze gooide haar hoofd in haar nek, alsof ze daarmee de tranen kon stelpen.

'En Giorgio hield meer van hem dan van wat ook. Meer dan van mij. Meer dan van zichzelf. Ik weet niet wat hij bedoelde. Ik weet alleen...'

Het werd even stil toen ze haar gezicht afveegde met de mouw van het groezelige blauwe vest.

'...dat mijn zoon niet de enige is die die dag is gestorven. Ik herkende die man in de cel niet meer. Ik herkende hem niet meer toen ik naar zijn appartement hier om de hoek ging. Hij lijkt alleen op Giorgio Bramante. Er zit iemand anders in dat vel. Niet de man van wie ik hield... hou. Kies jij de woorden maar. Verzin ze maar. Vertel het maar tegen iedereen, de hele rottige wereld als je wilt. Tenslotte' – het gegroefde, verbitterde gezicht aan de andere kant van de benauwde kamer keek hem opnieuw boos aan – 'is dat je werk, nietwaar?'

'Als iemand is doodgeslagen, terwijl ik duimendraaiend voor de deur zit te luisteren?' vroeg Falcone. 'Reken maar. Ik probeer ook criminelen op te pakken voor ze nog meer schade kunnen aanrichten dan ze al hebben gedaan. Ik hoop het verdriet dat mensen elkaar wensen aan te doen te beperken, zelfs als bij hen de wil daartoe vrijwel ontbreekt. Het is misschien een dom idee.'

Hij hees zichzelf van de bank en liep moeizaam naar de andere kant van de kamer. Daar boog hij voorover en pakte de handen van Beatrice Bramante. Ze verstijfde bij zijn aanraking. Zijn vingers lagen op het oude blauwe vest en hielden haar handpalmen stevig beet.

'Mag ik?' vroeg hij.

Voorzichtig schoof hij de goedkope stof van het kledingstuk omhoog. Hij wist wat hij daar zou zien, waarom een vrouw als Beatrice Bramante haar armen in die lange slobbermouwen zou verstoppen.

De littekens op haar polsen kwamen tevoorschijn. Sommige waren vers, donkerrode striemen, niet diep, niet het soort verwonding dat iemand zichzelf toebracht wanneer hij een einde aan zijn leven wilde maken. Ze sneed zichzelf, met enige regelmaat, vermoedde hij. En misschien...

Hij dacht aan iets wat aan hem had geknaagd vanaf het moment dat hij het had gehoord.

'Dat T-shirt dat je aan de kerk hebt gegeven. Het bloed erop was van jou, nietwaar?'

Ze rukte haar handen uit de zijne en trok de blauwe mouwen er weer overheen.

'Wat ben je toch een slimme man, Falcone! Was je veertien jaar geleden maar zo scherp geweest.'

'Dat had ik ook graag gewild,' antwoordde hij en hij keerde terug naar de bank. 'Het bloed was van jou. Het eerste althans. Ben je daarna nog naar de kerk terug geweest?'

'Nee, nooit. Hoezo?'

'Ik heb zo mijn redenen. Waarom die kerk trouwens?'

'Waar had ik het anders heen moeten brengen? Bovendien was Gabrielli een oud-collega van Giorgio. Hij was daar parttime beheerder. Ik kende niemand anders. Ik had een week of twee daarvoor in de krant over dat kleine museum van ze gelezen. Ik...'

Ze snoof en veegde haar neus af met de mouw over haar rechterhand getrokken.

'Ik was in die tijd mezelf niet.'

'Wanneer heb je het aan Giorgio verteld?'

Ze schudde haar hoofd.

'Dat weet ik niet meer. In de gevangenis. Niet lang voordat hij om een echtscheiding vroeg. Hij dacht dat ik gek geworden was. Misschien had hij gelijk.'

Er was nog een vraag. Hij moest gesteld worden.

'Deed je al aan zelfverwonding voor Alessio verdween? Of is dat daarna pas begonnen?'

'Dat gaat je niet aan. Dat gaat je geen barst aan.'

'Nee,' beaamde Falcone en hij had het idee dat hij zijn antwoord had gekregen. 'Je hebt gelijk. Toch denk ik dat het verstandig zou zijn als ik iemand vroeg zo nu en dan met je te komen praten. Het maatschappelijk werk...'

Het gezicht van de vrouw vertrok en ze ontstak in woede.

'Bemoei je niet met mijn leven, klootzak!' krijste ze, terwijl ze een boze vinger naar hem uitstak zonder zich er iets van aan te trekken dat haar mouwen omhoog schoven toen ze dat deed en het bijna tot haar ellebogen doorlopende, kruislingse patroon van littekens op allebei haar polsen zichtbaar werd. 'Ik laat je hier nooit meer binnen.'

'Wat u wilt, signora,' zei hij simpelweg.

Het was donker buiten. Dikke zwarte wolken dreven binnen van de Middellandse Zee en verduisterden een bijna volle maan. Algauw zou er regen komen. Misschien een donderklap.

Falcone wachtte tot ze in de auto zaten voor hij zijn instructies gaf.

'Hoeveel ervaring heb je met schaduwen, Prabakaran?'

Ze keek beduusd.

'Ik heb het op de opleiding gehad, chef. Niets... in de praktijk.'

'Werd het goed gegeven?'

'Volgens mij wel.'

'Ik hoop het. Met ingang van morgen, en tot ik anders beslis, ga jij signora Bramante schaduwen. Ik wil weten waar ze naartoe gaat. Wanneer. Wie ze ontmoet. Alles.'

'Maar...' Ze viel stil.

'Wat "maar"? Het is belangrijk dat je het zegt als een bevel onduidelijk is. Ik vind het heel naar als iemand me verkeerd begrijpt.'

'Beatrice Bramante heeft me nu twee keer ontmoet. Ik kan nog zo mijn best doen, maar ze zal me vast en zeker zien. Ze weet natuurlijk dat ze wordt geschaduwd.'

De auto reed langs de markt, die nu dicht was. Falcone tuurde naar de rolluiken voor de winkeltjes, de lege dozen en de weggegooide groente die buiten op de stoep rondslingerde. Terwijl hij keek, nam een felle windvlaag een paar van de dozen mee, liet het afval rond wervelen en blies de troep alle kanten op. Een plotselinge dikke, vette regen spatte tegen de voorruit. Het weer sloeg om.

'Ik zou zeer teleurgesteld zijn als ze je niet zag. Als die vrouw haar echtgenoot hierbij heeft geholpen, is ze al medeplichtig aan moord. Voor haar eigen bestwil wil ik niet dat ze er nog verder bij betrokken raakt.'

'Maar...'

'Rosa,' zei hij een beetje ongeduldig. 'Ik ben Giorgio Bramante niets verschuldigd. Hij is, voor zover wij met zijn allen weten, de enige in deze hele treurige geschiedenis van wie vaststaat dat hij een moord heeft gepleegd. Beatrice Bramante is een ander verhaal. Het is heel goed mogelijk dat we haar binnenkort toch moeten arresteren. Maar we horen haar het voordeel van de twijfel te geven en alle hulp die ik kan verschaffen. Jij gaat haar schaduwen. Je zorgt ervoor dat je ge-zien wordt. En aan het einde van de dag breng je verslag aan me uit. Ben ik duidelijk?'

Rosa knikte en zei niets. Falcone merkte het niet eens. Zijn herin-neringen aan de gebeurtenissen van veertien jaar geleden werden steeds duidelijker. Nu hij er van enige afstand op kon terugkijken, bezorgden verschillende belangrijke aspecten van de zaak hem een sterk gevoel van onbehagen.

'We horen ook voor haar de waarheid te achterhalen over wat er met haar zoon is gebeurd,' voegde hij eraan toe. 'Ik wil Giorgio Bra-mante. En de waarheid wil ik ook.'

27

Ze had een uur gewerkt, Falcones stukken doorgelezen en vragen afgevuurd op Arturo, wiens antwoorden bewezen dat hij een goed en omvangrijk geheugen had. Toen was al duidelijk dat er in Falcones papieren slechts een deel van het verhaal stond. Toen Bramante werd gearresteerd in verband met de dood van Ludo Torchia, was een akelige ontvoering van een kind veranderd in een circus. De politie en hulpdiensten waren in groten getale uitgerukt om op de Aventijn en in het labyrint van tunnels en grotten van Bramantes opgraving naar de vermiste Alessio te speuren. Honderden burgers hadden het werk in de steek gelaten om bij de zoektocht te helpen. Al snel was het onderzoek ten onder gegaan in gekrakeel toen de implicaties van de arrestatie van Bramante tot iedereen waren doorgedrongen en het duidelijk was dat de autoriteiten geen idee hadden hoe ze de vermiste jongen moesten vinden. Emily herkende de tekenen van massale media-aandacht: de blinde razernij van een irrationele volkswoede; de boze onmacht van een politiekorps gedreven door juridische en publieke behoeftes, en niet door wat het noodzakelijkerwijs juist achtte in de omstandigheden. En vervolgens was de hele boel verzand en op een onbevredigende manier geëindigd, zoals bij de vermissing van kinderen maar al te vaak voorkwam. Alessio Bramante werd nooit gevonden. Zijn vader stak zijn handen uit en ging gedwee naar de gevangenis. Vijf jongens gingen vrijuit en verdwenen, nadat iedere jurist die de zaak bekeek, zich er zeer publiekelijk over had uitgesproken. Het was onmogelijk iemand voor de rechter te brengen nadat de hoofdverdachte was doodgeslagen terwijl hij in voorarrest zat. De regels van procedure en bewijs waren verkracht toen Giorgio

Bramante zijn toevlucht tot zijn vuisten had genomen en informatie uit de beklagenswaardige Ludo Torchia had proberen te slaan. Gedane zaken namen geen keer.

Het was een typisch Romeinse puinhoop, vond ze, en wilden ze enige kans maken om in deze vervagende nevelen te kijken, dan was, na zo'n lange tijd, meer inzicht nodig dan in de haastig bij elkaar gegraaide documentatie van Falcone zat.

Ze schoof de stukken opzij en keek naar Arturo. Er school nog een goede politieman in hem. Hij liep weg en pleegde een telefoontje. Het duurde minstens drie minuten. Toen hij terugkwam, nam hij haar mee naar een kleine en smaakvolle studeerkamer aan de voorkant van het huis. Daar nam hij plaats achter een splinternieuwe laptop op het mahoniehouten bureau aldaar en begon te typen. Het embleem van de Polizia di Stato verscheen in beeld, gevolgd door een inlogscherm. Arturo wierp een blik op een strookje papier waarop zo te zien met balpen een gebruikersnaam en wachtwoord stonden geschreven, tikte snel een paar tekens en ze waren binnen.

'Zijn we nu het centrale politienetwerk aan het kraken?' vroeg Emily, terwijl ze een stoel bijtrok.

'Nee! Ik... neem alleen waar voor een vriend.' Hij likte langs zijn lippen en keek een ogenblik bezorgd. 'Ik probeer bij te blijven, snap je. Tot op zekere hoogte. Er loopt daarbuiten een generatie politiemensen rond die meer risico lopen op RSI dan op een klap in hun gezicht. Dat is geen vooruitgang. Je moet de hulpmiddelen die je ter beschikking staan goed gebruiken.'

'Dat ben ik met je eens.'

'Mooi. Je zegt toch niets tegen mijn zoon over deze kleine escapade, hè? Hij kan soms zo'n opgeblazen lul zijn. Bij zijn geboorte was die arme knul al vijftig en dat zal hij blijven tot hij doodgaat. Spreken we dat af?'

'Het is jouw zoon,' zei ze. 'Kom...'

Het was er allemaal. Alle originele rapporten. Alle verhoren. Foto's. Kaarten. Zelfs een onafhankelijke archeologische beoordeling van Bramantes geheime vondst. Hij printte wat ze wilde hebben. Hij zocht in alle digitale hoekjes en gaatjes van het systeem van de Questura van Rome om te kijken of er iets was wat ze over het hoofd hadden gezien. Arturo Messina had zijn baan tijdens het onderzoek zo lang mogelijk vastgehouden. Hij was pas geschorst toen de zoektocht naar Alessio werd teruggeschroefd, een eufemisme voor opgegeven, zei hij, met een plotselinge en onverwachte bitterheid. Messina friste zijn geheugen op met wat hij uit het systeem haalde; hij trof niets nieuws aan. Toen er geen informatie meer te vinden scheen te zijn, logde hij uit. Daarna legden ze alle vellen papier op een stapel en gingen naar de woonkamer.

Daar was Raffaela met Arturo's vriend. Hij was een even vitaal uitziende pensionaris, lang en slank, gebruind, met een prettig, aristocratisch gezicht.

'Heeft Pietro je op het slechte pad gebracht?' vroeg Arturo. 'Ik ben weduwnaar. Hij is gescheiden. Trek zelf je conclusies maar.'

Ze lachte.

'Ik heb de Duomo bezichtigd. Wat een prachtige schilderingen.'

'Schilderingen!' verklaarde Pietro. 'Luca Signorelli. *De uitverkorenen en de verdoemden* vind ik het mooist.' Hij knikte naar hen. 'Dat zijn hij en ik. Jullie moeten zelf maar bepalen wie wie is.'

'Vanavond,' zei Arturo, 'ben jij de kok. Fazant voor vier, alsjeblieft.'

Raffaela straalde, wilde graag helpen. Ze verdween met Pietro naar de keuken. Ze was veranderd, dacht Emily. De relatie die ze met Falcone had was vreemd, een beetje geforceerd, een beetje onderdanig. Ze was bij hem ingetrokken nadat hij was neergeschoten, had voor hem gezorgd tijdens de lange zware maanden van herstel. De band tussen hen bevreemdde Emily enigszins. Het was net of Raffaela had besloten voor Leo te zorgen uit een gevoel van schuld, van verantwoordelijkheid voor de tragedie met haar familie in Venetië die ook hem bijna het leven had gekost. Bevrijd van haar ouderlijk huis in Murano, van Rome en, kennelijk, van Leo, maakte ze een meer ontspannen, onafhankelijker indruk.

Arturo zat alweer aan tafel met de papieren.

'Er zit maar heel weinig bij dat ik niet eerder heb gezien,' mompelde hij. 'Deze zaak ging me destijds de pet te boven en dat gaat hij me nog steeds. Misschien kan ik beter in de keuken bij Pietro aardappels gaan schillen, zodat jullie vrouwen even alleen kunnen zijn met elkaar.'

Ze hoorden de plop van een ontkurkte fles achter uit het huis en gelach. Pietro kwam weer binnengelopen, gevolgd door Raffaela. Hij had een fles prosecco bij zich en zij had glazen en een schaal met *crostini* uit de supermarkt. Ze leken net een stel dat een dinertje gaf, wat, besefte Emily, niet ver bezijden de waarheid was. Zij en Nic waren nooit 's avonds bij Falcone thuis geweest, bedacht ze opeens. Leo en Raffaela waren daar de mensen niet naar.

'Ik niet,' zei Emily, terwijl ze het glas met haar hand wegwuifde. 'Ik wil helder blijven.'

'En ik werk het best als ik een beetje beneveld ben,' verklaarde Arturo. 'Dus schenk maar in en dan terug naar de snijplank. Sommigen van ons hebben werk te doen.'

'Je bent gek ook,' mompelde Raffaela toen ze wegliep.

Het gezicht van Arturo Messina betrok even.

'Misschien heeft ze gelijk,' zei hij met een zucht nadat hij een grote slok had genomen van het tot de rand gevulde glas, een handeling die haar met afgunst vervulde. 'Wat kan ik in vredesnaam doen?'

'Wat je zei. Ga aardappels schillen.'

Hij maakte geen aanstalten.

Ze stak haar hand uit naar de telefoon.

'Ik moet daarentegen met de man praten die ons om te beginnen al deze spullen heeft gestuurd.'

'Niet in je eentje,' zei hij en hij haastte zich de conferentietelefoon aan te sluiten. 'Leo en ik hebben elkaar veertien jaar niet gesproken. Het zal een genoegen zijn weer naar die rotstem van hem te luisteren, al was het alleen maar om hem te horen schrikken.'

Ze hoorde hem nauwelijks. Ze zat opnieuw naar de foto's van Alessio Bramante te kijken, die tegelijk met de dossiers waren afgedrukt. Het was een opvallende jongen. Mooi, een beetje meisjesachtig met zijn lange haar en ronde, grote ogen. Je kon je goed voorstellen dat de kranten dolblij waren met een verhaal over een kind zoals hij: knap, intelligent, van goede komaf, met een vader die iemand voor hem had vermoord. Ze wist uit de tijd dat ze bij de FBI had gewerkt, dat fotogenieke slachtoffers altijd de beste publiciteit kregen.

'Weet je wat ik me nou afvraag?'

'Nee,' bekende hij. 'Waar je moet beginnen? Wat ze met de jongen hebben gedaan? Of hij nog in leven was toen Giorgio de waarheid uit dat smerige rotjoch Torchia probeerde te slaan? En waarom? Waarom die studenten daar waren? Waarom Giorgio en zijn zoon er waren? Er is zoveel...'

Ze was het met hem eens. Er was heel veel. Maar de zaak-Bramante was van aard veranderd zodra de vader van moord was beschuldigd. Daarna was het niet langer een simpel mysterie over de vermoedelijke ontvoering van een kind, maar werd het een publiek debat over hoeveel men van een ouder die zijn kind wilde beschermen door de vingers mocht zien. Het werd evenzeer het verhaal van Giorgio Bramante als van zijn zoon. Meer nog, in zekere zin, omdat Giorgio er was en op alle voorpagina's stond, met zijn foto in elk nieuwsprogramma verscheen. Hij stond symbool voor iedere ouder die ooit een donkere straat in had gekeken en zich had afgevraagd waar een zoon of dochter was gebleven.

'Wat ik me afvraag is heel simpel,' zei ze. 'Je beschikte over ik weet niet hoeveel mensen. Je beschikte over graafmachines. Er staat hier dat je de archeologische vindplaats van Bramante praktisch hebt vernietigd tijdens de zoektocht naar zijn zoon. En toch heb je hem niet gevonden.'

Arturo Messina likte langs zijn lippen en zag er een moment zo oud uit als hij was.

'Hij is dood, Emily,' zei hij treurig. 'Hij ligt ergens in die heuvel. Op een plek die wij niet hebben gevonden, of waar de grotonderzoekers niet heen durfden.'

Ze wist dat zij dat eigenlijk ook moest geloven, maar de twijfel stond waarschijnlijk op haar gezicht te lezen.

'Wat zou er anders gebeurd kunnen zijn?' vroeg Arturo Messina.

28

Het was weer net als vroeger. Voor hen, voor het lange raam van Falcones kamer, die inmiddels was ontruimd door de tijdelijk aange-
stelde inspecteur die die middag door Bruno Messina naar elders
was gezonden, zat een team van vijftien mannen en vrouwen te werken, dossiers door te nemen en aanwijzingen na te trekken om een
antwoord te vinden op een simpele vraag: waar zou een academicus
die aan het moorden was geslagen, in zijn geboortestad onderdui-
ken? Er was nog iets net als vroeger. De antwoorden waren niet makkelijk te vinden. De scooter die Bramante had gebruikt om in Monti
te ontkomen, werd later aangetroffen in een achterafstraatje bij het
Termini-station. Bramante opsporen aan de hand van dat soort informatie zou niet eenvoudig worden. Vlak bij de plaats waar hij de scooter had achtergelaten, had hij de ondergrondse kunnen nemen, of de
tram, de bus, de trein...

Of hij had kunnen doen wat iedere Romein in die omstandigheden
waarschijnlijk zou doen, dacht Costa. Lopen. Het was in feite niet
zo'n grote stad. Vanaf het Termini had Bramante – naar zeggen een
fitte en actieve man – te voet binnen een uur in een van de buitenwijken kunnen zijn. En dan? Costa had het gevoel dat hij het antwoord wist. Giorgio Bramante was niet gek. Hij wist ongetwijfeld dat
je het makkelijkst anoniem kon zijn in een groep. Mettertijd kon de
politie de plaatsen langsgaan waar de zwervende populatie zich ophield, onredzame, naamloze mensen waar een voortvluchtige eenvoudig tussen kon verdwijnen. Bramante had dergelijke lieden misschien in de gevangenis gekend. Hij zou een oude vriendschap
kunnen hernieuwen, of een beroep doen op iemand die hij in het ver-

leden een dienst had bewezen. Voor iemand die bereid was onder de blote hemel te slapen, kon wegkruipen in de duizenden catacomben in achterafstraatjes en kleine parkjes overal in de stad, was Rome een plaats waar je je makkelijk kon verstoppen. Falcone liet zijn mensen de gebruikelijke technieken toepassen. Maar de geijkte hulpmiddelen – vooral bewakingscamera's – waren nutteloos. Het terrein was te groot, de hoeveelheid gegevens te omvangrijk om te verwerken. Bramante was een man die volgens zijn eigen regels speelde. Dat maakte hem in wezen onzichtbaar.

Op televisie werden de beschikbare foto's getoond. De ochtendkranten zouden ze ook publiceren, samen met een verzoek om hulp en een telefoonnummer dat men kon bellen wanneer men de verdachte had gezien. Costa had aan hun ontmoeting van die ochtend geen goede, duidelijke herinnering aan Bramantes uiterlijk overgehouden. Hij had zich zo op Leo Falcone geconcentreerd, was zo bang geweest dat de inspecteur in ernstig gevaar was, dat hij niet zo ver vooruit had kunnen denken.

Toch kon hij op grond van de persoon die hij zich herinnerde – in het zwart gekleed, de muts laag over de oren getrokken, sjaal om zijn mond, nauwelijks iets zichtbaar van zijn gezicht – al concluderen dat de foto's die ze van Giorgio Bramante hadden hopeloos verouderd waren. Veertien jaar geleden was hij knap en gladgeschoren geweest en had hij lang, donker haar gehad. Op de meeste foto's die voor zijn arrestatie waren genomen, was aan hem te zien wat hij was: een intelligente, waarschijnlijk enigszins arrogante hoogleraar aan de universiteit. Uit het weinige dat Costa die ochtend had gezien, had hij wel begrepen dat Bramante niet meer aan dat beeld voldeed. Niets was nog zeker. Ze waren verwikkeld in een reeks gebeurtenissen die Giorgio Bramante misschien al jarenlang aan het beramen was geweest. In tegenstelling tot hen was hij voorbereid. Ze wisten allemaal dat het mogelijk was dat Bramante de moeilijk te vinden Dino Abati had weten op te sporen onder de naam die hij had aangenomen. Abati zou inmiddels drieëndertig zijn. Zijn ouders hadden al jaren niets van hem gehoord. Maar achttien maanden geleden was op de luchthaven geregistreerd dat hij het land was binnengekomen vanuit Thailand. Hij had het land sindsdien niet via een internationale luchthaven verlaten. Gegeven de vrijheid van reizen binnen Europa voor iedereen met een Italiaans identiteitsbewijs, zou hij toch nog overal kunnen zijn, van Groot-Brittannië tot Tsjechië.

Costa was niet de enige die hoopte dat de man ergens anders was dan Rome.

Er was enige opschudding ontstaan aan de andere kant van de afdeling. Falcone en hij sloegen hun ogen op van de stapel rapporten op het bureau van de inspecteur en keken door het raam naar de verzameling drukke politiemensen achter de bureaus. Gianni Peroni en Teresa Lupo paradeerden door de gangpaden en strooiden met zakken *panini* en blikjes frisdrank als een stel Kerstmannen op een kinderpartijtje.

Leo Falcone barstte in lachen uit. Het was een rondborstig, oprecht geluid dat Costa een tijd niet had gehoord. Dat van een man die weer in zijn element was.

'Ik weet niet waarom hij ze te eten geeft,' mopperde Falcone vrolijk. 'Zij kunnen tenminste nog naar huis. Je zou denken dat we belegerd werden. Dat we hier moeten blijven. Het is belachelijk.'

'Voor jou niet...'

De grijze wenkbrauwen gingen omhoog.

'Hij had je vanochtend kunnen doden.'

'Hij had me vanochtend kunnen doden,' beaamde Falcone. 'Dus waarom heeft hij dat niet gedaan?'

'Dat weet ik niet. Misschien vindt hij dat dit ook een soort ritueel is. Alles moet op de juiste manier worden gedaan. Geen van de mannen die hij heeft vermoord, kwam simpel aan zijn einde. Een hogedrukstraal door de borst...'

'Hij haatte hen meer dan hij mij haat,' zei Falcone beslist. 'Vraag me niet hoe ik dat weet. Ik weet het gewoon. Eigenlijk...'

Hij schudde, teleurgesteld over zijn eigen beperkingen op dat moment, zijn hoofd.

'God, ik wou dat ik helder kon denken. Wees eens eerlijk. Hoe doe ik het, Nic? Denk na voor je antwoord geeft. Ik ben op dit punt misschien een beetje achterdochtig, maar het zou best kunnen dat Bruno Messina meer dan één motief had om me deze zaak te geven. Ja, je zou kunnen zeggen dat het mijn verantwoordelijkheid is. Maar als ik de boel verpest zoals zijn vader in het verleden heeft gedaan, wordt het wel erg makkelijk om mij de laan uit te trappen, nietwaar?'

Costa had daar niet aan gedacht. Kantoorpolitiek ontging hem meestal.

'Ik denk dat we alles doen wat we kunnen. U hebt genoeg mensen tot uw beschikking. We hebben de normale procedures gevolgd. Als iemand Bramante heeft gezien –'

'Niemand weet precies hoe Bramante er tegenwoordig uitziet. Behalve degene die hem helpt. We moeten bezig blijven en de schijn ophouden, maar ik heb niet veel hoop. Dus hoe dan?'

Soms moesten ze gewoon afwachten. Dat was een waarheid die de meeste politiemensen probeerden te vergeten, omdat hij haaks stond op alle gewone werkzaamheden die gepaard gingen met een normaal onderzoek, neigde te degraderen.

'Statistisch gezien zou ik zeggen... op straat. Als hij met zijn gedachten elders is. Bij zijn werk. Of...'

Hij moest het noemen.

'...op de terugweg.'

Falcone knikte heftig. Zijn grote kale hoofd had in de loop van de winter zijn gebruikelijke bruine kleur verloren. Hij zou voor het eind van het jaar vijftig worden en zijn leeftijd was hem aan te zien.

'Inderdaad. Maar ik heb nog een ander statistisch gegeven voor je. Hoewel je dat niet zou denken als je de krant leest tegenwoordig, lopen kinderen veel vaker gevaar bij familie en vrienden dan bij een vreemde. Ze hebben meestal niets te vrezen van iemand om de hoek. Of van een of andere stalker op internet. Maar juist van hun naaste familie.'

Costa knikte. Uiteraard wist hij dat. Van meet af aan was men uitgegaan van de veronderstelling dat de Bramantes een keurig gezin uit de hogere middenklasse waren. Een fotogeniek gezin ook, hetgeen, in de ogen van sommigen, betekende dat ze meer leden onder de tragedie dan veel anderen.

'Er was geen enkele aanwijzing dat Bramante of zijn vrouw het kind mishandelde. Toch?'

'Nee,' beaamde Falcone met een schouderophalen. 'De middenklasse doet dat soort dingen niet, of wel soms? Althans niet zo dat anderen het merken.'

'Als u vindt dat ik iets moet doen.'

'Het is al gedaan.'

Hij gebaarde naar enkele mappen op zijn bureau, blauwe mappen, een kleur die de Questura niet gebruikte.

'Ik heb de rapporten van de sociale dienst opgevraagd voor je kwam. Niets natuurlijk. Maar we hadden toch beter moeten kijken dan we hebben gedaan. We hebben onszelf laten afleiden door de media. De manier waarop we het hebben aangepakt, werd ingegeven door de publieke opinie, niet door waar wij ons als politiemensen mee bezig horen te houden. In plaats van gerechtigheid zochten we wraak, een verfoeilijk iets wat niemand ontziet, schuldig of onschuldig. Het merkwaardige van dit alles is dat ik min of meer de indruk had dat het Giorgio Bramante niet uitmaakte. Hij wist al wat hij ging doen, nog voor we hem voor de rechter brachten.'

Hij keek naar de zaal vol politiemensen; een paar lachten met Peroni en Teresa, de meesten zaten met hun hoofd over hun toetsenbord gebogen.

'En daar zitten we dan bijna vijftien jaar later en nu hopen we dat we een paar antwoorden uit een machine kunnen halen. Vooruitgang... Wat denk je, Nic? Hoe lossen we deze zaak op?'

Costa had over dat onderwerp al een uitgesproken mening.

'Bramante is geen gewone moordenaar. Uiteindelijk verwacht hij waarschijnlijk niet eens dat hij aan ons ontkomt. Misschien denkt hij dat hij weer de grote held zal worden. De onrechtvaardig behandelde vader die terugkwam om de klootzakken die in eerste instantie vrijuit gingen, hun gerechte straf te geven.'

Falcone knikte.

'En de politieman die hij verantwoordelijk stelt ook. Vergeet mij niet.'

'Misschien,' antwoordde Costa.

'Misschien?' vroeg Falcone.

'U zei het net zelf. Ik denk niet dat dit om u gaat. Of om Toni LaMarca. Of om Dino Abati, of hoe hij zichzelf nu ook noemt. Niet echt. Het gaat om Giorgio Bramante en wat er met zijn zoon is gebeurd. Als we maar begrepen wat...'

Leo Falcone lachte opnieuw, ontspande zich in zijn grote zwarte stoel en vouwde zijn handen achter zijn hoofd.

'Je hebt vorderingen gemaakt onder mijn leiding, weet je dat wel? Waar is die naïeve jongeman die ik een paar jaar geleden bijna heb ontslagen?'

'Ik heb geen idee,' antwoordde Costa ogenblikkelijk. 'Hij is waarschijnlijk dezelfde kant op als die cynische oude schoft van een inspecteur die deze kamer had voor u verscheen. Chef.'

'Dat kan wel een beetje minder, Costa. Ik heb nog vijf jaar te gaan in deze functie. Niet meer. Misschien veel minder. Ik zou het prettig vinden als jij een eind op weg bent om me op te volgen als ik vertrek.'

Nic Costa merkte dat zijn wangen rood werden. Promotie was wel het laatste waar hij aan dacht. Het was ook het laatste waar een politieman als Leo Falcone, die net een aantal behoorlijk problematische jaren achter de rug had, veel over te zeggen had.

'Ik heb begrepen dat commissario Messina je eraan heeft herinnerd dat het sovrintendente-examen in de zomer wordt afgenomen. Je zou nu aan het leren moeten zijn. Dan zou je nog een salarisverhoging kunnen krijgen vóór de bruiloft. Een goed idee.'

'Maar, chef...'

Hij was blij dat Peroni en Teresa op dat moment met veel bombarie binnenkwamen. De grote man had in zijn ene hand de restanten van iets wat eruitzag als een gigantisch broodje kaas met tomaat en een zak met blikjes frisdrank in de andere.

'Rantsoenen voor zolang het duurt,' verklaarde hij. 'Ik heb samen met Teresa de voorzieningen bekeken. De Gulag-suite is van ons. Jullie tweeën kunnen de Abu Ghraib-vleugel nemen. We hebben nieuwe zeep en handdoeken neergelegd, want wat er lag was...'

Toen hij zweeg omdat hij de juiste woorden niet kon vinden, vulde Teresa hem aan.

'Laten we het zo zeggen, heren, ik zou ze met geen vinger hebben aangeraakt. Zelfs niet met handschoenen aan.'

'Brrr.' Peroni huiverde. 'Waarom we nu eigenlijk niet naar huis kunnen is me een raadsel...'

'Gianni!' riep ze uit. 'Er loopt daar ergens een man rond die gisternacht iemands hart eruit heeft geblazen met een hogedrukspuit. Hij heeft foto's van ons.'

'Doen wij mee aan deze onzin om populair te worden?' vroeg Peroni.

Falcone schraapte zijn keel.

'Als commissario Messina zegt dat we buiten normale werktijden het bureau niet mogen verlaten, dan houden we ons daaraan. Ik wil niet dat iemand aan het zwerven slaat.'

Peroni haalde vaag zijn grote schouders op.

'Ik meen het, Gianni,' zei Falcone streng. 'Hij heeft die foto's niet voor niets genomen.'

'Ik weet het, ik weet het. Nog nieuws?'

Falcone en Costa zwegen.

'O,' zei Teresa met een zucht. 'Dit gaat toch geen lang verblijf worden, wel? Ik bedoel maar. Ik snap nog steeds niet waarom ik niet met de andere "dames" naar Orvieto mocht.'

Falcone hief een lange wijsvinger, alsof hij zich iets herinnerde wat hij nooit had mogen vergeten. Teresa reageerde onmiddellijk.

'Orvieto,' zei ze met een snel en enigszins neerbuigend glimlachje. 'Hij wil zijn vriendinnetje bellen, Gianni. Is dat niet lief? Ik kan me niet herinneren dat Leo eerder zo lief is geweest. Eerlijk gezegd kan ik me helemaal niet herinneren dat hij ooit lief is geweest. Nick en Emily, die zich verloven – en ook nog een kind verwachten. Leo, die lief is. Het feit dat daarbuiten een waanzinnige rondloopt met onze foto's en een voorliefde voor hogedrukspuiten. Wat is de wereld toch prachtig, vind je ook niet?'

De manier waarop Falcone even snel zijn kant op gluurde, beviel Costa helemaal niet. Hij keek helemaal niet lief. Hij keek opvallend schuldbewust.

'Eerlijk gezegd,' zei de inspecteur zacht, 'moet ik eigenlijk Emily spreken. Even advies vragen.'

29

Vier uur later, kort na middernacht, was de afdeling leeg, op een eenzame schoonmaker na die aan de andere kant van de lange rij bureaus, anoniem in de schaduwen, druk in de weer was met stofdoek
en bezem. Costa zat bij het raam even bij te komen. Hij had op goed
geluk nog meer bestanden op de computer doorgesnuffeld en keek
nu naar buiten naar de heldere, mooie maan die hoog boven de da-
ken van het centro storico stond en neer scheen op de verlaten straten en de doodse oogleden van gesloten winkels en cafeetjes. Het was
voor iemand die niet slapen kon een goed tijdstip om na te denken.
In februari bleef de stad niet laat op. Was het eenmaal juni, dan zouden er nog mensen op straat zijn, voldaan na het avondeten door de
steegjes flanerend, likkend aan een ijsje uit een van de winkeltjes die
tot in de kleine uurtjes openbleven. Dan begon het rusteloze zomer-
leven van de metropool. In de zomer zou er ook een trouwerij zijn,
en een kind. Alleen al de gedachte aan die twee gebeurtenissen drong
de zaak van Giorgio Bramante volledig op de achtergrond.

Familie was het enige wat uiteindelijk belangrijk was, die ongede-
finieerde en ondefinieerbare band die geen uitleg nodig had. Hij was,
voor hen die hij omsloot, even natuurlijk als ademhalen, even be-
haaglijk als in slaap vallen naast de persoon van wie je hield. Even
eenvoudig als het plichtsgevoel dat je had ten opzichte van een kind
dat uit die liefhebbende relatie voortkwam.

Dat, wist hij, was wat er in het afgelopen jaar tussen hem en Emily
was veranderd. Zonder de invloed van Leo Falcone, en de manier
waarop de geslepen oude inspecteur hem de ogen had geopend, zou
hij nooit in staat zijn geweest zich in te zetten voor hun relatie zoals

deze verdiende. Leo had hem geleerd zich te ontspannen, met zijn emoties te leven, zijn pogingen de problemen van de wereld op te lossen even te staken. En zich dan weer in de strijd te werpen. Het was een geschenk dat hij nooit zou vergeten.

Costa keek op zijn horloge, ademde diep in. Even voelde hij zich schuldig, maar pakte toen de telefoon. Ze nam op met een zeer, zeer slaperige stem. Hij vroeg zich af hoe de villa eruitzag, en de slaapkamer.

Ze hadden die avond anderhalf uur telefonisch vergaderd met zijn allen en ideeën uitgewisseld. Falcone en Arturo Messina hadden met elkaar gepraat alsof er al die jaren geleden niets was gebeurd en Teresa had zoveel mogelijk conclusies getrokken uit het karige en grotendeels manifeste bewijs dat ze had vergaard van het lijk van Toni LaMarca, waarop ze de volgende ochtend een volledige autopsie zou doen. Costa en Peroni hadden voornamelijk gezwegen, nagedacht, geluisterd. Ze hadden die blik met elkaar gewisseld die ze beiden zo goed kenden, een soort onzichtbaar schouderophalen dat zoveel zei als: misschien wordt het morgen beter.

'Als je te moe bent,' zei hij snel, 'moet je het zeggen, dan hang ik op. Ik had tijdens de telefonische vergadering niet de kans te vragen hoe het met je is. Dat vond ik vervelend.'

Ze zuchtte. Hij hoorde de lakens ongeduldig ruisen.

'Het is bijna één uur!'

'Dat weet ik. Ik ben klaarwakker. Er staat een heldere maan aan de hemel. Ik moet de hele tijd aan je denken. Waar moet een man nog meer mee komen?'

In de verte klonk haar lach. Hij wilde dat hij haar kon aanraken, al was het maar even.

'Bloemen, dat zou niet gek zijn, als je tijd hebt. En champagne, als ik die weer kan drinken.'

'Hoe voel je je?'

'Prima. Op en af, om eerlijk te zijn. Doe niet zo bezorgd. De dokter heeft toch gezegd dat het zo zou gaan. Het komt vaker voor, hoor, Nic. Mannen schijnen altijd te denken dat hun eerste kind het enige uit de hele geschiedenis van de planeet is. Vrouwen weten wel beter.'

'Verstoor de illusie nou niet. Alsjeblieft.'

Ze lachte. Hij kon zich bijna voorstellen dat hij naast haar op het bed lag, zo was het nu gesteld met de hechte, stilzwijgende banden tussen hen.

'Je zit ergens mee,' zei ze. 'Vertel op.'

Hij had in zijn hele loopbaan slechts aan één cold case gewerkt. Dat was ook een moord, zij het minder gecompliceerd. Een man van bijna zeventig doodgeslagen in zijn huis in een rustige woonstraat in een buitenwijk. Ze hadden het onderzoek acht jaar later weer ter hand genomen en toen bleken de buren bereid te zijn te vertellen wat ze eerder hadden verzwegen. De zoon van het slachtoffer was betrokken geweest bij drugssmokkel op kleine schaal. Hij was twee jaar na de dood van zijn vader verdwenen en nooit meer teruggezien. Het had drie maanden gekost, maar uiteindelijk hadden ze een lid van een bende kunnen aanklagen voor de moord op de oude man en die op de zoon. En dat allemaal vanwege een miezerige schuld van drieduizend euro voor cocaïne. Door het verstrijken van de tijd veranderde je visie op een misdrijf. Maar in de zaak-Bramante had hun dat niets opgeleverd. Het enige wat Emily had blootgelegd waren vragen. Goede vragen, zonder makkelijke antwoorden.

'Je zei dat je niet begreep waarom er nooit een lijk is gevonden,' antwoordde hij. 'Is dat zo ongebruikelijk?'

Hij meende te horen dat er aan de andere kant van de lijn een geeuw werd onderdrukt.

'Misschien. Misschien niet. Het zit me alleen niet lekker. Ze hebben al die zware machines erbij gehaald. Infraroodapparatuur ook. In alle rapporten staat dat die ondergrondse gangen heel ver doorlopen. Dat ze te smal en te gevaarlijk worden om te onderzoeken... Het zit mij nog steeds niet lekker dat er geen lijk was. Maar als hij daar niet is, waar dan wel?'

Costa wierp een blik op het beeldscherm van de computer.

'Waar niet?' zei hij. 'Als hij nog in leven is.'

30

Het labyrint omsloot hen, hield hen gevangen in de stenen schoot van de heuvel. Ludo Torchia ging voorop en trok Alessio mee aan zijn magere armpje. De anderen volgden en werden met elke strompelende stap onzekerder en banger.

Guerino was na een paar minuten hard gevallen. Hij had zijn handen opengehaald en de jonge haan weer losgelaten in het halfduister waar hij kakelend rondvloog. Abati was er blij om, hoewel Ludo Torchia woest was geworden. Ze hadden wel iets anders om zich druk over te maken dan het offeren van een vogel. Ze bevonden zich zonder een kaart of wat dan ook diep onder de grond. En de enige man die hen misschien kon redden, Giorgio Bramante, zou beslist even kwaad zijn als Ludo Torchia als hij ontdekte wat er was gebeurd.

Dino Abati wist ook wat de man zou roepen, als hij kwam. Dat lag voor de hand.

Alessio! Alessio! Waar ben je?

En dat was op zichzelf vreemd. Naar zeggen van Alessio had zijn vader hem ongeveer een halfuur geleden alleen gelaten in het hoofdportaal bij de ingang naar de opgraving. Wat was Giorgio al die tijd aan het doen? En waarom moest Alessio erbij zijn?

Bij deze vragen kon hij nu niet stilstaan. Hij voelde zich niet lekker. Zijn hoofd klopte waar Torchia hem met de steen had geslagen. Er zaten lichtjes, irritante gekleurde lichtjes aan de rand van zijn blikveld. Ze vluchtten nu met zijn zevenen een diepe, Stygische afgrond in, die ze probeerden te verlichten met hun lantaarns, in de hoop dat ergens in deze onbekende kluwen van gangen een andere uitweg naar de wereld boven zat, een uitweg die hen allen – Alessio misschien ook – zou helpen ontsnappen aan de onvermijdelijke toorn van Giorgio Bramante.

Ze sloegen opnieuw op goed geluk een hoek om, renden, vielen, struikelden een steile helling af. Voor hen doemde opeens een rotswand op. Abati keek eens goed om zich heen en voelde hoe de moed hem in de schoenen zonk. In de buurt van het mithraeum waren ze op relatief goed verzorgd terrein geweest, in tunnels en kleine vertrekken die met enig overleg voorzichtig uit het tufsteen waren gehakt. Hier bevonden ze zich weer in de oorspronkelijke mijn, zo diep in de heuvel dat hij er niet aan wilde denken. De ruwe muren, de op de grond verspreid liggende stenen, de benauwde, bochtige tunnels, nauwelijks hoog genoeg om rechtop te staan... Alles wees op een primitieve, oude mijnbouwonderneming, niet op de bouw van een ondergrondse tempel voor een cultus die enige privacy wenste. Ze bevonden zich ongetwijfeld op de grens van de kerven die mensenhanden in het hart van de Aventijn hadden gemaakt. Wat om hen heen lag, was even ongewis, even onbekend als het voor de slaven geweest moest zijn die hier twee millennia geleden hadden geploeterd en zich hadden afgevraagd of de volgende schacht zou houden, of in een plotselinge, fatale stortbui van steen boven op hen zou storten. Er was hier in de buurt water en dat betekende dat de heuvel zelf, al voor de mijnwerkers waren gekomen met hun pikhouwelen en scheppen, verre van massief was geweest. Misschien lag om de hoek het noodlot, in de vorm van een natuurlijke breuk, wel op de loer.

De jongen struikelde. Een hoge gil – jong, onbegrijpend – galmde door de smalle gangen. Hij verflauwde, verdween, steeg op en brak, hoopte Abati, door in het open daglicht om iemand daarbuiten te vertellen dat hij achter dat oude, verroeste hek bij de Sinaasappeltuin moest kijken en moest uitzoeken wat daarbinnen gebeurde.

'Je mankeert niets,' beet Torchia het kind toe, terwijl hij hem overeind trok en naar de lantaarns graaide.

Alessio Bramante liet zijn hoofd hangen en vloekte, gebruikte een woord dat Abati bijna nog nooit van iemand van zijn leeftijd had gehoord. Giorgio was een bijzondere vader, vermoedde hij.

De ogen van Torchia schoten open.

'Het is een spelletje, een spel, een spel, ellendig verwend rotjoch!'

De jongen bleef staan en zweeg, staarde hen alleen maar aan met zijn grote, ronde intelligente ogen en een blik die zei: ik weet wie jullie zijn, ik zal het onthouden, hiervoor zullen jullie boeten.

'Ludo,' zei Abati zacht, zo kalm mogelijk. 'Dit is geen goed idee. We weten niet waar we zijn. We weten niet of deze schachten gevaarlijk zijn. Ik weet meer van dit soort ondergrondse tunnels dan jij en ik voel me hier niet veilig, niet zonder de juiste uitrusting.'

De anderen wierpen een hoopvolle blik op Abati. En wachtten af. Niet dat hij veel kon uitrichten. De flikkerende lichtjes, het kloppen in zijn hoofd, werden erger.

Er was een uitgang aan de linkerkant. Daar waren ze in hun haast langsgekomen. Nog een zwart gat om in te duiken. Nog een ijdele hoop om niet ontdekt worden.

'Nee,' zei Torchia domweg.

'Straks komt Giorgio erachter dat we hier zijn! Toe nou!' wierp Vignola tegen.

Zijn dikke gezicht glom van het zweet. Hij zag er niet goed uit.

Ze waren stil, tot Abati op ferme toon zei: 'Laten we gewoon teruggaan nu. Als we Giorgio tegenkomen, hebben we in elk geval dat kind voor hem bij ons. Laten we het niet erger maken dan het al is.'

Torchia stortte zich opnieuw op hem, handen om zijn keel, gezicht tegen het zijne, angstaanjagend zoals een krankzinnige angstaanjagend is, omdat het hem niet uitmaakt wat er met hem, of met wie ook, gebeurt. Abati dacht terug aan het gevoel van de steen op zijn hoofd. Hij had wel dood kunnen zijn. Alleen al bij de herinnering werd hij duizelig.

'Stelletje ondankbare honden. Ik heb jullie hier gebracht,' siste Torchia. 'Ik zorg dat jullie er ook weer uit komen. Zo iemand ben ik.'

'Wie?' vroeg Abati, terwijl hij een stap achteruit deed. Met een licht gevoel van opluchting besefte hij dat het hem niet meer kon schelen wat er met Ludo Torchia, of de anderen, hemzelf incluis, gebeurde. Daarvoor was het allemaal te ver gegaan. 'Pater? Ben je zo gek in je hoofd geworden dat je al die onzin gelooft? Dat je alleen maar zeven mensen hierbeneden hoeft te krijgen, een stomme vogel doodt en dat alles dan op de een of andere manier in orde komt?'

'Jullie zouden meedoen!'

'Ik heb gezegd dat ik ervoor wilde zorgen dat jullie niets overkomt,' zei Abati, terwijl hij zich omdraaide om weg te gaan. 'Nu wil ik weer daglicht zien.'

De hand van Vignola raakte zijn mouw aan.

'Dino,' smeekte hij zacht, 'laat ons hier niet alleen.'

'"Laat ons hier niet alleen, laat ons hier niet alleen..."'

Torchia was buiten zinnen en hij vloog hen bijna aan. Het speeksel spatte uit zijn mond toen hij Vignola's woorden nabauwde.

'Natuurlijk gaat hij niet weg, of wel soms, Dino? Een soldaat laat zijn bataljon nooit achter. Je laat je kameraden niet in de steek.'

Abati schudde zijn hoofd.

'Je bent gek,' mompelde hij. 'Dit is echt, Ludo. Geen avontuur op de speelplaats. We zitten toch al diep in de problemen.'

'Mis. Zelfs als Giorgio vermoedt dat er iemand is,' hield Torchia vol, 'hoe kan hij dan weten dat wij het zijn? Vertel me dat dan eens.'

De fout in zijn redenering was zo duidelijk. Dino Abati wist onmiddellijk dat hij er niet over zou beginnen, omdat het alles alleen maar veel en veel erger kon maken.

Toen liet Vignola zich horen en Dino Abati wilde dat hij de tijd had gehad om hem bij zijn nekvel te grijpen en hem te dwingen zijn overactieve mond dicht te houden.

'Zelfs als hij het niet weet, zal dat joch het hem vertellen, Ludo. Denk je ook niet?'

31

Costa had eens gekeken wat er in de week dat Alessio Bramante verdween verder in Rome was gebeurd. Het was geen gewone tijd geweest.

'De NAVO was destijds weer in een hoop ellende in Servië verwikkeld. Kun je het je herinneren? Dat was een van de redenen dat de autoriteiten Bramante verboden alles openbaar te maken. Ze hadden al genoeg aan hun hoofd met de etnische zuiveringen die aan de gang waren zonder dat er beelden van een weerzinwekkende christelijke episode uit het verleden op tv werden uitgezonden.'

'Toch snap ik dat niet. Zouden mensen echt zo overgevoelig reageren op iets wat bijna tweeduizend jaar geleden is gebeurd?'

'Wat wij wel eens "het voormalige Joegoslavië" noemen ligt een uur vliegen van Italië. Boten vol vluchtelingen staken de Adriatische Zee over en landden op onze stranden. We hadden er direct mee te maken. Het waren voor ons geen beelden uit een ver land. Snap je dat echt niet?'

Emily gaf haar ongelijk op dat punt toe.

'Maar,' ging Costa verder, 'er was in die tijd een vredeskamp op het Circus Maximus. Drie-, vierduizend mensen uit heel Europa. Mensen van allerlei slag. Hippies. Extreem linkse figuren. Gewone mensen ook. En heel wat vluchtelingen die nergens anders heen konden.'

'Wat wil je daarmee zeggen? Dat hij door een van hen is ontvoerd?' Dat ging te ver.

'Ik opper alleen mogelijkheden. Stel je voor dat Alessio uit die grotten is ontsnapt. Sommige hebben niet ver van de plek waar het kamp was een uitgang. Stel je voor dat hij tussen die tenten door rent, in de war, doodsbang om de een of andere reden. Hij wil niet naar huis. Hij weet niet wat hij wil.'

Het was een mogelijkheid. Daar was hij van overtuigd.

'Dan zouden ze de politie hebben gebeld, Nic. Dat doe je met verdwaalde kinderen. En waar zou hij zo van geschrokken zijn, dat hij niet naar zijn eigen ouders wilde?'

'Dat weet ik niet. Maar je kunt er niet van uitgaan dat die mensen daar in die situatie naar ons toe zouden gaan. Sommigen wel. Anderen zouden nergens met de politie over praten. Wij zijn tenslotte de fascisten, hè? Misschien konden ze daar ook het nieuws niet volgen. Dan wisten ze niet dat er een kind werd vermist en door honderden mensen werd gezocht.'

De stilte op de lijn vertelde hem dat ze niet overtuigd was.

'Als ik gelijk heb, zou Alessio Bramante nu overal kunnen zijn, onder een heel andere naam zijn leven slijten,' ging hij verder.

'Dan zou hij nu een jaar of eenentwintig zijn,' wierp ze tegen. 'Wil je mij wijsmaken dat hij niet meer wist wie hij was? Dat hij zich al die jaren verborgen heeft gehouden, terwijl zijn vader in de gevangenis zat?'

'Zijn vader zou toch in de gevangenis zijn gebleven, ook als bleek dat Alessio nog in leven was. Bovendien praat je nu vanuit je gevoel, niet vanuit de feiten. Als je naar feitelijke ontvoeringen kijkt, zie je dat ontvoerde kinderen van die leeftijd regelmatig volledig opgeslorpt worden door het niet-natuurlijke gezin waarin ze terechtkomen. Kinderen proberen zich aan te passen aan de situatie waar ze in zitten. Kijk naar je eigen land. Kinderen die in de negentiende eeuw door indianen werden ontvoerd, werden indianen. Ze hoefden niet zo nodig terug naar de blanke maatschappij. Ze verzetten zich vaak als iemand hen daartoe probeerde te dwingen. Ze vonden de situatie waarin ze zaten niet primitief. Zo hoorde de wereld te zijn. Als Alessio heel ergens anders was. Buiten Rome. Buiten Italië misschien...'

De stilte op de lijn vertelde hem dat ze er nog steeds niet veel in zag.

'Je probeert altijd de zonzijde van iets te zien, hè?' zei ze teder.

'Jij zei anders dat het raar was dat er geen lijk was.'

'Dat is ook zo. En ik zou heel graag geloven dat Alessio Bramante ergens gezond en wel rondloopt. Ik denk alleen niet dat het kan. Sorry.'

'Maakt niet uit. Jouw beurt voor een schot voor de boeg,' zei hij.

Hij hoorde hoe ze snel inademde. Dat verheugde hem. Ze greep een uitdaging altijd met beide handen aan.

'Wat denk je hiervan? Giorgio Bramante deed de ontdekking van zijn leven in die opgraving van hem. Maar vanwege de penibele politieke toestand wilde niemand hem het geld geven om er verder mee te gaan. Ze wilden hem zelfs geen toestemming geven de wereld te vertellen wat daar beneden was. En dat moet voor de arrogante klootzak die hij naar mijn idee is, nog veel erger geweest zijn.'

'Ga door.'

'Stel dat hij Alessio met opzet in die opgraving probeerde kwijt te raken. Zodat hij de straat op kon rennen en de hele boel bij elkaar kon schreeuwen. De hulpdiensten zouden komen opdraven. De media ook. Zijn grote geheim zou bekend worden zonder dat iemand daar iets aan kon doen.'

Het was een opmerkelijk idee, een idee waar ze geen van allen een moment aan hadden gedacht toen ze die avond met elkaar over de zaak hadden gesproken.

'Denk je echt dat een vader zijn zoon zou opofferen uit vakmatige ijdelheid?'

'Nee! En het is ook niet vakmatig. Uit wat ik over Giorgio heb gelezen, blijkt wel dat het persoonlijk was. Dat zijn werk zijn leven was. Maar Alessio zou niets overkomen. Uiteindelijk.'

'Ik weet niet of...'

'Nic. Ik weet dat jij veel waarde hecht aan familiebanden en hetzelfde geldt voor mij. Dat is in de omstandigheden maar goed ook. Maar er zijn een paar harde waarheden die je ook onder ogen moet zien. We hebben allemaal gezien wat er in de media omgaat. Bij dit soort dingen richt alle sympathie van het grote publiek zich evenzeer op de ouders als op de kinderen. Zo werkt het nu eenmaal. De ouders komen op tv. Als ze het geluk hebben dat het kind wordt gevonden, stelt niemand lastige vragen. Hoe is dat kind daar in hemelsnaam gekomen? We zijn gewoon blij dat het goed is afgelopen, houden onze twijfels voor ons en hopen dat er stilletjes iemand bij die mensen langsgaat om te zeggen dat ze nooit meer in zo'n puinhoop verzeild moeten zien te raken.'

Daar kon hij niets tegen inbrengen.

'Denk na,' ging ze verder. 'Volg de gedachtegang. Kijk waar de fouten zitten. Alsjeblieft.'

'Die zijn er niet. Toch is het nog onwaarschijnlijker dan mijn idee.'

'Echt?'

Hij begon de toon waarop ze sprak te herkennen. Die toon eiste aandacht.

'Er waren daar zes stompzinnige studenten beneden, die de duivel probeerden op te roepen of zoiets. Hoe je het ook wendt of keert, er gebeurden daar heel onwaarschijnlijke dingen. Dat weet je. Leo ook. Hij zou me niet vragen deze dossiers door te nemen als hij niet wanhopig was, of wel soms?'

Nee, wist Costa, dat zou Falcone niet doen. De oude Leo zou nooit één velletje papier buiten de Questura hebben laten komen. Maar de oude Leo was weg.

'En Giorgio Bramante heeft een van hen doodgeslagen,' mompelde Costa voor zich uit. 'Wat moest dat voorstellen?'

'Het ging om zijn zoon,' zei ze. 'Zou jij er niet hetzelfde over denken?'

'Ik zou er hetzelfde over denken. Dat betekent niet dat ik zou doen wat hij heeft gedaan.'

Hij hoorde een lange stilte op de lijn en toen vroeg ze: 'Hoe weet je dat, Nic? Hoe kan een mens weten hoe hij in zo'n soort situatie reageert? Kun je daar zo zeker van zijn?'

Hij had zo snel geen antwoord.

'Ik denk het wel,' zei hij. 'Ik hoop het. Zeg, het is al laat. Ik zal het er morgen met Leo over hebben en dan zien we wel waar we uitkomen. Als je nog toegang tot bepaalde dossiers moet hebben...'

'Eh...' zei ze voorzichtig. 'Ik denk dat dat geen probleem is, bedankt.'

Ze aarzelde.

'Is alles goed met Leo?' vroeg ze een beetje gespannen. 'Hij is nog herstellende. Hij had nee kunnen zeggen.'

'Leo ziet er beter uit dan ik hem in maanden heb gezien,' antwoordde hij naar waarheid. 'Hij moest gewoon weer aan het werk.'

'Zeg hem dat hij Raffaela van tijd tot tijd belt. Ze is sinds Venetië niet veel de deur uit geweest.'

'Ik weet zeker dat ze met jou in de buurt snel over haar schuchterheid heen zal zijn.'

Emily lachte opnieuw en bij het horen van haar lach kreeg hij een steek in zijn lijf, zoals vanaf het moment dat ze elkaar hadden leren kennen altijd het geval was geweest. Toch zat er een zorgelijke ondertoon in haar stem.

'Daar is Raffaela al overheen. Ze zit nog steeds beneden met Arturo en zijn beste vriend een flinke bres in de voorraad grappa te slaan. Als het Leo iets kan schelen...'

Costa dacht aan de gretige, intense blik van Falcone op het moment dat hij met zijn gewonde lichaam weer achter het vertrouwde bureau schoof. Het was maar de vraag...

'Ik zal het tegen hem zeggen. Maar... Wacht even.'

Het lichtje op de telefoon knipperde: een intern gesprek. Hij zette Emily in de wacht en nam het gesprek aan.

Het was de wachtcommandant. Costa hoorde hem aan, verbrak de verbinding en keerde terug naar haar.

'Ik moet ophangen,' zei hij snel.

'Is er iets?' vroeg ze. 'Je klinkt zo bezorgd.'

'De wachtcommandant zegt dat er iemand beneden staat die eruitziet als een zwerver. Hij beweert dat hij Dino Abati is en met Leo wil praten. Met iemand anders neemt hij geen genoegen.'

'Dat klinkt als goed nieuws.'

'Misschien...'

Hij keek de afdeling rond. De schoonmaker was weg. Het was stil. Op deze verdieping werkten alleen overdag mensen en tijdens absolute noodgevallen. Voor zover hij wist, was de hele verdieping verlaten, op hemzelf en de drie personen na die in de primitieve verblijven verderop in de gang lagen te slapen.

'Dat was een halfuur geleden,' ging hij verder. 'De receptie heeft niets meer gehoord sinds ze hem naar boven hebben gestuurd met een jong agentje dat iets omhanden wilde hebben.'

'Nic?'

Het licht op de gang ging uit, gevolgd door de lampen op de afdeling, zodat de verdieping grotendeels in duisternis werd gehuld. Alleen de heldere zilveren stralen van de maan, zichtbaar tussen voortijlende regenwolken, bleven over en deze kwamen niet verder dan tot een derde van de afdeling. Hij draaide zich om naar wat de deuropening moest zijn, kneep zijn ogen samen en probeerde aan het plotse duister te wennen. Het kon gewoon toeval zijn. Hoewel hij daar niet zo in geloofde.

'Bel de meldkamer,' zei hij zacht. 'Vertel ze dat we een indringer hebben. Oude vleugel. Tweede verdieping.'

Ze verbrak de verbinding zonder een woord te zeggen.

Hij kon net de nummers op de lijst naast de telefoon ontwaren. Costa belde het eerste. Een slaperige Teresa nam op voor Peroni.

'Niets vragen,' beval hij. 'Draai de deur op slot en hou hem op slot tot er iemand komt. Schreeuw door de muur naar Leo en zeg dat hij hetzelfde moet doen.'

Daarna belde hij voor de zekerheid de kamer die hij met Falcone deelde.

In de paar korte seconden die hij zichzelf gaf, nam er niemand op.

Hij vloekte zacht. Gelukkig had hij die middag een vuurwapen uit het wapenmagazijn gehaald omdat dat hem verstandig leek. Costa vond het vreselijk met zo'n ding rond te lopen. Hij pakte het op en controleerde of de veiligheidspal erop stond. Terwijl hij hem laag in zijn rechterhand hield, kwam hij overeind en wandelde de inktzwarte poel in die zich voor hem uitstrekte.

Hij kon zich de gang met de helwitte verf en kale peertjes voor de geest halen. De noodverblijven lagen op ongeveer tien meter van de deuropening.

Costa probeerde op te schieten. Bureaus botsten tegen hem op, op alle verkeerde plaatsen. Hij kneep zijn ogen dicht om ze snel aan het donker te laten wennen, deed ze open en meende dat hij de vorm van de ruimte voor hem net kon onderscheiden.

Buiten reed een auto voorbij. Het licht van de koplampen gleed door de zaal en verlichtte de ruimte kort als een bliksemschicht. Toen was het weg en had hij een beeld in zijn hoofd. Voor hem zag Nic Costa het langgerekte silhouet van een persoon in een bekende houding, een houding die hij in de loop der jaren was gaan verafschuwen: arm uitgestrekt, wapen in de aanslag, voorzichtig en doelbewust bewegend. Toen het schijnsel van de koplampen was verdwenen, kon hij de potlooddunne lichtstraal van een helmlamp zien die als een duidelijke gele streep van het hoofd van de persoon kwam. De straal doorboorde de duisternis en was gericht op de kamers waar Falcone, Peroni en Teresa Lupo hadden liggen slapen.

'Geweldig,' mompelde hij bij zichzelf en hij nam een eerste, aarzelende stap in de richting van de onzichtbare gang voor hem.

32

'Het is genoeg geweest,' begon Abati, waarna hij één stap naar voren deed en merkte dat hij viel. Zijn hoofd tolde en hij greep vertwijfeld naar de schouders van de kleine Sandro Vignola om op de been te blijven. Hij moest naar een arts toe. Hij kon het zo niet tegen iemand opnemen, zeker niet tegen Ludo Torchia die inmiddels, tot Abati's ontzetting, een arm rond de keel van het kind had gelegd en hem tegen zich aan drukte, als een schild, als een wapen.

Hij had zijn mes in zijn hand, dicht bij de haargrens van Alessio. Dino Abati keek de jongen in de ogen en vroeg zich af of hij echt zou begrijpen wat Dino hem probeerde te zeggen met enkel een radeloze blik, die in het donker waarschijnlijk maar half zichtbaar was.

Dit is niet mijn schuld, Alessio. Vergeef me. Ik zal het weer in orde proberen te maken.

'Ik wil niet naar de gevangenis, Ludo,' jammerde Toni LaMarca. 'Als ik van de universiteit geschopt word, daar kan ik mee leven. Maar dat...'

'Er gaat niemand naar de gevangenis. Je zegt het tegen niemand, hè, knul?'

Alessio Bramante stond daar, stevig in zijn greep, en zei geen woord.

'Hij zal niets zeggen,' zei Torchia uitdagend.

'Vertel dan eens,' mompelde Abati, terwijl hij zijn ogen snel achter elkaar opensperde en dichtkneep in een poging weer wat helderder in zijn hoofd te worden, 'waar we nu naartoe gaan, Ludo.'

Er drong een nieuw geluid tot hen door. Het was het aarzelende kakelen van de jonge haan, angst toegedekt met een beetje bravoure, en het kwam uit de kleine, smalle tunnel aan de linkerkant waar ze al voorbij waren gekomen.

Niemand had gezien waar het beest na zijn ontsnapping heen was gegaan. Niemand behalve Ludo scheen het iets te kunnen schelen.

'Daarheen,' antwoordde Torchia en hij haalde zijn arm van de keel van Alessio Bramante om naar het donkere gat achter hen te wijzen.

Abati bespeurde dat er een zuchtje smerige, dampige lucht uit de opening kwam. Het stonk naar nattigheid en bederf. Dat er sprake was van luchtverplaatsing, hoe gering ook, gaf hem echter weer een heel klein beetje hoop. Het betekende dat de tunnel ergens heen liep, uiteindelijk.

'En die gaat waar precies naartoe?' vroeg Abati.

De voet van Torchia schoot naar voren en raakte hem pijnlijk op zijn scheen. Door deze actie kwam Alessio vrij. Het kind had op dat moment kunnen weglopen. Hij verroerde zich niet.

De schop was, zoals Abati wist zonder te kijken, gericht op de tunnel, die zo slecht uit het vochtige gesteente was gehakt, dat hij eruitzag alsof hij nog niet af was. Hij strompelde ernaartoe en proefde de bedompte, stilstaande wasem die in de lucht hing. Er moest ergens water zijn, een spleet in de heuvel, misschien, die naar een onbekende natuurlijke waterloop leidde die onder de mensen en de auto's op de Lungotevere liep, terug naar de echte wereld, rechtstreeks omlaag naar de Tiber. Hij had eerder versteend van kou tot aan zijn middel door dit soort ondergrondse waterstromen gestampt. Hij zou het weer doen, zo nodig met een kind in zijn armen.

'Zeg het maar, Dino.'

'Ludo...'

'Zeg jij het maar!'

Zijn stem was zo hard, dat het leek alsof Ludo Torchia in zijn hoofd was binnengedrongen en daar zou blijven om overal waar hij kon zijn ontaardheid te verspreiden.

Opnieuw een geluid. Het was weer die vogel. De zwarte haan kwam zelfverzekerd uit het gat voor hen gestapt. Zijn kleine kop bewoog op en neer en hij liep met een mechanische gang. Het beest leek te beseffen dat hem iets ergers zou kunnen wachten, erger nog dan de waanzinnige Ludo Torchia die nu begerig naar hem stond te kijken. Dat idee probeerde het nu uit zijn piepkleine hersens te krijgen.

'Van mij,' blafte Torchia, terwijl hij naar de fladderende vleugels en de wild slaande poten van het dier greep.

Toen hij de vogel te pakken had, toen het duidelijk werd wat er zou gebeuren, pakte Dino Abati de jongen bij de schouders en probeerde hem de andere kant op te draaien. Hij wilde het zelf ook niet zien. Alleen de ogen van Toni LaMarca glinsterden op dat moment in de richting van Ludo Torchia.

'Ik dacht dat je een altaar moest hebben,' zei Abati zacht.

Torchia stootte een dierlijk gebrom uit en slingerde hem een reeks smerige scheldwoorden in het gezicht.

Ik dacht, wilde Abati eraan toevoegen, maar hij durfde niet. Hij dacht dat een fout offer, een overhaast offer, op de verkeerde plaats, op het verkeerde moment, erger was dan helemaal geen offer.

Ze hoorden een wild, angstig gekras, één hoge gil en daarna niets meer. Er drong een nieuwe geur tot hen door, een weeë, bekende geur. Bloed rook vrijwel altijd eender, wat de bron ook was.

De jongen hield zich nu trillend en bevend, nerveus en strak gespannen als een snaar, aan hem vast. Abati greep hem beet en probeerde zijn kleine, breekbare lichaam uit het zicht te houden. Torchia herkende dit soort symptomen. Ze wakkerden zijn waanzinnigheid aan.

Torchia pakte het zwarte, gevederde lijk, liep ermee rond en smeerde bij iedereen bloed op de handen, en op Abati, op zijn gezicht.

Hij kwam bij Alessio. Dino Abati keek toe en wist op dat moment niet of zijn verstand echt werkte. Wat hij meende te zien was onbegrijpelijk. Geheel vrijwillig stak de jongen zijn vuisten uit, drukte ze diep tussen de glanzende veren en wreef met snelle, gretige bewegingen in zijn handen.

'Broeders,' zei Torchia, naar hem kijkend. 'Zien jullie dat? Hij begrijpt het. Waarom jullie niet?'

Maar hij is een kind, dacht Dino Abati. Een onschuldig kind, dat denkt dat dit een spelletje is.

'Waar gaan we nu heen?' vroeg Vignola.

'Waar dit dode ding vandaan kwam.'

Dino Abati keek naar het ruw uitgehakte, gapende gat van de doorgang.

'Natuurlijk,' zei hij.

Discreet reikte hij omlaag en greep de linkerhand van het kind, die nu kleverig was van het bloed. Daarna dook hij onder de scherpe rotsige uitsteeksels door, richtte de straal van de lantaarn naar voren en stapte voorzichtig over de grond die zichtbaar werd. Achter zich hoorde hij het geschuifel van voeten en hij dwong zijn pijnlijke hoofd om na te denken.

33

Costa vond de gang, vond de lichtschakelaar, duwde hem omhoog en omlaag, hoewel hij wist dat het niets zou uithalen. Giorgio Bramante had een kunstje uitgehaald met de centrale stoppenkast en de verlichting op de hele verdieping uitgeschakeld. Als Costa de wachtcommandant mocht geloven, was hij iets meer dan een halfuur in het gebouw geweest, uitsluitend in gezelschap van een onervaren agent. Niet lang. Het was alsof hij er al bekend was.

Toen herinnerde hij zich wat Falcone had gezegd. Bramante was een intelligente, bekwame man, een man die het gewend was onder de grond in het donker te vertoeven, die thuis was in een vreemde wereld waar de meeste mensen zich geen raad zouden weten. Hij kon zonder problemen van strategie veranderen al naargelang de omstandigheden. Een man die in zich opnam wat hij zag en het vasthield om later te gebruiken.

Er zaten op deze verdieping verhoorkamers. Het was slechts twee minuten lopen van de kamers waar Falcone, Peroni en Teresa hadden liggen slapen, door de oude smalle gangen van de Questura naar de cel in de kelder waar Torchia tot moes was geslagen. Het zou kunnen dat Bramante op zijn geheugen afging en een vast plan in gedachten had, een plan dat in de jaren die hij in de gevangenis had doorgebracht, was verzonnen en uitgewerkt.

Hij speelde zijn kaarten altijd op de minst verwachte plaatsen uit. En met Leo Falcone als doelwit kon hij zich gewoon voordoen als iemand anders, iemand die werd bedreigd en zelf geen dreiging vormde. Iemand die na middernacht, wanneer iedereen een beetje slaperig was en te vermoeid om goede vragen te stellen, heel eenvoudig de Questura kon binnenkomen. Heel Rome, zo niet heel Italië, had immers de beelden op tv gezien, de krant gelezen en wist heel goed dat Leo Falcone op zoek was naar een man met die naam.

Daarna kon Bramante wachten tot het moment dat hij alleen was met een onervaren agent, een politieman die hij een hoek in kon trekken, uit wie hij de waarheid kon slaan, snel, voor iemand anders in de sluimerende Questura doorkreeg wat er gebeurde.

En die waarheid luidde: Leo Falcone was nog in het gebouw, diep in slaap, ergens boven, omdat men dacht dat hij uitgerekend hier veilig zou zijn.

Het idee was van een deprimerende eenvoud en Costa kon zich wel voor het hoofd slaan dat hij er niet aan had gedacht. Was hij in vorm geweest, dan zou Leo ongetwijfeld rekening hebben gehouden met die mogelijkheid. Maar Falcone moest alle zeilen bijzetten om zijn oude zelf te hervinden en dat maakte hem kwetsbaar.

Terwijl hij alle mogelijkheden op een rij zette toen hij langzaam en voorzichtig zijn weg door de onbekende duisternis van de Questura zocht, was Costa zich ervan bewust hoe penibel de situatie nu was.

Hij stapte naar het midden van de gang – voor zover hij kon raden waar dat was – en begon stil achter de persoon aan te sluipen die hij langs de deuropening had zien glippen op weg naar de kamers die ergens verderop in het donker lagen. Het vuurwapen hing losjes tussen zijn vingers. Teresa en Peroni zouden veilig zijn, maar een deel van zijn verstand begon al in te schatten wat de niet beantwoorde telefoon van Leo Falcone betekende.

Uit de inktzwarte ruimte voor hem kwam een geluid: iemand die liep, langzaam, met meer lawaai dan Costa had durven hopen. Opeens veranderde de beweging van richting, van positie ook, schoot onduidelijk door het donker heen en weer, niet naar links, niet naar rechts, naar een plaats die hij niet helemaal kon bepalen. Toen werd het weer stil.

Costa probeerde uit te maken wat er was gebeurd, toen iets hem de stuipen op het lijf joeg.

Het geluid van een ademhaling, een zware ademhaling, het onbeholpen, onregelmatige gehijg van een individu onder spanning, niet meer dan een meter of twee van waar hij stond.

Giorgio Bramante was ook maar een mens, hield hij zichzelf voor. Een moordenaar. Een vader die zijn zoon had verloren. Misdadiger en slachtoffer in één vel.

'Geef het op, Giorgio,' zei hij met luide, heldere stem, terwijl hij de bron van het geluid probeerde te lokaliseren. Hij vroeg zich af of hij dichtbij genoeg was om hem aan te raken, de man uit te schakelen met een snelle uitval die hem tot staan zou moeten brengen tot er hulp kwam. 'Blijf waar je bent. Denk maar niet dat je ergens heen kunt.'

Dat griezelige gevoel van verwarring kwam terug en daarmee het besef dat in deze ondoorgrondelijke, duistere wereld niets vast of zeker was. Uiteindelijk ving hij een staartje zacht, schor gelach op en kreeg hij het gevoel dat Bramante van plaats was veranderd, met een verbazingwekkende snelheid, in absolute stilte, zodra hij had beseft hoe dicht bij elkaar ze waren.

'U bent nog laat wakker voor zo'n jong iemand, meneer Costa. Bent u moe? Ik niet. Ik hou van dit uur van de nacht.'

Toen Costa zijn eigen naam hoorde, liep er een rilling over zijn rug.

Er was enige commotie, ergens voorbij de plek waar Bramante moest staan. De kamers. Het was Peroni die met luide, dreigende stem stond te schreeuwen. Costa wachtte tot de woede bedaarde en riep toen zo hard dat iedereen het kon horen: 'Blijf binnen, Gianni. Ik ben gewapend. Het is onder controle. Er is hulp onderweg.'

Ergens.

Er klonken nog steeds boze geluiden uit de deur in de verte, de ruziënde stemmen van Peroni en Teresa. Hij kon zich die woordenwisseling voorstellen: gezond verstand dat botste met instinct. Op dit moment kon hij die afleiding niet gebruiken.

'Je hebt een knap vriendinnetje. Mooi huis ook, daarbuiten aan de Via Appia. Kun je dat echt betalen van een politiesalaris?'

'Nee.' Hoe meer Bramante sprak, hoe makkelijker het was zijn positie te bepalen, hem op te houden. 'Het is van mijn vader geweest. Geërfde rijkdom, meer niet.'

Bramante gaf niet direct antwoord. Toen de stem weer begon te praten, was hij anders van toon. Minder geamuseerd. Minder menselijk, leek het wel.

'Ik wilde dat huis van ons op de Aventijn aan Alessio nalaten,' zei Bramante zonder een spoor van emotie. 'Tegen die tijd had ik het waarschijnlijk wel afbetaald.'

'Het spijt me. Het was vreselijk wat er is gebeurd.'

Er waren mensen buiten op de trap. Hij hoorde het verwarde gesnater van hun stemmen en de zachte, gemeenschappelijke trilling van besluiteloosheid.

'We zullen proberen te achterhalen wat er is gebeurd. Dat beloof ik.'

'Wat heeft dat in godsnaam voor zin?'

De heftigheid en het volume verrasten hem. Costa deed twee grote stappen naar de muur aan zijn linkerkant. Het was stom om stil te blijven staan.

'Ik dacht dat u dat wilde.'

Hij was alweer ergens anders.

'Ik wilde dat vriendinnetje van jou,' zei de stem, die nu weer achteloos, bijna ontspannen uit het donker kwam. 'Met haar had ik goed kunnen onderhandelen.' Opnieuw een droog, zielloos lachje. 'En dat niet alleen.'

Costa hapte niet. Hij vroeg zich af wat Bramante eigenlijk hoopte te bereiken met dit soort toespelingen. Een woede-uitbarsting, waarmee hij zich zou blootgeven?

'Is dit een gevolg van de gevangenis? Word je daar zo?'

Opnieuw dat kille geluid van plezier. Nu verder weg.

'O ja. Daar komt de man in je boven.'

Bramante bewoog zich in de richting van de plek waar de gang zich verbreedde tot een soort hal voor de noodverblijven, die werden gebruikt voor kleine vergaderingen en bijeenkomsten tijdens trainingssessies. De slaapkamers zaten aan de ene kant, hoge verduisterde ramen aan de andere. Hij liep achter hem aan en probeerde zich dit deel van de Questura nauwkeuriger voor de geest te halen. Hij was zo goed thuis in het bureau, dat hij dacht dat hij elk hoekje en gaatje kende. Maar het geheugen stelde niets voor zonder enige visuele ondersteuning. Hij had nooit verwacht dat hij als een blinde op de tast door het bureau zou moeten lopen, zich met grote inspanning een beeld zou moeten vormen op grond van zintuigen die niets met zien van doen hadden: het gehoor, de tast, de reuk. Vermogens die Bramante in al die tijd die hij onder de grond had doorgebracht, moest hebben geperfectioneerd.

Er stonden hier enkele bureaus. Een verzameling opklapstoelen die al naargelang de gelegenheid werden opgesteld. Er waren vier, vijf deuren, misschien zes, twee naar de slaapverblijven, de rest naar kleinere vergaderkamers.

Hoe hij ook zijn best deed, hij kon zich niet herinneren welke deur waar zat en hoe de stoelen en tafels die avond hadden gestaan. Bramante kon erdoorheen gelopen zijn toen het licht nog brandde om alles in zich op te nemen en daarna naar het trappenhuis zijn terug-gegaan, waar, naar Costa aannam, de stoppenkast zich bevond, om de gehele verdieping in duisternis te hullen.

Toen hoorde hij achter zich opeens een hoop lawaai: mannenstem-men, boos geschreeuw, het geluid van metaal op metaal. Assistentie zou niet zo eenvoudig worden als hij dacht. Costa kon zich de brand-deur duidelijker voor de geest halen dan wat ook op de verdieping. Hij zat boven aan de trap, een enorm groen brok ijzer, zelden ge-bruikt, behalve bij oefeningen, het resultaat van een eis van de brand-weer. Zodra iemand hem dichtdeed en de grote beugel omlaag klap-te, was de hele verdieping afgesloten. Bramante had kennelijk kans gezien dat te doen en nu stonden de hulptroepen tegen het massieve staal te beuken en tegen elkaar te schreeuwen dat ze een oplossing moesten bedenken. Sommige stukken van het gebouw waarin de Questura was gehuisvest, waren driehonderd jaar oud. Men was er nooit toe gekomen in dit gedeelte een lift te installeren. Het had nooit nodig geleken.

'Hoelang denk je dat ik heb, rechercheur Costa?' vroeg de stem hem geamuseerd. 'Het enige wat ik wil is enkele ogenblikken met mijn oude vriend, Leo.'

Er zat een gespannen, heftige hapering in zijn stem toen hij de voornaam van Falcone uitsprak.

'Hoor je me?' riep de man. 'Een paar minuten van je tijd? Meer hoef ik niet. Zo kostbaar was die vroeger niet. Ik kan me niet herinneren dat je je destijds in het donker verstopte.'

Hij was in beweging. Costa meende dat hij er handigheid in begon te krijgen en beter kon bepalen waar Bramante zich bevond. Toen barstten de mannen bij de deur opeens los met iets van houten ha-mers. Ze beukten op het oude ijzer, terwijl ze tegen elkaar schreeuw-den dat ze binnen moesten zien te komen. Hun geroep galmde door de lange, lange gang.

Costa hoorde vóór zich een deur opengaan en een bekend geluid: het moeizame geschuifel van Leo Falcone, de onzekere tred van een man die nog herstellende was.

Het geluid van een aansteker weerklonk. Een klein vlammetje flak-kerde in het donker. Het slaagde er net in Falcones adelaarsgezicht en het bovenste deel van zijn lichaam te verlichten: het kale hoofd, de grote haakneus, de spitse zilverkleurige sik en een wit overhemd met het bovenste knoopje los.

Costa greep het vuurwapen steviger vast, voelde dat het door het koude zweet in zijn hand heen en weer gleed en liep voorzichtig in de richting van de man bij het zwakke vlammetje. Hij wist dat Bramante waarschijnlijk hetzelfde deed.

'Veertien jaar geleden,' zei de inspecteur nonchalant, 'was ik bezig jou voor moord achter de tralies te krijgen, Giorgio. Het is jammer dat ik dat nu opnieuw moet doen.'

Falcone hield het vlammetje omhoog.

'Als je iets tegen me te zeggen hebt...' begon hij met kordate, kalme stem.

De hulptroepen waren bijna binnen, maar ze waren nog een eind achter hem. Costa zette zich in beweging, voelde het wapen in zijn hand. Hij vroeg zich af wat voor nut het zou kunnen hebben en hoe gevaarlijk het zou kunnen zijn met zo veel onzichtbare personen in de schaduwen om hem heen.

Toen gaf Falcone een gil. Het vlammetje verdween. Eén gesmoorde kreun, misschien meer, kwam uit de duisternis die alles opnieuw omhulde. Costa raakte uit zijn evenwicht en vroeg zich af wat vooruit, wat achteruit was.

De ijzeren deur viel op de oude tegels van de Questura met een dreun die door het gebouw galmde en de vloer deed schudden. Een groep politiemensen zocht boos, gefrustreerd zijn weg naar de kleine hal waar Leo Falcone door de nacht en iets anders was verzwolgen.

'Hij heeft Leo,' schreeuwde Costa tegen hen. 'Niet schieten –'

De woorden bleven in zijn keel steken. Er was weer een lichtje aangegaan, de potlooddunne lichtstraal van de lamp op de zwarte helm van een persoon die verwoed stond te vechten tegen de achtermuur, stond te worstelen met Leo Falcone, de armen om zijn witte overhemd had geslagen en iets deed waar Costa zich alleen een voorstelling van kon maken.

Hij dacht terug aan het slachthuis, de messen en de gedachten aan Toni LaMarca, wiens hart aan stukken was gereten terwijl hij levend aan een vleeshaak hing en het gezicht zag van de man die hem vermoordde.

Het wapen hing klam in zijn vingers. Hij hoorde nu mannen door de gang aankomen, mannen die geen enkel idee hadden wat hun te wachten stond, geen flauw benul hoe het moest worden aangepakt.

Nic Costa haalde zich de indeling van deze onzichtbare ruimte heel nauwkeurig voor de geest en richtte het wapen toen opzij, weg

van het aanstormende team, opzij naar het stoffige glas van de verduisterde ramen.

Hij trok hard aan de trekker. Het resulterende geluid was zo luid,
dat het een harde, fysieke kwaliteit leek te krijgen, om hem heen galmde alsof meer vuurwapens hun munitie in meer richtingen hadden
uitgeworpen. Het deed zijn hoofd schudden tot hij niet meer helder
kon denken, niet meer kon bepalen wat er om hem heen gebeurde in
een zee van lijven die als een rugbyteam afstoven op het witte overhemd op de grond, vaag zichtbaar in de lichtstraal die nu op dezelfde
hoogte was als het lichaam van Leo Falcone.

Er zat iets op de witte stof. Een vlek, donker en vochtig.

Costa gooide het wapen aan de kant, drong naar voren, tot hij vooraan stond en Falcone zag.

Achter hem ging een zaklantaarn aan: breed en geel, alles onthullend.

Wat hij zag was niet wat hij verwachtte. Leo Falcone keek hen allemaal boos aan en zijn ogen glansden, net als het met bloed bevlekte
overhemd dat tegen zijn borst plakte. Een man in het zwart met een
wollen helm van dezelfde kleur strak om zijn hoofd hing nog steeds
onbeweeglijk tegen hem aan.

'Bent u...' begon Costa.

Falcone spande zich in en trok zijn armen onder het lichaam uit dat
op hem lag.

'Ja!' beet hij Costa toe. 'Haal hem van me af.'

Costa greep het lichaam van de man beet.

'Je zult een mes nodig hebben,' zei Falcone, raadselachtig.

'Hè?'

De anderen dromden samen. Iemand kwam met zaklantaarns. Hij
hoorde Teresa Lupo roepen dat ze haar moesten doorlaten. Ze hadden een arts nodig. Dat wisten ze allemaal.

Toen had iemand eindelijk de stoppen gevonden, zette de schakelaars om die Giorgio Bramante had gebruikt om dit hele gedeelte van
de Questura te hullen in het donker dat hij als het zijne beschouwde.

De lampen floepten aan en wierpen een wrede zee van licht. Hij
knipperde met zijn ogen en probeerde te begrijpen wat hij zag.

In de armen van Leo Falcone lag dezelfde man die hij in de lichtstraal van de lamp had gezien. De helm was aan één kant kapot en
toonde een vochtige en glanzend stuk hoofdhuid, nat van het bloed.
Iets anders, bot, wellicht, een of andere materie, was zichtbaar eronder.

Met een dik touw was Leo Falcone ter hoogte van zijn middel vastgebonden aan de persoon in het zwart. Er zat een professionele knoop in het touw en het werd op zijn plaats gehouden met een bepaald soort ijzeren haak die Costa zich herinnerde uit de tijd dat hij bergtochten maakte. Een karabiner.

'Ik heb hem niet neergeschoten,' zei Costa zacht, bijna tegen zichzelf, toen hij zag hoe Peroni neerknielde en het touw begon te bewerken met een zakmes, terwijl Falcone zich de hele tijd ongeduldig in allerlei bochten wrong. 'Ik heb hem niet neergeschoten. Ik richtte het wapen op...'

Hij zweeg en keek om zich heen. Nu het licht brandde, leek de hal geenszins op de ruimte zoals hij die zich had voorgesteld. In feite had Costa geen idee waar hij het wapen op had gericht. Het was stom dat hij het in het donker had afgevuurd. Had hij Falcone niet zien worstelen met een man die kort daarvoor iemand om zeep had geholpen, dan had hij het niet eens overwogen.

Peroni wist ten slotte het touw door te snijden en hielp Falcone, die moeizaam overeind kwam. Hij keurde Costa nog geen blik waardig. Hij keek naar Teresa Lupo, die op de grond zat bij de gewonde man, naar een hartslag zocht en de helm van zijn beschadigde hoofd begon te halen.

'Ik heb hem verdomme niet neergeschoten,' zei Costa luid. Hij was zich bewust van de kille sfeer om hem heen, in de groep mensen, meer dan tien inmiddels, die op het spektakel af waren gekomen.

'En al had je dat wel gedaan?' bromde een van hen. 'Hoeveel mensen heeft hij wel niet vermoord?'

De politieman viel stil. Falcone stond boos naar hem te kijken, witheet, helemaal de oude, ondanks de grauwe, vale pijn in zijn gezicht.

'Niet een,' zei Falcone met een frons. 'Helemaal' – hij bukte zich, reikte voor Teresa Lupo langs en trok de restanten van de helm van het hoofd van de dode man – 'niemand.'

Het gezicht was ouder dan Nic Costa zich uit de dossiers herinnerde. Maar hij had nog een dikke bos felrood haar, nu vastgekoekt met bloed. Toch was het gezicht van Dino Abati meer gegroefd en getekend dan bij een man van zijn leeftijd hoorde, zelfs na zijn overlijden.

Costa dacht nogmaals aan de schoonmaker achter in het crisiscentrum, iemand die zich de hele avond in de Questura had opgehouden, onopvallend, zonder ergens op aangesproken te zijn.

'Ik heb hem niet gedood,' zei Costa nogmaals zacht, inwendig opgelucht.

Falcone keek omlaag naar het lichaam dat in een onhandige foetus-houding op de grond lag.

'Nee, dat klopt. Giorgio Bramante heeft de arme sloeber doodge-schoten, terwijl jullie als dwazen in het rond renden. En waar is hij nu? Ik neem niet aan dat er iemand met een beetje verstand bij de deur staat.'

Prinzivalli, de norse, oude sovrintendente van de uniformdienst uit Milaan, had ten slotte de moed zijn mond open te doen.

'We dachten dat u in gevaar was,' antwoordde hij zacht zonder een spoortje ironie. 'Ik weet zeker dat ik voor iedereen spreek als ik zeg dat we dolblij zijn nu blijkt dat we ons hebben vergist.'

Deel 2

De god van de nacht

1

Arturo Messina stond, in gedachten verzonken, op de top van de heuvel aan de rand van de Sinaasappeltuin en keek uit over de rivier. Naast hem probeerde Leo Falcone de plichtsgetrouwe sovrintendente te zijn en rustig af te wachten. Intussen zocht hij naarstig naar de juiste woorden waarmee hij de oudere man – een goed aangeschreven commissario, in het hele korps gerespecteerd – kon vertellen dat hij mogelijk een fout maakte. Een ernstige fout met vérstrekkende gevolgen, die het hele onderzoek in gevaar kon brengen.

'Commissario?' zei Falcone zacht tijdens een onderbreking in het luide, schorre geronk van de machinerie beneden, twee kleine bulldozers die stonden warm te draaien en eigenlijk net als hij op instructies wachtten. Vijf uren waren verstreken sinds de jongen door zijn vader als vermist was opgegeven. Vier uur geleden had Messina het opsporingsbevel voor de studenten uitgevaardigd nadat hij naar het verhaal van Giorgio Bramante had geluisterd. Bramante was hun hoogleraar. Hij kende hen goed en had gezien dat ze de uitgang van het ondergrondse doolhof van tunnels uit vluchtten toen hij boven de grond kwam om te kijken of zijn zoon misschien zonder zijn hulp uit de opgraving was gekomen. Ze waren de heuvel af gerend, ook al hoorden ze hem roepen, in de richting van het vredeskamp op het Circus Maximus. Daar waren ze verdwenen tussen de ongeveer drieduizend mensen die daar in tenten woonden en dagelijks tegen de aanhoudende verschrikkingen aan de andere kant van het water in het voormalige Joegoslavië protesteerden.

Nu werkten alle politiemensen over wie Messina kon beschikken aan de zaak: de helft was op jacht naar de studenten; de anderen werkten samen met de honderden burgers die toestroomden om hun hulp aan te bieden bij het zoeken naar de vermiste zeven jaar oude jongen. Er waren televisieploegen en hordes journalisten die bij de opgraving werden weggehouden door het gele lint waarmee het kleine, op de Tiber uitkijkende park was afgezet. Naast hen verzamelde zich een groeiende menigte zwijgende omstanders, van wie sommigen eruitzagen alsof ze elk moment problemen konden gaan geven. Het verhaal over de studenten was op de een of andere manier al naar buiten gekomen. Men was al begonnen schuldigen aan te wijzen met een snelheid en overtuiging waar Falcone een naar gevoel in zijn buik van kreeg. Sommige groepen die op dat moment bij de Aventijn rondhingen, hadden iets moordlustigs over zich. Was een van die studenten toevallig in hun midden opgedoken, dan, wist Falcone, zou hij snel moeten handelen om hem tegen de omstanders te beschermen. Rationaliteit en rechtvaardigheidsgevoel werden bij dit soort zaken soms opeens overboord gezet. Voor een goede politieman werd het daardoor moeilijker het koele, onbevooroordeelde standpunt vast te houden dat noodzakelijk was bij alle onderzoeken.

Terwijl de vader een bijna leidende rol speelde in de zoektocht naar het kind, zat zijn vrouw in een politiebusje achter de afzetting. Zonder iets te zeggen staarde ze met angstige ogen, waar niet veel hoop in zat, voor zich uit.

En het enige waar ze op af konden gaan, was het feit dat de jongen zich op het moment dat hij verdween diep onder de donkerrode aarde van deze rustige heuvel in een woonwijk had bevonden, niet ver van een stel studenten dat waarschijnlijk niet veel goeds in de zin had. Zijn vader had de studenten gehoord en was ze gaan zoeken, na zijn zoon te hebben gewaarschuwd dat hij moest blijven waar hij was, waarna hij pas aanzienlijk veel later was teruggekeerd – hoeveel later? Dat had eigenlijk niemand gevraagd – en hij was tot de ontdekking gekomen dat de jongen weg was, terwijl hij ook de indringers niet had kunnen vinden.

In het openbaar reageerde Bramante precies zoals je van iemand in een dergelijke situatie verwachtte, hetgeen Falcone stof tot nadenken gaf. Er was iets wat hem niet lekker zat. De man was te perfect, in weloverwogen mate radeloos; net genoeg om van het medelijden van anderen te profiteren, maar nooit, geen moment, zo erg dat hij de controle over zichzelf dreigde te verliezen.

Dan was er ook nog de kwestie van de verwonding. Bramante had een felrode striem bij zijn rechterslaap – het gevolg, zei hij, van een val toen hij in de ondergrondse gangen op zoek was naar zijn zoon. Verwondingen interesseerden Leo Falcone altijd en in normale omstandigheden zou hij van de gelegenheid gebruik hebben gemaakt deze nader te onderzoeken. Dat verbood Arturo Messina nadrukkelijk. Wat hem betrof was het antwoord te vinden bij de studenten. Falcone dacht niet dat ze lang op vrije voeten zouden blijven. Geen van allen hadden ze een strafblad, hoewel er een, Toni LaMarca, afkomstig was uit een familie die bekendstond om haar connecties met de misdaad. Het waren naar zijn idee doodnormale jongens die de catacomben onder de Aventijn in waren gegaan om redenen die de politie ontgingen. Messina wilde die koste wat kost achterhalen. Het onderwerp interesseerde Falcone ook, maar minder dan de vragen die hij relevanter achtte. Wat deed Giorgio Bramante daar überhaupt met zijn zoon? En waarom had hij een felrode striem op zijn voorhoofd, een striem die net zo goed het gevolg kon zijn van een worsteling als van een simpel ongeluk?

'Zeg het maar,' beval de oudere man met een nauwelijks verhuld ongeduld. 'Maak je je soms zorgen dat je hierdoor je huiswerk voor het inspecteursexamen niet kunt maken? Ik wist wel dat je een ambitieuze kleine klootzak was, maar je zou het even kunnen laten rusten.'

'"Kleine" lijkt me een beetje onterecht, commissario,' riposteerde Falcone, die iets langer was dan de gezette Messina.

'Nou? Waar zit je mee? Het is niet persoonlijk bedoeld, hoor. Volgens mij ben je een uitstekende politieman. Ik zou alleen willen dat er af en toe een beetje meer menselijkheid was. Bij dit soort zaken... Je loopt rond met die gluiperige blik van je alsof ze je helemaal niet raken. Jammer dat je dat huwelijk hebt verpest. Kinderen doen wonderen als het erom gaat een man zijn plaats te wijzen.'

'We veronderstellen nogal veel. Ik vraag me af of dat verstandig is.'

'O, dus nu ben ik ook al stom?'

'Dat heb ik niet gezegd, commissario. Ik maak me alleen zorgen dat we ons niet uitsluitend richten op wat evident is.'

'De reden dat het evidente het evidente ís,' antwoordde Messina korzelig, 'is dat het normaal gesproken resultaten oplevert. Dat is tegenwoordig misschien niet meer in zwang bij het inspecteursexamen, maar dan nog.'

'Commissario,' antwoordde Falcone kalm. 'We weten niet waar de jongen zou kunnen zijn. We weten niet hoe en waarom dit is gebeurd.'

'Studenten!' brulde Messina. 'Studenten! Net als al die verdomde anarchisten in hun tenten, die het centrum van Rome vervuilen en maar doen waar ze zin in hebben. Niet dat jij je daar druk over maakt, vermoed ik.'

Er waren in het vredeskamp twee mensen gearresteerd. Ze hadden meer problemen gehad bij religieuze evenementen. Vergeleken met een wedstrijd tussen Roma en Lazio was het echter niets.

'Ik zie niet in wat het vredeskamp ermee te maken heeft...' begon Falcone.

'Vredeskamp. Vredeskamp? Wat hebben we ook alweer in die catacomben gevonden? Help me eens herinneren.'

Een dode vogel, met doorgesneden keel, en een paar opgerookte joints. Het was niet netjes. Maar ook weer niet wereldschokkend.

'Ik beweer niet dat ze daarbeneden niets verkeerds aan het doen waren. Er zit alleen nogal een groot verschil tussen een puberaal stukje zwarte magie en een beetje dope, en het ontvoeren van een kind. Of erger.'

Messina hief een waarschuwend vingertje.

'En dat – dat! – is nou precies het punt waar je een fout maakt. Denk maar aan wat ik zeg als ze je bevorderen tot inspecteur.'

'Het gaat nu niet om mij, commissario,' zei hij, enigszins humeurig.

'Het begint met "een beetje dope" en het idee dat je in het hart van Rome een tent kunt opzetten en tegen de rest van de wereld kunt zeggen dat ze de pest kunnen krijgen. Het eindigt' – hij gebaarde met zijn grote hand naar de mensen achter het gele lint – 'daarmee. Met een stel mensen dat toekijkt hoe wij een puinhoop opruimen die we gewoon hadden moeten voorkómen. Goede politiemensen weten dat je dit soort gedrag in de kiem moet smoren. Koste wat het kost. Je kunt niet een zooi handboeken bestuderen terwijl de wereld te gronde gaat.'

Die mening onderschreef Falcone tot op zekere hoogte, maar hij was niet van plan op dat moment op het onderwerp in te gaan.

'Ik probeer u alleen duidelijk te maken dat er aspecten zijn die we nog niet hebben onderzocht. Giorgio Bramante –'

'O, lieve hemel! Niet weer. De man had afgesproken zijn zoon naar school te brengen, maar kwam tot de ontdekking dat de onderwijzers een van die stomme beleidshappenings hadden waarvan mensen als jullie ongetwijfeld vinden dat het echt werken is. Dus nam hij hem in plaats daarvan mee naar zijn werk. Dat doen ouders, Leo. Ik heb het ook gedaan en, god vergeef me, de jongen zit inmiddels ook bij de politie.'

'Dat begrijp ik –'

'Nee. Je begrijpt het niet. Je kunt het niet begrijpen.'

'Hij heeft hem niet meegenomen naar zijn werk. Hij heeft hem meegenomen onder de grond, naar een opgraving waar maar weinig mensen van afwisten, een opgraving waar, naar zijn overtuiging, niemand was.'

'Mijn zoon zou dat prachtig hebben gevonden toen hij zeven was.'

'Dus waarom liet hij hem daar alleen?'

Messina zuchtte.

'Als er een inbreker in je huis is, vraag je je zoon dan te komen kijken hoe je hem te grazen neemt? Hè?'

'We zouden Giorgio Bramante op een behoorlijke manier moeten verhoren. In de Questura. We zouden de gebeurtenissen van minuut tot minuut moeten doornemen. Hij heeft die verwonding. Bovendien...'

Falcone zweeg, omdat hij zelf wel wist dat hij op het punt stond zich door zijn fantasie te laten leiden, niet door de rede. Toch leek het belangrijk en dat wilde hij Arturo Messina duidelijk maken. Toen hij die middag zag hoe Bramante zich aansloot bij de zoektocht naar Alessio op de Aventijn, was Falcone er op sommige momenten van overtuigd geweest dat de man op zoek was naar iemand anders dan een minderjarige. Het was gewoon een kwestie van houding. Kinderen waren kleiner. Hoe onlogisch ook, op korte tot middellange afstand neigde men de blik daarop af te stemmen. Naar zijn idee deed Giorgio Bramante dat niet. Zijn ogen waren voortdurend horizontaal gericht, alsof hij een volwassene zocht, of iemand aan de horizon, wat geen van beide logisch was bij een jongen van zeven.

De donkere ogen van Messina werden groot van verbazing toen Falcone hierop inging. Hij gebaarde met zijn rechterarm naar de verzamelde mensen.

'Verwacht je nu dat ik hem oppak voor verhoor omdat iets aan de houding van zijn hoofd jou niet bevalt? Meen je dat nou? Wat zullen zij daarvan denken, hè? En de media?'

'Dat kan me niet schelen,' zei Falcone koppig. 'U wel? We hebben de kwestie van de verwonding, zijn gedrag en de hiaten in zijn verhaal. Dat is bij elkaar naar mijn idee voldoende.'

'Het is belachelijk. Neem dat maar van me aan, Leo. Ik ben ook vader. De manier waarop hij zich gedraagt, is precies de manier waarop ieder ander van ons zich in deze omstandigheden zou gedragen. Hij zou verdomme niet beter kunnen meewerken. Hoe zouden we zonder hem in godsnaam de weg hebben moeten vinden in die ondergrondse gangen? Als we die studenten hebben, als we weten wat er met dat kind is gebeurd... dan kun je die stomme procedures van je gaan afwerken. Vertel me nu maar hoe we bij die jongen kunnen komen.'

'De verwonding –'

'Je bent in die catacomben geweest! Het is daar levensgevaarlijk. Vind je het nu echt zo vreemd dat een man daar gevallen is? Denk je dat de hele wereld zo volmaakt is als jij?'

Falcone had geen goed antwoord.

'Ik ben het met u eens dat het gevaarlijk is,' antwoordde hij. 'Dat beperkt ons ook in onze mogelijkheden om de jongen te vinden. We zijn zo ver gegaan als we durven. Het is verraderlijk. Er zijn tunnels waar zelfs de krijgsmacht liever niet in gaat. We hebben geen geluiden gehoord. We hebben apparatuur erbij gehaald die ze gebruiken bij aardbevingen om mensen onder het puin op te sporen. Niets. We zouden alle mogelijkheden bij ons onderzoek moeten betrekken.'

Messina fronste.

'Hij zou bewusteloos kunnen zijn, Leo. Ik weet dat dat je slecht uitkomt, maar het is een feit.'

'Ze hebben me verzekerd dat hij, ook al was hij buiten kennis, nog te zien zou zijn met de thermische beeldvorming. Gegeven de korte tijd die verstreken is, zou hij zelfs nog te zien zijn als hij dood was. Als hij ergens is waar we bij in de buurt zouden kunnen komen, tenminste.'

'O nee,' zei Messina zacht, treurig, half bij zichzelf, met zijn ogen op de grond gericht, los van alles op dat moment, zelfs van de zaak die voor hen lag.

Falcone voelde zich even ongemakkelijk. Er zat iets in de blik van Messina wat hij niet deelde, niet kón delen. Een man die geen ervaring had met het vaderschap, kon zich voorstellen hoe het was een kind te verliezen. Hij kon meeleven, boosheid voelen, vastbesloten worden het recht te zetten. Maar er lag een uitdrukking op het gezicht van Messina die Falcone niet begreep. Een gevoel dat scheen te zeggen: dit is ook een deel van mij dat is beschadigd – mogelijk onherroepelijk.

'Laat hem alsjeblieft niet dood zijn, Leo,' kreunde Messina en in de ogen van Leo Falcone was hij op dat moment voor het eerst een man aan wie je zijn leeftijd afzag.

2

'Zo vader, zo zoon,' mompelde Falcone toen ze gedrieën de kamer van Bruno Messina in schuifelden. Ze bevonden zich in de verheven sferen van de vijfde verdieping. Vanuit de hoekkamer van Messina hadden ze een goed uitzicht op de keien van de piazza beneden moeten hebben. Het enige wat ze zagen was echter een veeg bruine steen. De regen viel loodrecht uit de hemel omlaag. Er werd voor een periode van enkele dagen onbestendig weer verwacht: onweer en zware regenbuien, afgewisseld met korte felle opklaringen. De lente kwam eraan, een tijd van uitersten.

Messina zat in een leren stoel achter zijn grote, gepolitoerde bureau en probeerde de indruk te wekken dat hij alles onder controle had. Dat was nodig ook. Costa en Teresa Lupo hadden vroeg in de ochtend een rondje door de Questura gemaakt om de stemming te peilen na de ramp van de vorige nacht. Het krioelde op het bureau van de politiemensen. Mensen uit Rome, wier verlof was ingetrokken. Vreemden ook, omdat Messina, heel slim, zelf een extern onderzoek had geëist naar de fouten in de beveiliging die de aanval op Falcone mogelijk hadden gemaakt, een onderzoek dat hem anders vroeg of laat toch zou zijn opgedrongen. Niemand scheen op dit moment de neiging te hebben Leo Falcone en de mensen om hem heen de schuld te geven. Waarom zouden ze ook? Maar het zachte, slappe geklets was begonnen. Er zouden zondebokken worden gezocht.

De commissario had de beveiligingsbeambte geschorst die niet had gezien dat het identiteitsbewijs dat Bramante had gebruikt om zichzelf uit te geven voor schoonmaker, in feite aan een vrouw toebehoorde. Haar handtas was een week daarvoor tijdens het winkelen in de San Giovanni gestolen en ze was nu op vakantie op Capri, een feit dat afgeleid had kunnen worden uit de agenda die tegelijk met de rest van haar eigendommen was verdwenen. De onervaren rechercheur die door Bramante in een hinderlaag was gelokt toen hij Dino Abati wegbracht, zat nu thuis te herstellen van een zwaar pak slaag. Hij deed het, vermoedde Costa, waarschijnlijk in zijn broek bij de gedachte wat er zou gebeuren wanneer het onderzoek zich op hem richtte. Messina trad zo snel en meedogenloos op omdat hij begreep dat zijn eigen positie, als commissario die pas enkele maanden in functie was, schade had opgelopen. Dat bracht hem ertoe enige afstand tussen hemzelf en Falcone als leider van het onderzoek te scheppen. Zo kon hij misschien de schuld op zijn ondergeschikte schuiven, mocht de hemel naar beneden komen.

Het had niet het effect waarop Messina had gehoopt. Het woord dat die ochtend op ieders lippen lag, was 'slordig'. De media hadden een buitenkansje, met een moord die midden in de grootste Questura in het centro storico had plaatsgevonden. Politici, die elke kans om kritische blikken van hun eigen fouten af te leiden met beide handen aangrepen, begonnen zich ermee te bemoeien. Het kwam allemaal, zeiden wijze stemmen binnen en buiten de politiemacht, doordat die jonge gasten, Messina met name, het nu voor het zeggen hadden. Ze bemoeiden zich te weinig met de dagelijkse gang van zaken. Ze hadden meer oog voor administratieve en procedurele kwesties dan voor het echte ouderwetse politiewerk. Niemand, werd er gefluisterd, had Falcone ooit van een dergelijk gebrek aan aandacht beschuldigd. Ook zouden ze die beschuldiging nu niet naar het hoofd slingeren van het snel herstellende individu dat op zijn oude stek rond stapte als een man die het vuur in zijn buik had herontdekt.

Messina zag eruit alsof hij niet kon wachten dat vuur uit te trappen. De commissario keek hoe het drietal – Falcone, Costa en Peroni – plaatsnam en verklaarde toen kortaf: 'Ik heb iemand anders ingeschakeld om de leiding van je over te nemen, Falcone. Spreek me niet tegen. We kunnen niet iemand het onderzoek naar de poging tot moord op hemzelf laten leiden. Hetzelfde geldt voor jullie tweeën. Er is een jonge inspecteur die ik een kans wil geven. Bavetti. Jullie zullen hem alle steun verlenen...'

'Je maakt een fout,' zei Falcone op effen toon.

'Ik weet niet zeker of ik dat van jou wil horen.'

'Maar je krijgt het wel van me te horen,' ging de inspecteur verder.

'Ik heb één keer eerder te lang mijn mond gehouden toen een Messina er een puinhoop van maakte. Dat doe ik geen tweede keer.'

'Verdomme, Falcone! Dat soort dingen laat ik niet tegen me zeggen. Luister goed naar me.'

'Nee!' schreeuwde de inspecteur. 'Luister jij maar naar mij. Ik ben degene naar wie Giorgio Bramante gisternacht op zoek was, weet je nog? Die man heeft foto's genomen van deze twee en van hun vrouwen. Dat geeft ons toch zeker enige rechten?'

Messina sloeg zijn armen over elkaar en fronste.

'Nee.'

'Luister dan naar me voor je eigen bestwil. Als je vader me veertien jaar geleden had laten uitpraten, was hij nooit oneervol uit het korps ontslagen. Wil je dezelfde kant op gaan?'

Messina sloot woedend zijn ogen. Falcone had de vinger op de zere plek gelegd.

Zonder te wachten begon Falcone de informatie die hij in de loop van de nacht had weten te verzamelen, op te lepelen. Hij sprak snel, vloeiend, zonder de geringste aanwijzing dat hij blijvende schade had ondervonden van de verwondingen van het afgelopen jaar en de recentere attenties van Giorgio Bramante. Als iemand bang was dat de schietpartij in Venetië de geestelijke vermogens van de man had aangetast, dacht Costa, zou hij die misvatting niet lang blijven koesteren. Hij hoefde maar te luisteren naar de precieze, logische manier waarop Falcone in een paar minuten een beeld schetste van de recente gebeurtenissen en hoe hij daarop had gereageerd.

Twee politiemensen hadden de vorige avond informatie ingewonnen bij contactpersonen van de maatschappelijke dienstverlening en de tehuizen waar men zwervers opving. Het was duidelijk geworden dat Dino Abati geen vreemde voor hen was. Hij was een beleefde zwerver geweest, een schooier die nooit veel meer vroeg dan simpele liefdadigheid. De mensen die met hem te maken hadden gehad, beschouwden hem als goed opgeleid, eerlijk en meer dan een beetje de weg kwijt. Hij viel op ook, met dat rode haar van hem en zijn kennis van de stad. Gegeven de feiten – Abati had zich in Italië bevonden, buiten het normale systeem van identiteitscontroles, de archieven van de uitkeringsinstanties en de belastingdienst – was de straat een voor de hand liggende plek geweest om hem te zoeken. Bramante was hen gewoon enkele stappen voor geweest.

Abati had de vorige nacht zullen doorbrengen in een tehuis van een monnikenorde in de buurt van het Termini. Om elf uur, na zijn gratis maaltijd en een avondje televisiekijken, had een van de medewerkers een anonieme, aan hem geadresseerde brief gevonden, die door een onopgemerkte bezoeker was achtergelaten bij de receptie van het tehuis. Abati las de brief en wandelde vervolgens zonder een woord te zeggen de deur uit.

Ze hadden het document later teruggevonden in een prullenbak in de gemeenschappelijke woonkamer, naast het televisietoestel. Dit stond erin: *Dino. Ik heb eerder vandaag Leo Falcone gesproken. Herinner je je hem nog? Hij vond het hoog tijd worden dat jullie tweeën elkaar eens spraken. Ik ben geneigd het met hem eens te zijn. Hoe sneller hoe beter. Of moeten we dit onder vier ogen bespreken? Giorgio.*

'Geweldig,' kreunde Messina. 'Die man is ons voortdurend drie stappen voor. Is hij paranormaal begaafd of zo?'

'Vertel het hem maar,' zei Falcone ijzig.

Costa hield het kort. Hij had het telefoontje zelf gepleegd, met de moeder van Dino Abati, nadat de plaatselijke politie, kort na acht uur die ochtend, het slechte nieuws had gebracht. Drie maanden geleden had ze een brief gekregen, zogenaamd van de verdwenen Sandro Vignola, die graag wilde weten waar Abati was. Er hadden persoonlijke gegevens in gestaan die haar ervan hadden overtuigd dat de brief echt was. Toen Costa ernaar vroeg, bleek het het soort informatie te zijn dat Bramante, als zijn hoogleraar, zou hebben geweten: geboortedata, woonadressen, studentencafés in Rome.

'Goed,' erkende Messina met enige tegenzin, 'dus jullie hebben iets.'

'En dat is niet het enige,' ging Costa verder. 'We hebben de andere families ook benaderd. De Bellucci's zeggen dat ze net zo'n brief hebben gekregen, even overtuigend, een paar maanden voor Raul overleed. Het is niet onaannemelijk dat zal blijken dat hij dezelfde methode bij de anderen heeft toegepast. Zo spoorde Bramante ze op.'

Het gezicht van de commissario betrok.

'En dat hebben we nooit ontdekt?' vroeg hij vol ongeloof.

'Je zei het zelf al,' antwoordde Falcone. 'Het waren verspreide gevallen, die door verschillende korpsen zijn behandeld. Niemand heeft het verband gelegd. Waarom zouden ze ook? En is er nog iets. Vanochtend vroeg hebben we mensen gestuurd naar alle tehuizen waarvan je mag verwachten dat een goedgemanierde zwerver er gebruik van maakt.'

Costa glimlachte. Het was een schot voor de boeg zoals alleen Falcone kon verzinnen. Negen van de tien keer leverde het niets op. Maar soms...

'Bij vier andere dicht bij de Questura, waar Abati bekend was, was gisteravond zo'n zelfde brief bezorgd,' zei Costa. 'Hij werd aan het begin van de avond afgeleverd. Het tehuis op het Campo heeft opnamen van een beveiligingscamera van de betreffende persoon. Hij droeg het uniform van een schoonmaker, met de naam van het particuliere bedrijf waar wij gebruik van maken. Het bedrijf had aangifte gedaan van een inbraak de nacht ervoor. Er waren kleren en geld gestolen. Bramante wilde Abati naar de Questura drijven. Waar zou hij anders heen kunnen? En als hij niet kwam, had Bramante Leo... inspecteur Falcone. Het was handig gespeeld van hem.'

Messina vloekte zacht.

'Goed werk, Costa,' mompelde hij.

'Ik doe gewoon wat me wordt opgedragen, commissario.'

Dat was inderdaad waar. Alle gebeurtenissen droegen het stempel van Giorgio Bramante, iets wat Leo Falcone van meet af aan had ingezien. Alles was helemaal uitgedokterd, tot en met het laatste detail, met alternatieven voor het geval het oorspronkelijke plan mislukte.

Toch was Costa ongerust. Bramante had in die laatste seconde Abati en Leo tegelijk kunnen vermoorden, zijn lijst in één keer kunnen voltooien. En dan zouden er heel wat mensen, wanneer ze de volgende dag hun krant lazen, sympathie voor hem hebben gehad.

Maar Bramante liet Leo leven en dat scheen de inspecteur meer dan ooit bezig te houden, bijna tot gekmakens toe. Costa had deze staalharde blik eerder in zijn ogen gezien, alleen de laatste tijd niet. Het was een bezeten blik, en niet alleen vanwege het persoonlijke aspect. De zaak was het middelpunt van Falcones wereld geworden. Niets deed er nog toe tot alles – inclusief het lot van Alessio Bramante – tot een bevredigend einde was gebracht.

'Moet je horen, Leo.' Messina klonk lichtelijk verzoeningsgezind. 'Wat zou jij doen als je in mijn schoenen stond? Jullie zijn persoonlijk betrokken bij deze zaak. Jullie alle drie.'

'Dat waren we gisteren ook,' merkte Falcone op. 'Toen zat je er kennelijk niet mee.'

Messina zag er mismoedig uit. Hij kon niet echt doen wat hij zelf wilde, dacht Costa. Er werd van bovenaf uiteraard druk op hem uitgeoefend. In de carrière van een jonge commissario was het cruciaal hoe hij dit soort moeilijke zaken aanpakte.

'Gisteren dacht ik nog dat het eenvoudig zou zijn. Jij zou Bramante snel oppakken en jezelf met roem overladen. Of je zou er een puinhoop van maken en – laten we eerlijk zijn – dan was het klaar. Dan kon je met ontslag. Net als mijn vader.'

Falcone reageerde onaangedaan.

'Ik zie nog steeds niet in wat er veranderd is.'

'Wat er veranderd is? Dat zal ik je vertellen! Dat bloeddorstige beest slaat niet voor ons op de vlucht. Hij heeft het gore lef met zijn moordzuchtige praktijken bij ons aan huis te komen. Dat is wel even iets anders. Ik kan mijn...' Hij wendde een moment zijn blik van hen af. 'Ik kan mijn beslissingen niet laten afhangen van persoonlijke kwesties. Ik wil gewoon dat de hele zooi wordt opgelost. Nu. Voorgoed. Zonder nog meer lijken. Tenzij het dat van Giorgio Bramante is. Hij heeft ons genoeg ellende bezorgd voor een heel leven.'

Peroni boog zich naar voren en tikte met zijn dikke wijsvinger hard op het bureau.

'Denkt u dat wij iets anders willen?'

'Nee,' gaf Messina toe, achteruitdeinzend in zijn leren stoel. Iedereen schrok van Peroni als hij boos werd. 'Ik ben alleen niet van plan nog meer risico te nemen. Wat zouden jullie drieën denken van een korte vakantie? Ik betaal. Als jullie maar rustig aan doen met de drank. Naar Sicilië misschien. Neem de dames mee. De patholooganatoom ook. Twee weken. Een maand. Maakt mij niet uit.'

Ze wisselden een blik met elkaar. Peroni nam als eerste het woord.

'Wie denkt u dat u voor zich hebt?'

'Hoe bedoel je?' antwoordde de commissario voorzichtig.

Peroni reageerde direct.

'Welke politieman loopt er nu weg voor zo'n zaak? En dat allemaal om buiten het seizoen ergens in een hotelletje op kosten van de belastingbetaler wijn te gaan zitten drinken omdat u ons niet in de buurt wil hebben?'

'Daar gaat het niet om –' begon Messina.

'Welke leidinggevende politieman zou zoiets sowieso voorstellen?' viel Peroni hem in de rede.

Messina pakte een pen op en zwaaide ermee naar de grote man.

'Een politieman die niet graag naar begrafenissen gaat. Is dat zo erg? Je moet één ding goed begrijpen. Ik weet niet of ik jullie kan beschermen. Dat geldt voor jullie allemaal. Als ik jullie veiligheid niet in de Questura kan garanderen, waar moet ik jullie dan in godsnaam neerzetten? In de gevangenis? Hoe zou je vandaar een onderzoek willen leiden, Leo? Vertel me dat eens.'

Falcone dacht er heel even over na.

'Ik hou deze zaak nog twee dagen. Ik geef je mijn woord dat ik mezelf niet in gevaar zal brengen. Costa en Peroni, die maken dat zelf uit. Volgens mij kunnen ze wel op elkaar letten.'

'Correct, chef,' zei Costa.

'Als er geen concrete vorderingen zijn,' ging Falcone verder, 'als er na achtenveertig uur nog geen kijk op is dat ik Bramante kan uitschakelen, geef je de hele bliksemse boel aan Bavetti. Dat is de deal.'

Messina lachte. Dat geluid maakte hij niet vaak.

'Een deal? Een deal? Wie denk je wel dat je bent? Mij een deal aanbieden. Je bent een mankepoot die teert op prestaties uit het verleden. Je moet me niet kwaad maken.'

'Dat zijn mijn voorwaarden.'

Messina maakte opnieuw dat vreemde, droge geluid.

'Voorwaarden. En als ik zeg dat je de pest kunt krijgen?'

'Dan neem ik ontslag,' antwoordde Falcone. 'Dan doe ik iets wat ik zelfs nog nooit heb overwogen. Dan loop ik hier zo de deur uit en vertel ik die aasgieren van de pers waarom.'

'Ontslag,' herhaalde Peroni. 'Wat een heerlijk woord.'

Toen stak hij zijn hand in zijn binnenzak, haalde zijn portefeuille tevoorschijn, trok zijn politiekaart eruit en legde die op het bureau.

Costa keek toe, deed hetzelfde en legde het handwapen dat hij de vorige nacht zonder enig nut had afgevuurd, ernaast.

Peroni keek naar het wapen en vervolgens naar hem.

'Je hebt eigenlijk nooit van wapens gehouden, hè, Nic?'

'Er zijn in dit werk wel meer dingen waar je een hekel aan krijgt,' zei Costa, zonder zijn blik één moment van de hoge politieman aan de andere kant van het bureau af te wenden. 'Je moet er gewoon mee leren leven.'

Messina keek hen over het gepolitoerde bureau heen boos aan.

'Dit zal ik onthouden, stelletje klojo's,' mompelde hij witheet. 'Achtenveertig uur, Falcone. Daarna hoef je je geen zorgen meer te maken over Giorgio Bramante. Dan ben ík je probleem.'

3

Ze ontbeten in de serre: koffie en zoete broodjes, en uitzicht op de Duomo. Het weer was omgeslagen. Regenwolken hadden een grijze krans om de stad Orvieto, die op de top van de heuvel lag, gelegd. Er zou vandaag niet gewandeld worden, zoals de twee mannen van plan waren geweest. In plaats daarvan zou ze rusten en een beetje over de zaak nadenken. Maar niet te veel. Ze was nog moe, voelde zich niet helemaal lekker, en dat kwam niet alleen doordat ze door het telefoontje van Nic en de opwinding daarna uit haar slaap was gehouden. Ze was pas om drie uur naar bed gegaan; zo lang had het geduurd voor ze wist dat hij veilig was. Ze moest voortdurend aan de verdwenen Alessio Bramante denken en vroeg zich af of Nic gelijk zou kunnen hebben met zijn gebruikelijke, grootmoedige optimisme. Haar intuïtie zei haar het tegenovergestelde. Intuïtie moest je soms negeren.

Pietro was blijven logeren. Hij zag er een beetje verkreukeld uit. Raffaela ook, als Emily eerlijk was. Ze had zich in een hoekje teruggetrokken met een kop koffie en een krant na een kort gesprekje met Emily, een uitwisseling van korte beleefdheden: een vraag over Emily's gezondheid, een wederzijds instemmen met observaties over de voorspelbaarheid van mannen. Ondanks alle commotie in de Questura had Falcone niet gebeld. Ook had hij Raffaela's telefoontje niet beantwoord toen zij rond twee uur een wanhopige poging had gedaan hem te bereiken. Emily probeerde haar duidelijk te maken dat hij het te druk zou hebben. Het had niet veel indruk gemaakt. En terecht.

Daarna, nadat Arturo en Pietro de kopjes en de borden hadden opgeruimd, trok Emily zich terug in de studeerkamer. Ze zette de computer aan, las een halfuurtje de Amerikaanse kranten online: de *Washington Post*, de *New York Times*. Vertrouwde pilaren waar ze van tijd tot tijd op kon steunen, gevestigde iconen die nooit veranderden, er altijd waren als je ze nodig had. Het ging haar niet om het nieuws. Het ging om hun aanwezigheid. Emily Deacon had maar een klein deel van haar leven in haar geboorteland Amerika doorgebracht en veel langer in Italië. Toch wist ze dat ze niet volledig was opgegaan in het land dat ze als haar vaderland was gaan beschouwen. Ze had niet de typisch Romeinse vrijmoedige, open, intuïtieve houding tegenover het bestaan. Ze wilde het goed en het kwaad niet dag in, dag uit recht in de ogen kijken. Soms was het beter het onderwerp te omzeilen, te doen alsof het niet bestond. Een beetje te liegen in de hoop dat je binnenkort, morgen misschien, volgende week, of misschien zelfs nooit, de dag onbevreesd tegemoet zou kunnen treden.

Dus las ze voor de vuist weg, over een politieke wereld die nu irrelevant voor haar was, over footballwedstrijden en filmsterren, bestsellers waar ze nog nooit van had gehoord en bedrijfsschandalen die in Italië van geen enkel belang waren. Na een tijdje kwam Arturo Messina binnen met koffie, die ze afsloeg. Hij ging vervolgens in de grote, comfortabele leren stoel aan het uiteinde van het bureau zitten, nam een slokje uit zijn eigen kopje en zei, uiterst beleefd: 'Je gebruikt te veel elektriciteit, Emily. Ik verzeker je dat ik dat ding uitzet, tenzij je me zweert dat je iets heel anders dan Alessio Bramante op mijn computer zit te zoeken.'

'Ik zat over de New York Mets te lezen,' zei ze en het was maar een halve leugen. Ze wilde net een paar dingen uitzoeken naar aanleiding van Nics opmerkingen over wat er met ontvoerde kinderen gebeurde en hoe ze door de vreemde cultuur waarin ze terechtkwamen, werden opgeslorpt. 'Maar ik ben klaar.'

Ze leunde naar achteren, sloot haar ogen en haalde een keer diep adem. Het zou een lange dag worden met heel weinig om hem mee te vullen.

'Ik heb gisteravond met jouw Nic gesproken,' bekende hij. 'Hij maakt zich een beetje zorgen over je gezondheid. Ik wist niet...'

Arturo knikte naar Emily's buik.

'Gefeliciteerd. In mijn tijd hadden we de ouderwetse gewoonte eerst te trouwen en dan wat later met baby's te komen. Maar ik ben natuurlijk een halve dinosaurus, dus wat weet ik ervan? Het is het grootste avontuur dat een stel samen kan meemaken,' ging Arturo verder. 'Wat het ook vergt. Hoe pijnlijk het soms ook is, en dat wordt het, dat kan ik je verzekeren. Toch moet je jezelf één ding blijven voorhouden. Kinderen geven je veel meer dan je voor mogelijk houdt. Ze zetten je weer met beide voeten op de grond en doen je beseffen dat dat de plek is waar je moet zijn. Als je ze van dag tot dag ziet opgroeien, zie je in dat we allemaal maar klein en sterfelijk zijn en dat we het beste moeten zien te maken van wat we hebben. Je beseft dat we hier allemaal maar korte tijd zijn en dat je nu iets hebt waaraan je een stukje van jezelf kunt doorgeven voor je gaat. Dus raak je wat van je arrogantie kwijt, als je geluk hebt. Je bent niet meer dezelfde.'

'Dat zeggen ze wel vaker.'

'Maar je beseft het niet. Dat doen we geen van allen. Tot het gebeurt. En dan...'

Zijn gezicht kreeg een zorgelijke uitdrukking.

'Dan kun je de wereld niet meer op een andere manier zien,' ging hij verder. 'Dat is, denk ik, een tekortkoming in een politieman. Emily, ik wil niet over de zaak praten als je erdoor van streek raakt. Dit is een zeer ernstige kwestie. Ik heb de plaatselijke politie gevraagd een auto bij het hek te zetten. Ik wil niet dat je je in enig opzicht onveilig voelt. Of ongelukkig. Ga lekker een boek lezen. Ik haal wel iets uit de stad als je wilt. Ik kan waarschijnlijk wel een echte Amerikaanse krant te pakken krijgen.'

Ze keek naar de zwart met witte kathedraal in de verte, die glansde in de plensregen.

'Hij komt hier niet naartoe, Arturo. Het heeft met Rome te maken. Hij voert zijn laatste akte op. Hij zou niet willen dat het ergens anders gebeurde.'

Hij lachte.

'Nu begrijp ik waarom Leo jou die stukken heeft gestuurd. Ik wou dat ik al die jaren geleden iemand zoals jij om me heen had gehad.'

Het moest gezegd worden.

'Je had Leo.'

'Dat weet ik,' antwoordde hij, duidelijk enigszins spijtig. 'En ik ben heel hard tegen hem geweest. Wreed. Ik denk dat dat niet te sterk uitgedrukt is. Hij haalde dat in mij naar boven. Dat doen maar weinig mensen. Maar Leo was zo verdomde resoluut. Alsof het hem niet echt raakte. Het was voor hem gewoon een van de vele zaken. Hij kan zo... irritant zijn. Met die koele, afstandelijke houding van hem.'

'Dat is niet de echte Leo. In de grond is hij een zorgzaam mens. Maar af en toe vindt hij het nodig dat te onderdrukken. Ik weet niet waarom.'

Arturo trok één borstelige wenkbrauw op.

'Dat zal ik dan maar van je aannemen. Hoe dan ook, ik moet hem mijn excuses maken. Ik denk de hele tijd aan wat er toen is gebeurd. De stomme, stijfkoppige manier waarop ik de zaak heb aangepakt. Ik had meer naar hem moeten luisteren. Maar...' Hij maakte de zin niet af.

'Maar wat?'

'Dat heb ik toch al verteld! Ik was ook een vader. Leo niet. We waren twee mensen die vanuit verschillende delen van het universum naar dezelfde feiten keken. Ik kon alleen maar aan Alessio Bramante denken. Ergens in die verdomde heuvel. Gewond misschien wel. Bewusteloos. Een kind dat gered kon worden en dat is wat iedere vader in die omstandigheden hoopt te doen. Het is een obsessie, iets genetisch wat gewoon in je zit. Red het kind. Altijd eerst het kind redden en daarna pas vragen stellen. Al het andere was bijzaak. Leo heeft het vermogen zich te distantiëren van de emotionele kant van een zaak. Onuitstaanbaar is dat. Ik had er de pest over in.'

Hij gooide het laatste slokje koffie naar binnen.

'Eerlijk gezegd benijdde ik hem erom,' hernam hij. 'Hij had gelijk. Ik had het bij het verkeerde eind. Ik wist het toen al, maar ik was te koppig om het toe te geven. We hadden veel meer vragen moeten stellen toen we Alessio probeerden te vinden. Maar Giorgio Bramante was een keurige hoogleraar met goede connecties. En zij waren een stelletje verachtelijke, blowende studenten. Het leek allemaal zo klaar als een klontje. Ik ben dom geweest.'

Ze reikte opzij en raakte zijn hand aan. Op dat moment kreeg ze een vreemd gevoel onder in haar buik. Ze kon onmogelijk zeggen of het een prettige of onprettige gewaarwording was, genot of pijn.

'We weten niet wat er is gebeurd, Arturo. Nog steeds niet. Misschien hebben die studenten Alessio vermoord. Wellicht per ongeluk. Die catacomben waren gevaarlijk. Misschien is de jongen aan hen ontsnapt en in een of ander gat gevallen. En waren zij te bang om hun aandeel in het hele gebeuren toe te geven. Of...'

Nics idee wilde haar niet loslaten, en dat niet alleen omdat het in essentie zo kenmerkend was voor zijn karakter. Het illustreerde zo duidelijk waarom ze van hem hield.

'...misschien is hij nog in leven.'

Hij keek haar even aan en daarna dwaalden zijn ogen naar het raam, maar niet voordat de droefheid in zijn blik haar was opgevallen. Die had ze niet eerder gezien.

'Hij is niet meer in leven, Emily. Hou jezelf niet voor de gek. Dat is geen goede benadering.'

'We weten het niet,' hield ze vol. 'We tasten over zoveel dingen in het duister. Waarom de jongen daar was. Waarom Bramante hem eigenlijk alleen heeft gelaten. Als we eerlijk zijn, moeten we toegeven dat we niet veel van die man begrijpen.'

'Dat is waar,' gaf Arturo treurig toe.

'Zelfs nu,' ging ze verder. 'Waar is hij in godsnaam? Hij moet aan spullen kunnen komen. Aan geld. Het nieuws kunnen volgen. Maar ik kan me niet voorstellen dat hij ergens in een appartementje is ondergedoken. Dat zou veel te gevaarlijk zijn en Giorgio Bramante is er de man niet naar om onnodige risico's te nemen. Zeker niet zolang hij vindt dat hij nog niet klaar is.'

Hij fleurde ogenblikkelijk op.

'Kom, kom. Het ligt toch voor de hand waar Giorgio is?'

'O ja?'

'Natuurlijk! Hij heeft het grootste deel van zijn leven doorgebracht in het Rome dat de rest van ons nooit ziet. Onder de grond. Ben je daar nooit geweest?'

'Maar één keer. Ik ben naar het Gouden Huis van Nero geweest. Ik kreeg er last van claustrofobie.'

'Ha! Laat een oude politieman je dan eens iets vertellen. Het Domus Aurea is slechts een fractie van wat er over is. Er ligt een hele ondergrondse stad onder, bijna net zo groot als in de tijd van Caesar. Er zijn huizen en tempels, hele straten. Sommige zijn opgegraven. Andere waren om de een of andere reden gewoon nooit helemaal met aarde gevuld. Ik heb met een paar van de speleologen gesproken die Leo erbij had gehaald. Ze aanbaden Giorgio als een held. Die man was op plaatsen geweest waar de rest alleen maar van kon dromen. En de helft daarvan is niet in kaart gebracht. Daar zit hij, Emily. Niet dat we er iets mee kunnen. Als we Giorgio vandaag willen vinden, zouden we dat het best kunnen vragen aan... Giorgio! Geweldig.'

Ze dacht erover na en het vreemde gevoel in haar buik trok weg.

'Je hebt zeker nooit veel waarde gehecht aan forensisch onderzoek, hè?'

'Alleen als ik echt wanhopig was,' gaf hij toe. 'Tegenwoordig denken ze nergens anders meer aan, nietwaar? Zitten te wachten tot een of andere burger in een witte jas naar een reageerbuisje kijkt, bij de confrontatie iemand in de rij verdachten aanwijst en zegt: "Die is het." Maak er gebruik van als het moet. Maar misdrijven worden gepleegd door mensen. Als je antwoorden wilt hebben, moet je vragen aan mensen stellen. Niet aan een computer.'

'Ik heb een vriendin die patholoog-anatoom is. Daar zou je eens mee moeten praten. Ze is het voor de helft met je eens.'

'Echt waar?'

Hij keek verbaasd.

'Voor de helft, zei ik. Mag ik nu even bellen?'

Arturo Messina gaf haar de hoorn aan en sloot vervolgens puur uit nieuwsgierigheid ook de conferentietelefoon aan.

Hij luisterde naar het korte, duidelijke en zeer scherpzinnige gesprek dat volgde en merkte toen op: 'Ik zou die Teresa Lupo graag een keer ontmoeten. Maar nu moet jij rusten. De mannen hier moeten over de lunch gaan nadenken.'

4

De wind was 's nachts van richting veranderd. Het was nu een harde, stormachtige westenwind, die vocht en een gure kou uit het grijze, vlakke water van de Middellandse Zee haalde voor hij over de luchthaven en het vlakke land van de monding van de Tiber trok. Hij vormde een dik zwart wolkendek, dat het licht doofde en de stad in een monotone grijze tint hulde.

Ze stonden op de Piazza dei Cavalieri di Malta te rillen van de kou en zich af te vragen waar ze moesten beginnen. Ga rondneuzen, had Falcone gezegd. Het was, voor zijn doen, een bijzonder vage opdracht.

Peroni zakte op zijn hurken en keek door het sleutelgat.

'Ik zie geen barst,' mopperde hij. 'Weet je het wel zeker? Is dit niet een van je geintjes?'

'Wat voor geintjes?' zei Costa verontwaardigd en hij duwde hem opzij om zelf te kijken.

De laan met cipressen was er, zoals hij hem zich herinnerde, en het grindpad, nu glimmend van de regen. Zijn eigen vader had hem dit geheimpje laten zien toen Costa nog een jochie was. Die dag had de zon geschenen. Hij kon zich nog goed herinneren hoe de Sint-Pieter trots en groots aan de andere kant van de rivier stond, precies in het midden van de omlijsting gevormd door de bomen en het pad, onder een blauwe hemel. Maar vandaag zag hij na de donkergroene lijnen van het gebladerte enkel een grijze, vormeloze massa, dikke wolkenpartijen die zich laag boven de stad samenpakten en alles wat ze opslokten aan het zicht onttrokken. Uit een hoek van het plein kwam een geluid dat hen eraan herinnerde waarom ze hier waren. De school had speelkwartier. Boven de hoge muur, die hen scheidde van de openbare weg, kwam het geluid van blije jonge stemmen uit, een lawaaierig teken van jong leven. Het werd beschermd tegen de wreedheid van de wereld door de hoge witte verdedigingswerken van Piranelli, net de kantelen van een klein sprookjeskasteel.

'Ik weet het zeker,' zei Costa en hij haalde zijn hoofd weg bij de deur.

De twee carabinieri die hier waren geposteerd, om de een of andere bizarre reden waren belast met het bewaken van het paleis van de Ridders van Malta, stonden geïnteresseerd naar hen te kijken.

'Jeugdherinneringen zijn zelden betrouwbaar, Nic,' verklaarde Peroni met een wijs knikje van zijn hoofd. 'Ik heb jarenlang gedacht dat ik een tante Alicia had. Tot... o, zeker tot ik een jaar of twaalf was. Die arme vrouw was compleet verzonnen. Wat jammer was, want ze was heel wat aardiger dan veel van mijn familieleden.'

Hij zweeg met een enigszins verlegen blik op zijn gezicht.

Een van de blauwe uniformen kwam op hen af en keek hen vuil aan.

'Wat moeten jullie?' vroeg de jongste van de twee carabinieri. Hij was ongeveer van Costa's leeftijd, langer, knap, hoewel zijn gezicht mager en arrogant was en iets onprettigs had.

'Een beetje kameraadschappelijke hulp zou niet verkeerd zijn,' antwoordde Peroni, terwijl hij zijn identiteitskaart en de meest recente foto die ze van Giorgio Bramante hadden, tevoorschijn haalde. 'Vertel me alsjeblieft dat dit charmante individu ergens hier in de buurt op een bankje ligt te slapen. Dan kunnen we het daarna verder wel alleen af. Geen probleem.'

5

Leo Falcone wist dat het gezegd moest worden. Uit noodzaak. En om Arturo Messina weer met beide benen op de grond te zetten.

'Hij zou heel ergens anders kunnen zijn,' zei Falcone nadrukkelijk. 'Misschien hebben ze ruzie gehad. Is het kind weggelopen...'

Messina fronste opnieuw.

'Ze hebben geen ruzie gehad. Dat zou de vader wel hebben gezegd. Ik zou het fijn vinden als je je concentreert op wat belangrijk is, Leo. De jongen die wordt vermist.'

'Dat doe ik ook,' antwoordde Falcone op scherpe toon. 'Er is maar heel weinig wat we kunnen doen. Het leger heeft nog twee specialisten naar binnen gestuurd om te kijken hoe ver ze kunnen komen. Er zijn geen kaarten van die catacomben. Ik heb me laten vertellen dat er gangen zijn die waarschijnlijk helemaal omlaag lopen naar straatniveau en dan verder naar bronnen of waterlopen. De tunnels zouden net groot genoeg kunnen zijn voor een kind, maar te klein voor iemand anders.'

Messina knikte naar de twee kleine graafmachines die hij persoonlijk had laten aanrukken.

'Afgaande op wat ik van de kaart heb gezien, kunnen we binnen een halfuur de hele bovenkant van dat ding af halen. Als het dak van een mierennest. Dan kunnen we zo naar binnen kijken.'

Falcone had gehoopt dat het niet zover zou komen.

'Zo eenvoudig is dat niet. Dit is een beschermde historische locatie. Dat was het al voor iemand echt wist wat Bramante hier heeft gevonden. Nu ze dat inzien, zouden de gemeentelijke autoriteiten eerst toestemming moeten geven. Bij dat besluit zou Bramante zelf betrokken zijn.'

Messina keek hem boos aan.

'Het leven van een kind staat op het spel! En jij begint weer over procedures?'

'Ik wijs u alleen op de feiten.'

'Werkelijk? Ga Giorgio Bramante halen. Schiet op!'

Het kostte een kwartier en in dat kwartier kreeg Falcone een telefoontje dat hij al had verwacht. Bramante bevond zich bij een ploeg politiemensen en burgers die de rand gras uitkamden langs het ruige terrein dat van de Sinaasappeltuin omlaag liep naar de bochtige weg die naar de Tiber leidde. Hij ging zonder vragen, zonder protest mee. Hij had inmiddels een sombere, zwaarmoedige blik op zijn gezicht. Dat weerhield hem er niet van naar de fotografen te kijken, toen ze hem ontdekten en even te blijven staan om journalisten te woord te staan en het grote publiek nogmaals om hulp te verzoeken. De striem op zijn voorhoofd was iets minder vurig. Het zou algauw een gewone blauwe plek worden.

Falcone wachtte tot dit korte interview was afgelopen zonder iets te zeggen in antwoord op hun vragen. Hij wenste meer dan ooit dat hij Bramante een tijdje alleen in een kamer kon krijgen. Toen liepen ze naar Arturo Messina die nog boven de ingang naar de opgraving stond en omlaag keek naar de doorgang met de oude ijzeren hekken, die nu open waren. Deze lag in een kleine uitholling in de Aventijn, bijna zoiets als een bomkrater, een vlak gedeelte op de heuvel waar je bij kon komen via een klein pad dat van het park omlaag liep. De minibulldozers waren daarover omlaag gereden. De machinisten zaten op de machines die stonden te ronken in de warme middaglucht, als ijzeren lastdieren rustend voor de zware inspanningen die hun nog wachtten.

'Weten jullie iets?' vroeg Bramante zodra ze bij Messina waren.

'Nee –' begon Messina, maar Falcone viel hem in de rede.

'We hebben Ludo Torchia, commissario. Hij is opgepakt in een bar in Testaccio waar veel studenten komen. Enigszins beschonken. Hij is nu in de Questura.'

Een onverwachte grijns brak door op het sombere gezicht van Messina.

'Zie je wel, Giorgio! Ik zei het toch. We boeken vooruitgang.'

De man was er met zijn aandacht niet bij. Hij stond naar de graafmachines te kijken.

'Wat ga je doen?' vroeg Bramante omzichtig.

'Niets,' antwoordde Messina. 'Zonder jouw toestemming.'

Bramante schudde zijn hoofd.

'Dit is...'

De machinisten keken vol verwachting naar hen op.

'...een historische vindplaats. Die kun je niet zomaar vernielen... Niet weer.'

Messina legde een hand op zijn schouder.

'We kunnen beneden niet verder komen zonder die machines. Als de jongen nog binnen is, zouden we het dak eraf kunnen lichten en heel wat meer kunnen zien dan nu.'

'Het is onvervangbaar.' Hij schudde nogmaals zijn hoofd en voegde er zuur aan toe: 'Maar waarschijnlijk mag je van mensen als jullie niet verwachten dat jullie daar gevoel voor hebben.'

Arturo Messina knipperde met zijn ogen, enigszins uit het veld geslagen door deze aarzeling.

'Je bent doodmoe. Dat is begrijpelijk. Je hoeft hier niet te blijven,' vervolgde Messina. 'Ga naar huis naar je vrouw. Je hebt gedaan wat je kon. Nu moeten wij het opknappen. Ik zal iemand met je meesturen. Falcone. Of eentje die niet zo beroerd is.'

Bramante keek hen aan en bevochtigde zijn lippen.

'Jullie hebben Ludo,' zei hij zacht. 'Ik ken hem. Misschien kan ik hem wat verstand bijbrengen, als ik met hem praat. Hij zou ook niet willen dat hier iets beschadigd wordt. Geef me gewoon wat tijd.'

Falcone schuifelde heen en weer en hoestte als een gek in zijn vuist. Een verhoor in de Questura was iets voor politiemensen, advocaten en verdachten. Niet voor de wanhopige ouders van vermiste kinderen.

'Daar moet ik even over nadenken,' antwoordde Messina. 'Falcone. Neem Giorgio mee terug naar de Questura. Ik kom zo. Ik wil zien wat hier gebeurt. En ík begin met de ondervraging. Niemand anders. Nou?'

Falcone verroerde zich niet.

'Een verhoor in de aanwezigheid van een mogelijke getuige, wat professor Bramante zonder enige twijfel is, zou... nogal onorthodox zijn. Het zou problemen kunnen geven met de juristen. Zeer grote problemen.'

Messina glimlachte, legde zijn hand op de arm van Falcone en kneep. Hard.

'De juristen kunnen de pot op, Leo,' zei hij opgewekt. 'Wegwezen nu.'

Falcone zag de blik in de ogen van zijn superieur. Hij wilde hen beiden daar weg hebben. Hij stond niet op iemand te wachten.

'Natuurlijk,' antwoordde Falcone en hij nam Giorgio Bramante mee naar een surveillancewagen, sloot het portier achter hem en beval de chauffeur de man naar de Questura te brengen in afwachting van zijn komst.

Toen stak hij een sigaret op, nam twee snelle trekjes en gooide het ding vervolgens onder een van de dorre sinaasappelbomen.

Hun relatie had al averij opgelopen, dacht Falcone. Erger kon het niet worden.

Hij liep terug en ging bij Messina staan, die hem woedend aankeek.

'Je houdt je niet aan mijn instructies. Wat voor indruk zal dat maken in het rapport als dat bij de bevorderingscommissie komt?'

'Er klopt hier iets niet,' antwoordde Falcone. 'Dat weet u. Dat weet ik. We moeten –'

'Nee!' blafte Messina. 'Die jongen wordt vermist. Als die machines eenmaal aan het werk gaan, heb ik hem misschien zo boven water. Als we hier alles helemaal hebben uitgekamd, wil ik naar je luisteren. Maar tot die tijd kan het me geen ruk schelen wat je denkt, of wat Giorgio Bramante in zijn schild voert. Begrepen?'

6

De oudste van de carabinieri lachte, niet eens echt onaangenaam.

'Denk je dat wij niet weten wie Giorgio Bramante is?' vroeg hij. 'We werken op de Aventijn. We zijn geen onbekenden hier.'

'Dus jullie hebben hem gezien?' vroeg Costa.

De twee wisselden een sluwe blik met elkaar. Dit was niet de gebruikelijke gang van zaken. Ze waren concurrerende machten, de ene civiel, de andere militair. Ze lagen niet altijd met elkaar overhoop, maar waren ook zelden boezemvrienden.

'Moet je horen,' ging Peroni verder met zijn charmantste stem, die in tegenspraak was met zijn stevige bouw en boeventronie, 'we kunnen het toneelstukje opvoeren en tegen elkaar doen alsof we niet bestaan. Of we kunnen een ontspannen, vriendelijk gesprek voeren en vervolgens ieder ons weegs gaan. Ik zal het niet verklappen als jullie het ook niet doen. Wat kan dat voor kwaad?'

'Hij is hier twee of drie weken geleden geweest,' zei de oudste en hij kreeg een vuile blik van zijn collega als dank voor de moeite. 'Hij heeft bloemen neergelegd in het park daar. Waar het kind verdwenen is, vermoed ik.'

'Niemand heeft ooit gezegd dat hij een slechte vader was,' beaamde Peroni.

De jongste deed een duit in het zakje.

'Hij was het beste soort vader dat een mens kan hebben, toch? Een stelletje vuilakken die zomaar zijn kind vermoorden. Wat verwacht je dan? Als je kinderen hebt...'

'Heb je kinderen?' vroeg Costa.

'Nee,' antwoordde de jongste met een zuur gezicht.

'Wat –' begon Costa, tot een pijnlijke por in zijn ribben van Peroni hem tot zwijgen bracht.

'Ik heb kinderen,' ging de grote man verder. 'Als iemand ze met een vinger aanraakt...'

'Precies,' zei de jongste instemmend.

'Is hij daarna niet meer terug geweest?' vroeg Costa.

De twee wisselden opnieuw een blik met elkaar.

'De vrouw wel,' antwoordde de oudste. 'We wisten niet wie ze was tot een van de moeders van de school haar aanwees. Niemand kan hier iets geheimhouden. Zo'n wijk is het nu eenmaal.'

'Wat deed zij?' vroeg Peroni.

Hij trok een grimas. Het leek een fatsoenlijke vent.

'Ze heeft ook bloemen neergelegd. Daarna heeft ze een uur in dat park gezeten. Het werd zo laat, dat ik me afvroeg of ik niet even met haar moest gaan praten. Het was hartstikke koud. Maar uiteindelijk is ze weggegaan.'

De carabiniero aarzelde omdat hij zich afvroeg of hij moest zeggen wat hij op zijn hart had.

'Denken jullie dat hij zich misschien hier ergens in de buurt op-houdt?' vroeg hij ten slotte. 'Na wat er gisternacht in de Questura is gebeurd? Wat een puinhoop. Ik benijd jullie niet, dat jullie dat moe-ten oplossen.'

Peroni klopte hem op de arm en zei zeer gemeend: 'Bedankt.'

'Laksheid,' zei de jongste. 'Pure laksheid. Dat was het.'

De oudste sloeg zijn ogen ten hemel, keek naar zijn collega en zei toen op gelaten toon: 'Weet je, ik wou dat jij eens wat vaker je mond dichthield. Er komt toch alleen maar onzin uit.'

'Ik zei...' Hij begon rood aan te lopen.

'Het maakt me niet uit wat je zei. Deze mannen vroegen of we ze konden helpen. Als we dat kunnen, doen we dat.'

Geen woord.

'Eén ding,' ging de vriendelijke verder met een knikje naar zijn col-lega. 'Hij heeft Bramante gesproken. Dat is toch zo? Hij is naar hem toe gegaan alsof die man een of andere stervoetballer was. Heb je nog een handtekening gekregen, Fabiano? Heb je je hand gewassen nadat hij hem had geschud, hè?'

Fabiano's gezicht werd nog een tint roder.

'Ik heb hem gezegd wat ik ervan vond. Dat hij nooit gevangenis-straf had mogen krijgen voor wat hij had gedaan.'

'Je bedoelt voor iemand vermoorden?' wilde zijn collega weten. 'Blijkbaar was dat voor hem ook niet eens zo abnormaal, hè?'

'Ik wil alleen maar zeggen –'

'Ik wil niet horen wat je te zeggen hebt. Hier.' Hij haalde een biljet uit zijn zak en wierp het naar de carabiniero. 'Ga een kop koffie voor me halen. Voor jezelf ook als je wilt. En twee voor onze vrienden hier.'

'Daar hebben we geen tijd voor,' zei Costa. 'Maar toch bedankt.'

Ze keken hoe de jongste van de carabinieri met de staart tussen de benen afdroop.

'Weet je wat mij zorgen baart?' zei de man hoofdschuddend. 'Als het allemaal nog een keer gebeurt, zelfde situatie, zelfde mensen, dan zou zo'n idioot als Fabiano precies dezelfde fouten maken. Hij zou nog steeds denken dat hij het allemaal met zijn vuisten kon oplossen.'

Hij keek hen doordringend aan.

'Zal ik jullie eens iets vertellen? Hij was geen held. Ik beoordeel mensen niet op hun uiterlijk. Zo stom ben ik niet. Maar er was iets met hem. Hij liet zich door die randdebiel van mij ophemelen alsof hij God was. Het was... niet prettig.'

Peroni knikte.

'Ik begrijp het.'

'Nee. Wacht even. Ik ben niet zo goed met woorden. Het was heel eng hem te ontmoeten. Hetzelfde met zijn vrouw trouwens. Ik heb eerder gezien wat er gebeurt als je een kind verliest. Het is niet makkelijk. Maar na al die jaren, er dan nog uitzien alsof het gisteren is gebeurd...'

Costa had niet veel over Beatrice Bramante nagedacht. Rosa Prabakaran hield een oogje op haar. Als ze er iets mee te maken had, zou ze van nu af aan ongetwijfeld uit de buurt van haar ex-man blijven.

'Denk je dat die twee elkaar hebben gesproken? Die vrouw en die man?' vroeg hij.

'Ik heb het niet gezien. Ze kwamen allebei op een andere dag. Wie zal het zeggen?'

Hij zag eruit alsof hij die koffie nodig had. En er was kennelijk nog iets. Hij wilde zeggen wat hij op zijn hart had voor zijn collega terugkwam.

'Maar ik kan je één ding vertellen. Het is niet bij die ene keer gebleven. Hij is nog een keer terug geweest. Vijf dagen, een week geleden, zoiets. Is daar naar binnen gegaan.'

Hij wees over het plein naar een kleine, donkere deur met een bordje ernaast dat vanuit de hoek waar ze stonden onleesbaar was.

'En dat is...?' zei Peroni bij wijze van aansporing.

'Waar hij vroeger werkte,' verklaarde de carabiniero, alsof dat nog-al voor de hand lag. 'Waar al die archeologen doen wat ze doen. Hij ging daar naar binnen en dat hebben we geweten. Ze sloegen aan het krijsen en het schreeuwen. We konden ze hier horen. Ik wilde al gaan vragen of iemand hulp nodig had. Maar toen kwam hij weer naar buiten, met een gezicht als een donderwolk, en wandelde gewoon weg alsof er niets was gebeurd.'

Costa keek naar het bordje op de muur: de vakgroep Archeologie van La Sapienza had hier een dependance, verborgen achter een muur, net als het huis van de Ridders van Malta. Giorgio Bramante had zijn oude baan geweigerd. Maar hij was wel teruggegaan naar de plaats waar hij vroeger had gewerkt en hij was er de man niet naar om iets zonder reden te doen.

'Zijn ze nog bezig met die opgraving?' vroeg hij. 'Waar Alessio is verdwenen?'

De carabiniero schudde zijn hoofd.

'Niet als ze een beetje kunnen nadenken. Het is beneden helemaal afgezet. Ze hebben daar destijds de hele boel overhoopgehaald en nu is het er levensgevaarlijk. Als het hard regent, krijg je aardverzakkingen. Soms lopen er kinderen rond te scharrelen. Als wij ze zien, gaan ze met een draai om hun oren naar huis. Een flinke draai om hun oren, want ik wil niet dat ze terugkomen.'

Peroni keek Costa aan, wierp een blik op zijn schoenen en zuchtte.

'Wat is er?' vroeg de carabiniero.

'Ik heb ze net vanochtend gepoetst,' zei hij treurig.

7

Het was al bijna zeven uur toen Arturo Messina vond dat hij de Aventijn kon verlaten. Een lome oranje zon hing boven de Tiber. Haar zachte avondstralen veranderden de rivier in een glanzende stille slang van goudkleurig water, aan beide zijden omlijst door twee files langzaam rijdend verkeer. De surveillancewagen zocht, met zwaai-licht en sirene, moeizaam zijn weg ertussendoor. Hij had het hart niet tegen de chauffeur te schreeuwen dat hij moest opschieten.

Hij wierp een laatste blik achterom naar de heuvel. Er hadden zich mensen verzameld op de Lungotevere beneden, en op de top ook. Niemand deed veel. Zelfs de nieuwsjagers van de pers begonnen ver-veeld te kijken. Messina was zijn hele leven al bij de politie, had bij de uniformdienst gewerkt en als rechercheur, overal, voor hij op de carrièreladder was gestapt. Hij kende dat gevoel van stilstand, van door de modder waden, dat een onderzoek in zijn greep kreeg wan-neer de eerste adrenalinekick en veelbelovende uren voorbij waren. Het zou niet zo lang meer duren voor het donker werd. De machines hadden moeite gehad met het steile stukje grond onder de Sinaas-appeltuin. Wat aanvankelijk een eenvoudige taak leek, werd een nachtmerrieachtige poging een klein bergje aarde en zachte steen te verplaatsen dat telkens instortte. De amateuristische opzichter, die afkomstig was van het bedrijf dat de graafmachines had gebracht, bleek niet over de benodigde kennis te beschikken. Geen van de ar-cheologen uit het team van Bramante wilde helpen; ze waren woest om wat er gebeurde. Nu Giorgio Bramante naar de Questura was vertrokken, was er niemand in de buurt die hun een deskundig ant-woord kon geven op de vraag hoe ze het best te werk konden gaan.

Dus ploeterden ze maar voort, terwijl Messina heel naïef geloofde dat het makkelijker zou worden als ze eenmaal verder waren. Alsof je de bovenkant van een mierennest wegschept en naar binnen kijkt, had hij tegen Leo Falcone gezegd. Hij had zichzelf voor de gek gehouden. De werkelijkheid was veel smeriger. Het nest was lang geleden verlaten. Binnenin zat een gevaarlijk, bros labyrint van tunnels en spleten, dat elk moment kon instorten. Een van de machinisten van de graafmachines had al gewaarschuwd dat hij ermee zou ophouden omdat het te gevaarlijk was om door te gaan. De sappeurs van het leger hadden zich teruggetrokken, zaten te roken op de grazige helling bij het park en sloegen de bezigheden gade met een blik op hun gezicht waaruit minachting sprak voor dit stelletje amateurs. De machines hadden al iets wat er, in de ogen van een leek als Messina, uitzag als een uitgestrekte ondergrondse tempel tot puin gereduceerd, opvallende artefacten vermorzeld en de restanten, samen met een zo te zien grote hoeveelheid verspreid liggende gebroken botten, teruggeschoven in de rode aarde. Dit zou nog een staartje hebben, wist hij.

Maar dat was allemaal niet belangrijk. Er was maar één ding belangrijk. Van de kleine Alessio Bramante was geen spoor. Geen snippertje kleding, geen voetstap in het stof; geen schreeuw in de verte, zachte ademhaling of hartslag opgepikt door de gevoelige machines waar Falcone mee was gekomen.

Messina staarde naar het verkeer en zei tegen zichzelf: een jongen kan niet op magische wijze uit zichzelf verdwijnen. Hun enige hoop was nu dat ze Ludo Torchia de waarheid konden ontfutselen. En gauw. Maakte niet uit hoe.

Hij zat voor in de auto, zoals altijd. Hij beschouwde zichzelf niet graag als een meerdere. Hij was hun leider. De man die hun de weg wees. Dat was wat manschappen – en politiemensen waren in zekere zin manschappen, ook al waren ze geen carabinieri – nodig hadden.

De chauffeur was een van de agenten op wie hij reglmatig een beroep deed. Taccone, een saaie maar in de grond fatsoenlijke werkezel van midden dertig, iemand die moeite had met het sovrintendente-examen. Geen intelligent, ambitieus, kritisch individu als Falcone. Maar een commissario had evenzeer soldaten als een goede officier nodig, vond Messina.

'Wat zou jij doen als iemand jouw kind meenam?' vroeg Messina, eigenlijk zonder een antwoord te verwachten.

Taccone draaide zijn hoofd zijn kant op en keek hem aan. Er was iets in zijn blik wat Messina nooit eerder had gezien.

'Wat iedereen zou doen,' zei Taccone zacht. 'Ik zou die schoft meenemen naar een rustig kamertje. Ik zou ervoor zorgen dat er niemand in de buurt was die ik niet kon vertrouwen. En dan...'

Hij was een forse vent. Hij had het waarschijnlijk al eens gedaan, vermoedde Messina.

'Die dagen zijn voorbij, beste kerel. We leven in een gereguleerde wereld. Procedures, daar draait het om. De kleine lettertjes van de wet. Alles volgens het boekje.'

Het verkeer werd steeds erger. Het zwaailicht en de sirene haalden niets uit. Auto's, bussen en vrachtwagens blokkeerden beide zijden van de Lungotevere ter hoogte van de kleine piazza met de Bocca della Verità. Het vredeskamp nam vrijwel het gehele terrein van het Circus Maximus daarachter in beslag, een bonte verzameling tenten en lui uitgestrekte lichamen in de avondzon, die het braakliggende, ongelijke grasveld dat vroeger een keizerlijke renbaan was geweest, tot en met de laatste centimeter bedekten.

Taccone vloekte en stuurde de Lancia het brede trottoir op. Toen gaf hij vol gas en reed dik vierhonderd meter tussen de alle kanten op stuivende voetgangers door zonder zich er druk over te maken wie hij tegen zich in het harnas joeg. Vervolgens ontdekte hij bij de volgende verkeerslichten een gaatje, wurmde zich tussen het rijdende verkeer en begon iedereen van de weg af te drukken.

Ze waren binnen een paar minuten bij de Questura. Een menigte journalisten, fotografen en televisieploegen hield zich op bij de ingang. Ze wisten dat er een verdachte in het gebouw was, vermoedde Messina. Als een gluiperd uit het korps het hun niet had verteld voor een paar onwettige lires, had Giorgio Bramante dat ongetwijfeld wel bij aankomst gedaan. Zo'n man was hij. Hij stond de media te woord, hoezeer hem dat ook werd ontraden. Bramante voelde zich onrechtvaardig behandeld, en zo'n man zou zich altijd meer door een gevoel van onrechtvaardigheid dan door een verstandig oordeel laten leiden.

Taccone kwam hard remmend tot stilstand, zodat de zich verdringende broodschrijvers alle kanten op vlogen.

Hij keek Messina dreigend aan.

'Die dagen zijn alleen voorbij,' zei hij langzaam, 'als wij dat laten gebeuren.'

8

Toen Emily belde, opperde ze dat het misschien een goed idee zou zijn bodemmonsters en eventueel aangetroffen artefacten op te slaan. Ze zei niet: het gaat goed met me, maak je geen zorgen, en het is trouwens heel leuk om hier ergens in een chique villa in Orvieto te zijn, terwijl jij het laatste lijk op de lopende band opensnijdt en dichtnaait.

Amerikanen, zei Teresa Lupo zacht bij zichzelf. Iedereen moest een zeker arbeidsethos hebben. Het probleem was dat zij er zelfs last van hadden als ze niet werkten.

Vijftien minuten later kroop dat ding uit de keel van de dode Toni LaMarca. Ze schreeuwde toen ze het zag. Dat was een primeur voor het mortuarium. De worm ook. Ze had veel vreemde dingen gezien op de glanzende zilverkleurige tafel die het middelpunt van haar beroepsleven vormde. Geen van die dingen had haar aan het schrikken gemaakt, niet echt. Maar toen ze – van dichtbij, aangezien ze op dat moment net het gezicht van het lijk bestudeerde – een bleek week dier met opvallende ogen, een driehoekige kop en een slijmerig lijf ter lengte van een pink zag dat zich langzaam uit de keel van de dode man wriemelde en op zijn lippen tot stilstand kwam, gaf ze een gil, hetgeen Silvio Di Capua bijzonder amusant vond.

Een halfuur later had Silvio er de vriend van een vriend bij gehaald, een zekere Cristiano, naar bleek de evolutiebioloog van La Sapienza. Cristiano was een van de langste mensen die Teresa Lupo ooit had gezien, minstens een kop groter dan zowel zij als Silvio, zo mager als een lat, volkomen kaal, met een ingevallen gezicht en bolle ogen. Hij kon net zo goed negentien als zevenendertig zijn, maar hij zag er niet uit als het soort dat in meisjes was geïnteresseerd.

Hij kickte op de worm.

Een halfuur lang bestudeerde hij hem van alle kanten met een vergrootglas en toen vroeg hij hebberig: 'Mag ik hem houden?'

'De worm is in bewaring bij de politie, Cristiano,' legde Teresa geduldig uit. 'We mogen zo'n schepsel niet zomaar uit handen geven omdat jij een voorliefde voor hem hebt opgevat.'

'Het is geen hem. Het is een hem én een haar. Planaria zijn simultane hermafrodieten. Dit ventje...'

Ze sloot haar ogen en zuchtte. Ze kon niet geloven dat iemand zo liefdevol over het walgelijke stukje witte slijm kon praten dat nu rond kronkelde op het petrischaaltje dat Silvio ervoor had gehaald.

'...dateert van voor de ijstijd. Ze hebben de geslachtsdrift van een rockster uit de jaren zeventig. Vijf keer per dag als hij een partner weet te vinden, en hij hecht niet veel waarde aan de omstandigheden ook. Als je hem in tweeën hakt, krijgt hij trouwens ook een nieuwe kop of staart. Soms zelfs meer dan één.'

'Dus "hij" is een hij,' merkte ze sluw op.

'Ik probeer het simpel te houden voor de leken onder ons,' zei Cristiano.

'Erg vriendelijk van je. Heeft hij een naam?'

'Twee. Vroeger noemden we hem *Dugesia polychroa*. Toen besloten ze dat de nagedachtenis van een zekere Schmidt, een wetenschapper die veel tijd aan het onderwerp had besteed, ergens mee in ere moest worden gehouden. Dus werd het veranderd in *Schmidtea polychroa*.'

'Cristiano,' zei ze, terwijl ze hem bij zijn magere arm pakte. 'Ik zal eerlijk tegen je zijn. Het is hier op het moment een beetje druk. Dit "ventje" kroop bijvoorbeeld uit de mond van een meneer wiens hart eruit is gespoten in een slachthuis en dat gebeurt niet alle dagen. Bovendien heeft er gisteravond iemand in de Questura ingebroken, waarschijnlijk met het plan een goede vriend van me te vermoorden, en vervolgens een mogelijk belangrijke getuige in dezelfde zaak doodgeschoten. Ik hoop later vandaag aan hem toe te komen. Mijn collega Silvio was van mening dat dit schepsel ons misschien belangrijke informatie zou kunnen verschaffen. Je zou me werkelijk een groot genoegen doen als je me een indicatie zou kunnen geven met betrekking tot de vraag of hij gelijk heeft.'

Ze liet een dramatische stilte vallen en vroeg toen nors: 'Wat is het?'

'Een platworm.'

'Gewoon een doodnormale platworm?'

Silvio kwam zich ermee bemoeien.

'Er bestaat niet zoiets als een doodnormale platworm, Teresa. Als je de moeite zou nemen een paar artikelen over evolutionaire biologie te lezen, zou je dat weten. Die dingen –'

'Hou je mond!' Ze gaf Cristiano een kneepje in de arm. 'Vertel me alleen maar, voor je weggaat, hoe dat beest daar is gekomen. Had het in hem kunnen zitten toen hij nog leefde?'

'Ben je gek geworden?' vroeg hij en zijn grote ogen puilden uit. 'Wie zou zo'n ding door zijn keel naar binnen laten kruipen?'

'Ik bedoelde als parasiet of zo. Zoals zuigwormen.'

'Platwormen zijn geen parasieten!'

Hij keek alsof ze een van zijn familieleden had beledigd.

'Wat zijn het dan?'

'Aaseters voornamelijk. Ze voeden zich met dood vlees.'

'Dus hij had door zijn mond naar binnen kunnen kruipen toen hij dood was? Of bewusteloos?'

Hij schudde heftig ontkennend zijn kale hoofd.

'Niet als hij bewusteloos was. Je denkt toch niet dat die beesten al zo lang bestaan omdat ze stomme dingen doen. Ze blijven uit de buurt van alles wat ademhaalt, tenzij het kleiner is dan zij. Ze kunnen best aardig jonge aardwormen verslinden als ze ze te pakken kunnen krijgen, maar verder gaat het niet.'

Ze dacht even na.

'Hun habitat,' zei ze. 'Ze leven in de grond. Ze komen eruit als ze honger hebben. Deze man is in een crypte gevonden bij zo'n honderd skeletten uit de middeleeuwen of zo. Een natuurlijke omgeving voor ze, lijkt me.'

'Nee.'

Ze wilde dat hij haar niet als een idioot behandelde, alleen maar omdat zij niet recentelijk lekker een middagje met haar neus in de bladzijden van *Het leven van rijke en beroemde wormen* had gezeten.

'Waarom niet?'

'Waar is het voedsel? Waar is het water? Ze hebben water nodig. Anders...'

Daarmee werd één manier waarop Toni LaMarca een slijmerige witte platworm binnen had kunnen krijgen uitgesloten.

'En een slachthuis?' opperde ze. 'Daar is vlees zat. En water. Ze zouden 's nachts uit het riool kunnen komen om zich te goed te doen aan de restjes.'

Silvio maakte een snuivend geluid.

'Het was anders heel schoon in dat slachthuis,' zei hij. 'Ik heb die afvoeren bekeken. Ze gooiden daar alle chemicaliën in die ze horen te gebruiken. Ik denk niet dat er iets zou kunnen overleven als het elke nacht zo veel ontsmettingsmiddelen op zijn kop kreeg gegoten. Ik in elk geval niet.'

Ze keek hoopvol naar Cristiano.

'Als de afvoeren goed worden gedesinfecteerd,' zei hij, 'komen er geen platwormen voor. Er zijn grenzen, zelfs voor hen.'

En voor mij ook, dacht ze.

De vorige avond had ze om de tijd te doden op de afdeling Informatie van de Questura stiekem de stukken over de verdwijning van LaMarca bekeken. Het had een tijdje geduurd voor ze de vriend hadden opgespoord die door Giorgio Bramante was ontvoerd als lokaas. Een tijdje ook voor ze hem zo ver hadden dat hij wilde praten. Toen hij eenmaal begon te praten, had hij iets interessants verteld. Toni LaMarca was twee avonden voor zijn lichaam in de Santa Maria dell'Assunta opdook gepakt, niet één avond daarvoor, zoals ze aanvankelijk dachten. Uit de autopsie was ook duidelijk geworden dat hij kort nadat hij was meegenomen, was gestorven, in het slachthuis, vermoedde ze. De bewaarster was de dag voor ze het lijk vond nog in de kerk geweest. Ze had niets bijzonders gezien. Dat betekende dat Bramante het lijk van LaMarca ergens had opgeslagen – daartoe gedwongen door een of andere onvoorziene omstandigheid – voor hij het naar de uiteindelijke locatie verplaatste. Vervolgens had hij, zo'n zesendertig uur na de moord, in de Sacro Cuore een aanwijzing achtergelaten over wat hij had gedaan.

De aarde onder de teennagels van LaMarca en de modder op zijn lichaam werden onderzocht. Maar het soort informatie dat ze uit die bronnen zou krijgen, zei alleen iets in samenhang met andere bewijzen. Modder was niet uniek, zoals DNA. Als ze een vermoedelijke locatie hadden, konden ze nagaan of dezelfde aarde daar voorkwam. Maar zolang ze geen uitgangspunt hadden, was alles net als de stomme witte worm. Informatie waaraan de context ontbrak, losvaste gegevens zonder iets concreets waardoor ze bruikbaar werden. Het kon weken duren voor ze de locatie hadden gevonden, als ze hem ooit zouden vinden.

'Waar dan?' vroeg ze zich hardop af.

Cristiano haalde zijn schouders op.

'Wat ik al zei: in de buurt van water. In de buurt van een riool misschien, of van een duiker. Onder de grond, boven de grond. Kies maar uit.'

'Ja, ja, je wordt bedankt,' bromde ze. 'Je kunt je lievelingetje mee naar huis nemen. Op één voorwaarde.' Ze priemde een vinger in de borst van de wormennerd. 'Dat je belooft hem Silvio te noemen.'

Hij aarzelde en waagde een blik naar zijn vriend.

'Je wilt dus niet dat ik met hem aan de slag ga? Een paar testjes doe? Die zijn uiteraard dodelijk, maar ik denk niet dat het dierenbevrijdingsfront zal gaan piepen. Het is tenslotte geen bedreigde diersoort.'

Ze was met haar gedachten al elders. Ze wilde hem weg hebben.

'Autopsies op wormen zijn niet mijn specialiteit, Cristiano. Heb het er maar met Silvio over. In zijn eigen tijd.'

'Maar –'

'Niks maar.'

'Zeg het dan,' beval Teresa.

'Wat?'

'Ik moet nog wat vertellen over dat gedoe met de voortplanting,' zei Cristiano. 'Je hebt me niet laten uitpraten.'

Ze keek op haar horloge.

'Dertig seconden.'

'Het is een kwestie van allopatrie en sympatrie, of ze geslachtelijk of parthenogeen zijn –'

'Ik ga zo slaan, ik zweer het. Wat wil je nu zeggen?'

'Goed, goed. Soms overlappen verschillende populaties platwormen elkaar en paren ze. Andere blijven van elkaar gescheiden en planten zich voort middels parthenogenese. Ze ontwikkelen vrouwelijke cellen zonder dat een bevruchting nodig is. Sommige... doen een beetje van allebei.'

'Ik gá zo –'

'In Rome hebben we geslachtelijke en parthenogene typen, en ze zijn allopatrisch. Dat wil zeggen dat ze in geografisch gescheiden gebieden wonen en in wezen enigszins verschillende versies van hetzelfde organisme zijn. Het is heel interessant. We hebben ondergrondse waterlopen die tweeduizend jaar onveranderd zijn gebleven, soms nergens mee in verbinding staan. Dat betekent dat we in de loop der eeuwen honderden platwormpopulaties hebben gekregen waarvan er geen twee exact hetzelfde zijn. Er is een team op La Sapienza dat ze al meer dan tien jaar documenteert, in samenwerking met een paar andere universiteiten. Het verbaast me dat je er nooit van hebt gehoord.'

'Ik heb de wormen nooit zo bijgehouden,' mompelde ze. 'Een van mijn vele tekortkomingen. Dus wat je eigenlijk wilt zeggen, is dat als je je lievelingetje onder een microscoop ontleedt, je mij kunt vertellen waar hij vandaan komt? Uit welk water?'

'Beter nog. Als hij in de database zit, kan ik je de exacte plaats vertellen. Of het aan het begin van de Cloaca Maxima is of aan het einde. Zoveel verschillen ze van elkaar.'

Ze pakte het petrischaaltje op en tuurde naar het wriemelende schepsel.

'Ik zou graag zeggen dat dit mij meer pijn zal doen dan jou,' mompelde ze. 'Maar dan zou ik liegen. Silvio – ja, jij, niet die worm – wees zo vriendelijk deze heer te voorzien van een witte jas, een microscoop, een bureau en wat hij nog meer nodig heeft. Er liggen mensen op ons te wachten.'

9

Judith Turnhouse had geen bordje met de woorden 'universitair kreng' in gouden opdruk op haar bureau staan. Wat Peroni betrof had ze dat ook niet nodig. Costa zag de lichaamstaal toen ze de werkkamer van de vrouw in de dependance van de vakgroep Archeologie van La Sapienza op de Aventijn binnengingen en voelde hoe de moed hem in de schoenen zonk. Het was haat op het eerste gezicht. Turnhouse was een jaar of vijfendertig, lang en afschuwelijk mager en ze had een hoekig gezicht, omlijst door futloos bruin haar. Ze zat stijf en ernstig achter een bureau waarop alles – computer, archiefmappen, stukken, toetsenbord – in een keurig, symmetrisch patroon was gerangschikt.

Voor Costa goed en wel hun komst had kunnen uitleggen, wierp ze één blik op hun politiekaarten en zei: 'Hou het kort. Ik heb het druk.'

Peroni slaakte een diepe zucht en pakte een klein, stenen beeldje van haar bureau.

'Vanwaar die haast?' zei hij. 'Is dit spul soms bederfelijk?'

De vrouw haalde het voorwerp uit zijn handen en zette het terug op zijn plaats.

'Dit is het eind van ons jaar. Ik moet een begroting goedgekeurd krijgen en een jaarverslag schrijven. Je kunt geen research doen zonder een goede bestuurlijke structuur ter ondersteuning. Dat hebben we één keer geprobeerd. Het was een ramp.'

Costa keek even naar zijn partner en de twee mannen namen, ongevraagd, plaats in een paar stoelen tegenover het bureau. Judith Turnhouse keek alleen maar. Haar scherpe lichtgrijze ogen sloegen voortdurend alles op.

'Bramantes schuld?' vroeg Costa.

'Ik had het kunnen weten. Voor het geval dat jullie het nog niet hadden gemerkt, Giorgio werkt hier niet meer. Ze hebben mij een paar jaar geleden zijn leerstoel gegeven. Het is belangrijk werk. Vooral als je het goed doet.'

Peroni keek verbaasd.

'Ik dacht dat Giorgio een ster was. Dat zegt iedereen.'

'Giorgio was een uitstekend archeoloog. Hij was mijn hoogleraar. Ik heb veel van hem geleerd. Maar van bestuurlijke zaken had hij geen kaas gegeten. Van mensen trouwens ook niet. Het ging hem alleen om de research, en helemaal niet om mensen.'

'Zelfs een schilder heeft iemand nodig om zijn verf te betalen,' merkte Costa op.

Ze knikte en ontdooide een beetje.

'Als u het zo wilt stellen. Bij Giorgio draaide alles om de jacht op de heilige graal van de academische waarheid. En het resultaat? We vonden een van de grootste onontdekte archeologische schatten in Rome. Inmiddels ziet het eruit als een bouwterrein. Het is tragisch.'

Voor Judith Turnhouse was dat tragischer dan de verdwijning van een kleine jongen, meende Costa.

'U wist van het geheim?' vroeg Peroni.

'Uiteraard. Je kunt zo'n grote opgraving niet alleen aan. Giorgio nam vijf van zijn beste promovendi in vertrouwen en vertelde ons hoe en wat. We hebben een jaar beneden gewerkt. Nog drie maanden en dan waren we misschien zo ver geweest dat we bekend hadden kunnen maken wat we hadden gevonden.'

'En dat was?' vroeg Costa.

'Het grootste en belangrijkste mithraeum dat iemand ooit in Rome heeft gevonden. Waarschijnlijk de beste bron van informatie over de mithraïsche cultus die we ooit zouden krijgen.'

'En het is allemaal weg.'

'Nee,' zei ze bits. 'Het ligt allemaal in stukken. Over vijftig jaar misschien, als iedereen die ellende met Giorgio is vergeten, komen ze wellicht met geld over de brug om het allemaal te herstellen. Misschien. Niet dat het tegen die tijd voor mij nog belangrijk is. Ik werk dan wel met dingen die tijdloos zijn, maar ik denk heus niet dat ik dat zelf ook ben.'

Peroni haalde een schrijfblok tevoorschijn.

'Die andere promovendi. We zouden graag hun namen hebben.'

Ze dacht er even over om te protesteren en ratelde toen op wat ze wilden weten. Eentje werkte nu in Oxford, twee in de Verenigde Staten en de laatste was hoogleraar in Palermo. Ze had hen in jaren niet gezien.

'Zijn we klaar?' vroeg ze.

'We proberen te achterhalen waar Giorgio op dit moment zou kunnen zijn,' antwoordde Costa. 'We proberen te begrijpen wat er destijds is gebeurd. Of dat ons nu kan helpen.'

'Ik zie niet –'

'We proberen ook te begrijpen wat er met Alessio is gebeurd, professor Turnhouse,' zei Peroni, die haar in de rede viel. 'Bent u daar helemaal niet benieuwd naar?'

Ze aarzelde, keek Peroni even dreigend aan en zei toen: 'Als u echt mijn hulp wilt hebben, moet u dat soort opmerkingen voor u houden. Ik had met de verdwijning van Alessio niets te maken. Ik heb geen idee wat er met hem is gebeurd. U bent toch van de politie? Dat is toch uw werk?'

Costa legde een hand op de arm van Peroni om de grote man het zwijgen op te leggen.

'Uiteraard,' zei hij. ' Daarom zijn we ook hier. Wat voor iemand was Giorgio in die tijd?'

Ze zei zacht een kort, eenlettergrepig woord en keek daarna nadrukkelijk op haar horloge.

'En,' voegde Costa eraan toe, 'wat voor iemand is hij tegenwoordig? Is hij veranderd, of juist niet?'

Ze keek op van haar horloge en staarde hem recht in het gezicht. Judith Turnhouse was geen vrouw die ergens bang voor was, dacht hij. Ze had een hoge functie aan de universiteit, was een belangrijk onderdeel van het raderwerk, althans zo zag ze het zelf. Iets anders interesseerde haar eigenlijk niet.

'Tegenwoordig?'

'Hij is hier geweest. Een week geleden ongeveer. Hij maakte ruzie met iemand. Zo hard, dat zelfs de carabinieri buiten het konden horen. Daarna is hij weggelopen. Ik vermoed dat hij ruzie met u had.'

Ze speelde met de pen op het bureau.

'O ja?'

'Weet u,' ging Costa verder, 'dat ik al genoeg grond heb om naar een officier van justitie te stappen? Giorgio is een veroordeelde moordenaar die zijn oude slechte gewoontes weer heeft opgenomen. Hij is een gevaar voor de maatschappij. Ik zou papieren kunnen aanvragen die me het recht geven alles hier te doorzoeken. Uw computers. Uw archief. Alle opgravingen waar u in deze heuvel aan werkt –'

'We werken hier nergens aan,' bromde ze. 'Het is tegenwoordig allemaal ergens anders.'

Peroni glimlachte en sloeg zijn zeer grote armen over elkaar.

'We kunnen hier zo lang naar u gaan zitten kijken, dat dat jaarverslag straks over volgend jaar gaat. Als u geluk hebt.'

Haar bleke, gespannen gezicht verstrakte van ingehouden woede.

'Of,' stelde Costa voor, 'we kunnen een babbeltje met elkaar maken, even rondkijken op die opgraving en hier voor twaalven weer weg zijn. U zegt het maar.'

Judith Turnhouse pakte de telefoon en zei, met een accent waarin haar moedertaal, het Amerikaans, doorklonk: 'Chiara? Zeg al mijn afspraken af.'

Ze keek hen boos aan.

'Overtuigend stelletje zijn jullie, nietwaar?'

'Dat wordt wel beweerd,' zei Peroni instemmend.

'U daar.' Ze wees naar Costa. 'De beleefde van u beiden. Begin maar te schrijven. Ik zal u alles vertellen wat ik weet over die lieve schat Giorgio, van vroeger en van nu.'

Ze liep naar een lange kast bij het raam en haalde er een feloranje overall uit, waar ze met veel gemak en zeer bedreven in stapte.

'En daarna,' voegde Judith Turnhouse eraan toe, 'zal ik u meenemen naar wat eens een mirakel was.'

10

Om zeven uur hadden ze nog steeds maar die ene student, die ene verdachte: Ludo Torchia. De anderen zouden wel snel gevonden worden, vermoedde Falcone. Ze waren niet van het slag dat lang onzichtbaar bleef. Ze experimenteerden een beetje met drugs en hadden een sterke, bijna ongezonde belangstelling voor de theorieën over het mithraïsme van Giorgio Bramante, met name Ludo Torchia. Maar volgens Falcone wees niets erop dat ze in staat waren een ingewikkeld complot te verzinnen zoals de media graag hadden gezien.

Torchia was in de achterste verhoorkamer in de kelder gezet, een voormalige cel zonder ramen, met alleen een luchtschacht en felle verlichting, een ijzeren tafel en vier stoelen. Het was een ruimte die ze bewaarden voor de lastige gevallen, en de arrestanten die ze een beetje bang wilden maken. Er grensden vier andere kamers aan, die doorliepen tot aan de oude metalen trap naar de begane grond. Er was die avond niemand anders voor verhoor aanwezig. Falcone hield de kamers vrij voor de overige studenten als ze werden gevonden. De zaak-Bramante had alle aandacht in de Questura en dat zou zo blijven tot een ontknoping daagde, of duidelijk werd dat het moment voorbij was. Dan zou het onderzoek langzamaan afzakken tot een rustige operatie waarmee werd erkend wat Falcone inmiddels voor waar hield: Alessio Bramante was al dood.

Omdat hij opdracht had op Arturo Messina te wachten, had hij alleen met de student gesproken om de noodzakelijke feiten vast te stellen: zijn naam, zijn adres. Al het andere – de normale controles en procedures – moest wachten. Messina ging in deze zaak kennelijk op zijn gevoel af. Het leek een gevaarlijke en onnodige reactie op de hysterie die nu op straat en op de televisie hoogtij vierde.

Falcone besloot ook dat Giorgio Bramante, duidelijk tot grote woede van de man, ergens anders op de komst van Messina moest wachten. Hij hoopte min of meer dat hij zijn superieur tot rede kon brengen. Toen, om tien minuten voor acht, keerde de commissario terug in de Questura. Falcone wierp één blik op zijn gezicht en besefte dat het het proberen niet eens waard was. De man keek even boos als Bramante zelf, maar ook ontredderd, iets wat Falcone bij de vader niet zag.

'De anderen?' vroeg Messina nors.

'Worden nog gezocht,' antwoordde Falcone. 'We vinden ze wel.'

'Maakt niet uit,' bromde de commissario. 'Eén is genoeg. Waar is Giorgio?'

In het besef dat het geen nut had tegen te spreken, ging hij de man zelf met tegenzin halen.

Giorgio Bramante zei geen woord toen hij Messina zag. Dat vond Falcone op zichzelf al interessant.

Messina sloeg hem op de schouder en keek hem in de ogen.

'We zullen je zoon vinden,' zei hij vol overtuiging. 'Geef ons twintig minuten alleen met dat misbaksel. Als we dan nog niets hebben... is het jouw beurt.'

11

Het was bijna onvoorstelbaar dat hier ooit iets van waarde was geweest. Achter de Sinaasappeltuin, op de steile helling die uitkwam op het bijna loodrechte talud van de Aventijn aan de rivierzijde, grenzend aan de Clivo di Rocca Savella, lag nu iets wat leek op een vuilnishoop. De grond was ongelijk, deels gras, deels bruingrijze aarde. Lege plastic flessen lagen verspreid tussen ander afval onder laag, schraal struikgewas. Costa zag al twee gebruikte injectiespuiten voordat ze omlaag geklauterd waren over het modderige smalle pad dat er vanuit het park boven heen leidde en vervolgens via een kronkelige, gevaarlijke route doorliep naar de drukke weg langs de rivier beneden.

Ze strompelden door de modder tot ze bij een klein, vlak stuk grond kwamen. Het was opgehouden met regenen, waarschijnlijk maar voor even. Judith Turnhouse had de capuchon van haar overall opgezet. Ze keek om zich heen, trok haar neus op en deed de capuchon weer af.

'Is dit het?' vroeg Peroni.

'Dit was het,' antwoordde ze.

Costa schopte een paar graszoden opzij. Er lag steen onder, het geribbelde oppervlak van iets wat eruitzag als een zuil.

'Ze hebben er bulldozers bij gehaald,' vervolgde ze. 'Ze hebben alles omgeploegd. Toen wij het vonden lag dit hele stuk nog onder de grond. Er was een oorspronkelijke ingang zo'n vijftien, twintig meter verderop, bij het park daarboven.'

'Wilt u zeggen dat het zo gebouwd was?' vroeg Peroni. 'Ondergronds? Waarom?'

Ze haalde haar schouders op.

'Dat weten we niet. We hadden hier veel uit kunnen opmaken. Het mithraïsme was een mannencultus, met name populair onder soldaten. Het kende strenge gedragscodes, een aantal rituelen en rangordes, en slechts één leider die de absolute macht had. Afgezien van een paar globale beschrijvingen die uit die tijd bewaard zijn gebleven, zijn er alleen theorieën.'

Peroni keek bedenkelijk om zich heen. Costa meende de restanten van dichtgemaakte tunnelopeningen te zien, en zelfs een paar kleine gaten. Groot genoeg voor een kind misschien, groter niet.

'Dus,' ging Peroni verder, 'dit was net als al die zwarte magie op het platteland, waar je van tijd tot tijd nog over leest?'

'Nee!' antwoordde ze snel. 'Het was een geloof. Een echte godsdienst. Zeer nauwgezet, in het geheim, beoefend door duizenden en nog eens duizenden mensen. Het christendom was bijna drie eeuwen illegaal voor het de dominante religie werd. De dag dat dat gebeurde, de dag dat Constantijn zijn overwinning bij de Milvische brug behaalde, is alles hier voor de eerste keer vernield. Ergens daarbinnen' – ze wees naar iets wat vermoedelijk een voormalige ingang was, nu versperd door afval en draadgaas dat indringers buiten moest houden – 'hebben we de stoffelijke resten aangetroffen van meer dan honderd mannen die bij elkaar gedreven en afgeslacht waren. Door het leger van Constantijn. Iemand anders kan het niet geweest zijn. De bewijzen liggen daar nog ergens. Het was een van de redenen waarom Giorgio ertegenop zag om de werkelijke omvang van wat we hier hadden gevonden, openbaar te maken. Het lag op dat moment... gevoelig.'

Peroni wisselde een blik met Costa. Ze hadden dit idee al doorgesproken.

'Als Alessio vermist raakte zou het toch allemaal in de openbaarheid zijn gekomen, nietwaar?' vroeg Costa. 'Zou dat de reden kunnen zijn geweest dat hij de jongen hier mee naartoe nam?'

Ze reageerde op de vraag alsof deze irrelevant was.

'Ik zou het niet weten. Jullie hebben veertien jaar de tijd gehad om dat aan Giorgio te vragen.'

'Waarom is hij dan bij u langs geweest?' ging hij door.

Ze begon warempel te lachen.

'Het was te zot voor woorden. Hij wilde al zijn oude dossiers terug hebben. Zijn verslagen. Zijn kaarten. Alles waar hij aan gewerkt had.'

'En?' vroeg Peroni.

'Ik heb hem de deur gewezen! Hij was in dienst van de universiteit. Alles wat hij tijdens zijn dienstverband heeft gepresteerd, is ons wettige eigendom. Ik was niet van plan dat allemaal weg te geven.'

'Ik neem aan dat hij dat niet zo leuk vond,' zei Costa.

'Dat is een van de hebbelijkheden die hij in de gevangenis niet heeft afgeleerd,' antwoordde ze. 'Giorgio is altijd licht ontvlambaar geweest. Hij begon tegen me te schreeuwen alsof ik nog een klein, timide studentje van hem was. Dat pik ik niet. Van niemand.'

De vrouw aarzelde. Er was meer.

'Ik heb een paar kopieën gemaakt van de kaarten die hij wilde hebben. Verder wilde ik niet gaan. Ik wilde jullie al bellen om dat te vertellen toen ik over de gebeurtenissen las.'

Ze viel stil.

Peroni knikte.

'Wanneer?' vroeg hij.

'Vanmiddag.'

'Na het jaarverslag?'

'Ik ben niet gediend van dat soort arrogante opmerkingen.' Judith Turnhouse sprak met een langzaam opkomende, grote woede.

Costa snuffelde rond aan de rand van de open plek aan de kant van de heuvel. Er zat een groot aantal mogelijke openingen en tunnels in de ongeveer honderd meter grond die zich uitstrekte van het hek bij het smalle oud-Romeinse pad tot aan de loodrechte helling van de heuvel aan de andere kant.

'Waar kan een kind op zo'n plek naartoe zijn gegaan?' vroeg hij, bijna in zichzelf. 'Waarom hebben ze hem niet gevonden?'

'Dat weet ik niet!' verklaarde ze geërgerd.

'U bent beneden geweest,' merkte Peroni op.

'Ja! En dat is precies de reden waarom ik het niet weet. De omstandigheden waren hier erger dan ik ooit heb meegemaakt. Giorgio nam zulke grote risico's, dat ik me soms afvroeg of we er wel levend uit zouden komen. Sommige ondergrondse tunnels waren verschrikkelijk gevaarlijk. Je kon al een grondverzakking veroorzaken door je hand tegen de wand te leggen. Het is daar een nachtmerrie. Er zijn door mensenhanden gemaakte tunnels, natuurlijke kloven, riolering... Sommige stukken sluiten aan op ten minste twee armen van de Cloaca Maxima, hoewel we niet weten hoe. Daarnaast zijn er doorgangen naar bronnen die ook in de rivierbedding uitkomen. Als een kind daar aan het dwalen slaat, kan hij wel honderd verschillende gaten tegenkomen waar hij in zou kunnen vallen en in al die gevallen zou dat hem het leven kosten. Of...'

Ze keek hen strak aan.

'...iemand kan hem in zo'n gat hebben gegooid.'

'U kende die studenten,' stelde Costa vast. 'Zouden ze dat hebben gedaan?'

'Ludo Torchia was een verknipte klootzak. Die achtte ik tot alles in staat. Maar ik geloof nog steeds...'

Ze bedacht iets. Judith Turnhouse liep een stukje door en raapte een van de lege waterflessen op, een fles met een opvallend felrood etiket.

'Als jullie willen begrijpen waar we nu eigenlijk op staan – een honingraat die niemand in kaart heeft kunnen brengen, zelfs Giorgio niet – moet je dit zien.'

De vrouw draaide de dop van de fles, schepte er wat aarde in om hem te verzwaren en liep naar een van de paar open spleten in de rots achter hen.

'Dit is een truc die we hebben geleerd toen we hier aan het werk waren. Ik wed dat het nu nog sneller gaat dan in die tijd. Meer regen. Meer erosie. Let op...'

Ze wenkte hen, hield de plastic fles boven het gat en liet hem los. Ze hoorden het ding langs steen stuiteren, steeds zachter. Daarna ver weg een plons. Vervolgens niets meer, afgezien van het constante zachte ruisen van water, dat onophoudelijk ergens onder hen door stroomde.

'We vermoedden dat dit een natuurlijke doorgang was, die helemaal niet bij de tempel hoorde. Er is een soort kanaal dat omlaag loopt, in de heuvel op iets anders uitkomt en dan naar de rivier gaat. Ziet u dat daar?'

Ze wees in de richting van de stad, naar een gedeelte met schuimend water aan hun kant van de brug vóór Tibereiland.

'Bij de overlaat zit een kleine uitloop van de Cloaca Maxima, in de bocht. Je kunt hem net zien. De mond zelf dateert uit de tijd van Claudius. Er zit een modern gewelf omheen dat ze hebben gebouwd toen ze de weg en de kademuren aanlegden.'

Costa zag de onderbreking in de lijn van de hoogwaterkeermuur, vrijwel naast het kolkende water van de overlaat.

'Ik zie hem,' zei hij.

'Zoals u dadelijk zult zien, gaat dat kleine kanaal hier op de een of andere manier – en ik snap echt niet hoe het kan – door een paar honderd meter horizontaal gesteente en eindigt daar. We staan op poreus gesteente vol breuken, vol gaten en verborgen doorgangen die we met geen mogelijkheid in kaart kunnen brengen. Als een kind in zoiets terechtkomt...'

Ze zuchtte en keek op haar horloge.

'Hoe zijn uw ogen? De mijne zijn niet zo goed meer. Ik ben bang dat dit de enige goocheltruc is die ik ken.'

'Heel goed,' antwoordde Costa, die het op en neer deinende afval met argusogen in de gaten hield.

Ze wachtten vijf minuten. Er verscheen geen rode fles.

'Wanneer hebt u dit voor het laatst geprobeerd?' vroeg Peroni. 'Voor Alessio verdween, of daarna?'

'Dat weet ik niet meer. Daarna, geloof ik.'

'Jaren geleden dus?' ging hij verder. 'De afvoerbuis zit waarschijnlijk verstopt.'

Ze schudde haar hoofd.

'Nee. Dat kan echt niet. We merken het als er problemen zijn met de afwatering. Er zijn opgravingen die direct onderlopen. Dan moeten we iets ondernemen. Dat is al heel lang niet voorgekomen. Op een dag als vandaag' – ze wees naar het schuim bij de waterkering; als kleine witte paardjes, levendig, wild – 'zou het zonder een verstopping nog harder moeten stromen dan anders. Het kanaal is hier nog open. Dat hebt u zelf gehoord. Ik weet niet...'

Voor het eerst sinds ze haar hadden ontmoet, maakte Judith Turnhouse een onzekere, kwetsbare indruk. Ze leek ontvankelijk voor de gedachte dat er misschien iets in haar wereld zou kunnen zijn dat nog niet ontdekt, van een etiket voorzien en veilig opgeborgen was.

'Het klinkt misschien stom, maar volgens mij klopt dit niet helemaal,' zei ze zo zacht, dat het leek alsof ze het geluid van haar eigen twijfel niet graag wilde horen.

Costa keek omlaag. Er lag een smal, glibberig pad dat naar de Clivo di Rocca Savella leidde. Dan een korte wandeling over de drukke Lungotevere naar een kleine trap die dicht bij de waterkering zat.

Het water zag er koud en grijs en onstuimig uit.

'Ik heb misschien uw overall nodig,' merkte Costa op. Hij hoorde niets terug; geen klacht, geen bezwaar, niets.

12

Hij was eenentwintig, maar in de ogen van Falcone was hij nog niet volledig gevormd. Ludo Torchia had de onbetrouwbare, stompzinnige grijns van een puber op zijn gezicht, een puber die iets op zijn geweten had en hen nu uitdaagde uit te zoeken wat precies.

Messina ging tegenover hem zitten. Falcone nam plaats op een stoel in de hoek en haalde een blocnote te voorschijn.

'Die hebben we niet nodig,' zei Messina ogenblikkelijk.

Falcone stopte de blocnote weg en sloot een moment zijn ogen. Te oordelen naar wat hij al van Torchia had gezien, was een fikse ruzie precies wat deze eigenaardige jongeman wilde.

'Doe ons allemaal een plezier, knul,' begon Messina. 'Je kent professor Bramante. Je kent zijn zoon. Vertel ons waar Alessio is. Maak het niet erger dan het al is.'

Torchia gniffelde en keek hem strak aan. Er hing een geur van goedkope, verschaalde wijn om hem heen.

Hij begon aan zijn nagels te pulken.

'Ik praat niet met tuig zoals jullie. Waarom zou ik?'

Messina verschoot van kleur, maar wist zich in te houden.

'Dit is een politieaangelegenheid,' zei hij tussen opeengeklemde kiezen door. 'Als ik je een vraag stel verwacht ik een antwoord.'

Torchia boog zich over de tafel, keek de commissario recht aan en lachte.

'Ik heb geen vraag gehoord, hufter.'

'Waar is de jongen?' schreeuwde Messina.

'Kweenie,' zei hij en daarna begon hij weer aan zijn vingernagels te pulken.

'Vertel eens waarom jullie daar beneden waren,' kwam Falcone tussenbeide. Hij negeerde de vinnige blik van Messina.

'Ik ben een student van Giorgio Bramante,' antwoordde hij, alsof hij tegen een kind praatte. 'Ik heb het recht alle locaties te bezoeken waar hij aan werkt.'

Falcone kon de houding van Torchia niet goed verklaren. De student was verontwaardigd, agressief, onbehulpzaam. Maar hij maakte ook een ontspannen indruk en dat was vreemd.

'Wil je zeggen dat Bramante jullie daar had uitgenodigd?' vroeg hij.

'Nee!'

Eindelijk verscheen er een boze blos op Torchia's wangen.

'Ik moest het zelf zien te vinden. Vraag hem maar eens waarom dat was. We waren zogenaamd een familie. Studenten. Docenten. Allemaal samen. De enige geheimen zouden de geheimen moeten zijn die wij met elkaar hadden.'

'Het gaat nu niet om de locatie. Het gaat om de jongen!' blafte Messina, over de tafel leunend. Het speeksel vloog uit zijn mond.

Torchia gaf geen krimp. Falcone had dit type eerder meegemaakt. Zelfs als Torchia een pak slaag kreeg, zou hij dat waarschijnlijk niet zo erg vinden. Het bevestigde alleen wat hij toch al dacht: dat hij in het gezelschap van de vijand was.

'Ik was daar om bepaalde dingen te zien. Daar had ik recht op,' zei hij langzaam. 'Giorgio had ons die dingen al heel lang geleden moeten laten zien.'

Falcone trok zijn stoel naar de tafel toe en keek Torchia recht aan.

'Er wordt een kind vermist, Ludo,' zei hij. 'Op een plek die gevaarlijk is. Jullie zijn gezien toen jullie eruit kwamen. Jullie zijn weggelopen...'

'Ik heb een hekel aan de politie. Net als iedereen,' zei hij snel. 'Waarom zou ik jullie helpen?'

'Omdat het Alessio kan helpen.'

'Ik weet niets.'

'Jullie zijn weggelopen,' herhaalde Falcone. 'Jullie allemaal. Daar was een reden voor. We moeten weten wat die reden was. Als Alessio iets ergs is overkomen, zullen jullie de schuld krijgen. Dat snap je natuurlijk wel. Tenzij je ons vertelt –'

'Ik heb die jongen niet gezien.'

Hij loog. Alsof het allemaal een spelletje was. Ludo Torchia speelde met hen, meende Falcone, gewoon omdat hij daar zin in had.

'Wie waren er nog meer?' vroeg Messina. 'Noem de namen eens.'

'Ik verraad mijn kameraden niet,' zei hij, en hij ging weer naar zijn nagels zitten kijken.

Messina leek ten einde raad. Torchia was onverzettelijk. Wat hij aan emotie bezat was diep vanbinnen in zijn magere gestel opgeborgen, onderdrukt.

Er was ook geen enkele standaardprocedure gevolgd en dat allemaal dankzij de directe instructies van Messina: zet Torchia in een verhoorkamer en laat hem zweten. De formaliteiten, de woorden die opgelezen moesten worden... Alle voorwaarden waaraan bij een verhoor moest worden voldaan. Een goede advocaat zou een feestje kunnen bouwen met de steken die ze nu al hadden laten vallen. Messina was tegen beter weten in geobsedeerd geraakt door de jongen, niet door een eventuele veroordeling die zou kunnen volgen. Dat was, naar de mening van Falcone, dom, en gevaarlijk. De Questura had recentelijk twee belangrijke zaken verloren, zaken waarbij de schuldige partij domweg als gevolg van procedurele fouten vrijuit was gegaan. Het zou zomaar weer kunnen gebeuren.

Eén specifieke, praktische taak was ook niet uitgevoerd. Ludo Torchia was niet gefouilleerd.

'Maak je zakken leeg,' zei Falcone.

Een zweem van angst vonkte in zijn ogen. Er was Ludo Torchia iets te binnen geschoten.

'Maak je zakken leeg, Ludo,' herhaalde Falcone. 'Ik wil alles zien. Leg alles langzaam voor je neer, een voor een. Niets achterhouden.'

Hij vloekte. Toen stak hij zijn handen in zijn broekzakken en haalde er een paar zakdoekjes, papiertjes en wat kleingeld uit. Een stel sleutels. Een aansteker en een paar sigaretten.

De rug van zijn beide handen zat onder de krassen. Afkomstig van vingernagels, meende Falcone. Hij bedacht treurig dat dat, als de juiste procedures waren gevolgd, al eerder opgemerkt zou zijn; het zou al onderwerp van een technisch onderzoek zijn.

'Je bent gewond,' merkte hij op.

Torchia keek naar zijn handen en haalde zijn schouders op.

'Vriendinnetje werd een beetje handtastelijk gisteravond. Je weet hoe ze zijn.'

'Ik had niet verwacht dat je een vriendinnetje had.'

Hij lachte.

'Het jasje ook leegmaken,' beval Falcone.

'Daar zit niets in.'

Messina was in een oogwenk aan de andere kant van de tafel en stortte zich boven op hem. Zijn grote handen graaiden naar de goedkope stof. Torchia piepte, een beetje bang, maar toch nog uitdagend.

'Ik zei –' krijste de student, terwijl hij de sterke armen van Messina van zich af probeerde te slaan.

De commissario trok iets uit de rechterzak van zijn jasje en legde het op tafel. Falcone staarde met grote ogen naar het voorwerp. Het was een goedkope speelgoedbril, een prul van de kermis. De lenzen waren half ondoorzichtig, verdeeld in glinsterende stukjes.

'Alessio had zo'n bril bij zich toen hij verdween,' zei Falcone zacht. 'Dat heeft zijn vader ons verteld. Het was een verjaardagscadeautje. Hij is gisteren zeven geworden.'

Niemand zei een moment iets. Toen boog Torchia zich naar voren, pakte de bril, en zette hem op, duwde hem kalm omhoog op zijn neus toen hij naar voren zakte.

'Heb ik ergens gevonden. Gewoon. Jezus. Nu zie ik wel een miljoen lelijke klootzakken als jullie. Wat is dat voor rottig speelgoed om een kind voor zijn verjaardag te geven?'

Hij zette hem net af toen Messina de eerste klap uitdeelde. Deze raakte Torchia achter in zijn nek, zodat zijn gezicht hard omlaag vloog tegen de metalen tafel smakte. Bloed spatte uit zijn neus.

Messina had nog vijf of zes keer uitgehaald tegen de tijd dat Falcone bij hen was. Ludo Torchia zat in elkaar gedoken op de vloer met zijn armen om zijn hoofd. Falcone zag tot zijn verbijstering dat hij lachte.

'Commissario,' zei Falcone zacht, zonder enig resultaat. 'Commissario!'

Messina gaf nog een laatste trap en liet zich toen achteruit duwen tegen de koude, vochtige bakstenen muur van de cel.

'Dit heeft geen zin,' zei Falcone nadrukkelijk. 'Als de jongen nog leeft zal hij niets zeggen. Als hij dood is en u slaat een bekentenis uit hem, kunnen we hem niet voor de rechter brengen. Dit' – hij zei de woorden langzaam – 'haalt... niets... uit.'

Torchia lachte nog altijd. Hij veegde het bloed van zijn mond. Zo te zien waren er een paar tanden gebroken door Messina's geschop.

'Je trapt maar een eind weg, dikke ouwe lul,' beet Torchia hem toe. 'Ik vertel jullie toch niks. Nooit.'

Messina liet het erbij zitten. Hij had een wilde blik in zijn ogen die

Falcone nooit eerder had gezien. Hij wist niet hoe hij verder moest. En er was maar één manier, dat wist Falcone. Geduldig, volhardend politiewerk. Een kalm, meedogenloos verhoor. En geen van beide was aanlokkelijk, gezien de overtuiging die op dit moment in de Questura en daarbuiten, naar hij wist, steeds breder opgeld deed: Alessio Bramante was al dood en lag daar ergens. Het lichaam hoefde alleen nog geborgen te worden.

'Geef hem aan de vader,' beval Messina.

In de ogen van Torchia verscheen een scherpe blik, een mengeling van angst en nieuwsgierigheid.

'Wat?'

'Praat met mij of praat met Giorgio Bramante!' brulde Messina.

Torchia veegde het bloed van zijn gezicht en mompelde: 'Ik heb jullie geen van allen iets te zeggen. Ik wil een advocaat. Je kunt mensen niet zomaar in elkaar slaan. Ik wil een advocaat. Nu direct.'

Messina stond op en smeet de deur van de cel open. Bramante stond al op de gang te wachten, stil als een standbeeld, de sterke armen over elkaar geslagen voor zijn borst.

'Ludo,' zei hij enkel.

'Nee,' verklaarde Falcone ogenblikkelijk. 'Dit kan echt niet. Dit is de Questura...'

'We schieten geen steek op,' snauwde Messina en hij nam Falcone bij de arm.

Falcone kon zijn oren niet geloven.

'Commissario, als iemand dit hoort...'

'Dat kan me niet schelen!' schreeuwde de commissario. 'Niet als het om dit walgelijke stuk vreten gaat. Ik wil alleen die jongen hebben.'

'Ik zou erbij kunnen blijven,' stelde hij voor.

Messina duwde hem naar buiten en negeerde zijn protesten.

'Je hebt een uur, Giorgio. Ongestoord. Hoor je me, Falcone?'

Bramante stapte langs hen zonder een woord te zeggen, wandelde de cel in en sloeg de ijzeren deur achter zich dicht.

In de gang was een paar avonden geleden een tl-buis kapotgegaan. Nu was het er halfdonker. Falcone ging zoveel mogelijk naar het licht toe. Hij wilde dat Messina zijn gezicht kon zien.

'Ik distantieer mijzelf volledig van dit besluit,' zei hij zacht. 'Als mij wordt gevraagd wat er is gebeurd, vertel ik het.'

'Doe dat, Leo,' antwoordde Messina. 'Ik hoop voor je dat je dan 's nachts beter kunt slapen. Maar als jij een voet in die kamer zet voor dat uur voorbij is, zul je ervan lusten. Dat beloof ik je. Denk maar niet dat je dan ooit nog dat zelfvoldane smoel van je in deze Questura kunt laten zien.'

Toen liep hij weg. Giorgio Bramante en Ludo Torchia waren alleen, samen in de kleine cel, in de donkere ingewanden van de Questura, de achterste kamer in een gang in de kelder, ver uit het zicht.

Het duurde slechts een paar minuten voor de eerste geluiden onder de metalen deur door kropen. Niet lang daarna begon het gegil.

13

Het lawaai van het verkeer was bijna niet meer te horen toen ze eenmaal de trap naar de Tiber af waren gelopen. Costa was zelden overdag op het brede trottoir op de rivieroever geweest. 's Nachts was dit een toevluchtsoord voor de daklozen en het gajes, de eenzame en verdwaalde mensen van de stad, mannen en een paar vrouwen die allemaal uit het zicht probeerden te blijven. Hij herkende de omgeving nu bijna niet. De waterkant was groen en weelderig, met fluitenkruid hier en daar, wilde vijg en laurierstruiken die over het grijze water van de rivier hingen. Twee slanke, zwarte aalscholvers scheerden als glanzende zwarte pijlen over het oppervlak in de richting van Tibereiland.

Opeens kwam er een soort rat, maar dan veel groter, uit een kleine, druppelende bron aan de landzijde gerend. Het beest kruiste nog geen drie meter voor hen hun pad en bracht zichzelf snel in veiligheid in de lage begroeiing links van hen.

Peroni schrok zich wezenloos.

'Wat was dat, verdomme?'

'Een beverrat,' zei Judith. 'Ze zijn ooit het land in gebracht voor hun vacht en komen hier nu ook in het wild voor. Hebben de ratten iets om mee te vechten.'

'U komt hier zeker vaak,' zei de grote man. Hij keek alsof hij het geen prettige gedachte vond dat gigantische, buitenlandse knaagdieren midden in zijn stad gedijden.

'We werken onder de grond,' zei ze vinnig. 'Ik dacht dat u dat begreep.'

De uitloop was zo groot dat het trottoir ervoor was verbreed om een brug te vormen over de bruisende stroom die met een bulderend geluid uit de oude stenen rioolmond kwam. De oorspronkelijke opening was waarschijnlijk zo'n drie meter hoog, bijna een volmaakte halve cirkel, drie lagen oude stenen die nu in grijsbruine modder en water stonden. Er zat een gigantisch modern gewelf omheen dat wel bijna tot de weg boven moest doorlopen en waarin schijnbaar ook andere, latere rioolmonden waren opgenomen. Die loosden hun smerige water in één ruwe, woelende stroom in de rivier, net boven de waterkering.

Aan weerszijden van de geul stonden een paar miezerige scheve boompjes in de modder. Slierten plastic en papier hingen als verdwaalde Tibetaanse gebedsvlaggen aan de takken en wiegden slap heen en weer in de regen die weer begon te vallen. Hetzelfde soort afval hing aan het ijzer van de kapotte en puntige afrastering die eens de onderste helft van de constructie had afgeschermd en nu op verschillende plaatsen vernield was.

Er bevond zich iets, weggestopt in het donker, achter in deze verborgen spelonk, die diep onder de weg boven doorliep. Costa tuurde met samengeknepen ogen het halfduister in, haalde zijn zaklamp tevoorschijn en probeerde te zien wat het was.

'Ik denk dat ik die overall echt nodig zal hebben,' zei hij en op hetzelfde moment klonk er onder hen een plons. Judith Turnhouse stond met een van woede vertrokken gezicht in het smerige water en krijste naar het provisorische bouwsel, dat net zichtbaar was in de door mensenhanden gemaakte spelonk.

Ze beende naar de oude rioolmond en klauterde de hogergelegen moderne constructie op.

Peroni keek haar treurig na.

'Laat maar, Nic,' mompelde hij. 'Ik ga wel. Jouw kleren zijn veel mooier dan die van mij.'

'Erg vriendelijk van je,' zei Costa en hij sprong in het water. Hij was er een tel of twee later dan de vrouw, terwijl Peroni nog door de bruine modder waadde.

Het was een soort onderkomen, een schuilplaats, in elkaar geflanst van oud hout en steigermateriaal, bij elkaar gehouden door stukken plastic en zeildoek. Er stonden een laag, gehavend campingtafeltje en een klapstoeltje in. Bovendien zagen ze etensresten. Recent. Een paar stukjes brood en vlees die, naar Costa meende te zien, waren aangevreten door knaagdieren nadat ze door iemand waren weggegooid.

De vrouw ging een beetje over de rooie. Dit was in zekere zin haar territorium, dacht hij. De natuurstenen toegang zag er bijna uit alsof hij in een museum thuishoorde. Het gemeentewapen was nauwelijks meer te zien.

'Hoe durven ze?' krijste ze. 'Hoe durven ze?'

'Ze zijn dakloos,' antwoordde Costa en opeens bedacht hij, met een scherpe steek van spijt, hoe lang geleden hij zich voor het laatst aan het gebod van zijn vader had gehouden: twee donaties aan de armen per dag, zonder mankeren.

Maar de armen lieten normaal gesproken geen etensresten rondslingeren voor de ratten.

Hij liep naar het onderkomen. Het rook er niet viezer dan bij het riool buiten. Er was geen afvalwater hier in de buurt, alleen muf, stilstaand water en het soort afval dat nooit verging: modern plastic en metaal.

Costa schopte het stoeltje om en ging met zijn voet door het vuilnis dat op de grond lag. Kranten en een paar velletjes geprint papier. Hij raapte ze op. Bovenaan stond het logo van de vakgroep Archeologie. Daaronder een gedigitaliseerde kaart, zo te zien van een afwateringssysteem in de omgeving van de Villa Borghese, aan de andere kant van de binnenstad.

Peroni kwam een beetje buiten adem bij hem staan. Hij keek naar het vel papier en vervolgens naar de vrouw. Ze wurmde zich een van de zij-afvoeren in, die Costa er absoluut niet modern vond uitzien nu hij hem van dichtbij zag.

'Signora Turnhouse!' riep Peroni. 'Niet daarin gaan. Alstublieft.'

Ze sloeg geen acht op hem.

'Verdomme,' mompelde Peroni. 'Hij kan nog in de buurt zijn, Nic.'

'Wou ik net zeggen,' zei Costa. Hij klauterde over de slijmerige stenen naar haar toe en riep dat ze moest blijven staan.

Deze keer luisterde ze. Ze hield halt. Toen hij bij haar was ging hij voor haar staan. Hij hoopte dat ze begreep dat er een reden voor was dat hij nu een wapen in zijn hand had.

'Ik herinner me het heel anders,' zei ze en ze klonk een beetje bang. 'Ik kan het niet precies zeggen. Dit is niet zo oud als de rest. Vijftiende, zestiende eeuw misschien. We gebruikten het vroeger tijdens ons onderzoek. Een groep van ons is hier met Giorgio geweest, het eerste jaar dat we hier waren. Het was toen anders. Hoe kan dat nou?'

Costa drong langs haar heen. De toegang tot de rioolpijp was op dit punt nog geen twee meter hoog. Een miezerig stroompje dik, modderig water sloot zich ijskoud om zijn enkels. Hij richtte zijn zaklamp op de duisternis en zag niets. Geen mens. Geen ding. Tot een grote zwarte, dierlijke gedaante door het smerige water het donker in stoof. De vrouw kwam achter hem aan en greep hem na nog een paar stappen opgewonden bij zijn jasje.

'Kijk daar!'

Peroni schreeuwde dat hij versterking inriep. Slim, dacht Costa. Als er iemand in de buurt was, was het een goed idee hem te laten weten dat hij algauw met meer te maken zou hebben dan met twee verbijsterde politiemannen en één steeds schrikachtiger wordende archeologe.

'Wat ziet u?' vroeg hij en vervolgens merkte hij, voor ze antwoord kon geven, dat zijn ogen aan het donker gewend raakten. Toen zag hij ook wat er mis was.

Iets versperde hen de doorgang. Het leek een beetje op de larve van een gigantisch insect die uit de wand van het riool puilde. Alleen was het rode baksteen, niet het gedroogde omhulsel van een insectenei. Moderne rode baksteen, verzwakt door iets wat er van achteren tegenaan duwde. Water misschien, want, zo drong geleidelijk tot hem door, ze keken kennelijk tegen de kunstmatige afsluiting aan van iets wat alleen een zijriool kon zijn dat in deze hoofdbuis uitkwam; een zijarm die op een zeker moment in de laatste paar jaar was afgesloten en onderhevig was aan de steeds hoger wordende druk van welke vloeistof het dan ook was die zich er langzaam achter had opgehoopt.

Het voegwerk tussen de stenen was slordig en gescheurd en kon het elk moment begeven. Door de onderkant kwam een gestaag straaltje muf water, dat door het ruwe cement sijpelde en vervolgens in de bredere stroom viel, die ijzig rond hun voeten kolkte.

Costa deed drie stappen naar voren en scheen met zijn zaklamp op het bol staande metselwerk. Het zag er zwak uit, alsof het elk moment kon instorten. Hij stak zijn voet uit en duwde tegen de onderste laag stenen. Zacht cement verkruimelde voor zijn ogen. Er viel een baksteen, en nog een en toen zakte de hele onderkant van de kleine, cirkelvormige muur in elkaar en viel in het smerige water.

Een berg afval die zich jarenlang moest hebben opgehoopt, kwam erachteraan: blikjes en dood hout, papier en een ondefinieerbare dikke bruine smurrie.

Daarna een fles met een felrood etiket, een fles die ze kenden. Gevolgd door een ander ding, iets wat Costa liever niet zag. En een geur, een organische, vieze stank, die tegelijk vreemd en vertrouwd was.

De vrouw begon te gillen. Het luide, manische geluid van haar stem galmde door de kunstmatige grot waarin ze zich bevonden. Het werd versterkt door het metselwerk dat hen omringde en overstemde het onophoudelijke ruisen van het water aan hun voeten.

Achter de brokken afval die het riool in werden gespuwd, bungelde iets anders omlaag over het metselwerk. Wat erachter lag bleef godzijdank nog verborgen in het duister.

Het was de arm van een mens, met de hand eraan. De vingers waren veranderd in stijve, ivoorkleurige staakjes bot. Flarden licht grijsbruin vlees liepen tussen de strakke, blootliggende pezen naar de pols, die op sommige plaatsen enigszins gehavend was door iets wat eruitzag als regelmatige tandafdrukken.

Het was een nogal kleine hand, vond Costa. Niet die van een man.

14

Rosa Prabakaran had vrijwel haar hele leven het gevoel gehad dat ze opviel, dat de ogen van de mensen om haar heen altijd op haar gericht waren en vroegen: waarom? Er was geen reden waarom een vrouw van Indiase afkomst niet bij de politie kon werken. Geen reden waarom ze iets waar ze zin in had niet kon doen. De kleur van haar huid was haar probleem niet. Het was het hunne. Toch voelde ze zich niet graag altijd maar bekeken. Falcones vermaning – die neerkwam op: 'Ik wil dat ze je ziet' – irriteerde haar. Het was onprofessioneel. Het was ongewenst.

Dus voor het eerst in haar korte loopbaan negeerde ze een bevel. Nadat ze thuis naar het nieuws over de moord in de Questura had geluisterd, en het had proberen te verwerken, haalde ze een paar dingen tevoorschijn die ze lang niet had gedragen. Vrolijke, jonge kleren, uit de een tijd van vóór de politie, toen ze zich vrij van verantwoordelijkheden voelde. Een korte, strakke kokerrok, een glanzend leren jasje, rode schoenen. Ze maakte zich op, haalde de zakelijke paardenstaart uit haar haar en liet haar lange bruine lokken los om haar schouders hangen.

Het was een beetje ordinair, dacht ze, toen ze zichzelf in de spiegel bekeek. Maar Beatrice Bramante zou haar nu vast niet herkennen. Ze zag eruit als een van de genaturaliseerde Indiase meisjes, het soort dat in bars en clubs en winkels in de buurt van de Piazza di Spagna rondhing, Italiaanse vriendjes had, het moderne leven leefde, het snelle genot en geen zorgen achteraf. Haar vader zou wel aan het werk zijn en veel paraplu's verkopen nu het regende, tegen twee keer de normale prijs, want zo werkten de straathandelaren. Ze was blij toe. Hij zou zich drukker hebben gemaakt over haar uiterlijk dan over het feit dat ze de deur uit ging om een nieuw aanknopingspunt voor een moordonderzoek op te sporen en daarmee iets te bewijzen tegenover mensen als inspecteur Leo Falcone.

Er zat een vuurwapen in de kleine lakleren handtas die aan een gouden ketting aan haar rechterschouder hing. Daar zou hij zich misschien ook zorgen over hebben gemaakt.

Even voor tienen nam ze tram 3 naar de Via Marmorata. Daarna wandelde ze naar de straat waar Beatrice Bramante woonde, ging in het café aan de overkant zitten en knabbelde aan een cornetto die nog warm was.

Bijna twee uur en drie koppen koffie later zag ze hoe Beatrice het woonblok uit kwam door het grote ijzeren hek aan de voorkant en op weg naar buiten de conciërge in zijn kleine hokje toeknikte.

Rosa volgde de vrouw naar de markt, waar ze groenten, brood en een stukje kaas kocht. Ze dacht eraan dat Beatrice tijdens het onaangename gesprek met Falcone de littekens op haar polsen had proberen te verbergen en naar de drankfles had gegrepen toen hij haar te zwaar onder druk zette. Ze wekte niet de indruk dat ze de dag van vandaag goed aankon, laat staan de dag van morgen.

Als laatste ging Beatrice naar een van de slagerskramen. Rosa herinnerde zich nog iets van de vorige dag, iets naars. Ze moest denken aan de vrouw uit de Santa Maria dell'Assunta die op deze zelfde plek bijna was flauwgevallen, onpasselijk geworden door wat ze had gezien en door de opvallende herinnering daaraan in de kramen. Grote stukken helderrood vlees, wit vet, kleine plasjes bloed op de marmeren platen eronder. De weerzinwekkende, organische geur van rauw vlees.

Rosa keek naar het bord boven de kraam waar Beatrice was blijven staan. Het was een paardenslager. Dé paardenslager. Ze had het al eerder nagevraagd. Er was er maar één op de markt. Dit was de slagerij waar Giorgio Bramante voor had gewerkt. De helft van de tijd had hij de dieren gedood in het slachthuis in de buitenwijk Anagnina, de overige uren het vlees hierheen gebracht.

Beatrice Bramante stond op een geanimeerde manier te praten met de man achter de toonbank. Een man van begin dertig met een met bloed bevlekte jas en de platte witte hoed met smalle rand die bij slagers blijkbaar geliefd was.

Opeens ging de man dichter bij Beatrice staan en stopte haar, terwijl hij haar met bewondering in zijn ogen aankeek, stiekem een pakje vlees toe. Hij liet dit volgen door een snelle, onverwachte kus die de vrouw verraste, zodat ze nerveus om zich heen keek of iemand het had gezien.

Rosa was achter een hoge stapel dozen gedoken op het moment dat ze zag dat Beatrice haar kant op draaide. Daar, met de vieze, zure geur van citroenen van Sicilië in haar neus, voelde ze haar longen samentrekken en haar vingers grepen de kleine lakleren tas met het wapen vast. Ze had de politieradio met opzet thuisgelaten. Dat was een statement. Ik ben onafhankelijk. Maar ze had haar telefoon, en als ze Leo Falcone belde, vertelde dat ze op een paar meter afstand stond van iemand die mogelijk Giorgio Bramante zelf was, zou dat er allemaal niet toe doen.

Ze stapte achter de citroendozen vandaan. Ze stonden nog te praten, dicht bij elkaar. Ze bekeek hem eens goed. De man was opvallend aantrekkelijk op een gehavende manier. Niet gespierd, maar ook geen professor, zelfs geen professor die de laatste veertien jaar in de gevangenis had doorgebracht. Ze had de foto's van Giorgio Bramante gezien. Ze hadden haar gewaarschuwd dat hij er anders zou uitzien. Maar niet zó anders. En waarom zou hij zomaar terugkeren naar zijn oude werk? Ze kon het zich niet voorstellen.

Ze herinnerde zich de goede raad van Teresa Lupo: je kijkt, of je kijkt niet. Maar je kijkt niet half.

De reden dat ze aannam dat dit Giorgio Bramante was, was simpel: de man en de vrouw gingen gemoedelijk, ongedwongen en gemeenzaam met elkaar om.

Toen ze deze gedachte verwerkte, boog de slager zich naar voren en raakte de wang van Beatrice Bramante nogmaals lichtjes aan. Daarna wandelde Beatrice weg, onder het metalen dak van de markt uit. Ze bedekte haar hoofd tegen de regen en liep met haar ogen op de grond gericht met grote stappen terug naar haar flatje.

Beatrice is niet alleen, zei Rosa Prabakaran bij zichzelf. Ze heeft een minnaar. Een man die bij de paardenslager werkt. En Giorgio ongetwijfeld kent.

Dit was waardevolle informatie, dacht ze. In een ander licht bezien zou Leo Falcone er blij mee zijn. Maar ze besefte dat hij direct zou doorhebben dat ze deze informatie op een naar zijn idee ongeoorloofde manier in handen had gekregen, volkomen in strijd met de instructies die hij had gegeven.

Op zichzelf was het nutteloos, van zo weinig waarde, dat het geen enkel doel zou dienen als ze het rapporteerde. Het zou alleen haar onbetrouwbaarheid aan het licht brengen.

'Ik heb meer nodig,' fluisterde ze.

Toen de markt dichtging, volgde ze hem. Hij ging naar een pand waarvan ze aannam dat hij er woonde. Het stond vlak bij het oude slachthuis, een enorm complex dat nu was overgegeven aan de schone kunsten, niet ver van de Monte dei Cocci, de kleine heuvel van potscherven uit de keizertijd, de enige toeristenattractie van Testaccio. 's Nachts kwam de halve stad hierheen voor de restaurants en de clubs. Overdag was het er doodstil. Slechts een handvol bezoekers was op weg naar de kunsttentoonstelling. Ze hadden het grote, oorspronkelijke gevelbeeld op het gebouw laten staan: een gevleugelde man die een jammerende stier tegen de grond werkte met behulp van de ring door zijn neus. En onder die twee een zee van gebeeldhouwde botten, van dieren en van mensen, alles verworden tot groezelige steen na jaren te zijn blootgesteld aan zon en regen.

Omdat ze niet wist wat ze moest doen, schuilde ze voor de regen in een piepklein cafeetje aan de overkant. Na een tijdje ging haar mobiele telefoon. Ze vloekte omdat ze niet gestoord wilde worden en kreeg een onbekende, onverwachte stem aan de lijn.

15

Het was warm die avond in de kelder van de Questura. Falcone zat alleen voor de cel, een straf voor alle kritiek die hij tegen Messina had geuit over het verloop van het onderzoek. Om boete te doen moest hij luisteren hoe een jongeman tot op de rand van de dood werd geslagen, een punt waarvan geen weg terug zou zijn.

Hij had daar heel lang gezeten en zijn hersens gepijnigd om een mogelijke oplossing te bedenken, een excuus dat hem in de gelegenheid zou stellen Messina's directe bevelen naast zich neer te leggen en die afschuwelijke kamer binnen te gaan. Wat gebeurde, was verkeerd. Niets kon het rechtvaardigen; de mysterieuze verdwijning van een jonge jongen niet, noch het aannemelijke vermoeden dat Ludo Torchia ermee te maken had. Verkeerd was verkeerd, en elke politieman die voor dat simpele feit wilde weglopen, zou daar beslist een keer voor boeten.

Toen hij er niet meer tegen kon – Bramante was op dat moment vijftig minuten met Torchia alleen in de cel, zou Falcone later ontdekken, hoewel het veel langer leek – gooide hij de deur open. Hij wilde iets zeggen, maar kwam tot de ontdekking dat de woorden in zijn keel bleven steken. Wat hij zag zou nooit volledig uit zijn geheugen verdwijnen, wist hij.

Giorgio Bramante stond over zijn slachtoffer gebogen. Hij was nog altijd woedend en wilde nog doorgaan. Haat en een verlangen naar een vorm van wraak brandden als heldere bakens in zijn ogen.

'Ik ben nog niet klaar,' schreeuwde deze geleerde, gerespecteerde hoogleraar. 'Heb je je instructies niet gehoord, man? Ik ben nog niet klaar.'

'Daar vergist u zich in,' zei Falcone.

Toen pakte hij de telefoon, belde de wachtcommandant, beval dat de dienstdoende arts onmiddellijk moest komen en vroeg om een ambulance. En daarna draaide hij het nummer van het centrale klachtenbureau. Hij beschreef, in het kort, de situatie zoals hij die zag: er was in het hart van de Questura een ronduit beestachtige daad gepleegd die een crimineel onderzoek rechtvaardigde. Toen hij de aarzeling op de lijn hoorde, maakte hij het glashelder dat hij het hogerop zou zoeken, als zij besloten zich doof te houden, net zolang tot er ergens iemand luisterde. Er was geen weg terug.

Hij legde de hoorn op de haak. Giorgio Bramante keek hem met zo veel haat in zijn ogen aan, dat Falcone een moment voor zijn eigen leven vreesde.

16

Zelfs Giorgio Bramante, die ontberingen gewend was, vond het bitterkoud buiten. Nadat hij uit de Questura was gevlucht – wat tot zijn
verbazing heel eenvoudig was geweest – sjouwde hij twee uur lang
door verlaten straten die nog steeds de route van de oude keizerlijke
snelwegen volgden, tot hij ten slotte rond drie uur 's nachts de Porta
San Sebastiano passeerde en uiteindelijk op de vroegere Via Latina
kwam. Daar wilde hij de rest van de nacht en een groot deel van de
komende dag doorbrengen, droog, of zelfs warm. Er bevond zich een
aantal afgesloten grotten niet ver van de catacomben bij Ad Decimum,
tien Romeinse mijl van de stad, dicht bij wat vroeger waarschijnlijk
een legerplaats was geweest.

Van al zijn mogelijke schuilplaatsen was deze het verst weg. Sommige bevonden zich veel dichter bij het centro storico, holen en restanten van ondergrondse straten die in al die eeuwen nooit in kaart
waren gebracht en slechts bekend waren bij een handvol geleerden.
Hij kon zich daar maanden achter elkaar schuilhouden zonder ontdekt te worden, zich in leven houden met het eten dat hij overdag stiekem kocht en alleen naar buiten gaan wanneer dat noodzakelijk was.

De omstandigheden dwongen hem te wachten, geduldig te zijn. Er
hoefde nu nog maar weinig werk te worden verzet, maar het was wel
het belangrijkste van alles. En zo zat hij in de koude, sombere grot en
dacht na over zijn dag en over wat hij in de loop der jaren over deze
plek te weten was gekomen.

De opgraving in kwestie was ontdekt door een boer die de grond
probeerde om te ploegen om er wijnstokken op te planten. De familie had de vondst tien jaar geheimgehouden omdat ze hoopten dat er

in het ondergrondse web van tunnels een schat verborgen lag. Het enige wat ze hadden aangetroffen, waren graftomben en beenderen, in het gesteente uitgehakte nissen, rijen achter elkaar, tunnel na tunnel. En op het laatste, laagste niveau de tempel, waar ze nauwelijks meer naar omkeken toen ze eenmaal begrepen hadden dat er tussen het steen daar niets glinsterends te vinden was.

In de late keizertijd was dit een bescheiden agrarische gemeenschap geweest, waarschijnlijk niet meer dan een paar boerderijen en een klein legerkamp voor mannen die de poortgebouwen en plaatsen waar belastingen werden geïnd op de Via Appia bewaakten. De tempel had niets van de pracht van het diep in de Aventijn verborgen gelegen grote altaar. Het beeld van Mithras en de stier was primitief. De schorpioen die zich vastbeet in het kruis van het dier was nauwelijks herkenbaar. Het heiligdom was een herinnering aan de oude religie, een reliek dat de archeologen, toen ze eenmaal van het bestaan ervan wisten, besloten te negeren ten gunste van de meer in het oog springende christelijke restanten. Die dateerden van later: het teken van het Kruis, de inscripties in de muur die erop duidden dat iemand, mogelijk een heilige, hier kort na zijn martelaarschap had gelegen.

Op de eerste zondag van elke maand voerde een plaatselijke archeologische vereniging een klein gezelschap druk kwetterende bezoekers door de eenvoudige, moderne, betonnen entree en nam de sensatiebeluste toeristen mee onder de grond om de skeletten en de restanten van de oude grafversieringen te laten zien. Niemand sprak over Mithras. De religie die ooit de belangrijkste concurrent van het christendom was geweest – alhoewel Bramante het betwijfelde dat een van de mannen die hier zijn godsdienstplichten had vervuld, er zo over zou hebben gedacht – was een mythe om kinderen mee te vermaken. Een sprookje, een fabel zoals die van Aesopus.

Dat werkte in zijn voordeel. De opgraving lag afgelegen, vijfhonderd meter van de weg aan een smal, in onbruik geraakt pad, in een aan zijn lot overgelaten akker van een boer die door allerlei subsidies meer verdiende aan braakliggend land dan aan de wijnteelt, en werd buiten die ene, vaste dag weinig bezocht. De archeologen zouden de eerste twee weken niet langskomen. Het was voor hem een veilige plek. Hier had hij rust. En, dankzij de zorgzame gemeentelijke autoriteiten, ook elektriciteit, want er liep één kabel met lampen door vrijwel het hele netwerk van tunnels tot vlak voor het mithraeum, dat niemand ooit wilde zien.

De vorige dag had hem uitgeput. Ongemerkt had hij acht uur achter elkaar geslapen voor hij wakker werd. Nu zat hij op het eerste niveau, bij een aantal nissen, onder het flauwe licht van de peertjes en het grijze daglicht dat omlaag kwam door een smalle ventilatieschacht die van hier omhoog naar buiten liep. In dit gedeelte waren alle graven leeg, op één na. In de achterste nis lag het skelet van een vrouw, zorgvuldig neergevlijd voor de bezoekers, een echt mens, iemand die minstens zeventienhonderd jaar geleden had geleefd. Ze had in de velden boven rondgelopen en lag nu opgesteld voor de nieuwsgierigen als een wassen beeld uit een rondtrekkend circus.

Bramante wist nog hoe de archeologische geest werkte. Zijn voormalige collega's waren geschiedkundigen, geen grafschenners, en zouden alleen het hoogstnoodzakelijke verplaatsen. De beenderen lagen, naar alle waarschijnlijkheid, op de plaats waar ze waren gevonden. Zodoende wist hij de naam van het meisje ook, want deze was boven de graftombe gegraveerd, samen met de merkwaardige inscriptie *nosce te ipsum* – ken uzelve – ongetwijfeld een aanwijzing dat hier meer aan de hand was dan je op het eerste gezicht zou denken. Boven de nis zat een eenvoudig tableau van niet meer dan twee handen hoog, waarvan de kwaliteit zo slecht was, dat het moeite kostte om de betekenis te begrijpen: een jonge vrouwenfiguur in een wijd hemd, staand, met haar gewicht op één been, aaide de kop van een kat in haar armen, in een houding die zo tijdloos, zo natuurlijk was, dat het het hart van iedere ouder deed schrijnen. Aan haar voeten stonden een jonge haan en een geit. Bramante was een paar keer met een rondleiding mee geweest. Hij had gehoord hoe de gidsen liefdevol over het reliëf praatten en het een voorbeeld noemden van het idyllische pastorale leven dat in de omgeving werd geleid. Hij had zijn eigen meningen voor zich gehouden. Mensen zagen wat ze wilden zien. Voor hem, als rationeel onderzoeker, iemand die kleine klompjes waarheid uit het stof van de geschiedenis probeerde te zeven, was het belangrijk je aan de feiten te houden. De jonge haan en de geit waren veelvoorkomende symbolen in bepaalde soorten Romeins beeldhouwwerk, met name in stukken van rituele en votieve aard. Het waren offers, geen zinnebeelden van een bucolische hemel zoals Vergilius die in zijn poëzie probeerde te portretteren. De waarheid was waarschijnlijk platvloerser en complexer. Hoewel het meisje duidelijk in een christelijke gemeenschap had geleefd, en was gestorven, had deze gemeenschap – zoals zovele – de oude goden

248

heimelijk en met bedekte verwijzingen levend gehouden, ongeveer op dezelfde manier als de volgelingen van Jezus hadden gedaan toen ze nog onderdrukt werden. De vogel en de geit waren afgebeeld omdat het meisje, in de gedachtewereld van hen die om haar rouwden, op het punt stond ze te doden, te offeren aan Mercurius die zou besluiten of haar overgang naar de volgende wereld snel en pijnloos zou zijn.

Bramante pakte de tas met het eten en drinken dat hij twee dagen eerder in de supermarkt bij de San Giovanni had gekocht. De koffie smaakte smerig, maar was tenminste warm. Hij haalde het plastic van een voorverpakt cakeje, nam een hap en staarde doelloos naar het etiket. Alessio had deze cakejes heel lekker gevonden. De jongen had altijd graag gesnoept. Het was een slechte gewoonte, die zijn ouders hem maar moeilijk hadden kunnen afleren.

Toen keek hij nogmaals naar de inscriptie boven de graftombe en de kleine, vertrouwde verzameling bruine en witte botten, de broze schim van een ooit levend mens.

'Salute, Valeria,' zei Bramante zacht, terwijl hij haar toedronk met de smerige koffie. Hij dacht bij zichzelf: ik hoop dat Mercurius heeft geluisterd toen je riep. Ik hoop dat je de laatste zeventienhonderd jaar niet hebt hoeven wachten tot hij wenkte en je verder mocht.

De jonge politieman woonde hier niet ver vandaan, met zijn vriendin. Ze was een aantrekkelijke vrouw. Bramante zou haar hebben gekozen, mocht een gijzelaar nodig zijn geweest. Het was niets persoonlijks.

Hij dacht aan de blonde Amerikaanse en aan de manier waarop mannen zich in de gevangenis amuseerden. Al die inspanning, alleen en met anderen, al die aandacht voor de fysieke componenten van de daad, alsof de verstandelijke er niet toe deden. Hij was zich ervan bewust dat hij op dat moment heel makkelijk had kunnen doen wat zo veel mannen in de gevangenis deden: een minuutje kreunende inspanning en dan een soort van bevrijding. Maar er was een jong meisje in de buurt, al was ze dood. En Giorgio Bramante hunkerde naar – waardeerde – echt contact.

Hij hunkerde naar zoveel. Hij...

Zijn ademhaling kwam in horten en stoten. Zijn ogen begonnen te prikken.

Enkel een gedachte kon nu al een aanval opwekken. Deze leek even erg te zullen worden als de andere van de laatste paar dagen.

Het zoemen kwam terug, dreef een scherpe, verschrikkelijk pijnlijke staak tussen zijn slapen. Zijn handen begonnen te trillen. Zijn hele lichaam begon zo hard te schudden dat een scheut van de smerige, gloeiendhete koffie over zijn hand ging toen hij de beker op de grond probeerde te zetten.

Het stomme cakeje werd door de spastische samentrekking van zijn arm in een hoek geslingerd, ergens in het donker waar de ratten het konden vinden. Het kon Bramante niet meer schelen. Hij gooide gewoon zijn hoofd in zijn nek, klemde zijn kaken op elkaar en liet de razernij over zich heen komen.

Gekte misschien. Daar had de vrouwelijke arts in het ziekenhuis op gezinspeeld. Schuldgevoel wellicht, had ze op een dag geopperd, en toen had hij alle toekomstige afspraken afgezegd.

Psychiaters geloofden niet echt in psychopompi, onzichtbare wezens die soms hun doelen middels gewone mensen probeerden te verwezenlijken. Misschien hoopten ze in zijn geval een mogelijke bestemming te vinden voor Alessio, waar hij ook mocht zijn, vol verlangen naar huis, naar rust, verenigd met de grijze wereld die naast deze bestond en het bewustzijn naar believen in en uit zweefde.

Hij wist niet zeker of hij zelf in ze geloofde. Op dit soort momenten was dat niet belangrijk.

Met de ogen stijf gesloten, knarsende tanden en het zweet op zijn gezicht zag Giorgio Bramante hoe het beeld in zijn hoofd tot stilstand kwam. Hij probeerde het weg te duwen, maar wist dat het zinloos was.

Na een poging tot verzet – een seconde, een minuut, een uur? – opende hij zijn innerlijke oog en bevond zich weer op de plaats die hem in feite nooit meer verliet: het plein van Piranesi op de Aventijn. Hij zat vertwijfeld op zijn knieën, nek lang, hoofd stijf rechtop, ogen op het punt van barsten door de druk erachter en probeerde iets te zien door het sleutelgat in de deur van het paleis van de Cavalieri di Malta.

Het was Alessio's stem in zijn oor die zijn hoofd vulde. Ouder nu en vol van een emotie die zijn vader tijdens zijn leven nooit was opgevallen. Vastberadenheid. Haat. Een kille, spottende afstandelijkheid.

'Zie je het?' vroeg dit jonge-oude imaginaire wezen.

Hij gaf geen antwoord. Het had geen zin tegen een geest te praten.

'Nou?' vroeg de stem op luidere, strengere, wredere toon. 'Of denk je alleen maar weer aan jezelf, Giorgio? Wie de volgende op de lijst is? Het skelet in de hoek?'

Hij had geen idee hoe lang de aanval duurde. Toen hij voorbij was, toen zijn spieren zich ontspanden en zijn pijnlijke kaken zich openden – zijn gebit scherp en gevoelig doordat hij zijn kiezen zo lang zo hard op elkaar had geklemd dat het leek alsof ze zouden breken – ontdekte Bramante tot zijn ontzetting dat hij in zijn broek had geplast. Hij stond op, enkel blij dat hij niet in zijn speleokleding was, en stapte uit de spijkerbroek en de onderbroek die hij aanhad. Toen schepte hij een hand ijskoud water uit de emmer die hij had meegenomen, droogde zich af en trok zijn laatste schone onderbroek en spijkerbroek aan.

Hij gooide de vuile kleren in de hoek, zo ver mogelijk bij de nis van Valeria vandaan. Daarna ging hij zitten, pakte de koffie en nam een nieuw cakeje, at en dronk en dacht na.

'Nee,' zei hij, terwijl hij naar de botten van een lang geleden gestorven meisje genaamd Valeria keek. 'Ik heb het niet gezien.'

Toen hij klaar was met eten haalde hij de kleine digitale camera tevoorschijn die hij drie weken eerder had gestolen van een Chinese toerist die bij het Pantheon rondhing en begon de foto's te bekijken.

De blonde Amerikaanse vrouw was heel knap. Had hij de gelegenheid en een reden gehad, dan zou hij het leuk hebben gevonden haar te pakken. Hij klikte vijf opnamen door, zag haar vanuit de entree van het Palazzo Ruspoli de Via Corso op wandelen, het verlangen om langer te kijken onderdrukkend, omdat hij zijns ondanks en in weerwil van de oplettende dode kritische aanwezigheid van de botten in de hoek een stijve kreeg. Vervolgens keek hij vluchtig naar de foto's van Falcone en zijn vriendin en van de andere twee.

Het weer was geknipt voor dit soort werk. Hij kon overal naartoe gaan, van alles doen, foto's nemen waar en wanneer hij wilde, en ze wisten het geen van allen.

Hij ging terug naar de laatste paar opnamen op de camera, de foto's die hem al snel nadat ze waren genomen, vanuit het café vlak bij de Santa Maria dell'Assunte, waren opgevallen. Hij had cappuccino gedronken en een broodje gegeten, terwijl hij keek hoe Falcone en zijn mensen kibbelend en onhandig hun weg in de oude leegstaande kerk zochten.

Leo Falcone was makkelijk te doorgronden, vond Bramante. Hij lachte zo zelden, dat een glimlach van hem wel iets moest betekenen. Op het moment dat hij van een afstand op de gevoelige plaat werd vastgelegd, stond Falcone aan de overkant van de straat achter het gele politielint naar iemand te kijken met – affectie was het niet, dacht Bramante – een zeker respect. Het respect dat hij tegenwoordig voor de jeugd scheen te bewaren, te oordelen naar het feit dat hij voortdurend dicht bij de kleine, kwieke rechercheur met de mooie vriendin bleef.

Bramante keek naar de foto, besefte opnieuw dat deze voor hem van nut was, maar was toch nog verrast, geschokt bijna. De politie was veranderd in bijna vijftien jaar. Dat maakte alles zoveel makkelijker. Voor hij de vorige avond het uniform van de schoonmaker had aangetrokken, was hij een café in gegaan en had een halfuur achter een computer gezeten om zijn volgende stappen voor te bereiden. Het was niet moeilijk geweest de naam van de enige recente vrouwelijke nieuwkomer van Indiase afkomst bij de politie op te sporen. Ze maakten tegenwoordig veel ophef over etnische rekrutering. De vrouw had drie maanden geleden in Rome in vrijwel alle kranten gestaan, met foto. En haar naam.

Rosa Prabakaran.

Er stonden maar drie Prabakarans in het telefoonboek. Hij had de eerste keer al geluk gehad en de vader van het meisje aan de lijn gekregen. Bramante had zich uitgegeven voor een hooggeplaatste politieman uit de Questura. Hij zat erover in dat hij Rosa niet kon bereiken op haar eigen mobiele telefoon, maakte zich zorgen omdat hij niets van haar had gehoord en was bang was dat ze misschien de verkeerde gegevens hadden.

Giorgio Bramante wist, inmiddels, hoe je op het gemoed van ouders moest werken. Angst opende alle deuren.

Hij wreef zijn handen tegen elkaar om zijn vingers warm te maken en haalde toen het nummer dat haar vader hem had gegeven voor de dag. Vervolgens keek hij omhoog om te zien of hij onder de ventilatieschacht stond en controleerde het signaal op zijn telefoon. Eén streepje. Genoeg om verbinding te krijgen, zij het met een hoop storing waarschijnlijk, wat op zich niet verkeerd was.

Ze nam op toen hij drie keer was overgegaan. Haar onzekere stem kraakte en siste door de ether.

'Rechercheur,' zei Bramante met een natuurlijk gezag. 'Met commissario Messina. Waar bevindt u zich? En waar bent u mee bezig?'

17

Het kostte Falcone een volle vijf minuten om de stenen trap naar de rivier af te komen. Teresa Lupo was er al met haar mensen. Een eind verder op de oever nam een groep fotografen en cameramensen van de tv positie in. Het team van het mortuarium was bezig schermen van grijs canvas om de opening van het riool neer te zetten. Alles was er.

Costa en Peroni zaten onder een tijdelijke luifel bij de waterkant, beschut tegen de onophoudelijke regen. Ze waren in gezelschap van een vrouw die Falcone herkende. Het duurde even voor haar naam hem te binnen schoot: Judith Turnhouse, die tijdens het onderzoek veertien jaar geleden vluchtig was ondervraagd.

Hij gebaarde naar de mannen dat ze bij hem moesten komen staan, in de regen, omdat die hem, met zijn constante kou, scherp leek te houden.

'Goed gedaan,' zei hij. 'Jullie hebben meer bereikt dan vijftig lui die achter Bruno Messina aan sukkelen bij elkaar.' Hij zweeg even. 'Weten jullie het zeker?'

'Het leek mij een kind,' zei Costa, met een knikje naar het grijze canvas bij het riool. 'Teresa is daar nu binnen met haar mensen.'

'Kan het wel?' vroeg Falcone. 'Het is een eind van de Sinaasappeltuin.'

'Absoluut,' antwoordde Peroni. 'Zij' – hij knikte naar Judith Turnhouse, die roerloos met rode ogen van het huilen onder de luifel zat – 'heeft het ons laten zien.'

Costa schuifelde met zijn voeten. Iets zat hem niet lekker.

'We moeten niet te snel conclusies trekken,' zei hij. 'Het kan zijn dat de jongen op zoek was naar een uitgang. Het is geen prettige gedachte. Als hij daar heeft gezeten. Levend.'

'We hebben alles afgezocht!' wierp Falcone tegen.

Peroni knikte naar de rioolmond onder de weg, waar je alleen wadend door modder en smerig water bij kon komen.

'Zou daar ook gezocht zijn? Waarom? Wie verwacht er nu dat hij zo ver zou kunnen komen?'

Falcones gezicht betrok.

'We kregen ook geen enkele medewerking van de archeologen. Anders hadden we deze plek misschien wel gevonden. Als we het zeker weten, halen we de media erbij. Ik wil zo snel mogelijk een verklaring afleggen. Als Bramante die hoort, begrijpt hij misschien dat we ons best hebben gedaan hem een paar antwoorden te geven...'

De twee mannen keken hem verwonderd aan.

'Misschien is hij dan bereid zichzelf aan te geven,' opperde Falcone, die wel doorhad dat er nogal koel op zijn woorden werd gereageerd. 'Zo erg kan hij me niet haten. Hij heeft tenslotte al twee kansen gehad me te doden en er geen gebruik van gemaakt. Als het de jongen is, wat kan hij dan nog meer willen? Bramante kan zich niet blijven schuilhouden.'

Costa zei niets, maar hij had een blik in zijn ogen die Falcone herkende. Twijfel. Het soort blik, vermoedde Falcone, waarmee hij zelf ooit Arturo Messina had aangekeken.

'Ik wil daar naar binnen,' zei hij.

De twee mannen keken elkaar even aan.

'Dat zal lastig worden,' verklaarde Costa. 'Het is zelfs voor ons al moeilijk. Je moet door de modder waden. Het is er heel krap. Teresa heeft nauwelijks genoeg ruimte om te werken.'

'Ik ben,' zei hij met enige stemverheffing, 'de leidinggevende rechercheur in dit onderzoek. Ik moet alles zien wat ik wil zien. Ik –'

Costa bleef bij zijn standpunt.

Vriendschap en werk gingen niet samen, bedacht Falcone, en dat kwam omdat ze gelijk hadden. Hij was aan dit soort lichamelijke inspanning nog niet toe. Hij gaf zich gewonnen en hinkte weg. Toen ging hij op het muurtje zitten, in de zachte regen, en staarde naar de traag bewegende stroom van de Tiber.

Costa en Peroni kwamen bij hem zitten, ieder aan een kant.

'Je zou niet willen dat ik je droeg, Leo,' zei Peroni.

Ze waren nu buiten gehoorsafstand van de rest van het team. Hij had geen bezwaar meer tegen de gemeenzaamheid.

'Ik wil het best doen, maar...'

'Nee.' Falcone legde even een hand op de arm van Peroni. 'Ik wil niet dat je me draagt. Sorry. Het is dat verdomde...'

Hij keek naar zijn zwakke benen.

'Het is het gevoel dat ik geen klap doe.'

Hij zweeg. Vanachter het scherm dat de mond van het riool afschermde kwamen twee personen: Teresa Lupo en haar assistent, Silvio Di Capua. Hij keek onder het lopen naar het scherm van een kleine notebook, die hij voor zijn borst hield en met één hand bediende. Het stel sprak snel met elkaar.

'Ik geloof dat we nieuws hebben,' zei Falcone zacht en hij voelde een vreemde emotie in zijn hart: angst vergezeld van opluchting.

Ze maakte een laatste opmerking tegen Di Capua, die vervolgens weer achter het scherm verdween. Daarna wandelde ze naar Judith Turnhouse en sprak kort met haar. Ten slotte kwam ze naar hen toe en ging met een enigszins zorgelijk gezicht naast Peroni zitten.

'Ik wou dat ik nog rookte,' verklaarde ze. 'Hebben jullie dat gevoel nooit? Jij uitgezonderd, Nic, want we weten allemaal dat jij je hele leven eigenlijk nooit één slechte gewoonte hebt gehad.'

'Iets te melden, doctor?' drong Falcone aan.

'Iets te melden?' Ze probeerde te glimlachen. 'We hebben de identiteit vastgesteld. Geen twijfel mogelijk.'

'Ik wist het!' zei Falcone opgewonden.

'Laat me uitpraten,' onderbrak Teresa hem. 'We hebben de identiteit vastgesteld. Helaas...' Ze zweeg en vertrok haar grote, bleke gezicht. 'Meen ik dat wel? Hoe kan ik er zo over denken?'

'Teresa!' riep Peroni geërgerd uit.

'Helaas – of gelukkig, het is maar hoe je het bekijkt – is het niet Alessio Bramante.'

18

Ze was jong, ze was een groentje, stond er in de krant. Dat wilde niet zeggen dat ze dom was. Er waren ongetwijfeld regels over het gebruik van privételefoons.

'Ik ben bezig met de opdracht die inspecteur Falcone me heeft gegeven, commissario,' antwoordde ze aarzelend. 'Ik ben in Testaccio. Om een oogje op de moeder te houden.'

'Met wie?'

'Alleen. Inspecteur Falcone zei –'

'Dat is me niet verteld.' Hij liet een lichte ergernis in zijn stem sluipen. 'Ik begrijp niet waarom je niet bij de rest van het team bent. Denk je dat inspecteur Falcone een zeker... vooroordeel tegen je heeft?'

'Nee, commissario.'

Maar het duurde even voor ze het zei.

'En wat heb je te melden?'

'Ze heeft boodschappen gedaan op de markt.'

'En?'

'Ze heeft een man gesproken. Bij de paardenslager, waar Giorgio werkte.'

'Heb je dat tegen Falcone verteld?'

'Nog niet...' Ze klonk geenszins overtuigend. 'Ik wilde net verslag gaan uitbrengen toen u belde.'

'Laat dat maar aan mij over. Vertel eens iets over die man. Jong of oud?'

'Een jaar of vijfendertig. Ik geloof dat hij met Bramante in de gevangenis heeft gezeten. Ik weet niet of het belangrijk is...'

'Vertel op.'

'Het leek wel of hij en signora Bramante een relatie hadden. Hij kuste haar.'

Giorgio Bramante haalde diep adem en keek naar het stille skelet in de hoek.

'Deed haar dat plezier, voor zover je kon zien?'

'Ze keek... schuldig. Volgens mij hoopte ze dat niemand het zag.'

Hij wilde het weer uitschreeuwen. Hij wilde zo hard gillen dat deze oude muren zouden schudden.

'Is ze samen met hem naar huis gegaan?'

'Nee. Ze is alleen vertrokken. Hij ging terug naar zijn appartement toen de markt dichtging.'

'Mannen maken soms misbruik van anderen. Dat weet je toch?'

'Commissario, volgens mij –'

'Mannen maken op allerlei manieren misbruik van anderen. Ik vind dat Falcone misbruik heeft gemaakt van jou. Ben je het daarmee eens?'

Opnieuw stilte, maar niet lang.

'Het lijkt me niet juist daarop in te gaan.'

'Je bent zeer loyaal. Dat siert je. Heeft hij je gezien?'

'Nee... Niemand heeft me gezien.'

Hij dacht even na.

'Moet je luisteren, Rosa. Deze zaak is ingewikkelder dan hij op het eerste gezicht lijkt. Onder ons gezegd, veel ingewikkelder dan Leo Falcone eigenlijk wel beseft. Begrijp je wat ik bedoel?'

'Ik weet niet...' begon ze.

'Ik wil dit met je bespreken, onder vier ogen. De opdracht die je hebt gekregen. Wat je daarvan vindt.'

'Commissario...'

'Waar ben je nu?'

'In een café bij het oude slachthuis in Testaccio. De paardenslager woont hier vlakbij. Ik ben hem gevolgd toen hij naar huis ging.'

'Goed. Blijf waar je bent. Ik stuur over een uur iemand om je te vervangen. Als Falcone in de tussentijd belt en je een andere opdracht geeft, luister je naar wat hij zegt en vervolgens negeer je hem.'

'Ik –'

Mensen werden gedreven door wat ze belangrijk vonden.

'Je wilt toch vooruitkomen binnen de politiemacht, Prabakaran?'

'Ja, commissario.'

'Doe dan wat ik zeg.'

Hij pakte de foto's met zijn linkerhand en bekeek haar nogmaals. Ze was een interessante jonge vrouw. Anders. Om de een of andere reden probeerde ze tijdens haar werk duidelijk de waarheid omtrent haar uiterlijk te verhullen.

'Mijn man kent jou niet, Rosa. Beschrijf eens wat je aanhebt.'

Hij luisterde aandachtig en genoot van de deemoedige gêne in haar zacht klinkende stem toen ze de aard van haar vermomming en de redenering erachter toelichtte.

'Wacht op hem,' beval hij. Vervolgens verbrak hij de verbinding en keek naar de botten in de nis. Hij voelde zich weer lekker, herboren, opgewonden.

'Ze komen uit alle vier de windstreken, uit alle delen van de bekende wereld, Valeria,' zei hij zacht. 'Ze komen zonder te weten wat ze zullen vinden.'

19

Het hield op met regenen. Een waterig middagzonnetje brak even door boven de Tiber. Dat gaf Falcone het excuus dat hij nodig had. Planken werden op de modder gelegd en heel voorzichtig lieten ze hem zakken naar het niveau van het water, namen hem mee achter het scherm en liepen langzaam naar de mond van het oude riool. Toen hij aan het einde van de tijdelijke houten constructie kwam, klauterde hij op de verhoging om bij de nieuwere, grotere boog in de grond onder de drukke, hoger gelegen weg te komen. Hij was tegen die tijd zo uitgeput dat hij even moest pauzeren. Teresa Lupo greep de gelegenheid onmiddellijk aan.

'Jij' – ze priemde een vinger in de borst van Peroni – 'gaat beslist geen stap verder. We hebben daar al genoeg aan ons hoofd zonder dat er iemand de hele boel onder spuugt. Eerlijk gezegd zou ik jullie alle drie ten sterkste willen aanraden één korte blik omlaag in dat grote zwarte gat te werpen, de stank in te ademen, dan een van die klapstoeltjes te pakken die we voor de gelegenheid hebben meegenomen en naar me te luisteren.'

'Ik heb hier de leiding,' protesteerde Falcone. 'Ik moet het met eigen ogen zien.'

Ze sloeg haar armen over elkaar en stelde zich recht voor hem op.

'Het is daarbinnen glad en donker en gevaarlijk. Ik wil er niet eens aan denken wat je zou kunnen overkomen als je viel, Leo.'

'Ik heb hier de leiding,' herhaalde Falcone, witheet.

'Dat is waar,' antwoordde ze en ze pakte een van de metalen stoeltjes, klapte het met een snelle polsbeweging uit en ging zitten.

'Dan zie je maar hoe je binnenkomt en hoor je van mij niks meer.

Geen woord. Je kunt ook hier blijven, dan vertel ik je alles. Wat wordt het?'

Peroni was de eerste die een stoel voor zichzelf pakte. De anderen volgden, Falcone nog altijd mopperend.

'Ik dacht dat het een kind was,' zei Costa. 'Het leek een kind.'

Ze zuchtte, riep Silvio Di Capua erbij met de laptop, zocht iets op en draaide het scherm met de voorkant naar hen toe. Op het scherm stond een foto van een puber met zijn familie. Hij was minstens een kop kleiner dan zijn vader, een mollige, lachende, op het oog dood-normale man, en de twee oudere personen van wie Costa aannam dat het broers waren. De foto was ergens op een strand genomen: vijf mensen bij een ijscokar, vrolijk op vakantie, gezichten bevroren in de tijd alsof er nooit iets kon gebeuren dat hun blijdschap zou verstoren.

Ze drukte op een paar toetsen. Op het scherm verschenen gebits-gegevens: boven- en onderkaak, en een naam in de rechterhoek.

'Dit zat allemaal in het archief van de afdeling Vermiste Personen,' legde ze uit. 'Het was enkel een kwestie van het eruit halen. Sandro Vignola was een heel klein kind. Nee, een heel klein mens. Hij was tweeëntwintig toen hij verdween. Het is een begrijpelijke fout, Nic. Je wilde Alessio Bramante vinden.'

'We willen hem allemaal vinden,' merkte Falcone op.

'Ja,' beaamde ze. 'Dat is zo. Helaas kan ik jullie daar niet bij helpen. Maar als jullie iets over het lijk willen weten, dan heb ik...'

Ze zeiden niets. Ze glimlachte.

'Goed. Laten we het kort houden.'

Ze schermde haar ogen af tegen de opeens felle zon en keek naar de lucht.

'Ten eerste denk ik niet dat dit weer standhoudt. Het zal niet lang duren voor de hemelsluizen opengaan en als dat gebeurt zwemmen we hier met z'n allen in de modder. Daarom heb ik ook tegen Silvio gezegd dat we de arme donder ergens in de komende twintig minu-ten in een lijkenzak doen en wat er van hem over is hier weghalen. Ik zou jullie, en de andere tere zieltjes onder jullie collega's, ten sterkste willen afraden deze gebeurtenis bij te wonen.'

Ze zaten gedrieën in elkaar gedoken op hun stoeltjes en zeiden niets.

'Mooi,' verklaarde ze en ze sloeg haar handen in elkaar. 'Even goed luisteren nu...'

20

Rosa Prabakaran kende de man niet. Hij droeg een donker, enigszins sjofel winterjack, stijf dichtgesnoerd tegen de regen die nu loodrecht omlaag kwam uit zwarte, ziedende wolken welke voor het laatste stukje van de ondergaande zon waren geschoven. Zijn doorweekte capuchon, die glom van de regen, zat strak om zijn hoofd. Er was slechts een klein deel van zijn gezicht te zien, en twee heldere, glinsterende ogen. Intelligente ogen. Belangstellend.

Toen trok hij een paraplu onder zijn jack uit, een felroze paraplu, goedkope troep, zoals haar vader bij dit soort weer verkocht.

'Rosa,' zei hij opgewekt. 'Een mens hoort op alles voorbereid te zijn.'

Zijn ogen gleden over haar heen, dezelfde blik die ze die dag overal in Testaccio van mannen had gekregen, zij het met een lichte, vrolijke spot misschien. Rosa Prabakaran verwenste zichzelf om de manier waarop ze zich had gekleed. Het maakte haar anoniem voor Beatrice Bramante. Voor ieder ander was het een uithangbord dat schreeuwde: kijk naar mij.

'Bedankt,' zei ze. Ze nam de paraplu aan en wilde dat ze meer van zijn gezicht kon zien.

Commissario Bruno Messina was niet duidelijk geweest aan de telefoon. Ze wist niet waarom ze op deze vreemde manier van haar taak werd ontheven. Om een begin te maken met een vorm van disciplinaire actie tegen Falcone? Dat idee baarde haar zorgen. Ze mocht de man niet, maar ze droeg hem geen kwaad hart toe. Ze had in het begin inderdaad een opvallender rol in de zaak gehad dan ze had mogen verwachten. Het was nauwelijks een verrassing te noemen dat Falcone haar taak had gereduceerd tot iets wat meer in overeenstemming was met haar ervaring.

Het was doodstil in het kleine cafeetje. De vrouw achter de kassa keek naar hen.

'Wil je geen koffie? Waarom al die haast?' Ze moest ook zijn naam vragen. 'Hoe heet je?'

'Pascale!' antwoordde hij ogenblikkelijk. 'Heeft Messina dat niet verteld? Jee, wat een zootje is het... Waar moet dat heen? Weet jij het?'

'Nee. Koffie?'

Hij trok de capuchon nog strakker om zijn hoofd en keek naar de regen die nu als een grijs gordijn de voorgevel van het oude slachthuis aan het zicht onttrok. De figuren op het dak van de zuilenhal waren onduidelijk. De man en de stier waren één in hun strijd om het leven.

'Nee, geen koffie,' zei hij. 'Daar heb je geen tijd voor.'

'Pascale,' herhaalde ze.

Rosa Prabakaran probeerde zich te herinneren of ze die naam eerder had gehoord.

'Ik ben een tijdje weg geweest. Ziekteverlof. Vraag Peroni maar naar me als je hem weer ziet. Of Costa. Ken je zijn Amerikaanse vriendin?' Daar was die blik weer. 'Jee, heeft die even mazzel.'

'Ik zal het ze vragen,' zei ze en ze trok de goedkope drukker van de paraplu los, dacht aan de lange wandeling naar de Via Marmorata waar ze een bus of een tram kon nemen.

'Waar is die vrouw nu?'

'Thuis, voor zover ik weet. Ze gaat niet vaak de deur uit.'

'En die man? Die slager die je had gezien?'

Haar ogen schoten naar het lelijke blok met huurwoningen aan de overkant van de straat.

'Die is daar naar binnen gegaan. Ik heb hem nog niet naar buiten zien komen.'

De man volgde haar blik.

'Heb je de hele tijd opgelet?'

'Ja,' loog ze, nogal doorzichtig. Verdachten in de gaten houden was prima. De deur van een flat met goedkope huurwoningen in de gaten houden, mensen die je niet interesseerden zien komen en gaan, was dodelijk saai. Toen de zon even scheen was ze een stukje gaan wandelen en had ze lange tijd op een bankje bij een kleine grashelling op de Monte dei Cocci gezeten zonder ergens aan te denken en met het gevoel dat ze nutteloos, ongewenst was. Tegen de tijd dat de man zou komen die Messina zou sturen, was ze teruggegaan naar het café. Zelfs toen had ze zitten dagdromen. De krant gelezen. Zich afgevraagd wat ze zou hebben gedaan als ze het aanbod van een functie als beginnend advocaat bij het bureau in de buurt van de rechtbank in Clodio had aangenomen. Niet gekleed als een hoer zitten wachten tot ze werd afgelost om verraad te gaan plegen tegenover een man die ze nauwelijks kende, dat was wel zeker.

Ze wist niet waar de slager was en eigenlijk kon het haar ook niet schelen.

'Denk je echt dat ze iets met elkaar hebben?' vroeg hij.

'Heeft Messina dat verteld?'

'Ik moet het van je overnemen, toch?'

Rosa Prabakaran dacht na over wat ze had gezien. Het had niet meer dan dertig seconden geduurd. Kon je echt een hele relatie aflezen uit een kort, stiekem kijkje in het leven van twee volledige vreemden?

'Ze wilde niet dat iemand hen zag. Hij kuste haar. Zij...' Het juiste woord was belangrijk. '...ze scheen er geen bezwaar tegen te hebben. Meer weet ik ook niet.'

Op dat moment ving ze een glimp op van zijn mond. De mondhoeken wezen streng, ernstig, kritisch omlaag.

'Dat gebeurt zo vaak,' zei hij. 'Een man gaat de gevangenis in. Zijn beste vriend komt langs om de waar te keuren. Dat is het probleem met de moderne wereld. Mensen hebben geen plichtsgevoel en geen fatsoen meer. Een beetje buiten de pot pissen zo hier en daar... Daar maakt niemand zich druk over. Zolang het daarbij blijft. Zolang het geen gevolgen heeft voor het gezin en voor de dingen die belangrijk zijn. Een man moet prioriteiten kunnen stellen. Het probleem is dat het ze tegenwoordig niet meer kan schelen. Ze lopen hun hele leven alleen maar hun pik achterna. Dat is... onevenwichtig.'

Ze mocht hem niet. Ze wilde naar Bruno Messina, hem vertellen wat hij wilde weten en dan haar vader verrassen met een fles goede prosecco om te vieren dat hij zoveel te dure paraplu's had verkocht op deze ijskoude, natte, verbijsterende lentedag.

'Hij is helemaal van jou,' zei ze en ze wilde naar de deur lopen. Zijn hand hield haar tegen.

'Laat me je een lift naar het station geven,' zei hij. 'Je wordt doornat anders en eerlijk gezegd ben je er niet op gekleed. Ik heb een gewone auto. Niemand komt het te weten. Bovendien...' Hij wierp nogmaals een blik op de flat aan de overkant van de straat waar de slager woonde. 'Ik denk niet dat hij nu ergens heen gaat, jij wel?'

Ze liepen de hoek om, een lange wandeling, zeker driehonderd meter. Hij hield de paraplu boven haar hoofd en liet de regen over zijn zwarte capuchon omlaag stromen. Hij had geparkeerd in een straatje dat bij het oude slachthuis vandaan liep; een landelijk laantje leek het wel, smal, verlaten, uitgestorven. Een rij potscherven van de met gras begroeide helling van de Monte dei Cocci was losgeraakt door de regen en op straat gevallen. Ze stapten eroverheen en liepen naar een witte bestelbus, die helemaal alleen geparkeerd stond bij een paar grote uitpuilende vuilnisbakken van de restaurants en nachtclubs verderop in de straat.

Hij bleef staan bij de achterdeuren.

'Je hebt helemaal niet naar mijn politiekaart gevraagd,' zei hij en er zat een norse, kritische klank in zijn stem. 'Als ik dat aan iemand zou vertellen, tegen de commissario bijvoorbeeld, zou je een slechte beurt maken.'

'Sorry.'

Ze was doodop. Hij hield de paraplu nu anders, zodat ze er niet meer helemaal onder stond. De regen viel op haar benen, die koud waren en kwetsbaar aanvoelden. Ze rilde.

'Het is belangrijk dat je het ziet,' zei hij. 'Ik heb hier wat.'

Ze kon niet helder denken, maar ze kreeg toch het gevoel dat er iets niet klopte.

Hij legde een hand stevig tegen haar rug en duwde haar voorzichtig in de richting van de achterdeuren. Er zaten geen ramen achterin. Er stond iets op de zijkanten geschilderd dat ze niet goed kon zien. Letters en een symbool, alles in een bloedrode kleur.

Hij haalde een stel sleuteltjes tevoorschijn, morrelde aan de hendel en trok de deuren open. Toen gaf hij haar een zetje naar voren om te kijken. Ze knipperde met haar ogen. Er lag een man in het busje, opgebonden als een kalkoen voor Kerstmis, met een lap voor zijn mond, handen geboeid op zijn rug, enkels strak aan elkaar geketend, zodat hij alleen hulpeloos op de vloer heen en weer kon rollen. Het busje was vanbinnen kraakhelder, overdreven schoon, en zijn zinloze gespartel had enkel tot gevolg dat hij rondtolde en tegen witte kratten vol vlees aan botste.

De man in het busje had angstige, bekende ogen. Het was de slager van de markt. Dat wist ze zodra ze hem zag en tot haar verbazing was haar eerste reactie woede, op zichzelf gerichte boosheid omdat ze zo stom was geweest.

'Wat geef je een veroordeelde?' vroeg de stem achter haar, die nu anders klonk. Beschaafder. Verder verwijderd van het geïnteresseerde, menselijke gevoel dat hij ergens vandaan moest hebben getoverd om haar hier te krijgen. 'Alles wat hij wil, denk ik. Anders neemt hij het gewoon.'

Haar handen beefden toen ze haar tas van haar schouder probeerde te krijgen, het wapen probeerde te pakken dat ze erin had gestopt. Er bleef een schakel haken. Zijn sterke vuist vouwde zich om de ketting, trok hem stuk en slingerde de tas met het kostbare wapen in de goot.

Ze overwoog te vechten, probeerde zich te herinneren wat ze had geleerd over zelfverdediging, de lessen die ze dag in dag uit op de opleiding in de Via Tiburtina had gevolgd, met armen en handen die pijn deden en blauwe plekken op haar schenen. Maar dit was geen klaslokaal. Hij was sterk, had veel meer kracht dan zij ooit zou kunnen opbrengen. Zijn handen waren overal. Ze graaiden, dwongen, deden pijn. Schenen te genieten van wat ze deden: haar op de witte metalen vloer van het bestelbusje duwen, naast de opgebonden slager, een lap voor haar mond binden, een lap die naar iets rauws en chemisch rook, haar handen boeien, haar enkels, haar binnen een paar tellen snel en soepel vastbinden, zo zeker als een man die een beest voorbereidt op de slacht.

Ze keek naar hem op. Hij merkte het. De capuchon kwam omlaag. Het was niet het gezicht van de foto's. Niet echt. In levenden lijve vertoonde Giorgio Bramante slechts een vluchtige gelijkenis met de man die ze verwacht had te zullen zien. Hij was grauwer, valer in zijn gezicht, had de teint van iemand die stervende was van binnenuit, die leed aan een wrede ziekte, een kanker die meedogenloos voortwoekerde. Afgezien van de ogen die haar fel aankeken.

De ogen stonden blij. Begerig. Geamuseerd.

21

Costa luisterde. Hij dacht dat dit soort details hem niet meer konden raken. Hij vergiste zich. Wat Sandro Vignola was overkomen, als Teresa gelijk had – en hij kon zich moeilijk voorstellen dat ze het bij het verkeerde eind had – was zeker zo wreed en harteloos als wat Bramante zijn andere slachtoffers had aangedaan. Misschien nog wel wreder en dat riep bij Costa de vraag op of dit geval op de een of andere manier anders was.

Er was veel werk te verrichten aan de stoffelijke resten, die ernstig te lijden hadden gehad van dieren en door de vochtige omgeving van het riool al in vergevorderde staat van ontbinding waren. Het zou dagen duren voor ze hiermee klaar waren in het mortuarium en er zou hulp van buitenaf nodig zijn, mogelijk van een privélaboratorium of dat van de carabinieri. Maar twee feiten waren haar al duidelijk. Vignola was gekneveld – de lap die voor zijn mond was gebonden om te voorkomen dat hij om hulp zou roepen, zat nog op zijn plaats. En hij was geboeid, aan handen en voeten, zodat hij nauwelijks had kunnen kruipen.

'Waarmee?' vroeg Falcone.

Teresa riep naar een van de mortuariumassistenten. Hij kwam naar buiten met een sterk nylon koord, met een gesp aan één kant. Het stonk.

'Het is maar een vermoeden,' zei ze, 'maar ik durf te wedden dat dat het soort touw is dat ze in een slachthuis gebruiken. We moeten niet vergeten dat Bramante in een slachterij werkte toen hij in de gevangenis zat. Hij zou een paar van die dingen achterover hebben kunnen drukken toen hij weekendverlof had. Daarnaast' – ze keek naar Peroni alsof ze zich wilde verontschuldigen – 'heeft hij voor de zekerheid allebei de enkels van het slachtoffer gebroken. Nadat de boeien erom waren gegaan, dus misschien was hij bang dat zijn oorspronkelijke idee niet zou werken.'

'En dat was?' vroeg Peroni.

'Hij maakte Sandro Vignola kreupel en stopte hem in het riool. Daarna sloot hij de uitgang af met bakstenen. Dat hoefde niet veel tijd te kosten. Als hij wist wat hij deed. Ik heb het zo-even aan die Amerikaanse vrouw gevraagd...'

Ze knikte naar Judith Turnhouse, die nog onder de luifel zat en nu zachtjes met een politievrouw praatte.

'Een van de vele archeologische specialisaties van Bramante was het vroege gebruik van baksteen en beton. Blijkbaar wisten ze daar zelfs tweeduizend jaar geleden al verschrikkelijk veel van. Ze konden de juiste mortel samenstellen voor een omgeving waar het vochtig was. Ze wisten welke materialen ze moesten kiezen om te voorkomen dat het na een paar jaar in elkaar stortte. Dat is wat hij hier heeft gedaan. Hij heeft Sandro Vignola vastgebonden. Hij heeft ervoor gezorgd dat hij geen geluid kon voortbrengen. En daarna heeft hij hem ingemetseld en aan zijn lot overgelaten.'

Peroni zei iets onverstaanbaars.

'Ik neem aan,' ging ze verder, 'dat zal blijken dat hij de hongerdood is gestorven. Niet dat we daar veel mee opschieten. Ik heb afgezien van de gebroken enkels geen duidelijke verwondingen gezien. Dan nog iets wat ik van de Amerikaanse te weten ben gekomen...'

Ze keek even zelfvoldaan. 'Mensen inmetselen en aan hun lot overlaten was een manier waarop sommige Romeinse sekten omgingen met personen van wie ze dachten dat ze hen hadden verraden.'

Aan zijn gezicht te zien was Falcone absoluut niet geïnteresseerd. Dat verbaasde Costa.

'Wil je beweren dat Bramante hen afstraft met hun eigen rituelen?' vroeg hij.

Ze maakte een snel gebaar met haar duim naar Di Capua.

'Ik beweer helemaal niets. Het enige wat ik weet is dat onze nerd daar een beetje op het web heeft zitten zoeken voor we hierheen moesten. Alles wat met Mithras te maken heeft, vindt plaats in zeventallen. Er waren zes kerels en Giorgio. Er waren zeven verschillende hiërarchische niveaus in de tempel, van beginner tot god. Heeft dat iets te betekenen? Ik weet het niet. Maar ik zal jullie eens iets anders vertellen wat hij heeft gevonden. Elk niveau kent een sacrament. Dat kon, voordat jullie allerlei conclusies trekken, gewoon een geschenk zijn. Een offergave. Het kon ook een levend offer zijn. Een dier. In die tijd doodden ze veel dieren, en niet uitsluitend om als voedsel te dienen. Het kon ook een soort beproeving zijn. Eén daarvan was dat je in een donkere, afgelegen grot werd achtergelaten en maar moest afwachten of er ooit iemand zou terugkomen om je eruit te laten.'

Ze lieten dit tot zich doordringen en zaten nog altijd vol vragen.

'Zeven stadia, zeven sacramenten,' voegde Teresa eraan toe. 'Volgens mijn berekeningen komt hij er nog één te kort.'

'Ik ben niet zo geïnteresseerd in de klassieke geschiedenis, doctor,' zei Falcone streng.

'Giorgio wel,' bracht Costa hem in herinnering. 'Het was alles voor hem. Evenals het vaderschap. Misschien stonden die twee helemaal niet los van elkaar. Zei hij niet dat jij nummer zeven was?'

Falcone keek hem aan. Vroeger zou Costa zich in de aanwezigheid van de oudere man enigszins ongemakkelijk hebben gevoeld. Vroeger zou hij te bang zijn geweest om zo'n opmerking te maken. Maar Falcone was veranderd. Hij ook. En de inspecteur nam hem nu op met een nieuwsgierig gezicht, een gezicht waarop geen vijandigheid stond te lezen, maar iets wat sterk op waardering leek.

'Een complexe zaak vraagt niet noodzakelijkerwijs om complexe oplossingen,' merkte Falcone op. 'Dus deze moord dateert van...'

'...elf jaar geleden. Ze haalde haar schouders op. 'Het verbaast me nog dat we zoveel hebben waar we iets mee kunnen, gezien de ratten en het water.'

Falcone fronste, een gebaar wat ze zo goed van hem kenden.

'En er is absoluut niets te vinden wat ons vandaag verder kan helpen? Geen forensisch materiaal? Helemaal niets? We weten dat dit het werk van Bramante was. Dat zal hij echt niet ontkennen als we hem vinden.'

De drie mannen keken elkaar somber aan.

Teresa Lupo knipte met haar vingers naar Silvio Di Capua.

'Als jullie me een vraag stellen,' zei ze, 'zou het wel zo beleefd zijn op een antwoord te wachten voor jullie je in je eigen, persoonlijke put van droefenis storten. Laat hem maar zien, Silvio.'

Di Capua bukte zich. Hij had een doorzichtig plastic doosje in zijn hand. Daar wriemelde een grote witte, dikke worm in rond, van een soort dat Costa nog nooit in zijn leven had gezien en ook liever nooit meer zou tegenkomen.

'Planarie,' zei Di Capua ferm, alsof het iets betekende, en hij wees naar het riool.

Teresa trommelde met haar dikke vingers op het doosje en begon te stralen toen het ding bewoog.

'Het is een worm,' merkte Peroni op.

'Nee,' verbeterde ze hem. 'Silvio heeft gelijk. Het is een planarie. Onze vriend in Ca' d'Ossi had er ook een. Die kwam daar niet vandaan. Hij was niet afkomstig uit het slachthuis. Hij was afkomstig van een plek onder de grond waar Giorgio hem bewaarde voordat hij hem bij al die andere dode mensen neerlegde.'

'Het is een worm,' zei Falcone.

Het Lupo-wijsvingertje kwam omhoog, zwaaiend als bij een waarschuwende schooljuffrouw die op het punt stond een geheim te verklappen.

'Een zeer speciale worm,' zei ze. 'Ik heb besloten deze... Bruno te noemen. Wat vinden jullie daarvan?'

22

De ambulance vocht zich hevig schommelend op de keien in het cen-tro storico door de drukke straten van de stad en baande zich een weg door het verkeer naar het ziekenhuis bij de San Giovanni. De po-litiearts, Foglia, zat naast zijn patiënt en sloeg geen acht op de twee ziekenbroeders, die Torchia meer uit plichtsgevoel dan overtuiging schenen te behandelen.

Falcone zat tegenover hem. Hij hield zich stevig vast onder het rij-den en liet zich niet uit het veld slaan door de strenge blik van de man.

'Dit is niet mijn schuld, Patrizio,' zei hij uiteindelijk. 'Bewaar je boosheid maar voor iemand anders.'

'Wil je zeggen dat deze dingen gewoon in onze eigen Questura ge-beuren en dat niemand het merkt? Wat is er in godsnaam aan de hand, Leo?'

'Er wordt een kind vermist,' antwoordde Falcone en tot zijn onge-noegen hoorde hij dat hij bijna hetzelfde klonk als Arturo Messina. 'In dit soort zaken veranderen mensen. Giorgio Bramante is een ge-renommeerde hoogleraar aan de universiteit. Wie had dat kunnen denken?'

'Dus we laten ouders nu zelf een verhoor afnemen, is dat het? Als je het zo kunt noemen.'

Falcone haalde zijn schouders op.

'Als het ouders als Bramante zijn. Goed aangeschreven burgers uit de hogere middenklasse die, stel ik me zo voor, de juiste persoon zouden kunnen bellen als ze dat wilden. Het was niet mijn idee. Ik heb me er krachtig tegen verzet. Maar ik ben hier niet meer dan een sovrintendente. Mijn bezwaren werden terzijde geschoven. Dat betreur ik ten zeerste. Uiteindelijk heb ik Messina's instructies naast me neergelegd en er een einde aan gemaakt.'

Torchia bewoog zich niet. Falcone wist niet veel van geneeskunde. En hij wilde er ook niet veel van weten. Hij zag alleen de gebruikelijke voorwerpen die hij associeerde met een leven dat op het punt stond het op te geven: zuurstof en injectiespuiten, maskers en mechanieken; primitieve wapens die een zinloze strijd streden tegen het onvermijdelijke.

'Je had het om te beginnen kunnen tegenhouden,' zei Foglia met een frons.

'Waarschijnlijk niet. Dan zou Messina me gewoon hebben weggestuurd en iemand anders daar hebben neergezet die toch niets zou hebben gedaan.'

'Je had het ze boven kunnen gaan vertellen!'

Hij probeerde te glimlachen.

'Messina was boven. Alsjeblieft. We zijn al heel veel jaar vrienden. Denk nu niet dat dit soort dingen niet bij me opgekomen zijn.'

Foglia scheen de gewonde man te hebben opgegeven, te oordelen naar het feit dat hij de ziekenbroeders alles liet doen. Dat verbaasde Falcone. Hij was een goede arts. Een goed mens.

'Kun je niets doen?'

Hij bromde.

'Zoals een van mijn illustere voorgangers eens heeft gezegd: "De dood kan ik niet genezen."'

Ze waren al heel lang bevriend. Toen Falcone nog getrouwd was, hadden ze bij tijd en wijlen een viertal gevormd met de echtgenote van Foglia, die bij de opera werkte.

'Misschien heeft de houding van Messina en zijn soort wel zin,' antwoordde Falcone, hardop denkend.

Ze reden nu op de brede rechte lijn van de Via Labicana, een middeleeuwse pauselijke snelweg, naar de grote San Giovanni in Laterano op de top van de heuvel voor hen. Het ziekenhuis was niet veel verder. Dit deel van de reis van Ludo Torchia liep ten einde.

'Wat?' antwoordde Foglia, en zijn stem werd hoog van ongeloof. 'Iemand doodslaan heeft zin?'

'Wat mij betreft niet, maar, zoals me voortdurend onder de neus wordt gewreven, ik ben geen vader. Jij wel, Patrizio.'

Het waren geweldige kinderen, twee meisjes, een tweeling, die snel opgroeiden en al bijna naar de universiteit gingen. Foglia en zijn vrouw zouden diepbedroefd zijn, wist hij, wanneer ze het huis uit gingen.

'Stel je voor dat het om Elena of Anna ging,' vervolgde hij. 'Stel je voor dat je wist dat ze nog in leven was ergens, maar dat dat niet lang meer zou duren. Ze is ergens onder de grond. Opgesloten, misschien met opzet. Doodsbang. Niet in staat iets te doen om zichzelf te helpen. En dit... individu kan je vertellen waar ze is. Mogelijk.'

De sfeer in de ambulance werd onvriendelijk. Falcone sloeg er geen acht op.

'Verplaats jezelf in die situatie, Patrizio,' ging hij verder. 'Je bent niet uit op wraak. Dat kan je allemaal niet schelen, alleen dat kind. Als deze man praat, blijft ze misschien leven. Als hij blijft zwijgen, zal ze zeker sterven.'

Foglia zat heen en weer te schuiven op zijn stoel.

'Wat zou jij doen in die omstandigheden?' wilde Falcone weten. 'Een toepasselijk gedeelte van de hippocratische eed opratelen, dan de kamer uit lopen en de begrafenisondernemer bellen om een offerte op te vragen? Niet dat je er zeker van kunt zijn dat er een begrafenis zal komen natuurlijk, omdat de kans groot is dat we nooit een lijk zullen vinden; dat je nooit zult weten wat er met je eigen vlees en bloed is gebeurd. Je zult naar je graf gaan met dat grote zwarte gat schrijnend in je binnenste tot het einde –'

'Hou op!' schreeuwde Foglia. 'Zo is het welletjes!'

De ambulance kwam volledig tot stilstand. Een trompetimprovisatie van claxons steeg eenstemmig op en vulde de avond met boos geschal, een waanzinnige ironische fanfare voor de stervende man op de brancard.

De oudste ziekenbroeder, een man van in de veertig, die het zuurstofapparaat met argusogen in de gaten hield, pakte de slang vast die naar het zuurstofmasker van Torchia liep, wachtte tot het kabaal buiten een beetje minder werd en zei toen: 'Ik zou het uit hem slaan. Geen twijfel mogelijk. Als ik dacht dat het zou helpen, zou ik nu de zuurstoftoevoer dichtknijpen tot die schoft zijn mond opendeed. Wat moet je anders?'

'En als hij onschuldig is?' vroeg Falcone.

'Als hij onschuldig was,' antwoordde de ziekenbroeder ogenblikkelijk, 'zou hij dat wel zeggen, nietwaar?'

Niet altijd, dacht Falcone. Soms raakten midden in een onderzoek de logica en het rationele gedrag zoek. In sensationele zaken was het geenszins ongebruikelijk dat een labiel individu naar de Questura kwam en een misdrijf opbiechtte dat hij nooit had gepleegd. Een eigenaardig gevoel van schuld dreef mensen soms tot de vreemdste daden ten nadele van zichzelf. Misschien had Torchia zich bezondigd aan duistere en afschuwelijke praktijken waarover hij niet met een stel politiemensen wilde praten. Het was echter niet gezegd dat het met de verdwijning van Alessio Bramante te maken had.

'We kunnen ons werk doen waarvoor we betaald worden,' antwoordde Falcone. 'Uitzoeken wat er is gebeurd, enkele feiten boven water zien te halen. Dat klinkt een beetje zwak, ik weet het, maar soms zit er niets anders op. Bovendien heeft iemand al geprobeerd de waarheid uit hem te slaan en moet je zien wat ervan gekomen is. Hij heeft, voor zover ik kan nagaan, niets gezegd waar we iets aan hebben. We weten nog niet waar die jongen is. En dat betekent...'

Wat? Hij wist het nog altijd niet zeker.

'...dat hij misschien werkelijk onschuldig is. Dat hij op het verkeerde moment op de verkeerde plaats was, hoewel ik dat betwijfel. Of dat hij om de een of andere reden wilde dat Bramante deed wat hij heeft gedaan. Dat het hem een zeker genoegen verschafte.'

Foglia schudde zijn hoofd.

'Welke reden kan hij daarvoor hebben gehad?' vroeg hij.

Falcone schaamde zich enigszins. Het was verkeerd van hem geweest de zaak persoonlijk te maken zoals hij had gedaan, door Foglia dat vreselijke beeld voor te schotelen. Het had zijn oude vriend van zijn stuk gebracht, zodat hij nu rood aangelopen, geërgerd en, ongebruikelijk voor hem, in de war was.

'Moet je jezelf nu eens horen, Leo.'

'Ik weet het niet. Ik weet het werkelijk niet, Patrizio. En ik wou dat ik het wist.' Hij aarzelde even. 'Is er nog kans dat hij blijft leven?'

Beiden, de arts en de oudste ziekenbroeder, schudden tegelijkertijd hun hoofd.

'Zal hij nog bij bewustzijn komen?' vroeg Falcone. 'Ik had nog zo'n vage hoop dat hij een onbekende misschien wel iets wilde vertellen wat hij tegenover Giorgio Bramante niet wilde loslaten. Als er een privéreden achter zit waar wij geen weet van hebben, maakte ik misschien nog een kans.'

'Hij komt niet meer bij,' mompelde de ziekenbroeder en daarna deed hij voorzichtig de deur open en keek naar buiten. Daar stond de chauffeur. Hij stak net een sigaret op. Hij keek hen aan, aanvankelijk schuldbewust, maar toen trok hij de snelle, brutale glimlach die iedere Romein trok wanneer hij werd betrapt. Falcone luisterde naar de korte verklaring van de man en begreep al snel wat er aan de hand was. Er was een stuk verder een ongeluk gebeurd. Het hele verkeer stond vast. Het zou wel even duren – misschien wel langer dan een kwartier – voor ze bij het ziekenhuis waren.

De ziekenbroeder vloekte, sloot de deur en trok zijn collega aan de arm. De andere verpleegkundige was een magere, onopvallende jongeman met lang blond haar. Hij zat de wijzertjes en monitoren in de gaten te houden, een beetje nerveus, alsof hij nog niet veel sterfgevallen had meegemaakt.

'Doe maar geen moeite,' zei de oudste. 'Ik durf te wedden dat hij er geweest is tegen de tijd dat we er zijn. Heb ik gelijk?'

Patrizio Foglia had waarschijnlijk al veel mensen zien sterven. Toch zat er op dat moment een blik in zijn ogen die Leo Falcone niet kon thuisbrengen.

De arts keek naar de monitoren die aangesloten waren op Ludo Torchia, wiens ademhaling oppervlakkig en licht was.

'Ik denk het wel.'

'Je had in de Questura moeten blijven,' zei Foglia met een nauwelijks verhuld licht verwijt in zijn stem. 'Jullie hebben toch ook een paar van de andere studenten?'

'Dat klopt,' beaamde Falcone. Waarschijnlijk inmiddels allemaal. Zoals hij had verwacht, hadden ze zich niet goed weten te verbergen.

'Dan kunnen zij het je toch vertellen,' opperde de arts.

Falcone schudde zijn hoofd en keek naar de stille gedaante.

'Hierna niet meer. Er lopen allemaal advocaten omheen. Ze hoeven niets te zeggen. Waarom zouden ze? We hebben een van hen bijna dood laten slaan in onze eigen verhoorkamer. Ze kunnen hun mond houden zolang als ze willen. We kunnen het zelfs niet tegen ze gebruiken.'

'Ik moet een sigaret hebben,' zei de oudste ziekenbroeder chagrijnig. 'We gaan voorlopig toch niet verder.'

'Als arts,' mompelde Foglia, 'hoor ik dit niet te zeggen. Maar ga maar even roken. Jullie allebei.'

De jongste ziekenbroeder keek verbijsterd.

'Ik rook helemaal niet.'

Zijn maat zag iets aan het gezicht van Foglia.

'Dan leer ik het je wel,' zei hij en hij nam hem mee de ambulance uit.

Falcone bleef stil, met stomheid geslagen, achter.

Foglia wierp nog een blik op de monitoren.

'Hij is stervende, Leo. Er is niets meer aan te doen.'

'Dat zei je al.'

'Denk je echt dat hij tegen jou zou hebben gepraat?'

'Ik weet het niet, Patrizio. Deze zaak doet me beseffen dat ik werkelijk heel weinig weet.'

Foglia stond op en ging naar het medicijnkastje aan de wand van de ambulance. Even keek hij erin en nam er een injectiespuit en na een grondige inspectie een ampul met een medicijn uit.

'Als ik geluk heb kan ik hem misschien een minuutje bij bewustzijn brengen. Het zou op prijs worden gesteld als de patholoog-anatoom hiervan geen melding maakt in zijn autopsieverslag. Ik hou nogal van mijn werk. Het is in elk geval stukken beter dan de gevangenis.'

Hij maakte de injectie klaar en controleerde de hoeveelheid zeer nauwkeurig.

'Nou?' vroeg Foglia. 'We hebben niet de hele nacht. Die jongen ook niet.'

Het zat Falcone niet lekker.

'Wat gebeurt er verder met hem?'

'Hij overlijdt waarschijnlijk binnen een kwartier aan hartfalen.'

'Nee!'

'Hij haalt het toch niet, Leo!'

'Ik zei nee, Patrizio. Ik heb vanavond al een man gearresteerd voor moord. Maak er geen twee van.'

Hij lachte zonder overtuiging.

'Ik ben arts. We maken allemaal fouten.'

Falcone wist niet wat hij meemaakte.

'Doe het niet. Alsjeblieft. Voor je eigen bestwil.'

'En de jongen dan?'

Falcone probeerde te argumenteren, maar de woorden ontbraken.

'Precies,' hernam Foglia. 'Ik zal hoe dan ook niet kunnen slapen vannacht.'

Hij zocht een stukje onbeschadigde huid tussen de blauwe plekken op de blote rechterarm van Torchia op. Met dezelfde professionele zorgzaamheid die hij bij een patiënt in de spreekkamer van de Questura zou hebben gebruikt, klopte hij de ader omhoog en stak de naald diep in het vlees.

Het duurde nog geen minuut. Bijna in de maat met de claxons buiten schokte de borstkas van de student op en neer. Opeens gingen zijn ogen open en hij knipperde naar het felle licht boven de brancard.

Falcone ging op zijn hurken naast hem zitten.

'Ludo,' mompelde hij en hij merkte dat zijn keel droog was en zijn stem ver weg en vreemd klonk. 'We moeten de jongen vinden.'

De gezwollen, zwart geworden lippen van Torchia bewogen, glanzend van het bloed en het speeksel. Hij zei niets. Op dat moment gebruikte hij al zijn kracht om zich te concentreren op het licht boven hem.

Hij snikte, onderdrukte een vochtige hoest in zijn keel en wist zijn hoofd een graad of vijf hun kant op te draaien.

Falcone ving een glimp van zijn ogen op. Hij leek op dat moment zelf een kind: alleen, bang, in de war. Hij leed pijn.

Toen kwam er iets terug, een ondoorgrondelijke zekerheid op zijn gezicht. Leo Falcone besefte, hoewel hij dat niet wilde, dat hij het bij het verkeerde eind had gehad. Torchia wist wel iets over de jongen en zelfs nu amuseerde de herinnering hem.

'Zeg iets,' smeekte Falcone en hij vond het de zwakste woorden die hij ooit in zijn leven had uitgesproken.

23

Onwetend van het feit dat een onlangs in het mortuarium ontlede dikke witte planarie naar hem was vernoemd, zat Bruno Messina in de grote leren stoel in zijn kamer. Aan zijn gezicht te zien was zijn geduld duidelijk op.

'Dus jullie hebben niets?' vroeg hij, half woedend, half vergenoegd dat hij hun dit verwijt kon maken.

Costa moest zijn chef aanstoten voor hij antwoord gaf. Hij had in gedachten verzonken uit het raam naar het donker zitten staren, alsof hij ergens aan terugdacht. In het gesprek dat ze onderweg naar de Questura hadden gevoerd, waren telkens fragmenten uit de oude zaak-Bramante opgedoken. Als wrakhout dat loskwam van de bodem van een duistere zee waren ze, in Falcones gekneusde geest komen bovendrijven. Er was een moment geweest dat Costa zich had afgevraagd of het niet beter zou zijn als Falcone zich helemaal uit de zaak terugtrok en plaatsmaakte voor een jongere, fysiek sterkere man als Bavetti, de inspecteur die Messina die ochtend nog op de zaak had willen zetten. Toen had Falcone, vlak voordat de auto op het beveiligde terrein achter het bureau parkeerde, een telefoontje gekregen van het opsporingsteam dat Bramantes gangen in de stad naging. In het tijdsbestek van één minuut had hij een jonge politieman vervolgens een gedreven snelvuur van vragen afgenomen dat geen enkele man in de Questura hem zou nadoen. De oude Leo Falcone was er op de momenten dat hij nodig was. Hij was alleen met zijn gedachten elders en Costa begreep niet precies waarom.

Het team was in totaal twee uur op de plaats delict bij de rivier gebleven. Toen ze terug waren op de Questura had Falcone een vergadering van alle leidinggevenden in het onderzoek, samen met Teresa Lupo en Silvio Di Capua, bij elkaar geroepen. Die had meer dan anderhalf uur geduurd. Het was nu net acht uur geweest, het moment dat de dienst wisselde, dat het gevaar bestond dat vastzittende onderzoeken tot stilstand kwamen en de stemming omsloeg in sufheid en uiteindelijk wanhoop.

'Bovendien,' vervolgde Messina, 'heb je mijn uitdrukkelijke bevelen genegeerd. Je bent de Questura uit gegaan.'

'Ik dacht dat ik hier alleen 's nachts gevangenzat,' antwoordde Falcone zonder enig teken van kwade trouw. 'Het spijt me als dat idee berust op een misverstand.'

'Ik heb nooit...'

Geërgerd gaf Messina het op.

'Wat moeten we doen, Leo? Eén dag verder en we zijn nog nergens, alleen een lijk verder.'

'Dat is niet helemaal terecht, commissario,' merkte Costa op. 'We weten inmiddels dat Bramante heeft geprobeerd zijn oude kaarten van ondergrondse opgravingen in handen te krijgen.'

'Nou, dat beperkt het aantal mogelijkheden,' zei Messina droog.

'We weten door Bru–' Peroni verbeterde zichzelf. 'We weten door de worm die ze bij de rivier hebben gevonden, dat hij het laatste slachtoffer daar niet heeft bewaard.'

'Dan zeg ik nogmaals: dat beperkt het aantal mogelijkheden.'

'Maar dat is wel zo,' wierp Costa tegen. 'De worm die uit Toni La-Marca kwam, komt in geen van de databases voor. Dat betekent dat we weten waar Bramante hem níét heeft verstopt voor hij het lichaam naar Ca' d'Ossi bracht.'

'Vertel eens iets wat jullie wél weten!'

'Uiteraard,' antwoordde Falcone, die de leiding over het gesprek overnam en Costa een blik toewierp die zoveel zei als: nu ik. 'Er zijn zo'n honderdvijftig geregistreerde ondergrondse archeologische locaties waar La Sapienza geen gegevens over planaria van heeft. De vakgroep Archeologie van de universiteit heeft nog eens drieënveertig locaties die niet officieel staan geregistreerd, maar door Bramante voor zijn werk zijn bezocht. Dat betekent dat hij die allemaal had kunnen gebruiken, of een heel andere plek.'

'Dit gaat jaren kosten!'

Falcone lachte.

'Nee. Hoogstens een paar dagen, denk ik. We zouden nu kunnen beginnen, maar in het donker... Hij zou ervandoor gaan zodra hij iets hoorde. Hij kent de plek waar hij is goed en wij niet. Als we mensen naar binnen sturen, moeten we buiten bij de uitgangen een team hebben staan. Bovendien hebben we ander werk te doen.'

Bruno Messina zuchtte.

'Bijna tweehonderd locaties...'

'Dat is het totale aantal,' bracht Costa naar voren. 'Het worden er steeds minder. We kunnen sommige uitsluiten omdat ze niet in de buurt van stromend water liggen, zodat het uiterst onwaarschijnlijk is dat er een platwormenpopulatie voorkomt. Ook moeten we ervan uitgaan dat hij zich op redelijke afstand van de Aventijn bevindt. Dat is het gebied dat hij het best kent. Hij heeft het lichaam van LaMarca naar Ca' d'Ossi gebracht met een gestolen auto. Die hebben we vanmiddag bij het Circus Maximus gevonden. Er zat bloed van LaMarca in de kofferbak. Bramante liep daar een behoorlijk risico. Een intelligente man zou dat tot een minimum willen beperken. Die zou daar niet ver uit de buurt zitten. Vanaf morgenochtend zeven uur gaan we zoeken in een straal rondom Ca' d'Ossi.'

Messina ontplofte bijna.

'Belachelijk. Hoeveel locaties kun je op één dag uitkammen? Tien? Vijftien? Je had er nu al mensen kunnen hebben.'

'Ik heb dat zojuist toch uitgelegd,' zei Falcone hoofdschuddend. 'Dat zou averechts uitwerken in het donker. Bovendien heeft Bramante niemand meer op zijn lijst staan behalve mij. Ik zou ook graag zien dat hier zo snel mogelijk een einde aan komt. Maar er is reëel gesproken geen haast. Als ik hem nog niet heb voor mijn tijd op is, geef ik alles aan Bavetti. Hij mag met de eer gaan strijken. Dat kan mij niet schelen. En' – hij zweeg even om zijn punt, dat in zijn ogen belangrijk was, kracht bij te zetten – 'we moeten ons er niet toe laten verleiden eerst te handelen en achteraf pas te denken. Dat is in relatie tot Giorgio Bramante al te vaak gebeurd. Het lijkt wel alsof hij het van ons verwacht.'

'Als dat bedoeld is als kritiek op mijn vader, Falcone...'

'Nee, nee, nee.'

De inspecteur keek alsof hij ontevreden was, met zichzelf nog het meest. Als Costa hem met Peroni vergeleek vond hij het ongelooflijk dat deze twee mannen ongeveer van dezelfde leeftijd waren. Gianni had de laatste achttien maanden iets gevonden. Een nieuw leven, het onverwacht opbloeien van een late liefde met Teresa, had hem doen opleven. Het had kleur op zijn gehavende boerse gezicht gebracht, veerkracht in zijn tred. Falcone was tijdens zijn werk op brute wijze verwond, een schok waarvan hij, zowel lichamelijk als geestelijk, nog niet volledig was hersteld.

Een verdwaalde gedachte schoot door Costa's hoofd: stel dat hij nooit meer helemaal de oude werd? Hoe zou Falcone, een man die altijd een eerlijk en hard oordeel over zichzelf velde, dat feit onder ogen kunnen zien?

'Dit heeft niets te maken met uw vader,' zei de inspecteur stellig. 'Of met mij, of iemand anders hier. Het gaat om Giorgio Bramante en zijn zoon. Zijn zoon vooral. Het is nu weer hetzelfde als veertien jaar geleden. Als we erachter konden komen wat er met de jongen is gebeurd, zou het afgelopen zijn. Als het Alessio was geweest beneden in dat afschuwelijke riool bij de rivier vandaag, zou Bramante vanavond deze Questura zijn binnengelopen om zich aan te geven. Daar ben ik van overtuigd.'

'Zaak gesloten,' zei Messina en hij knikte wijs en instemmend. 'Je zou gelijk kunnen hebben.'

'Bezig dat soort clichés alstublieft niet als ik in de buurt ben,' zei Falcone ogenblikkelijk, met als gevolg dat de driftige Messina rood aanliep. 'Ik ben dan misschien geen vader, maar één ding begrijp ik heel goed. Als je een kind hebt verloren, is er geen afsluiting. Dat is een mythe, een handig verzinsel van de media dat de rest van ons overneemt om 's nachts te kunnen slapen. Straks gaat u me nog vragen om "verder te gaan"...'

'Dat zou heel goed kunnen,' beet Messina hem toe. 'Bavetti zit je op de hielen, Leo.'

'Mooi. Ik hou van rivaliteit. Als we de jongen vinden, erachter komen wat er met hem is gebeurd, zal Giorgio Bramante zich aangeven omdat hij dan datgene wat hem momenteel drijft kwijt is. Het lijkt erop dat zijn boosheid in dit stadium uitsluitend op mij is gericht, hoewel ik nog altijd niet begrijp waarom. Wanneer het lot van dat kind bekend is, wordt de angel uit die boosheid gehaald en vervangen door wat er eigenlijk had moeten zijn en om de een of andere reden nooit is geweest: de natuurlijke reactie van een vader. Verdriet. Rouw. Het soort droefgeestige en bittere aanvaarding die we zelf allemaal al eens hebben ervaren.'

Messina snoof.

'Ik wist niet dat psychologie je vak was.'

'Ik ook niet tot voor kort,' antwoordde Falcone. 'Ik wou dat ik het eerder had geweten. Maar ja, zo gaan die dingen. Goed.' Hij leunde naar achteren in zijn stoel, strekte zijn lange benen en sloot zijn ogen. 'Vanochtend hebt u gezegd dat we nog achtenveertig uur hadden.'

'Vanochtend heb je me zwaar onder druk gezet,' antwoordde Messina beledigd.

'Dat spijt me, commissario. Eerlijk. Onze samenwerking heeft niet zo'n goede start gehad, hè? Ik vermoed dat het in de omstandigheden onvermijdelijk is. U houdt mij verantwoordelijk voor wat er veertien jaar geleden is gebeurd. Dat doet Giorgio Bramante trouwens ook.'

'Ik wil geen verrassingen meer,' zei Messina nadrukkelijk, die van de gedachte alleen al nijdig werd. 'Geen tripjes buiten de Questura meer. Geen rare ondernemingen.'

Falcone spreidde zijn armen als teken van protest.

'Nou ja, zeg! Het was een misverstand.'

Bruno Messina slaakte een diepe, wanhopige zucht.

'Goed dan,' gaf hij toe. 'Jullie gaan nergens heen. Niemand van jullie. Niet voor het ochtend wordt. Als jullie donderdag nog niets hebben, krijgt Bavetti de zaak. Dan mogen jullie drieën een tijdje uit mijn ogen verdwijnen. Alles loopt zo soepel als jullie er niet zijn. Hoe zou dat toch komen?'

Falcone kwam moeizaam overeind, hield zich een moment vast aan het bureau en rechtte vervolgens zijn rug. Costa onderdrukte de neiging hem te helpen. Er werd een punt gemaakt. Met zijn kale vogelhoofd, rechtop keek hij hen een voor een met felle ogen aan. Hij zag er moe uit. Maar dat gold waarschijnlijk voor hen allemaal. Een stuk van de oude Falcone was er nog. Een groot stuk.

'Misschien kijkt u gewoon niet goed genoeg,' opperde de inspecteur.

Messina wierp hem een woedende blik toe.

'Pas op met wat je zegt,' zei hij dreigend. 'Zo veel geluk heb je de laatste tijd nu ook weer niet.'

'Eén dag,' benadrukte de inspecteur. 'Meer vraag ik niet. Ik zal u Giorgio Bramante brengen. Dat' – hij knipte met zijn vingers naar Costa en Peroni en wees vervolgens naar de deur – 'beloof ik.'

Ze stonden gedrieën bij het raam in de gang een eindje van de kamer van Messina, blij dat ze daar weg waren.

'Hoe precies?' vroeg Peroni.

Ze kregen geen antwoord. Falcone stampte met onbeholpen tred door de gang zonder één keer achterom te kijken.

24

Ze waren algauw afgeslagen op de Via Galvani, hadden ergens geparkeerd; misschien, dacht ze, in een van de verlaten doodlopende steegjes aan de andere kant van de Monte dei Cocci. Ontsnappen was onmogelijk. Bramante was naar de achterkant van het bestelbusje gekomen, had de slager een keer hard in het gezicht geslagen toen hij zich probeerde te verzetten en hen daarna stevig aan elkaar vastgebonden met dik, sterk klimtouw. Daarna was hij verdwenen, urenlang. Ze had het daglicht in de voorruit van het bestelbusje zien wegsterven toen de avond viel en een manier van communiceren proberen te vinden met de zwetende, doodsbange man aan wie ze vast zat. Dat was niet gelukt. Uiteindelijk had ze hem zo ver gekregen dat hij haar hielp lang achtereen tegen de wanden van het busje te schoppen en nog kwam er niemand. Tot Bramante terugkeerde, de deuren opengooide met een woedend gezicht vanwege het lawaai en opnieuw met zijn vuisten naar de slager uithaalde.

Daarna stapte Bramante voorin en reed niet meer dan tien minuten, heuvelopwaarts – de Aventijn, ergens anders kon het niet zijn – vervolgens over een bochtige weg omlaag, zonder verkeer tegen te komen. Zo hard dat ze achterin, waar ze zo dicht tegen elkaar aan waren gebonden met het klimtouw dat ze de allesoverheersende angst in de ogen van haar medegevangene kon zien, rond rolden en tegen elkaar bonkten. Toen kwam het voertuig abrupt tot stilstand. De deuren vlogen open. Even waren ze buiten – het enige wat ze zag waren de lichtjes van een tram in de verte, tram 3, een andere kon het niet zijn – voor ze struikelend, vallend op harde stenen en koud vochtig gras, over een rotsig pad naar beneden werden gesleept en uiteindelijk in een bedompte doorgang terechtkwamen waar een sterke geur van ouderdom hing en een lichte rioollucht.

Ze was toen ze nog op school zat met een excursie voor geschiedenis mee geweest: de catacomben ergens aan de Via Appia. Daar rook het ook zo; een smerige, doordringende stank, organisch en gronderig, die er waarschijnlijk al eeuwen hing.

Rosa Prabakaran vond het afschuwelijk in de catacomben, hoewel ze dat niet liet merken. Ze kreeg er het gevoel dat ze opgesloten was in haar graf.

Ten slotte kwamen ze, vooruit geduwd door de voeten en vuisten van Bramante, in een ondergronds vertrek. Niet groot. Niet compleet ook, want in een deel ervan voelde ze de openlucht. Daar viel een zachte, trage motregen naar binnen die omlaag kringelde uit een donkere fluwelen hemel waarin vaag sterren te zien waren.

Aan dit voorportaal grensden andere vertrekken, afgeschermd met ijzeren hekken. Het waren moderne traliedeuren, bedoeld om binnendringers buiten te houden.

Bramante draaide de cel aan de rechterkant van het slot, trok de deur open en haalde een groot zakmes tevoorschijn.

De slager jammerde en staarde vol afschuw naar het wapen. Bramante sneed met een krachtige haal het dikke klimtouw door en duwde de man vervolgens naar binnen met een gemene trap in zijn rug. Hij viel in een zielig hoopje op de grond. De deur sloeg rammelend achter hem dicht.

Ze sloot haar ogen, vroeg zich af wat dit betekende en probeerde onmiddellijk de gedachten die bij haar opkwamen een halt toe te roepen.

Bramante duwde haar de aangrenzende kamer in, sloot de deur achter hem en draaide die op slot. Hij had een sleutelbos, viel haar op. Verschillende sleutels aan een ketting, zoals een beheerder zou gebruiken. Of een archeoloog die terugging naar de plaatsen waar hij vroeger altijd kwam.

Hij gaf haar weer een zet vooruit tot ze bijna aan het andere eind van de kamer stonden. Daarna pakte hij een grote elektrische lantaarn van de grond en deed hem aan. Een brede gele lichtbundel verlichtte de ruimte. Het bleek een groot vertrek te zijn met bakstenen muren die zich aan de rots en aarde om hen heen vastklampten. Eén hoek grensde aan de buitenlucht. Naast het licht van de sterren en een onzichtbare maan aan de schemerige nachtelijke hemel viel daar beslist het schijnsel van een kunstmatige lamp naar binnen. Een man of vrouw op straatniveau zou hen vanaf de juiste positie misschien net kunnen zien, een gedachte die geen soelaas bood, aangezien Bramante het waarschijnlijk ook had bedacht.

Ze moesten ergens in de buurt van het centrum zijn, op een plek die toch zo afgelegen was dat hij niet het gevaar liep ontdekt te worden. Rosa pijnigde haar hersens om een dergelijke plaats in het hart van Rome te bedenken. Het waren er, toen ze erover nadacht, tientallen, misschien wel honderden. Verlaten opgravingen, oude archeologische vondsten die nooit genoeg toeristen hadden getrokken om ze open te houden. De stad was een honingraat van oudheidkundige plaatsen, sommige aan de oppervlakte, veel meer onder de donkere, vochtige aarde. Giorgio Bramante kende ze ongetwijfeld allemaal.

Hij kwam dicht achter haar staan. Eén grote, sterke hand werd plat op haar buik gelegd. Zijn gezicht kroop naar het hare toe; zijn adem hijgde warm en opgewonden in haar oor.

Toen kwam het mes in zijn andere hand omhoog, schoot voor haar ogen langs en werd hard tegen haar wang gedrukt. Het was koud en klam en ze voelde de scherpe rand van het metaal op haar huid. De punt gleed naar haar mondhoek, schoof onder de knevel, sneed de stof door. De lap viel omlaag en ze moest hoesten. Ze was te bang om iets te zeggen, want ze wist dat hij het touw nog in zijn hand had en ze wist ook dat Bramante een slimme man was. Hij zou haar nooit het vermogen om te spreken hebben teruggegeven als het van enig nut kon zijn.

'Weet je wat dit is, Rosa?' fluisterde hij.

'Ik wil niet dat je me zo noemt,' zei ze, toen het hoesten eenmaal was opgehouden. Ze probeerde haar stem een kalme, kordate klank mee te geven, een klank die de angst die ze voelde, niet verried.

'Een vrouw met zelfrespect,' mompelde hij. 'Dat is belangrijk. Dus. Nogmaals. Weet je wat dit is, rechercheur Prabakaran?'

'Een...'

Ze kromp ineen, koud in de stomme niemendalletjes die ze had uitgekozen.

Hij had een stijve. Ze voelde de onrustbarende druk ervan in haar rug toen hij haar dicht tegen zich aan trok.

'...tempel.'

'In één keer goed,' zei hij en hij liet, goddank, zijn greep een heel klein beetje verslappen.

Giorgio Bramante haalde een zaklamp uit zijn jack en liet het licht over het object voor hen spelen, in aanvulling op het gele schijnsel van de lantaarn. Het was een altaar, vijf meter lang en twee hoog ongeveer, met een hardstenen bovenkant die nog vlak en recht was.

Net een tafel. Of een hard rotsbed. Er stond iets in gegraveerd. Hij merkte dat het haar aandacht trok en Bramante duwde haar naar voren.

'Zie je het?' vroeg hij. En er zat een raadselachtige bittere klank, doorspekt met verdriet, in die woorden.

In de voorkant van het altaar was de lange, gespierde gedaante uitgehakt van een schepsel dat tegen de grond werd gedrukt door een stevig gebouwd persoon die een gevleugelde helm op had en in zijn rechterhand een kort zwaard hield. De kop van het dier was vertrokken: uitpuilende ogen, opengesperde neusvleugels: een levend wezen dat vocht voor zijn leven. In haar hoofd begonnen bellen te rinkelen. Het leek op de gebeeldhouwde figuren op het oude slachthuis in Testaccio, een man die een kolossale stier overmeesterde, met de bedoeling hem te slachten. Alleen waren hier ook andere dingen afgebeeld: een hond die het bloed oplikte dat uit de keel van het dier droop; een schorpioen die gretig aan de gespannen penis trok. Dit was een monsterlijke voorstelling uit een afschuwelijke nachtmerrie.

'Het is waanzinnig,' mompelde ze en ze sloot haar ogen omdat hij zelf als een beest begon te brullen en haar tegen zich aan trok. Toen haalde hij haar hoofd dicht naar zijn lichaam toe tot zijn mond in haar haar was en zijn bovenlichaam tegen de krommingen van haar rug gedrukt.

Hij keek naar het altaar met de figuren.

'Een man kan Mithras zijn, óf de stier,' zei Giorgio Bramante zacht. 'De schenker óf het geschenk. Waarna hij niets meer is.'

Ze ving een glimp op van zijn gezicht en betreurde dat onmiddellijk. Zijn ogen hadden niets menselijks meer. Ze waren dood. Of ontdaan van menselijkheid. Ze wist niet precies welke van de twee.

Hij drukte zich steeds dichter tegen haar aan, duwde inmiddels zo hard dat het pijn deed en fluisterde begerig: 'Ik heb zo lang in de gevangenis gezeten. Geen vrouwen. Geen genot. Geen voldoening...'

Ze sloot haar ogen en probeerde zich te herinneren wat de vrouwen in de politiemacht vertelden over dit soort situaties. Slechts één woord stond haar helder voor de geest.

Overleven.

25

Het medicijn dat Foglia Ludo Torchia had toegediend, scheen door de bloedsomloop van de jonge student te jagen als een dodelijke stoot adrenaline. Hij lag gespannen, stijf, met zijn ogen wijd open, uiterst waakzaam naar hun gezichten te kijken, naar het lawaai van het verkeer buiten te luisteren: claxons en boze stemmen, een normale avond in de Via Labicana; zulke banale geluiden om het einde van een mensenleven te begeleiden.

Tot Falcones stomme verbazing zaten die geluiden, veertien jaar na de gebeurtenis, nog levendig in zijn hoofd, zo echt, dat hij ze kon horen. En ook het gezicht van Ludo Torchia: schrik vermengd met iets wat bijna plezier was. Het gezicht van een schuldige man, dat had Falcone ogenblikkelijk begrepen. Een schuldige man, die ook beslist niet in de stemming was om behulpzaam te zijn in zijn laatste ogenblikken.

'Zeg iets.'

Falcone vormde de woorden nu weer met zijn lippen, alleen in zijn kamer, terwijl hij zijn gedachten op een rijtje probeerde te zetten zoals hij dat vroeger met zo veel gemak had gedaan. Het werd allemaal steeds moeilijker en dat kwam niet alleen door zijn verwondingen. Hij begon zich oud te voelen. Al voor de schotwond in Venetië was hij een onzichtbaar punt in zijn leven gepasseerd, een moment van diepgaande verandering, waarop al zijn vaardigheden uit het verleden zich eenvoudigweg consolideerden in zijn binnenste en daar krampachtig bleven zitten in de hoop dat ze de tijd konden trotseren. Als ze Bramante de volgende dag vonden telde hij voor Messina nog mee. Hij zou, wist hij nu, geen nieuwe talenten meer ontwikkelen, er zouden geen frisse uitdagingen meer komen. Het ogenblik dat hij de teugels zou moeten overdragen aan een nieuwe generatie kwam naderbij. Aan Nic Costa, op een dag, dat hoopte hij althans. Tenzij er een wonder gebeurde, wachtte Leo Falcone uitsluitend werk aan de zijlijn: beleidsvoorbereiding, of een andere uithoek van de bureaucratie, vóór de onvermijdelijke pensionering. Dit deel van zijn leven liep ten einde en hij had geen idee wat ervoor in de plaats zou kunnen komen.

Of hoe hij zich ooit aan die taak zou kunnen wijden zonder de huidige zaak in een soort vakje te stoppen waar hij het etiket 'opgelost' op kon plakken. Hij was tegen Messina uitgevallen naar aanleiding van het nare woord 'gesloten', onterecht misschien, omdat Falcone ook wilde dat er voorgoed een einde kwam aan deze kwestie. Niet alleen Bramante terug in de gevangenis, maar ook het lot van de jongen ontraadseld. Hij geloofde, met alle intuïtie die dertig jaren politiewerk hem hadden opgeleverd, dat de twee onlosmakelijk met elkaar waren verbonden.

Zijn gedachten dwaalden terug naar de ambulance. Alles uit die laatste momenten was zo wazig. De laatste, gemompelde woorden van Torchia waren moeilijk te verstaan geweest.

Met tegenzin, omdat hij wist wat voor verdriet het zou veroorzaken, haalde hij zijn privéadresboekje tevoorschijn en zocht het nummer van Foglia op. De arts had zes maanden na de zaak-Bramante ontslag genomen bij de Questura. Beide mannen wisten waarom, hoewel ze de kwestie nooit hadden besproken. Falcone wist dat Foglia niet zou kunnen leven met de consequenties van wat hij had gedaan, misschien juist omdat ze nooit aan het licht waren gebracht. De voorganger van Teresa Lupo in het mortuarium had de stoffen die hij wellicht in het bloed van Torchia had aangetroffen stilletjes genegeerd – een opzettelijke nalatigheid die Falcone, naar hij wist, nooit van haar zou kunnen verwachten. De beste politiearts waarmee Falcone ooit had gewerkt, was dus vervroegd met pensioen gegaan, had toen zijn kinderen het huis uit gingen om te gaan studeren voorgoed zijn geboortestad Rome verlaten en was op Sant'Antioco gaan wonen, een klein, weinig bezocht eiland voor de westkust van Sardinië, een plek waarvan naar Falcones idee de boodschap uitging: kom niet op bezoek.

Hij was toch gegaan, een jaar of vijf geleden, en had een paar rustige dagen in de grote moderne villa van het echtpaar met uitzicht op

zee boven een bescheiden vakantieoord doorgebracht. Ze hadden beleefdheden uitgewisseld zonder een moment over werk te praten.

Het was nu welletjes.

Falcone draaide het nummer, wachtte en hoorde toen de bekende
stem van Foglia. Hij klonk iets ouder. Iets meer gesetteld dan Falcone
zich herinnerde. Na de excuses en een korte uitwisseling van weder-
waardigheden haalde de gepensioneerde arts een keer diep adem en
zei: 'Ik weet waarom je belt, Leo. Je hoeft er niet omheen te draaien.'

De zaak-Bramante had veertien jaar geleden groot op alle voorpagina's gestaan. Daar stond hij nu weer, groter dan ooit.

'Als ik een andere mogelijkheid zag, Patrizio.'

'Lieve hemel, je moet wel wanhopig zijn als je mensen zoals ik nodig hebt.'

'Ik wil alleen...'

Foglia sloeg de spijker op zijn kop. Hij was wanhopig.

'Wat wil je?' wilde de stem aan de lijn weten. 'Als het een gratis vakantie is, geen probleem. We vinden het heerlijk als je komt. Mei of
juni, als de nieuwe tonijn er is. Dan leer ik je vissen. Hoe je je moet
ontspannen.'

'Daar hou ik je aan,' beloofde Falcone.

'Nee, dat doe je niet. Geeft het je een goed gevoel? Nu je weet dat
je gelijk had over Giorgio Bramante? Dat hij eigenlijk altijd een beest
is geweest?'

'Helemaal niet,' antwoordde hij naar waarheid. 'Ik wou bij god dat
ik het bij het verkeerde eind had gehad. Dat hij gewoon uit de gevangenis was gekomen, ergens een rustig academisch baantje had
genomen en het verleden achter zich had gelaten.'

'Maar dat kon hij niet, of wel soms? Zolang hij het niet wist.'

'Nee.'

Falcone kon zich de laatste woorden van Torchia achter in die ambulance, te midden van de kakofonie van claxons en boze stemmen
buiten, nog exact herinneren. Hij had er destijds geen touw aan kunnen vastknopen. Dat kon hij nu nog niet.

'Je moet veel mensen hebben zien sterven, Patrizio. Is het belangrijk wat ze zeggen?'

'Zelden. Ik heb een keer een nare, gierige oude schoft meegemaakt
die tegen zijn vrouw zei dat ze niet moest vergeten naderhand het
licht uit te doen. Dat was er een om te onthouden.'

'En Ludo Torchia?'

Het werd even stil op de lijn.

'Meglio una bella bugia che una brutta verità.'

De woorden waren precies zoals Falcone ze zich herinnerde. Ze waren een voor een door de stervende Torchia uitgespuwd, telkens onderbroken door een smalend, benauwd gelach.

Beter een mooie leugen dan een lelijke waarheid.

'Een rare uitspraak, hoe je het ook bekijkt,' verklaarde Foglia. 'Het klinkt mij in de oren als de laatste woorden van een acteur, iemand die een spelletje speelt in zijn hoofd, tot aan het einde toe. Heb je enig idee wat hij bedoelde?'

'De mooie leugen was ongetwijfeld Giorgio Bramante. Het idee dat hij een liefhebbende vaderfiguur was, de man waarvoor wij hem hielden.'

'En de lelijke waarheid?'

'Daar vraag je me wat.'

Er viel een pijnlijke stilte op de lijn. Falcone had geen idee wat die te betekenen had.

'Je komt toch nog een keer bij ons op bezoek, hè, Leo? Het is hier prachtig in de lente. We zouden het allebei op prijs stellen.'

'Natuurlijk. Heb jij nog iets gehoord? Er was een moment...'

Toen Torchia zijn ogen weer had gesloten, omdat het medicijn uitgewerkt raakte, had Falcone woedend, vertwijfeld, de deuren van de ambulance opengegooid en tegen de twee ziekenbroeders daar geschreeuwd dat ze koste wat het kost tussen de auto's en bussen en vrachtwagens die de Via Labicana versperden uit moesten zien te komen. De kans was klein, maar misschien had hij toch een paar woorden gemist.

'Meer heeft hij niet gezegd. Sorry.'

'Nee. Ik zou mijn verontschuldigingen moeten aanbieden. Ik had dit voor jou niet opnieuw moeten oprakelen. Dat is verkeerd van me.'

Weer die stilte. Er knaagde een gedachte aan Leo Falcone. Patrizio Foglia had beslist een geheim waarover hij zich bezwaard voelde.

'Er is iets wat ik niet weet, hè?' vroeg hij.

Foglia zuchtte.

'Godnogantoe, Leo. Waarom moet het telkens terugkomen? Waarom rouwt die man niet gewoon om zijn kind en gaat op de een of andere manier verder met zijn leven? Of schiet voor de verandering zichzelf voor de kop?'

'Vertel me wat je weet. Alsjeblieft.'

Hij had nooit, nog in geen miljoen jaar, kunnen voorspellen wat hij toen hoorde.

'Ik was bijzonder benieuwd naar de autopsie,' zei Foglia zacht. 'Daar had ik alle reden toe, zoals je zult begrijpen.'

'En?'

'Alles wees erop dat Torchia die dag anale seks had gehad. Harde seks. Het had gebloed en het was blauw. Het was ook... tot een hoogtepunt gekomen. Mogelijk verkrachting. Mogelijk sadomasochistisch. Ik ben geen deskundige op dit gebied.'

Falcones hoofd werd leeg. Zonder nadenken zei hij: 'Die jongens waren daar voor een of ander ritueel. Er waren drugs in het spel. Het zou ons eigenlijk niet moeten verbazen.'

Hij hoorde Foglia's lange, gepijnigde inademing over de telefoon.

'Het is niet in die catacomben gebeurd, Leo. De bewijzen waren duidelijk en vers en onweerlegbaar. Het is kort voor zijn overlijden gebeurd. In de Questura. In de cel waar jij en Messina en Giorgio Bramante hem verhoorden.'

Het werd Falcone wazig voor de ogen. Zijn adem stokte.

'En dat heb je aan niemand verteld?' vroeg hij, ongelovig.

'Ik heb de patholoog-anatoom gevraagd het uit zijn rapport te laten. Hij is... inschikkelijk geweest. De Questura had al genoeg problemen. Had je echt nog een schandaal erbij willen hebben? Of Bramante, Messina... of jij... het was geweest, het zou hoe dan ook repercussies voor ons hebben gehad. Wat was het nut trouwens? Torchia was dood. Bramante zat in hechtenis. Je had je man.'

'De jóngen!' antwoordde Falcone. Hij wist dat hij door de telefoon stond te schreeuwen, maar kon zichzelf niet inhouden. 'Wat denk je van de jongen? Als ik had geweten dat...'

Het was gebeurd in de begindagen van het DNA-onderzoek. Ze hadden Bramante ongetwijfeld ook als de seksuele agressor kunnen aanwijzen en dat zou de hele zaak een ander aanzien hebben gegeven.

'Wat dan?' vroeg Foglia kwaad. 'Zeg het eens, Leo. Ik zou het graag weten.'

'Dan zou ik misschien...'

Er was geen kant-en-klaar antwoord. Waar het om ging was dat hem informatie was onthouden die vast en zeker nuttig was, tenminste als hij de strekking ervan zou begrijpen.

'Het spijt me,' zei de stem aan de lijn. 'Het moest afgelopen zijn, vond ik. Dat vonden we allemaal. Ik zou willen...'

'Tot ziens,' beet Falcone hem toe en hij knalde de hoorn op de haak.

Hij liet zijn hoofd in zijn handen zakken en het kon hem op dat moment niet schelen wat een voorbijganger die hem zo in zijn kamer zag zitten, zou denken.

Was dit de lelijke waarheid? Dat Giorgio Bramante niet alleen domweg een onvoorzichtige vader was, maar ook een man die werd beheerst door een donkere, geheime kant aan zijn karakter? Als dat zo was, zou zijn vrouw, met haar zelfmutilatie en de compulsieve drang telkens maar weer hun verloren kind te schilderen, dat ongetwijfeld weten.

Hij vloekte toen hem iets anders te binnen schoot. De jonge Indiase agent had opdracht gekregen Beatrice Bramante de hele dag te schaduwen. Hij had nog geen moment naar haar rapport gekeken.

Falcone voerde de naam 'Prabakaran' in de computer in.

Het apparaat kwam met niets nieuws sinds de vorige avond.

'De jeugd van tegenwoordig...'

Ze zou inmiddels thuis zijn. Hij liet zich een zachte vloek ontvallen en zocht het nummer van haar mobiel op. Toen pakte hij de telefoon en draaide, terwijl hij zich voorbereidde op het gesprek dat zou komen, een gesprek waarin hij een jonge agente eraan zou herinneren dat in zijn team niemand naar huis ging zonder eerst rapport uit te brengen.

De telefoon ging drie keer over. Een man nam op.

'Ik zou graag rechercheur Prabakaran spreken,' zei hij ongeduldig en hij voegde eraan toe: 'U spreekt met inspecteur Falcone.'

Het was even stil.

'Leo,' zei een kille, geamuseerde stem aan de andere kant. 'Waar bleef je?'

26

Peroni probeerde in gezelschap van de wormennerd en twee studenten archeologie die de afdeling Inlichtingen had opgeduikeld in een kamer vol kaarten mogelijke ondergrondse verblijfplaatsen van Bramante vast te stellen. Costa zocht dus maar een stil hoekje op en belde naar Orvieto. Haar stem klonk ver weg en miste het warme, zekere timbre dat hij verwachtte. Emily was slechts een paar uur rijden bij hem vandaan, maar het leek of ze aan de andere kant van de wereld was. De anderen zaten te dineren; zij was alleen in haar kamer om te rusten. Dat was niets voor haar.

'Wat is er aan de hand?' vroeg hij.

'Niets. Ik wilde gewoon even alleen zijn. Bovendien vind ik het vervelend om anderen lekkere wijn te zien drinken als ik niet mee kan doen.'

'Hoe voel je je?'

Het bleef even stil. Het was allemaal zo nieuw voor hen allebei. De artsen hadden gezegd dat ze erop kon rekenen dat ze af en toe moe en misschien neerslachtig zou zijn. Maar ze had nu niemand met wie ze dat kon delen. Raffaela wist niets van het moederschap. Arturo Messina, die in zijn afwezigheid een goede steun voor haar was geweest, deed zijn best, maar hij bleef een vreemde.

'Misschien ga ik morgen naar een dokter,' gaf ze uiteindelijk toe. 'Het is maar een kleinigheidje.'

'Dat kun je vanavond ook doen,' zei hij onmiddellijk. 'Waarom zou je wachten?'

'Omdat ik weet wat ze zullen zeggen. Ze zullen zuchten en denken: daar heb je weer zo'n vrouw met een eerste zwangerschap die in paniek raakt. Alleen maar omdat het allemaal nieuw voor haar is. Meer niet. Er worden continu kinderen op de wereld gezet.'

'Ze zullen het heus niet erg vinden. Ze zijn ervoor.'

'Nee,' zei ze ferm. 'Ze zijn er om zieke mensen te behandelen. Ik ga morgen naar een dokter toe, alleen om ons allebei gerust te stellen. Ik heb eigenlijk geen reden om aan te nemen dat er iets mis is. Ik voel me alleen niet helemaal lekker. Dat is alles.'

Hij drong niet aan. Hij kende haar inmiddels goed genoeg om te weten wanneer hij haar niet moest tegenspreken.

'Wanneer zie ik je weer?' vroeg ze.

'Messina heeft ons nog één dag gegeven. Als Bramante daarna nog op vrije voeten is, draagt Falcone de zaak over aan Bavetti en vertrekken we alle drie uit de Questura. We kunnen Messina's goedkeuring niet wegdragen. Hij lijkt zo te horen niet veel op zijn vader.'

'Nee,' antwoordde ze en hij hoorde een verdrietige klank in haar stem. 'Er is sprake van een verwijdering tussen die twee en ik begrijp niet echt waarom. Vaders en zonen. Dat was toch een speciaal soort band, dacht ik, waar wij vrouwen jaloers op moesten zijn? Zij schijnen helemaal geen band met elkaar te hebben.'

Costa dacht aan zijn eigen familie, de voortdurende, heftige meningsverschillen die hij met zijn vader had gehad. Pas toen Nic in een rolstoel zat en zelf ook verzwakt was, was er door hun gemeenschappelijke fragiliteit een pijnlijke, bevrijdende verzoening tot stand gekomen. Die stak nog altijd als een onaangename naald wanneer de herinneringen bovenkwamen. Zo veel tijd verspild aan stomme ruzies, van beide kanten. Marco Costa maakte niemand het leven makkelijk, zichzelf en zijn eigen vlees en bloed al helemaal niet.

'Gewoon een van de vele mythen,' mompelde hij.

Ze zweeg een moment en zei toen: 'Nee, dat is niet waar. Ik heb je vader nooit gekend. Dat vind ik heel jammer. Toch zie ik van tijd tot tijd iemand anders in jouw ogen en ik weet dat hij dat moet zijn. Jullie tweeën hadden een soort band met elkaar die ik nooit met mijn vader heb gehad. Of met mijn moeder. En dat is niet alleen bij jou zo. Ik heb het eerder gezien. Het heeft iets met mannen te maken. Ik geloof...'

Opnieuw een stilte, langer ditmaal, een stilte die hem vertelde dat ze niet zeker wist of ze dit moest zeggen.

'Wat?'

'In zekere zin voelen mannen zich, als ze eenmaal vader worden, schuldig als ze het idee hebben dat ze alleen in het hier en nu leven.

Als een man een zoon heeft, ontwikkelt hij een zeker plichtsgevoel dat hem zegt dat er een dag zal komen dat hij de toorts zal doorgeven. De ene generatie aan de volgende. En daarom worden jullie allemaal zo gek van deze zaak. Niet door dat verdwenen kind, of liever gezegd, niet alleen daardoor. Jullie zien een wereld waar dat allemaal uit werd weggenomen. Een soort heilige band die is verbroken. Zelfs Leo –'

'Leo heeft geen kinderen!'

'Jij ook niet. Maar jullie hebben allebei een vader gehad. Heb je hem wel eens over die van hem gehoord? Ooit?'

'Nee.'

Costa's blik dwaalde naar de kamer met de glazen wand aan de andere kant van de afdeling, waar een bleke Falcone nog zat te werken. Het was elf uur geweest. Hij zag eruit alsof hij nog uren kon doorgaan.

'Je mag wat mij betreft best over de zaak praten,' ging ze verder. 'Dat vind ik niet erg. Echt niet. Doe maar gerust.'

'Er valt niets te vertellen. We denken dat we morgen het aantal plaatsen waar hij zich verborgen kan houden, kunnen gaan beperken. Het is niet meer dan een standaardprocedure: de mogelijkheden zoeken, zoveel mogelijk elimineren tot we iets vinden. Wat Alessio betreft...'

De schaduw van de verdwenen jongen hing voortdurend als een spookbeeld op de achtergrond. Zonder het tegen iemand te zeggen was Costa tijdens zijn pauze eerder die avond naar de kleine Sacro Cuore in Prati gereden. Hij had daar met de kerkbewaarder gesproken, een goede man die een beetje bang en van streek was door alles wat er was gebeurd. Hij had met de politieman in burger gesproken die op bevel van Falcone buiten op wacht stond, zich ervan vergewist dat Bramante die dag niet in de buurt was geweest. Daarna was hij de kerk weer in gelopen, naar het kleine vertrek met die vreemde, onwereldse naam, Il Piccolo Museo del Purgatorio, had de voorwerpen aan de muur bekeken, met name het T-shirt met de bloedvlekken, en geprobeerd zich voor te stellen wat dit alles voor Giorgio Bramante betekende.

Het glas zat met gewone schroeven aan de vitrine aan de muur bevestigd. Het zou er makkelijk af te halen zijn. Wat hem ontging was de beweegreden: het was een publieke daad met een private betekenis.

Bramante hield Ludo Torchia en de andere studenten verantwoordelijk voor het lot van Alessio. Dat was duidelijk. Maar een intelligente man kon zichzelf ook niet voor de gek houden. Hij was de vader. Hij droeg de verantwoordelijkheid voor zijn jonge zoon. Hij had hem meegenomen naar die plek. Hij was zelf medeschuldig, en die schuldigheid had zich in het hoofd van zijn vrouw vertaald in een daad van zelfmutilatie: in haar eigen vlees snijden om een kledingstuk dat aan haar verdwenen zoon toebehoorde, te bevlekken en het aan de muur te hangen in dit stoffige vertrek dat naar leegstand en koude, vochtige steen rook. Was deze daad – dat Bramante een spoor van zijn slachtoffers op het T-shirt van zijn verdwenen kind achterliet – iets waarmee hij het goed hoopte te maken?

'Misschien heb je gelijk, Nic. Ik wilde er eigenlijk niet aan, aan wat je zei, omdat het echt een opmerking voor jou was.'

'Waar heb je het over?'

De herinnering aan de Santo Cuore zat hem om de een of andere reden dwars, maar hij begreep niet waarom.

'Dat hij niet in die heuvel is omgekomen. Dan zou iemand ongetwijfeld iets gevonden hebben.'

Maar dat idee, dat hij zelf inmiddels had afgekeurd, wierp nu zo veel onbeantwoordbare vragen op.

'Dat zou iemand hebben geweten. Die persoon zou zich toch hebben gemeld, Emily.'

'Er was dat vredeskamp op het Circus Maximus. Dat weten jullie inmiddels.'

'Dat is waar... Maar dat was veertien jaar geleden. Ik heb geen idee hoe we daar vandaag iets mee zouden kunnen.'

'Juist...' Hij hoorde een diepe ademhaling op de lijn. 'Heb je het hier met Teresa over gehad?'

'Nee,' antwoordde hij stomverbaasd. 'Waarom zou ik?'

'Vrouwen hebben gesprekken met elkaar die mannen uit de weg gaan. Jullie zien alleen het heden. Teresa heeft ook een interessant verleden.'

'In welk opzicht?'

'Ze was een oproerkraaier in haar jonge jaren. Verbaast dat je?'

Absoluut niet, dacht hij. En het was nooit bij hem opgekomen. Emily had gelijk: hij zag alleen de vrouw die hij in de laatste paar jaar goed had leren kennen en was gaan bewonderen. Hij had geen idee welke reis ze had afgelegd om daar te komen.

'Ik kan het me voorstellen. Denk je dat zij iets van die demonstratie afweet?'

'Bekijk de krantenknipsels maar. Als je in die tijd een jonge radicaal in Rome was, kon je er bijna niet omheen. Ze zal ongeveer van dezelfde leeftijd geweest zijn als die student die is gestorven. Torchia, toch?'

'Van zijn leeftijd, ja,' beaamde hij, hoewel het idee op zich vreemd en onwaarschijnlijk leek.

'Dan is er nog iets wat me is opgevallen. Het is volkomen duidelijk dat die studenten daar iets vreemds aan het doen waren. Jullie hebben die haan gevonden. Die hadden ze geofferd, nietwaar?'

'Er was een dode vogel. Ze hadden zitten rotzooien. Het zijn allemaal maar vermoedens. Ze hebben geen van allen een verklaring afgelegd vanwege dat gebeuren met Torchia.'

'Ze waren er niet voor hun studie, dat is wel duidelijk. Dus laten we zeggen dat het een soort ritueel was.'

'Goed.'

'Hoe denk je dat ze op het idee waren gekomen?' vroeg ze. 'Alles wat ze over het mithraïsme wisten hadden ze van Giorgio Bramante geleerd.'

Dit gesprek begon hem tegen te staan. Hij hoorde een lichte spanning, een lichte opwinding in haar stem, de emotie waarvan hij getuige was geweest toen ze, één keer slechts, officieel met elkaar aan een zaak hadden gewerkt.

'Welk idee?'

'Iedereen kan dit opzoeken, Nic. Niemand begrijpt veel van het mithraïsme. Maar uit wat we weten kun je opmaken dat het een gestructureerde, zeer ritualistische cultus was die een geschenk van de volgelingen eiste als ze in de hiërarchie wilden opklimmen.'

'Zeven rangen, zeven sacramenten,' zei hij, terugdenkend aan wat Teresa hun had verteld.

'Precies. En het is niet onaannemelijk dat het geschenk groter moest zijn, naarmate je hoger kwam. Het verschilt niet zoveel van de hiërarchische structuur die je bij de vrijmetselaars of eigentijdse culten ziet. Bij de FBI ook trouwens.'

'Nee.' Hij was niet van plan hier stilzwijgend in mee te gaan. 'Daar hebben we het al eerder over gehad en het gaat er bij mij niet in. Ik geloof niet dat een vader enkel vanwege een of ander oud ritueel een kind aan pijn en wat al niet meer zou blootstellen. Zo'n stomme student, Torchia, misschien. Een man als Bramante niet.'

'Dat heb ik ook niet gezegd!' Haar stem schoot omhoog, in volume en toon. Het baarde hem zorgen. 'Het is misschien fout gelopen. Hij heeft waarschijnlijk geen moment gedacht dat Alessio iets zou overkomen. Hij wilde de jongen alleen inwijden in de mysteries of zoiets. Of aan zijn eigen sacrament laten meedoen. Weet ik veel. Wie zegt dat Torchia geen deel uitmaakte van dat plan, onbewust misschien? Wie zegt dat dat niet de reden is dat Giorgio Bramante hem heeft doodgeslagen? Uit wraak, en om ervoor te zorgen dat niemand van ons ooit echt te weten kwam wat daar was gebeurd?'

Hij was stil. Ze had een punt, ook al voelde hij dat er vraagtekens bij moesten worden gezet.

'Misschien is dat wel de reden dat jullie Alessio nooit hebben gevonden,' hernam ze. 'Dat hij na wat er was gebeurd, zijn vader niet meer wilde zien. Dat hij hem niet meer kon luchten of zien.'

'Dus wandelt een kind van zeven Rome in en verdwijnt gewoon?'

'Dat is vaker voorgekomen. Dat weet jij net zo goed als ik. Hij zou nog in leven kunnen zijn. Hij kan ook het slachtoffer zijn geworden van een echte maniak, ergens anders, in dat vredeskamp bijvoorbeeld. Nic...' Opnieuw die moeizame inademing toen ze zich opmaakte iets te zeggen wat hij niet wilde horen. 'Op een bepaald moment in je leven zul je toch moeten aanvaarden dat er gewoon gekke, slechte mensen bestaan en dat het eigenlijk niet belangrijk is waarom ze zo zijn. Hen ervan weerhouden de rest van ons kwaad te doen, dat is belangrijk.'

Anderen zeiden dat soort dingen voortdurend tegen Falcone. Diezelfde woorden hadden zo uit de mond van Bruno Messina kunnen komen.

'We willen allemaal dat het ophoudt, Emily,' zei hij en hij deed zijn best niet al te scherp te klinken. 'Het gaat makkelijker als je ze begrijpt.'

'Niet altijd. Als het allemaal zo dichtbij komt als nu, betekent begrijpen dat je jezelf in zijn positie gaat verplaatsen. Dat je probeert te denken als een vader die een zoon heeft verloren. En ik denk niet dat het zo simpel ligt, jij wel?'

'Nee,' gaf hij toe. Er was iets in deze zaak dat hen allen bleef ontgaan, dacht hij, en de zaak was niet eenduidig, domweg een kwestie van motief en daad en gelegenheid. Alles speelde zich af in het grijze gebied dat bestond tussen mensen die elkaar kenden, van elkaar hadden gehouden, ooit. 'We zouden niet zo lang met elkaar moeten praten. Ga lekker uitrusten. Geef me een dag of twee, dan wordt alles weer normaal.'

Hij hoorde een droog, geamuseerd lachje op de lijn.

'Als ik iets "normaals" wilde, zou ik niet binnenkort met een politieman trouwen. Ik wil alleen dat jou niets overkomt. En ik wil naar huis.'

Naar huis.

Het was verbazingwekkend dat twee korte, simpele woorden zo veel warmte en hoop en vrees in zich konden bergen. Uiteindelijk wilde iedereen naar huis. Zelfs de verdwaalde zielen van wie werd beweerd dat ze de voorwerpen hadden aangeraakt die aan de muren van het kleine museum in Prati waren geëindigd. Misschien wilde Giorgio Bramante dat uiteindelijk ook: het kind dat in zijn hoofd woonde, helpen een vorm van rust te vinden door degenen die hij verantwoordelijk hield voor zijn lot te elimineren. Die waren inmiddels allemaal dood, met uitzondering van één politieman die in feite niets had misdaan. Hij had alleen ingegrepen bij een brute mishandeling diep in het hart van zijn eigen Questura, zijn plicht gedaan.

Er klopte iets niet.

Costa keek op zijn horloge en stelde, zonder er echt over na te denken of te weten waarom, een laatste vraag.

'Waarom zou een vrouw, een getrouwde vrouw met een kind, iemand met een op het oog idyllisch gezinsleven, zichzelf snijden? Opzettelijk, regelmatig? Omdat het niet idyllisch was uiteraard. Maar waarom nog meer? En waarom nu nog?'

Hij wachtte en toen ze het woord nam was ze weer rustiger. Misschien een beetje geschokt.

'Heeft ze dat gedaan?' vroeg Emily.

'Het bloed op het T-shirt in die kerk. Het eerste bloed, toen ze het erheen bracht. Dat is van haar. Zij heeft het tegenover Leo toegegeven. Hij zei dat er ook nieuwe littekens op haar polsen zaten toen hij haar sprak.'

'O...'

Emily dacht na over zijn vraag op die weloverwogen, rationele manier. Een van de laatste stukjes van haar persoonlijkheid die niet Italiaans waren geworden.

'Zelfverwonding is een complex probleem, Nic. Het is meestal een vorm van zelfverachting. De vrouw ziet haar eigen bestaan om de een of andere reden niet als waardevol. Misschien is ze depressief, of is het een uiting van schuldgevoel. Misschien zijn er andere redenen. Een echtgenoot die een affaire heeft... Ik weet het niet. Zijn er geen psychologen bij jullie in dienst die het je kunnen vertellen?'

'Natuurlijk wel,' gaf hij toe. 'Het is alleen veel makkelijker om het met jou te bespreken. Om te beginnen begrijp ik wat je zegt.'

'Binnenkort,' zei ze streng, 'ga ik deze service in rekening brengen.'

Iets trok Costa's aandacht. Het was Falcone, die over de half verlaten afdeling zijn kant op kwam met die ernstige, geconcentreerde uitdrukking op zijn gezicht. Dat betekende dat er iets aan de hand was.

'Je zit een paar niveaus hoger dan wij,' zei hij snel tegen haar. 'We zouden je nooit kunnen betalen. Zeg, beloof me dat je morgen naar de dokter gaat. Donderdag zien we elkaar. Of het nu hier is, in Orvieto, of op de maan, het maakt me niet uit. Ik zal er zijn.'

'Ik zal het doen,' zei ze.

Falcone stond naar hem te kijken toen hij de telefoon neerlegde.

'Chef?'

'Je moet Peroni gaan halen. Ik wil dat jullie in de archieven op zoek gaan naar alles wat er over Giorgio Bramante te vinden is. Echt alles, hoe onbelangrijk het ook lijkt.'

Costa was verbaasd.

'Staat dat dan niet allemaal in de rapporten uit de oorspronkelijke zaak?'

'Nee!' antwoordde Falcone geërgerd. 'Bramante zat al in hechtenis, had schuld bekend. Men beschouwde het als verspilde moeite.'

Costa ving zijn blik. Falcone keek bezorgd.

'Ik snap het... Ik begin er direct aan.'

'Morgenochtend ga je eerst nog een keer met die moeder praten. Precies uitzoeken hoe haar verhouding met hem was. Hou je niet in. Ik ben misschien een beetje te voorzichtig geweest.'

Costa had al plannen voor de volgende dag. Ze zouden mogelijke schuilplaatsen van Bramante langsgaan tot ze hem vonden. Of enig bewijs dat ze hem op het spoor waren.

Hij zweeg. Er zat iets in de stem van Falcone, een gespannen, afstandelijke klank die hem aan de oude Leo deed denken, de Leo die niemand aardig vond. Er zat geen kleur op de wangen van de oude inspecteur, helemaal geen bloed in het gezicht van Leo Falcone.

Toen gebeurde er iets wat Costa nooit eerder had meegemaakt. Falcone boog zich heel licht naar voren en klopte hem met een familiaar, bijna vaderlijk gebaar op de rug.

'Sorry,' zei hij verontschuldigend. 'Het is een lange dag geweest. Ik heb het er soms moeilijk mee. De waarheid is' – Falcones ogen richtten zich op iets aan de andere kant van de afdeling, misschien helemaal nergens op – 'dat ik het er altijd moeilijk mee heb gehad, als ik eerlijk ben. Ik heb alleen altijd geprobeerd het niet te laten merken.'

Hij scheen zich te generen voor dit onverwachte vertoon van emotie. 'Ik heb je naam opgegeven voor dat sovrintendente-examen,' ging hij verder. 'Ik wil dat je het doet. Deze zomer. Voor je gaat trouwen. Je haalt het makkelijk, weet je. Het wordt tijd dat je een beetje aan je carrière gaat werken.'

Costa knikte, sprakeloos, niet bij machte te protesteren.

'En Gianni,' vroeg Falcone. 'Waar is hij?'

'Bij de kaarten en de mensen van de wormen.'

'Zeg hem dat ik hem dankbaar ben voor al het werk dat hij de laatste paar dagen heeft verzet. Het was niet nodig. Van geen van jullie tweeën eigenlijk.'

'Leo –'

'Dit is werk, rechercheur,' onderbrak Falcone hem. 'Vergeet dat nooit. Het is ook vriendschap. Dat begrijp ik uiteraard. Maar het vak komt eerst. Altijd. Het werk. De plicht. Die zijn er altijd.'

'Is er iets?'

Hij glimlachte en toen kwam die benige hand weer naar voren en klopte hem nogmaals op de rug. Deze keer ging er geen zorgvuldige afweging aan vooraf.

'Ik ben moe, dat is alles. Giorgio Bramante is een meester in timing, maar dat had je al gemerkt, neem ik aan. Goed...'

Hij liet zijn kraaloogjes over de afdeling dwalen, een blik bedoeld om de rug te rechten van iedereen die overwoog onderuit te zakken.

'Ik ga nog een snel woordje tot de manschappen richten en dan ben ik klaar voor vanavond. We kunnen morgen verder praten.'

'Tot morgen,' mompelde Costa en hij richtte zijn aandacht weer op zijn werk.

27

Mooie leugens. Lelijke waarheden.

In de laatste woorden van Ludo Torchia lag een wereld van moge-lijkheden opgeslagen, een miljoen manieren om aan het licht te bren-gen wat Giorgio Bramante tot de man had gemaakt die hij nu was. En even zoveel vragen over het lot van zijn zoon, op te delven uit de rode aarde van de Aventijn waar – als logica iets betekende – zijn stoffelijke resten ongetwijfeld nog lagen.

Maar dat, bedacht Falcone toen hij bij de trap kwam, waren alle-maal veronderstellingen. Waar hij nu mee werd geconfronteerd, was een zuiver feit. Rosa Prabakaran was in handen van Bramante. Hij had haar door de telefoon horen schreeuwen toen hij om een bewijs vroeg. Bij het horen van dat geluid was er een huivering van angst, woede en schaamte over Falcones rug gelopen. Naderhand was hij zich ervan bewust geworden dat hem ook iets anders was opgeval-len: een klank in de stem van Bramante die er veertien jaar geleden niet in had gezeten. De gevangenis had deze man verruwd, iets wat al slecht was slechter gemaakt. Daarvoor had de man nog iets men-selijks gehad. De bezorgdheid om zijn kind was, naar Falcones over-tuiging, altijd oprecht geweest. Nu was dat weg, uit hem gerukt, voorgoed verdwenen.

Toen Bramante zei dat hij de jonge politievrouw zou doden als Fal-cone haar plaats niet innam, deelde hij domweg een feit mee. Toen hij de voorwaarden opsomde – de plaats, de tijd, één uur 's nachts, over een uur, absoluut geen andere politiemannen aanwezig op straffe van Prabakarans dood – klonk Bramantes stem onverstoorbaar en zelfverzekerd, de hoogleraar die zijn studenten een opdracht gaf. Dit stond allemaal niet ter discussie. Falcone deed wat hem werd opgedragen, of de vrouw stierf. Zo simpel was het. Wat Falcone een beetje verontrustend vond was het gemak waarmee hij met de eisen van de man kon instemmen.

Er was geen alternatief. Geen tijd om een team samen te stellen. Geen noodzaak om Costa en Peroni, twee mannen op wie hij naar zijn idee de laatste tijd toch al te veel had geleund, opnieuw in gevaar te brengen.

Deze keer was voor hem en voor hem alleen.

Hij keek achterom naar de afdeling om er zeker van te zijn dat niemand op hem lette. Toen liep hij behoedzaam, de pijn in zijn benen verbijtend, langzaam de trap af naar de begane grond en ging rechtstreeks naar de receptie.

Prinzivalli, de sovrintendente uit Milaan, een man met wie hij al dertig jaar samenwerkte, was de enige daar. Hij stond papieren uit te zoeken. De moed zonk Falcone in de schoenen. Hij had het hart niet, noch het talent, om deze man voor de gek te houden. Daar kenden ze elkaar al veel te lang voor.

'Kan ik je helpen, inspecteur?' vroeg de sovrintendente met een verbaasd opgetrokken wenkbrauw. Hij speelde rugby in zijn vrije tijd en had vroeger het team geleid waarin een jonge, heel andere Nic Costa had gespeeld. Prinzivalli was een van de beste en betrouwbaarste politiemannen met wie Falcone ooit had gewerkt.

'Je hebt opdracht me niet de deur uit te laten, nietwaar?'

De sovrintendente knikte.

Op dat moment kwamen de klokken van de oude kerk om de hoek tussenbeide: twaalf slagen. Falcone luisterde naar het indrukwekkende koor van metalen klanken, een botsen van dissonante tonen dat, besefte hij nu, al meer dan dertig jaar zijn leven in de Questura, van groene beginneling tot oude, vermoeide inspecteur, begeleidde. Het was nu middernacht in het centro storico, een moment waarvan hij altijd had gehouden, een tijdstip waarop de moderniteit van Rome vrijwel verdween en de straten gemaakt leken voor mensen, niet voor machines. Op die momenten kon hij zich, in zijn jongere, fantasievollere jaren, bijna voorstellen dat de oude goden uit hun ver weg gelegen graven opstonden en de stad tot leven brachten met hun aanwezigheid; een magisch oord, waar alles mogelijk was.

Prinzivalli kuchte en maakte een einde aan zijn gemijmer.

'Commissario Messina heeft in niet mis te verstane bewoordingen te kennen gegeven dat hij niet wil dat je het gebouw verlaat. Je zou toch niet tegen hem in willen gaan?'

'Hij is niet zijn vader, hè?'

'Nee.' De man in het uniform dacht een moment na. 'Maar hij is de commissario.'

Falcone wierp een blik op de bewakingscamera. Die had een blinde vlek. Als je tussen de balie en het bureau achter in de receptie stond zag niemand je. Dat was algemeen bekend, en handig soms.

Hij wenkte Prinzivalli erheen.

'Heb ik je ooit gevraagd een bevel te negeren, Michele?'

'Ja,' antwoordde de man droog.

'Dan hebben we een precedent. Het zit zo. Ik leg het je één keer uit en dan doe je de deur voor me open. Begrepen?'

Hij zei niets.

'Bramante heeft die jonge rechercheur Rosa Prabakaran in handen. Tenzij ik naar hem toe kom' – hij keek met enige theatrale zwier op zijn horloge – 'alleen, over een uur, vermoordt hij haar.'

'Goeie god, Leo!'

'Rustig. Ik heb heel weinig tijd. We weten wat voor man Bramante is. We weten dat hij zal doen wat hij zegt. Ik kan in de beschikbare tijd onmogelijk een team samenstellen om me te vergezellen, geen team waarvan ik mag aannemen dat het onopgemerkt zal blijven. Ik moet dit alleen doen...'

'Hij wil je vermoorden, man!'

Falcone knikte.

'Dat zegt hij inderdaad. Maar dat doet er niet toe. Als ik ga, overleeft Prabakaran het misschien. Als ik niet ga zal ze vast en zeker omkomen. Het meisje is nog jong, een beetje naïef en een van mijn mensen. Mijn verantwoordelijkheid.'

Prinzivalli bleef stil.

'Ik wil dat je het volgende doet. Wacht tot één uur. Als het tegen die tijd nog niemand is opgevallen dat ik weg ben, zorg dan dat ze het merken. Maak een hoop stampij. Doe maar wat je nodig vindt.'

'Waar heb je met hem afgesproken?'

Falcone keek hem aan.

'Dat vertel ik niet.'

'Leo...?'

'Wat heb ik nou gezegd? Dit gebeurt op zijn voorwaarden, of ze overleeft het niet. Doe je nu die deur voor me open of hoe zit het?'

'Je bent een chagrijnige, koppige ouwe klootzak. Er zijn mensen die kunnen helpen.'

'Ja,' zei hij met nadruk. 'Jij.'

De sovrintendente keek naar Falcone in zijn colbertje. Toen griste hij een jas, die van hemzelf ongetwijfeld, van de kapstok bij de deur en gooide die naar hem toe.

'Het is bitterkoud buiten,' zei hij en hij drukte op de knop op de balie. De beveiligde deur ging open.

'Dank je wel,' zei Falcone en hij liep zonder achterom te kijken naar buiten.

Het was koud, het soort verkleumende kou waarmee Rome soms kwam aanzetten, een kou die onverenigbaar leek met de benauwde hitte van de zomer die al over een paar maanden zou beginnen. Hij trok de enorme overjas aan, hobbelde de straat door naar de taxi-standplaats, wachtte en dacht na.

Er was altijd tijd voor mooie leugens en lelijke waarheden.

Falcone wilde haar niet wakker maken. Bovendien wist hij dat ze trouw de boodschappen op haar mobiele telefoon afluisterde, omdat ze geen enkel menselijk contact wilde mislopen. Raffaela Arcangelo had dat in haar leven zo weinig gekend. Ze leken in dat opzicht sterk op elkaar.

Dus belde hij het nummer, wachtte tot de mechanische stem om zijn boodschap vroeg en begon te praten, wetende dat hij dingen zou zeggen – waar of niet; dat wist hij niet zeker – die hij nooit direct bij haar ter sprake had kunnen brengen.

'Raffaela,' begon hij verlegen, zelfs in de donkere verlaten straat in Rome, wachtend bij een taxistandplaats op een koude winternacht. Hij voelde zich een beetje beschaamd dat hij, bevrijd van het zeer we-zenlijke menselijke contact dat hij met haar genoot, zo makkelijk kon zeggen wat hij wilde. 'Ik moet je iets vertellen. Het spijt me dat je het op deze manier moet horen. Helaas heb ik geen keus.'

Er gleed licht over de keien. Een taxi misschien die van de Piazza Venezia kwam.

'Dit kan zo niet doorgaan. Het spel dat we allebei spelen, name-lijk dat we geen van beiden willen zeggen wat we echt voelen. Ik ben heel dankbaar voor wat je voor me hebt gedaan, maar meer ook niet: Ik hou niet van je en ik wil ons beider leven niet kapotmaken door te doen alsof ik wel van je hou. Het ligt niet aan jou. Als ik tot liefhebben in staat was, dan zou mijn liefde voor jou zijn, wellicht. Ik heb geen idee.'

De auto kwam naderbij. Hij zocht klanten. Falcone zwaaide.

'Ik weet niet precies waarom je mij hebt gekozen. Misschien uit medelijden. Of uit schuldgevoel. Of uit nieuwsgierigheid. Het maakt niet uit. Wat je moet begrijpen, is dat een man een punt in zijn leven bereikt dat hij beseft dat hij naar het restant, het slinkende deel van zijn bestaan kijkt. In wat voor me ligt...'

Het was een glimmende, oude zwarte Mercedes. Al pratende stapte Falcone in en gebaarde naar de chauffeur dat hij even moest wachten.

'In wat rest, speel jij, kun jij geen rol spelen. Het spijt me. Ik wou –'

Iets onderbrak hem. De schelle, onmenselijke piep van een machine klonk in zijn oor. Daarna een boodschap. De telefoon zou niet meer luisteren. Deze gevoelens waren, zoals alles, eindig. Falcone vroeg zich een moment af wat hij nog niet had gezegd. Niets. Alles. Er moest een deur worden dichtgedaan en het had geen zin je af te vragen wat erachter lag wanneer de daad eenmaal was volbracht.

De taxichauffeur draaide zich om en keek hem aan. Een man van ongeveer zijn leeftijd, meende hij, met een vermoeid, getekend gezicht en een hangsnor.

'Gaan we nog ergens heen?' vroeg hij.

'Naar de Aventijn. De Piazza dei Cavalieri di Malta.'

De man lachte.

'Op dit tijdstip zie je echt niets door dat sleutelgat, kerel. Weet je het zeker?'

'Rij nou maar,' zei Falcone zuur. Hij keek nogmaals naar de telefoon en stopte hem toen diep in de zak van de dikke en ruime overjas van Prinzivalli.

Deel 3

Het zevende sacrament

1

Ze hadden, naar het Alessio Bramante toescheen, zeker bijna twintig minuten door het labyrint gelopen, gedwaald en niet één keer een zweem daglicht gezien, geen enkel moment iets anders gehoord dan de echo van hun eigen stemmen en het druppelen van water in de verte. Hoelang zou zijn vader wachten voor hij hem kwam terughalen? Wanneer hoorde dit spel te eindigen?

Hij probeerde zich te herinneren wat er in Livia's huis op de Palatijn was gebeurd, toen zijn vader hem zomaar alleen had gelaten. Daar was Giorgio langer weg geweest, zo lang dat Alessio om zichzelf te vermaken zijn ogen had gesloten. Hij had zich voorgesteld dat hij de stem van de lang geleden overleden keizerin hoorde, haar harde Latijnse zinnen die de ogenblikkelijke gehoorzaamheid eisten, zoals machtige volwassenen graag zagen.

Een test hoorde niet eenvoudig te zijn, anders was het geen test. Maar bij dit ritueel hoorde ook gehoorzaamheid en wat dat betreft tastte Alessio Bramante in het duister en wist hij niet goed hoe te handelen. Misschien zou er al snel een gebrul achter hen klinken: Giorgio Bramante, die hen schreeuwend om zijn prooi als de Minotaurus in de grotten op Kreta langzaam en systematisch besloop door de ondergrondse aderen van de Aventijn.

Hij had geen idee, en zij ook niet. Aan de hand van de lange persoon in het rode pak, met het wilde krulhaar dat bijna dezelfde kleur had, trok Alessio Bramante steeds dieper het doolhof onder de Aventijn in. Hij was zich ervan bewust dat ze allemaal in gelijke mate in de val zaten, in gelijke mate aan elkaar gebonden waren, in rangorden van afhankelijkheid en zeggenschap, onderworpen aan de macht en het oordeel van zijn vader.

Dino – hij had zijn naam gezegd op een rustig moment, toen ze door het donker strompelden – hoopte de rol van verlosser te spelen. Degene die de nieuweling die Corax zou worden redde. Enkele minuten na de ruzie was hij met Alessio een stuk vooruitgelopen en had de jongen een donker hoekje in getrokken.

'Alessio,' had hij zeer ernstig gezegd. 'Ik zal zorgen dat hij je geen kwaad doet. Maak je geen zorgen. Blijf dicht bij me. Doe wat ik zeg, alsjeblieft. Ludo is gewoon... een beetje gek.'

De jongen moest bijna lachen. Dino begreep niet waarom.

'Hij is bang voor mijn vader,' antwoordde hij en hij wist dat dat waar was. 'Wat kan hij me doen?'

'We zijn allemaal een beetje bang voor je vader,' antwoordde Dino schamper. 'Jij niet?'

'Ik ben nergens bang voor. Niet voor jou. Niet' – hij knikte achterom in de richting van de voetstappen van de anderen, die snel naderbij kwamen – 'voor hem.'

'Nou, dat is fijn voor je,' zei Dino en hij woelde door zijn lange haar, een daad die Alessio deed terugdeinzen omdat hij het walgelijk vond dat iemand zwakheid verwachtte.

Alessio was echt niet bang. Er was geen noodzaak toe, zelfs niet toen ze, gedreven, zo leek het, door de angst van Ludo voor de onzichtbare schim die tussen hen en de ontsnapping stond, steeds verder het netwerk van tunnels in trokken die alle kanten op liepen. Dit was een avontuur, met mensen als schaakstukken op een gigantisch, driedimensionaal schaakbord, manoeuvres met een bepaald doel. Maar dat scheen alleen hij ten volle te beseffen.

De dood hoorde ook bij het ritueel. Alle oude boeken, alle verhalen die zijn vader hem had verteld, zeiden dat met zoveel woorden. Dat – niet dwaze, hunkerende nieuwsgierigheid – was de reden dat Alessio geen moment zijn ogen had dichtgedaan toen de vogel door het mes van Ludo Torchia aan zijn einde kwam. Hij was vastbesloten getuige te zijn, deelnemer, en benieuwd ook hoe de grijze geest eruitzag als hij uit de schaduwen tevoorschijn kwam.

Hij wilde er met ieder van hen over praten, vragen stellen, hun verschillende reacties peilen: met gekke Ludo; de kleine, leergierige student die Sandro heette; grote, domme Andrea; en stille, bange Raul, die nooit iets zei. Zelfs met Toni LaMarca, in wiens ogen een achterbaks, gemeen trekje zat, een trekje dat Alessio tot nadenken stemde. En met Dino ook, die zichzelf als Alessio's vriend beschouwde. Hij wilde hun vragen wat het schepsel zou hebben gevoeld. Hoelang het bij bewustzijn zou zijn gebleven. Of ze zich daarna anders voelden (zoals hij, toen hij zich stiekem bukte om de vingers van zijn linkerhand dieper in de plas nat, kleverig bloed op de grond te steken omdat hij meer wilde hebben dan de rest).

Er was geen gelegenheid om te praten, behalve met Dino, die – begreep Alessio zonder nadenken – anders was dan de rest, een deugdzaam persoon, iemand wiens fantasie werd begrensd door zijn aangeboren goedheid. Dino wilde hier niet zijn, diep in dit spel. Hij geloofde niet in goden en rituelen en de macht die ze mogelijk over gewone mensen uitoefenden.

De anderen struikelden door de doorgang in een nieuwe, smallere, lage ruimte waar Dino en hij waren blijven staan. Ze waren buiten adem, zagen er vermoeid uit, alle vijf. En angstig.

Toni, misschien de enige van hen voor wie je, naar Alessio's idee, maar beter bang kon zijn, nam als eerste het woord.

'Waar gaan we heen?' vroeg hij. 'Komen we er zo echt uit?'

'Hou je mond,' zei Ludo met weinig overtuiging.

De zaklantaarns begon minder krachtig te worden. Het licht had die kwijnende, gele gloed gekregen die Alessio kende van de keren dat hij thuis onder de lakens was gekropen met de speelgoedlamp die hij had, om te zien hoe lang hij in het donker bleef branden.

'We kunnen niet rond blijven dwalen,' zei Dino. 'We zijn omlaag gegaan. Ik ken deze heuvel niet zo goed. Ik kan niet bepalen in welke richting we zijn gelopen.'

Hij richtte de flauwe straal van zijn kleine zaklantaarn op de dikke, fluwelen duisternis voor hen. Er was niets te zien dan gesteente en de doorgaande lijn van een lege tunnel.

'Straks blijkt deze dood te lopen,' zei hij. 'Of stuiten we op nog iets ergers. En als deze zaklantaarns dan ondertussen leeg zijn...'

Ludo zei niets. Alessio keek naar zijn gezicht. Het was interessant. In iets verdiept. Het erkende de grenzen niet die de wijze waarop iemand als Dino dacht inperkten.

'Als we hier zonder licht komen te zitten,' ging Dino verder, 'zitten we echt in de problemen. Het gaat er niet om dat we van de universiteit getrapt worden. Het is hier gevaarlijk.'

'En dat geeft je het gevoel dat je leeft,' antwoordde Ludo en Alessio besefte dat hij dat een goed antwoord vond.

Ludo's ogen speurden in het rond, op zoek naar een slachtoffer. Uiteindelijk bleven ze rusten op Alessio.

'Wat denk jij, jongen?' vroeg hij.

Alessio zei niets. Ergens vanbinnen voelde hij een klein beest op rode vleugels opstijgen.

'Verwend kreng,' ging Ludo verder en hij bukte zich op een bepaalde manier, zodat uit elke bocht en kromming van zijn slungelige, magere lichaam minachting sprak. 'Wat heeft een rijk jochie met een vader die denkt dat hij alles weet ter verdediging aan te voeren, hè?'

En toen vloog Alessio hem aan met krabbende nagels en wild uithalende vingers. Hij gaf uiting aan een razende, opgekropte woede die heel lang had gewacht voor hij aan de dag trad.

Hij deed op dat moment ook een ontdekking. Toen hij zich zo voelde, toen de wereld niets anders was dan een bloedende, scharlakenrode muur van vlees en pijn waaraan hij met zijn sterke, lenige vingers kon klauwen, leek niets verkeerd, bestond er niets waarop het etiket 'goed' of 'slecht', 'juist' of 'verkeerd' kon worden geplakt. In het woeste en krijsende oord waar zijn woede hem bracht lag een soort heldere, harde voldoening die hij nooit eerder zo had beleefd.

Het bracht hem in vervoering. Ludo had gelijk. Hij had het gevoel dat hij leefde.

Zijn vingers klauwden aan de handen van zijn vijand. Zijn nagels krabden en vonden houvast aan huid. Ludo schreeuwde, woorden van angst en pijn en waanzin.

'Verdomme!' krijste Ludo. 'Verdomme! Haal dat rotjoch van me af! Haal...'

Daarop hield Alessio op en glimlachte naar hem. De sporen van zijn vingers liepen in evenwijdige, gekraste lijnen over de rug van Ludo's handen.

Het weerhield Ludo er niet van het mes tevoorschijn te halen. Alessio staarde naar het lemmet. Er zat nog bloed aan van de jonge haan, de vogel waar druppel voor druppel het leven uit was geknepen, ergens in deze grotten, niet ver weg, vermoedde hij. Op een plek waar zijn eigen vader inmiddels misschien wel langs gekomen was, als hij was begonnen met zoeken.

'Ludo...' mompelde Dino.

Alessio wierp een blik op hem. Dino was zwak. Dat maakte deel uit van zijn karakter. Hij zou Ludo geen strobreed in de weg leggen.

Evenmin als de anderen. Ze waren mindere wezens, begreep hij, in een lager deel van de hiërarchie.

Hij hief zijn kleine hand, die nog pijn deed van het krabben en klauwen van zonet, een kalm, niet gehaast gebaar, een gebaar dat zei: kalm aan.

Hij zag het mes voor zich omhoog komen.

'Dit zou zo makkelijk zijn...' mompelde Ludo.

De rest stond erbij als doodsbange idioten. Alessio vroeg zich af wat zijn vader in een dergelijke situatie zou hebben gezegd. En of dit ook allemaal bij de test hoorde.

Alessio Bramante keek in de ogen van Ludo Torchia, herkende daar iets en wachtte tot Ludo dat ook inzag.

Toen, en geen moment eerder, glimlachte hij en zei: 'Ik weet de weg.'

2

Ze hadden de hele nacht gezocht, meer dan honderd politiemensen in totaal. Op elk stukje van de Aventijn. Elk parkeerterrein. In elk doodlopend steegje. Ze waren snel de locaties langs gegaan die op de lijsten van Falcone voorkwamen, hoewel er in het donker niet veel te zien was, niet veel te doen was behalve controleren op recente bandensporen.

Nu werd er een rommelige, stuurloze vergadering van teamleiders gehouden in de grote, volle zaal naast Falcones lege kamer. Costa en Peroni woonden hem bij omdat het onduidelijk was onder wiens bevel ze nu eigenlijk vielen. Er was na negen hectische uren waarin hard was gewerkt nog bijzonder weinig duidelijk.

Het enige goede aanknopingspunt dat Messina en zijn nieuwe inspecteur Bavetti hadden, was iets wat Falcone naar Costa's idee al binnen een paar minuten zou hebben opgepikt. De vorige dag had Calvi, de paardenslager, vroeg in de middag aangifte gedaan van diefstal. Een van zijn drie busjes was gestolen. Het voertuig had een laadruimte die zeer goed beveiligd was en waar je, om voor de hand liggende redenen, van buitenaf niet in kon kijken. Het was nog niet terecht, hoewel voor elke politiewagen in de stad inmiddels het kenteken bekend was. Ook verdwenen was Enzo Uccello, de celmaat en collega bij de paardenslachterij van Bramante, die niet om vier uur op zijn werk was verschenen, zoals werd verwacht. Misschien was de gedachte dat Uccello Bramante buiten de gevangenis hielp, zo gek nog niet geweest. Bavetti beschouwde dat in elk geval als bijzonder aannemelijk. Als het waar was, bedacht Costa, was het maar een deel van het verhaal. Enzo Uccello was drie jaar na Bramante naar de gevangenis gestuurd. Toen de eerste moorden werden gepleegd, zat hij vast en was hij van geen enkel praktisch nut. De hulp die hij Bramante had kunnen bieden, was ongetwijfeld beperkt gebleven tot de laatste paar maanden, maar dat soort details kon Bavetti blijkbaar niet boeien.

Bavetti was iets jonger dan Bruno Messina en een lange vent. Een man zonder veel uitstraling, geneigd weinig te zeggen en dan nog alleen in korte, afgemeten zinnen die hij kennelijk niet nader wilde toelichten. Beide mannen maakten een onzekere indruk, alsof ze op waren van de zenuwen, omdat ze de gevolgen van een mislukking vreesden. Er was een ernstig gebrek aan ervaring in de Questura op dat moment en dat zou het zoeken naar Leo Falcone en Rosa Prabakaran dubbel zo moeilijk maken.

Niet dat Costa verwachtte dat hij daar nog veel langer aan zou meewerken. Messina's geduld begon op te raken. Hij had de hele nacht vrijwel geen woord tegen hen gezegd. En nu, in aanwezigheid van verschillende andere hooggeplaatste politiemensen, had hij hen er praktisch van beschuldigd dat ze medeplichtig waren aan Leo's verdwijning.

Costa was in lachen uitgebarsten, niet tot iets anders in staat geweest. Het was een belachelijke beschuldiging. Waarom zouden ze Leo helpen zoiets te doen? En waarom zouden ze wachten tot Prinzivalli alarm sloeg? Het was te zot voor woorden en dat zei hij Messina ook recht in het gezicht.

Peroni vatte het persoonlijker op. Hij stond nog steeds met zijn grote, gehavende gezicht vlak voor de rood aangelopen Messina en eiste een verontschuldiging en een herroeping. De overige aanwezigen zouden het dolgraag uit de mond van deze onervaren commissario hebben gehoord, hetgeen op zich al een goede reden was waarom het nooit zou gebeuren.

De grote man deed een derde poging.

'Ik wil dat u dat terugneemt. Commissario.'

Messina probeerde zich er nog altijd met veel bombarie van af te maken. Peroni ontlokte instemmende knikjes aan de oudere mannen in de kamer, wat niet zo gunstig was voor hun positie. Als dit voorbij was zou er een afrekening volgen, wist Costa, en hij kwam tot de ontdekking dat het hem weinig kon schelen wie de schuld in de schoenen geschoven zou krijgen. Leo was verdwenen, samen met Rosa Prabakaran, die, naar hij aannam, was ontvoerd om de overgave van Falcone af te dwingen, op dezelfde manier als Bramante bij zijn eerdere slachtoffers had gedaan. Op dit moment hadden ze geen idee wat er van hen beiden geworden was. Wederom had Bramante het spel volledig in handen. Messina en Bavetti misten zowel de vooruitziende blik als het talent om de man te doorzien. Misschien gold dat ook voor Leo Falcone, hoewel de verhoudingen toen hij er nog bij was iets gelijkwaardiger hadden geleken.

'Wilt u dat we aan deze zaak werken of niet?' vroeg Costa, toen Messina Peroni's eisen opnieuw omzeilde.

'Nee,' spuwde hij, eigenlijk puur automatisch, uit. 'Maak dat je wegkomt. Jullie allebei. Als dit straks voorbij is zal ik een besluit over jullie toekomst nemen.'

'Wij kennen Leo!' blafte Peroni. 'U kunt ons er niet zomaar uit schoppen omdat dat het leven voor u makkelijker maakt.'

Messina keek op zijn horloge.

'Je dienst zit erop. Voor jullie allebei. Kom niet terug voor ik je roep.'

Costa pakte Peroni bij de elleboog en gaf een kneepje. Hij begreep werkelijk niet waar Messina het nog over zou kunnen hebben als zij eenmaal weg waren. Hij en Bavetti zagen eruit alsof ze niet wisten wat ze moesten doen.

'Wormen,' zei Costa enkel.

Bavetti vertrok zijn uitgemergelde gezicht. De man had Falcones stukken niet eens goed bekeken voor hij de zaak overnam. Hij had enkel politiemensen de Romeinse nacht in gestuurd om te zoeken, mankracht in de strijd geworpen tegen schaduwen.

'Wat?'

'Weet u nog waar Leo mee bezig was voor dit gebeurde? Hij had een aanknopingspunt. Vandaag zouden we de plaatsen waar Bramante zich zou kunnen hebben schuilgehouden, gaan bezoeken om er zoveel mogelijk te elimineren. Er ligt een kaart beneden die er helemaal mee vol staat. Inspecteur Falcone was van plan ze allemaal langs te gaan. Een voor een...'

Precies op dat moment begon een telefoon te rinkelen. Costa liep erheen om hem op te nemen en trok Peroni mee in zijn kielzog.

De vergadering ging achter hun rug door, een onregelmatige, monotone dreun van verwarde stemmen. Maar Bavetti scheen het tenminste te hebben over een onderzoek naar Falcones lijst met mogelijke locaties.

Mat zei Costa: 'Pronto.'

Het was een politieagent van de uniformdienst die vanuit een surveillancewagen belde. Hij had moeite zijn kalmte te bewaren. Costa luisterde en voelde een koude rilling van angst over zijn rug gaan.

Hij stelde de belangrijke vragen en maakte een paar aantekeningen. Peroni sloeg hem zwijgend gade. Ze kenden elkaar intussen zo goed, dat hij onmiddellijk begreep dat dit belangrijk was.

Na een minuut legde hij de telefoon neer en onderbrak hij Messina's onsamenhangende poging de zaak tot zo ver samen te vatten.

'Ik ben aan het praten,' beet Messina hem toe zonder een moment te luisteren.

'Dat hoorde ik,' antwoordde Costa zonder nadenken. 'Ik geloof dat we rechercheur Prabakaran hebben gevonden.'

Hij zweeg even. De man zat met zijn mond vol tanden.

'Ze is in Testaccio,' hernam Costa, terwijl Peroni naar hun bureaus liep en de autosleuteltjes en hun telefoons pakte. 'De paardenslager opende zijn kraam laat vanochtend omdat Uccello alweer niet op zijn werk was verschenen. In de koelcel...'

Hij haalde zijn schouders op.

'Leeft de vrouw nog?' vroeg Messina.

'Nog net,' antwoordde Costa. 'Ze hebben ook het lichaam van een man aangetroffen. Ze was aan hem vastgebonden. Het klinkt... niet best.'

De politieagent die hij aan de telefoon had gesproken, was bijna hysterisch geworden toen Costa naar bijzonderheden begon te informeren.

'Ga door,' eiste Bavetti, die opeens zijn tong had teruggevonden. 'Details.'

'Details?' vroeg Costa, verwonderd.

Bavetti scheen even radeloos te zijn en net zomin te weten wat hij moest doen als Messina.

'Wat? Waar precies? Hoe...?'

Peroni kwam terug. Costa keek hem aan en knikte.

'Ik geloof,' antwoordde de grote man, rinkelend met de autosleuteltjes, 'dat u zei dat onze dienst erop zat, commissario.'

Messina's blozende gezicht werd vuurrood.

'Je moet me niet in de zeik nemen, Peroni! Allemachtig!'

Costa draaide zich om en drukte de laptop met een plotse felheid hard in de vlezige handen van de commissario.

'Iemand heeft een dode man gevonden en een halfdode vrouw, die hoogstwaarschijnlijk is verkracht. Buiten dat...'

Hij zei geen woord meer. Peroni was op weg naar de deur, met de snelheid van een man die half zo oud was.

3

'Ik weet de weg,' herhaalde Alessio zonder haperen.

Ludo hield een moment stil. Het mes hing roerloos blinkend in de lucht.

'Kleine jongetjes mogen niet liegen,' zei hij dreigend.

'Kleine jongetjes liegen niet.'

Hij trok het uiteinde van het touw los van de lus aan zijn riem. Het was het korte stuk, dat was gebroken toen hij het wilde vastknopen. De grote bol was verschillende minuten afgerold, met kleine rukjes, aan zijn broek. Ze hadden het geen van allen gemerkt toen hij, in de ruimte met de tempel, even was blijven staan, die tweede lus had losgemaakt en het touw, nog altijd kietelend als een dood, vallend insect, langs zijn benen op de grond had laten glijden.

Hij hield het stuk touw voor zich omhoog en keek in die waanzinnige, bange ogen, dacht aan schaken, aan hoe hij met zijn vader had gespeeld, uren achter elkaar, in de lichte zonnige tuinkamer in een huis op slechts een paar minuten lopen vanhier, buiten in het daglicht. Ook nu hing alles af van het eindspel.

Alessio had geprobeerd elke tunnel die ze vanaf dat moment hadden genomen, in zijn geheugen te prenten: naar links en naar rechts, omhoog en omlaag. Hij was ervan overtuigd dat hij hun route kon reconstrueren, de weg terug kon vinden naar het gevallen touw en de gang naar buiten, een van de zeven, een die Giorgio Bramante beslist niet had genomen toen hij verdween.

Hij kon hen ongezien de catacomben uit brengen. Of...

Bij spelletjes hoorde altijd een overwinning. Winnaars en verliezers. Misschien moest hij ook een geschenk, een sacrament, geven:

zes domme studenten, die zich op verboden terrein hadden gewaagd waar ze niet gewenst waren.

'Een stuk touw,' zei Torchia tergend. 'En dat zou verschil moeten maken?'

'Luister naar hem,' waarschuwde Dino Abati. 'We hebben niet veel opties meer, Ludo. Vroeg of laat stuiten we op een gat. Of op Giorgio. Waar geef je de voorkeur aan?'

'Ludo...' jammerde Toni LaMarca.

'Ik weet de weg naar buiten,' zei Alessio nogmaals en hij had zin om te lachen. 'Ik kan jullie langs mijn vader brengen. Hij zal jullie niet eens zien. Hij zal niet eens weten dat jullie hier zijn geweest. Ik zal niks zeggen.' Hij glimlachte en stak zijn linkerhand op, die nog kleverig was van het bloed van de haan. 'Dat beloof ik.'

Torchia keek nadenkend naar zijn vingers.

Het mes zakte omlaag onder het gezichtsveld van de jongen.

'Als we het doen,' zei Torchia dreigend, 'zeg je geen woord. Niet tegen hem. En ook niet tegen iemand anders. Wij praten niet over jou. Jij praat niet over ons. Dat is de afspraak. Begrepen, rijk jochie?'

'Ik ben niet rijk,' wierp Alessio tegen.

'Begrepen?'

Hij keek naar het mes, stak zijn hand uit en duwde het voorzichtig uit zijn gezicht.

'Ik zeg het tegen niemand,' zei Alessio. 'Dat zweer ik.'

4

Voor één keer was het niet druk in de stad. Ze waren in iets meer dan zeven minuten in Testaccio. Vier blauwe surveillancewagens stonden met zwaailichten aan voor de markt. Peroni kende de hoogstgeplaatste agent van de uniformdienst ter plaatse. Hij knikte dat ze mochten doorlopen naar het gebouw, dat inmiddels leeg was, op de politie na. Het bericht had de ronde gedaan. De kraampjes bleven die dag dicht.

Rosa Prabakaran zat in elkaar gedoken naast een bakkerskraam met een vrouwelijke agent aan elke kant, een deken over haar gebogen gestalte en een beker koffie, wasemend in de koude ochtendlucht, in haar hand.

Peroni liep naar haar toe en legde zonder erbij na te denken een hand op haar schouder.

Ze gaf een gil. Hij deinsde achteruit, vloekte zacht vanwege zijn eigen stupiditeit en incasseerde de stroom verwijten van de vrouwen.

Costa had dit soort situaties eerder meegemaakt. Op een bepaald moment zou Rosa Prabakaran vertellen wat er was gebeurd, rustig, in haar eigen tempo, aan enkele daarvoor opgeleide politiefunctionarissen, uitsluitend vrouwen, die goed konden luisteren. Hij hoefde alleen maar naar haar te kijken om, althans voor een deel, te begrijpen wat ze had meegemaakt.

'Rosa,' zei Costa zacht. 'Commissario Messina komt zo. Ik raad je ten stelligste aan dat je eist dat je mee wordt genomen naar de Questura en pas hoeft te praten als je daaraan toe bent.'

De deken was weggegleden. Hij had een glimp opgevangen van iets onverwachts: een stukje van een uitdagend niemendalletje. Gescheurd en onder de modder. Ze had gezien dat het hem opviel. Daarna lieten haar ogen de grond niet meer los.

Costa liep om naar de achterkant van de kraam van de paardenslager, waarvan de planken wit en leeg waren, en wachtte tot de bleke agent bij de deur van de koelcel uit de weg ging.

Daarna ging hij naar binnen en werd hij zich direct bewust van de stank van vlees en bloed.

Peroni kwam achter hem aan. Ze keken getweeën naar de gedaante aan een haak in de hoek.

'Dat is Leo niet,' zei Costa uiteindelijk.

'Godzijdank.'

'Te klein. Enzo Uccello, vermoed ik.'

Peroni, die op de beste momenten al een zwakke maag had, dwong zichzelf naar het lijk te kijken.

'Je hebt een beter voorstellingsvermogen dan ik, Nic,' gaf Peroni toe. 'Daar benijd ik je niet om.'

Hij wandelde de koelcel uit. Costa voegde zich vrijwel ogenblikkelijk bij hem. Messina en Bavetti waren er inmiddels, een en al bluf en bombarie, opdringerige stemmen in een zee van uniformen. Teresa Lupo en haar team waren ook gearriveerd. De patholoog-anatoom zat naast Rosa Prabakaran en sprak zacht tegen haar.

Peroni beende naar de jonge rechercheur toe, bleef deze keer op enige afstand en liet zich op één knie zakken, aan de andere kant van Teresa.

'Rosa,' zei hij zacht. 'Ik weet dat dit een afschuwelijk moment is om het te vragen. Maar heb je Leo gezien? Weet je wat er is gebeurd?'

Ze sloot haar ogen. Toen ze ze weer opendeed, waren ze nat van de tranen, zo glazig dat ze onmogelijk iets kon zien, behalve, dacht Costa, enkele ongewenste mentale beelden van wat er was gebeurd.

'Nee,' zei ze zacht.

Peroni wierp een smekende blik op Teresa.

'Leo is een goed mens,' zei de patholoog-anatoom kalm, nadrukkelijk. 'Ik weet dat jullie niet goed met elkaar konden opschieten, Rosa, maar we moeten hem echt vinden.'

Iets, een herinnering, deed haar kokhalzen met haar hand voor haar mond. Teresa Lupo sloeg een arm om haar schouders, stevig, zoals geen enkele man voorlopig mocht en misschien nog heel lang niet zou mogen.

'Ik weet het niet.' Ze stikte van woede vanwege haar eigen onwetendheid. 'Hij deed wat hij deed en daarna bracht hij ons hier. Ik wist het niet eens van inspecteur Falcone tot die mensen kwamen. Wat heeft hij gedaan?'

'Hij heeft zich overgegeven aan Bramante om jou vrij te krijgen,' zei Teresa zacht. 'Dat denken we tenminste.'

Haar hoofd zakte weer omlaag.

'Je moet nu met deze agenten mee teruggaan naar de Questura,' zei Peroni met een knikje naar de vrouwen van de uniformdienst. 'Doe rustig aan. Vertel ze wat je kwijt wilt. Alleen...'

Het gekwelde, met tranen bevlekte gezicht van Rosa Prabakaran kwam omhoog om hen aan te kijken.

'Ik heb dat niet van hem gevraagd,' riep ze huilend. 'Ik wist het niet.'

'Hé, hé, hé!' zei Peroni snel. 'Leo zou het voor ieder van ons hebben gedaan. Sommige mensen...' Hij wierp een vuile blik in de richting van Messina en Bavetti, die zojuist de koelcel uit waren gekomen en nu met bleke, geschrokken gezichten zacht met elkaar stonden te praten. 'Sommige mensen vinden dat soort dingen vanzelfsprekend.'

Ze haalde boos en beschaamd een arm langs haar gezicht, als een klein kind.

De twee leidinggevende politiemensen kwamen met kwieke tred aangelopen en probeerden een onbewogen indruk te maken.

'Ik wil,' kondigde de commissario tegen iedereen binnen gehoorsafstand aan, 'dat van nu af aan alles op alles wordt gezet om die schoft van een Bramante te vinden. We gaan ervan uit dat Falcone nog in leven is. De keren hiervoor dat Bramante iemand heeft omgebracht, heeft hij ervoor gezorgd dat dat opviel. Tot het zover is – en ik bid dat dat niet zal gebeuren – nemen we aan dat Falcone een gevangene is, geen slachtoffer. Ik wil dat iedereen te allen tijde gewapend is. Ik wil verkenningshelikopters. En de speciale gijzelingseenheid wil ik. De wapeneenheid.'

Costa knipperde met zijn ogen.

'De wapeneenheid?'

'Precies,' beaamde Messina.

Er waren in de stad twee gespecialiseerde gijzelingsteams van de staatspolitie, het ene gericht op onderhandelen, het andere specifiek opgeleid om op te treden bij dringende, spoedeisende incidenten waarbij sprake was van een gijzelingssituatie. Messina maakte duidelijk dat hij de laatstgenoemde eenheid wilde hebben. Het team was meer uit trots dan uit noodzaak ingesteld. Meestal handelden de carabinieri en de geheime dienst dit soort veiligheidsbedreigingen af. Maar wat zij hadden, wilde de staatspolitie ook hebben.

'Als Leo wordt gegijzeld,' merkte Peroni op, 'is een stel mensen dat wapens richt op de man die hem vasthoudt wel het laatste wat we willen.'

'Zijn jullie nu ook al deskundig op het gebied van gijzelingen?' blafte de commissario. 'Is er iets waar jullie tweeën geen mening over hebben?'

'We proberen u alleen duidelijk te maken wat inspecteur Falcone volgens ons in de omstandigheden zou zeggen,' zei Costa.

'Leo Falcone is tegen mijn directe bevel in de Questura uit gegaan. Hij heeft alles tien keer erger gemaakt.'

Messina keek omlaag naar Rosa Prabakaran. Het was een betreurenswaardig gebaar. Hij keek alsof hij haar eigenlijk helemaal niet wilde zien.

'Wat is hier gebeurd, Prabakaran?' vroeg hij bars. 'Ik moet het weten. Ogenblikkelijk.'

Teresa Lupo stond op en priemde met een mollige vinger in zijn donkere jas.

'Neé, commissario. Niet ogenblikkelijk. Er zijn protocollen en procedures voor dit soort situaties. Daar gaan we ons aan houden.'

Messina's grote hand wapperde vlak voor haar gezicht. 'Jij bent de patholoog-anatoom hier!' brulde hij tegen haar. 'Jij doet jouw werk, ik het mijne. Ik wil het weten.'

'Wat?' vroeg Teresa boos. Ze liet zich niet overdonderen.

Costa kwam tussenbeide.

'Rechercheur Prabakaran kan ons niets vertellen over inspecteur Falcone. Ze wist niet eens dat hij gevangen was genomen tot iemand haar dat vanochtend vertelde.'

'Ik heb het hier voor het zeggen. Ik eis een volledig rapport –'

'Alsjeblieft, zeg,' viel Teresa hem in de rede. 'Heb je geen ogen in je hoofd, man? Kun je niet zien wat er is gebeurd?'

'Je vergeet je plaats,' beet Messina haar toe en hij stak een vlezige arm uit om haar opzij te duwen.

Verbaasd, zo niet verbijsterd, keek Costa naar wat er vervolgens gebeurde.

Teresa Lupo voerde een in zijn ogen redelijke imitatie van de snel geplaatste rechterhoek van een bokser uit. Ze raakte Messina vol op zijn kin en wierp de grote commissario tollend achteruit in de armen van Bavetti. Die wist nog net zijn val te breken voor de man op de stenen vloer van de markt terechtkwam.

Een nauwelijks ingehouden, kabbelend gelach ging door de groep politiemensen in burger en uniform die het tafereel gadesloegen. Niemand, behalve Bavetti, stak een hand uit om de op de grond liggende man te helpen.

Teresa richtte zich tot Costa en Peroni: 'Denken jullie echt dat Leo nog in leven zou kunnen zijn?'

'Bramante had hiervoor ook geen haast hem te doden,' zei Costa stellig en hij voegde er met een blik op Messina, die half versuft op de grond lag, aan toe: 'We zouden geluk kunnen hebben. Als we hem iets te bieden hadden...'

'Zoals?' vroeg ze.

'Uitzoeken wat er met zijn zoon is gebeurd,' opperde Costa.

'Dat is belachelijk,' snauwde Messina woest, die overeind krabbelde, maar nog niet genegen was Teresa Lupo recht aan te kijken. 'Als we dat veertien jaar geleden niet konden, hoe groot is de kans nu dan?'

Ze schudde teleurgesteld haar hoofd.

'Voor u, commissario, vermoed ik dat de kans inderdaad nihil is. Silvio?'

Di Capua, die de hele situatie kostelijk vond, salueerde. Ze gooide met een soepel gebaar haar koffertje naar hem toe.

'Je weet wat je te doen staat. Controleer de plaats delict op alles wat van invloed kan zijn op die lijst van mogelijke locaties die Leo ons heeft nagelaten. Misschien kunnen we er een paar schrappen. Zodra deze heren ophouden hier met open mond rond te lopen, zullen ze naar mijn stellige overtuiging beseffen dat ze hun tijd beter kunnen besteden; dat ze niet naar de doden moeten blijven staren, maar de levenden moeten zien te vinden.'

'Akkoord,' antwoordde Silvio. 'En jij?'

Ze streek met de rug van haar grote hand over haar voorhoofd en slaakte een lange, theatrale zucht.

'Als iemand naar me vraagt... Ik heb verschrikkelijke hoofdpijn. Dames?'

De twee vrouwelijke politieagenten hielpen Rosa Prabakaran overeind. Teresa Lupo zette één grote stap in hun richting. Bruno Messina stoof ogenblikkelijk achteruit toen ze naderbij kwam.

'Ik denk,' zei ze, 'dat het tijd wordt de boel hier over te laten aan het zwakkere geslacht.'

'Jullie tweeën,' voegde ze er met een gebaar naar Peroni en Costa aan toe, 'uitgezonderd.'

5

Het ziekenhuis bleek te worden gedreven door nonnen, stille vrouwen met ernstige gezichten die druk in de weer waren en met patiënten en apparatuur en lichtgele statussen door het doolhof van eindeloze, naar alle richtingen uitwaaierende gangen liepen. Het was gevestigd in een mooi gebouw uit de renaissance niet ver van de Duomo. Het was een indrukwekkend, fraai, vierkant gevaarte dat aan de buitenkant meer op een palazzo leek dan op een oord voor de zieken, of hen die overwogen zich bij hen aan te sluiten. Arturo had erop gestaan haar te vergezellen. Ze zaten samen op harde metalen stoelen in een kleine wachtkamer met bladderende verf en roestige ramen, met uitzicht op een grijze, vochtige binnenplaats met keien die glommen van de aanhoudende regen. Er waren vier andere vrouwen vóór haar. Ze zaten geduldig te wachten met een veelzeggende bolling in hun buik, die slechts voor een deel werd bedekt door de tijdschriften waarin ze waren verdiept.

Emily Deacon, die nog slank was, en naar haar gevoel pas half gehecht aan het wezen dat binnen in haar groeide, keek naar hen en schrok onwillekeurig. Zo ben ik straks ook, dacht ze. Zo zie ik er over een paar maanden uit.

Arturo, zoals altijd zeer attent, zei: 'Dat verdwijnt allemaal weer, hoor, die extra kilo's. Meestal wel. Ik weet dat vrouwen mannen beesten vinden die alleen maar geïnteresseerd zijn in hun uiterlijk. Maar dat is niet waar. Ik kon mijn ogen niet van mijn vrouw afhouden toen ze zwanger was, en dat bedoel ik niet zoals je denkt. Ze straalde. Ik weet niet hoe ik het anders zou moeten zeggen.'

'Je voelt je anders niet zo stralend als je om zeven uur 's ochtends staat over te geven. De vervelende kanten worden mannen bespaard.'

Even keek hij gekwetst. Ze had hem verteld van het gesprek dat ze met Nic had gehad. Daarna had Arturo zelf inlichtingen ingewonnen. Het verloop van de zaak in Rome deprimeerde hem ook.

'Niet echt,' merkte Arturo op. 'Ze raken ons alleen later, op subtielere manieren. Ik wil trouwens niet dat je je zorgen maakt over Falcone. Ik weet dat het stom is om het te zeggen en dat je het toch wel zult doen. Als we straks terug zijn, wil ik niet dat je de hele dag achter de computer hangt. Of aan de telefoon. Ik trek allebei de stekkers eruit als je eigenwijs bent. En nu ik toch bezig ben,' ging hij verder, 'moet me van het hart dat Raffaela's reactie niet helemaal is wat ik ervan verwachtte. Was alles wel... goed tussen haar en Leo? Ik ben natuurlijk gewoon nieuwsgierig, dus je mag rustig zeggen dat het me niets aangaat.'

Hun verhouding was niet goed geweest, niet echt, dacht ze. Leo en Raffaela waren, toen ze uit Venetië terugkeerden, afhankelijk van elkaar geweest op een manier die, tot op zekere hoogte, onverklaarbaar was. Hij had iemand nodig gehad die hem in zijn lichamelijk zwakke periode kon verzorgen. Dat was te begrijpen. Maar de drang van Raffaela om deze rol te vervullen – een drang die naar Emily's overtuiging niet echt hetzelfde was als het hunkeren naar liefde en affectie, welke ze jaren had moeten ontberen – verbaasde haar nog steeds.

'Ik weet het niet, Arturo. Ik ben nooit zo goed in relaties geweest, tot Nic kwam.'

'Je hebt er maar één nodig. De juiste, wat moeilijk kan zijn, dat weet ik. Maar jij hebt hem al. Domme oude mannen zien dingen waar ze blind voor waren toen ze nog domme jonge mannen waren. Dat weet ik wel. Ik kijk ernaar uit om die Nic van jou te ontmoeten.'

'Ik weet zeker dat je hem aardig zult vinden.'

'Ik ook. En toch kan hij met Leo opschieten! Je gaat me toch niet vertellen dat die man is veranderd? Ik weet dat dat onmogelijk is. Hij gaat midden in de nacht de straat op omdat hij die arme jonge rechercheur wil redden voor wie hij zich verantwoordelijk voelt – hoewel hij dat niet is. En wat doet hij nog meer? Hij belt zijn geliefde om haar te vertellen dat het voorbij is. En hoe?'

Raffaela had het allemaal bij het ontbijt verteld, haar gezicht strak van woede en vergoten tranen. Daarna had ze erop gestaan met een auto terug te keren naar hun appartement in Rome om de ontwikkelingen af te wachten.

'Hij laat een boodschap voor haar achter!' verklaarde Arturo en hij maakte een weids, ongelovig gebaar met zijn handen. 'Is dat Falcones opvatting van liefde? Dat een man, voor hij de deur uit gaat voor een ontmoeting met een moordzuchtige schoft die eropuit is hem te vermoorden, naar huis moet bellen en een paar woorden moet inspreken op een antwoordapparaat om een vrouw die van hem houdt, te vertellen dat het allemaal voorbij is?'

Ze had hier al over nagedacht. Al heel wat.

'Ik denk dat hij het lief bedoelde. Leo is een beetje verlegen op het persoonlijke vlak.'

'Dat is waar. Maar snap je wat ik bedoel? Dit is precies waar ik veertien jaar geleden mee te maken had. Hij is zo koppig als een ezel, heeft geen enkele consideratie met de gevoelens van anderen en – wat nog het ergste is, het allerergste – zijn eigen hachje laat hem ook koud. Onzelfzuchtig zijn is niet noodzakelijkerwijs een deugd. Soms is het gewoon ergerlijk, een manier om tegen andere mensen te zeggen: "Jullie moeten je maar druk maken om mij, want ik vertik het."'

Ze glimlachte. Hij sloeg de spijker op zijn kop. Ze vond Arturo Messina verschrikkelijk aardig.

'En het ergste is dat je dat dan nog doet ook,' antwoordde ze. 'Ik wel. Jij ook volgens mij. Na al die jaren nog.'

'Natuurlijk! Wie wil een goed mens 's nachts zo de deur uit zien lopen, god mag weten wat tegemoet gaand? Ook al hebben we onze ruzies gehad. Maar hij had gelijk. Hij begreep Giorgio Bramante veel beter dan ik. Had ik maar geluisterd...'

'Dat zou naar alle waarschijnlijkheid niets aan de situatie hebben veranderd. Leo kon de jongen net zomin vinden als jij, toch?'

'*Meglio una bella bugia che una brutta verità.*'

'Wat?' vroeg ze.

'De laatste woorden van Ludo Torchia. Jaren geleden heb ik de arts die bij hem was op de huid gezeten tot hij ze me vertelde. Ik kon iemand het leven goed zuur maken. Neem dat maar van me aan. Leo had ze natuurlijk zelf al gehoord, maar dat wil niet zeggen dat hij er veel wijzer van was geworden.'

De vier vrouwen vóór haar waren inmiddels weg. Ze zou zo wel aan de beurt zijn.

'Ik was politieman,' ging hij verder. 'Ik was gewend aan het idee dat er lelijke waarheden bestonden. Maar bij die zaak heb ik me laten bedotten. Ik ging ondanks alles op zoek naar mooie leugens. Dat de liefde van een vader altijd volmaakt was, altijd onschuldig, vooral als het ging om een op het eerste gezicht goede, intelligente vooraanstaande man als hij.'

'We weten niet of dat niet zo was.'

'Misschien. Maar er was iets mis met Giorgio Bramante en in mijn haast weigerde ik dat in te zien. Waarom? Omdat ik het niet wilde. Omdat ik het idee niet kon verdragen, omdat ik de gedachte dat hij op de een of andere manier misschien ook schuldig was, niet kon accepteren.'

Hij legde een beetje nerveus de regenjas op zijn schoot recht.

'Leo speelde dat soort spelletjes niet. Hij had nooit hoeven leren dat ze bij het opgroeien hoorden, voor een vader, en voor een zoon. Dat beiden een paar mooie leugens met elkaar nodig hadden, omdat er zonder die verzinsels alleen somberte en treurnis overbleven om hun levens mee te vullen als er moeilijkheden kwamen. Ik had daarom destijds medelijden met Leo. Dat heb ik nog steeds. We hebben van tijd tot tijd behoefte aan een beetje zelfmisleiding.'

De deur van de spreekkamer ging open. Een verpleegkundige wenkte hen.

'Ik hoop bij god dat ze Leo vinden voor er nog meer kwaad is geschied,' voegde Arturo er snel aan toe. 'En dit is het laatste wat we over dit onderwerp zeggen tot jouw Nic hier is.'

Ze liep naar binnen en merkte dat de pijn erger was geworden door het zitten op die harde stoel. De arts was een vrouw: slank, half in de vijftig, gekleed in een donkere trui en een zwarte lange broek. Ze zag er gejaagd uit, te druk om zich met stomme, tijdverspillende vragen bezig te houden.

Na een kort gesprek over haar voorgeschiedenis vroeg de arts op gebiedende toon: 'Wat is er mis volgens u?'

'Ik heb een beetje bloed verloren. Drie dagen geleden. En vanochtend weer.'

'Dat komt wel vaker voor,' zei ze met een schouderophalen. 'Heeft uw arts in Rome u dat niet verteld?'

'Ja, dat heeft hij wel gezegd.'

'Aha. Een man. Voelt u zich bij hem op uw gemak?'

'Niet helemaal,' gaf ze toe.

De arts glimlachte.

'Natuurlijk niet. Dit is uw eerste keer. U zou een vrouw moeten hebben om mee te praten. Dat maakt alles zoveel makkelijker. Signora, er moet een reden zijn waarom u hier bent gekomen. Alstublieft.'

'Ik heb een beetje kramp in mijn zij.'

Haar gezicht veranderde van uitdrukking.

'Aanhoudend?'

'De laatste paar dagen heb ik er vrijwel voortdurend last van.'

'Hoe ver bent u?'

'Zeven weken. Acht, misschien.'

'Waar zit de pijn precies?'

Emily wees het aan met haar hand. 'Hier. Toen ik een jaar of vijftien was, is mijn blindedarm eruit gehaald. De pijn zit bijna op dezelfde plaats. Misschien...'

'U hebt maar één blindedarm.'

Ze stelde nog een paar vragen, de persoonlijke die Emily inmiddels bijna zonder erbij na te denken kon afhandelen. Het was makkelijker met een vrouw.

Toen trok de arts een grimas.

'En uw schouder? Is die stijf? Pijnlijk wellicht?'

'Ja,' zei ze, van haar stuk gebracht door de relatie die de vrouw had gelegd. Het was nooit bij haar opgekomen de twee verschijnselen met elkaar in verband te brengen. 'Ik dacht dat ik hem misschien had verdraaid.'

'Hebt u ooit een ontsteking in het bekken gehad?'

Dit kwam allemaal veel te dichtbij.

'Ik heb chlamydia gehad toen ik twintig was. Het stelde niet veel voor. Ze zeiden dat het genezen was. Ik heb antibiotica gehad.'

Ze maakte een paar aantekeningen.

'Heeft uw arts in Rome deze vragen aan u gesteld?'

'Nee.'

De vrouw knikte, stond op en haalde een injectienaald uit de witte kast bij haar bureau.

'We zullen bloedonderzoek moeten doen uiteraard. En een echo maken. Een speciale, denk ik. We hebben de juiste apparatuur hier. Uw echtgenoot?'

'Mijn partner is aan het werk.'

'Wat nou werk? Hij zou hier moeten zijn. Dit is belangrijk.'

Een uur geleden hadden ze elkaar nog gesproken. Ze had de indruk gekregen dat Nic met zijn gedachten bij de zoektocht naar Leo Falcone was. Het was onmogelijk hem daarvan af te halen.

329

'Ik heb een vriend bij me. In de wachtkamer.'

De vrouw kwam naar haar toe. Ze rook heel sterk naar ouderwetse zeep. De naald ging in haar arm. Emily verbaasde zich, zoals altijd, over de donkere kleur die echt bloed had.

'Wat is er aan de hand?'

'Dat zullen we snel weten, hoop ik. Kan uw vriend een paar dingen voor u halen?'

Ze knipperde met haar ogen.

'Moet ik blijven?'

De vrouw zuchtte en keek naar de papieren op haar bureau.

'Emily, een kind op de wereld zetten is een kansspel. In sommige opzichten is de kans dat alles goed gaat tegenwoordig groter, omdat we meer weten. Maar aan de andere kant is hij kleiner, vanwege onze gewoonten en duiveltjes als chlamydia. Sommige gebeurtenissen hebben gevolgen, lang nadat we ze vergeten zijn.'

De arts zweeg even. Emily kreeg het idee dat ze zich afvroeg of ze verder moest gaan.

'Moet u luisteren,' zei ze. 'U bent een intelligente vrouw. Ik kan me niet voorstellen dat deze gedachte niet bij u is opgekomen. Eén op de honderd zwangerschappen in onze schitterende, beschaafde wereld is buitenbaarmoederlijk. Het komt vaker voor bij vrouwen die een ontsteking in het bekken hebben gehad. De symptomen zijn... uw symptomen. Wilt u de waarheid weten?'

Nee, dacht ze. Een mooie leugen. De vrouw was intussen aan de telefoon en sprak snel, met gezag.

'Ik wil de waarheid weten,' zei ze toen het gesprek was afgelopen.

'Laten we afwachten wat er op de echo te zien is. Als er een baby in uw baarmoeder zit, prima. U blijft hier, ik hou een oogje op u en het is heel goed mogelijk dat u zich nergens zorgen over hoeft te maken. Maar u gaat hier niet weg voor ik daarvan ben overtuigd. Als de baarmoeder leeg is, dan is de zwangerschap buitenbaarmoederlijk. Uw baby zit op de verkeerde plaats, ergens waar hij niet kan overleven. In dat geval is mijn streven erop gericht dat u opnieuw zwanger kunt worden. Het ouderschap is vaak een kwestie van volhouden, en dat zeg ik als moeder.'

Ze had het koud en voelde zich zwak.

'Ik heet Anna. Noem me alsjeblieft bij mijn voornaam.'

De arts stak een slanke, gebruinde hand uit. Emily nam hem aan en voelde dat haar vingers in een warme, krachtige greep werden gevat.

'Anna,' zei ze.

'Weet je zeker dat je je vriend in Rome niet wilt bellen?'

Er stond al een non bij de deur. Ze had een grijs ziekenhuishemd en een lichtgele map bij zich. Achter haar zag ze Arturo Messina. Hij leunde opzij om in de kamer te kunnen kijken. Zijn gezicht stond nieuwsgierig, zorgelijk, en voor de verandering beduusd.

Maar het enige waar zij aan kon denken was Nic, Nic die een onderzoek dat aan alle kanten vastliep, uit het slop probeerde te trekken, doodsbenauwd vanwege de verdwijning van Leo Falcone, een man die, zoals ze lang geleden al had ingezien, een soort plaatsvervangende vader voor hem was geworden.

'Ik weet het zeker,' zei ze.

6

Ze zaten bij de markt in Testaccio om de hoek in een groot, stil café in drie uitstekende koppen koffie te roeren. Teresa had al gewenkt voor een nieuwe en knabbelde gulzig aan een tweede hazelnootgebakje met honing ter grootte van haar vuist.

'Nou, dat hebben we dan gehad,' zei Peroni, 'En aan welke carrière dacht je nu? Mediator bij een bemiddelingsbureau of zo? Je weet wel wat ik bedoel. Twee mensen die elkaar niet kunnen luchten of zien komen de kamer binnen en jij zegt dat ze moeten beloven dat ze enorm van elkaar zullen gaan houden, omdat je ze anders een oplawaai verkoopt.'

'Messina, Messina,' kreunde ze, waarna ze even zweeg voor een grote hap van het gebakje. 'Ik heb het je gezegd. Die man is gedoemd te mislukken. Ik schop niet graag iemand die al op de grond ligt, maar een klein duwtje moet kunnen. Vinden jullie ook niet? Deze vrouw steekt haar nek uit voor Italië, jongens. Ik heb vanochtend mijn mond stevig geroerd, bij mensen met wie jullie niet eens zouden durven praten. Messina heeft nog drie dagen, vier misschien, meer niet. Hoe het ook afloopt: als dit voorbij is, wordt hij naar Ostia overgeplaatst, mag hij notulen gaan maken voor het comité dat de volgende generatie parkeerbonnen ontwerpt. Naar mijn mening overschatten ze dan nog zijn capaciteiten, maar voorlopig laat ik het maar zo.'

In een tijdsbestek van tien minuten hadden ze veel voor elkaar kregen. Nu ze los waren van de Questura, aan niemand verantwoording verschuldigd, was het makkelijker snel te handelen. Toen ze de markt uit liepen, had Teresa een resumé gegeven van de groeiende ontevredenheid over Messina in de hogere regionen van de Questura. Daarna hadden ze, na kort de opties te hebben doorgenomen, drie telefoontjes gepleegd naar bekende journalisten die bij hen favoriet waren: radio, tv, en een dagblad. Het was belangrijk dat het nieuws snel bekend werd. Op één punt waren zij en Bruno Messina het eens. Zolang er geen lijk was, gingen ze ervan uit dat Leo Falcone in leven was. Bramante had Prabakaran en Uccello meer dan twaalf uur in handen gehad. Hij was geen man die zich liet opjutten.

'Denk je echt dat dat verzinsel over een nieuwe aanwijzing met betrekking tot zijn zoon Bramante ervan zal weerhouden Leo iets aan te doen?' vroeg ze.

Het verhaal, dat puur fantasie was, zou binnen een uur een van de hoofdpunten van de nieuwsuitzendingen op radio en tv zijn en in de middageditie van de kranten staan.

Costa haalde zijn schouders op.

'Een tijdje misschien. Het kan in elk geval geen kwaad. Bramante zal op zijn minst nieuwsgierig zijn. Leo dacht dat de man ermee zou willen ophouden als hij maar wat wist. Bovendien beseft hij heus wel dat wij niet veel tijd zullen besteden aan een onderzoek naar wat er met Alessio is gebeurd als hij een politie-inspecteur vermoordt.'

'Leo is zichzelf niet,' merkte Peroni op.

'Dat weet ik nog zo net niet,' zei Costa.

'Nic,' zei Teresa, geschokt. 'Hij is midden in de nacht de straat op gegaan om dat arme meisje vrij te krijgen. Wie zegt dat die schoft ze niet allebei wilde vermoorden?'

Peroni gaf antwoord.

'Nee. Dat zou Bramante nooit doen. Hij is slecht, maar slecht binnen zijn eigen regels. Die vermoed ik zeer rigide zijn.'

'Hij heeft die Rosa gekidnapt!' wierp ze tegen. 'En al die anderen! Zo'n man is het!'

Costa herinnerde zich wat Falcone had gezegd toen hij de vorige avond wegging. Achterhaal alle informatie over Bramante uit de tijd voor de nachtmerrie begon. Hij had een paar minuten met de database zitten stoeien voor Prinzivalli alarm sloeg.

'Ja, zo'n man is het,' beaamde Costa. 'Of althans dat zou hij kunnen zijn. Leo heeft me gevraagd na te gaan of we iets hadden over hem vóór Alessio verdween.'

'En?' vroeg Peroni.

Costa trok een grimas.

'Het is nogal irrelevant. Er waren een paar jaar eerder twee klachten van seksuele intimidatie ingediend door studenten.'

'Iemand die we kennen?' wilde Teresa weten.

'Nee. Ze wilden hem niet vervolgen ook. Iemand is met de universiteit gaan praten en kreeg daar het gebruikelijke relaas. Studenten verzonnen dat soort verhalen aan de lopende band. Het was hoe dan ook moeilijk te bewijzen.'

'Daar worden we niet veel wijzer van, Nic,' merkte Peroni teleurgesteld op. 'Waarschijnlijk komt het ook heel vaak voor.'

'Hoe vaak?' was Costa's reactie. 'De politieman die naar de universiteit werd gestuurd, ontdekte dat er ook andere klachten over seksuele intimidatie waren geweest. Die hadden ze intern afgehandeld. Ze zeiden dat ze de details niet konden vrijgeven. Om juridische redenen. De twee vrouwelijke studenten die bij ons een klacht hadden ingediend, wilden de zaak niet laten voorkomen. Slecht voor hun toekomst. Dus daar hield het op.'

Costa roerde in de drab in zijn kopje en onderdrukte de neiging nog een koffie te bestellen. Zelfs als Bramante een seksueel delinquent was, kon je je afvragen hoe die kennis hen kon helpen bij hun huidige probleem: uitzoeken wat er met de zoon was gebeurd. Hoewel het de hebbelijkheid van zijn vrouw met messen misschien wel verklaarde.

'Hoelang zal het duren voor ze Leo's lijst met locaties hebben afgewerkt?' vroeg Teresa.

'Een dag, twee misschien,' zei Peroni. 'Het zal een langdurig en vermoeiend karwei worden.'

'Ik zou niet twee dagen met Leo ergens onder de grond opgesloten willen zitten,' mompelde ze. 'Ik zou gek van hem worden en dan vind ik hem tegenwoordig nog wel aardig. Ik kan er bij Silvio op aandringen dat hij het aantal moet terugbrengen. Misschien komt Rosa met iets. Maar we hebben niet veel tijd, heren.'

Toch... Costa worstelde nog steeds met een onduidelijk aspect van de zaak.

'Stel nou dat hij uiteindelijk niet op Leo uit is,' opperde hij. 'Dat hij alleen de manier is om het te krijgen.'

'Bedoel je Alessio?' vroeg Teresa, terwijl ze haar grote neus op een bepaalde manier optrok, zoals hij haar al vaak had zien doen: een uitdrukking van puur ongeloof.

'Misschien. Ik weet niet wat ik bedoel. Alleen, als hij enkel op de dood van Leo uit was, zou het inmiddels naar mijn idee al gebeurd zijn. Gisteren of eergisteren. En ik denk bovendien' – hiervan was hij overtuigd – 'dat Leo dat idee ook heeft. Hij was ergens benieuwd naar. Naar wat Bramante werkelijk drijft. Dat is hij al die tijd geweest en dat wilde hij ons niet laten merken.'

'Te veel gepraat,' merkte Peroni op. 'We hebben geen last meer van Messina. We kunnen doen wat we willen. Dus wat wordt het? Terug naar die heuvel?'

'Alessio is niet in die heuvel,' antwoordde Costa. 'Ik denk ook niet dat hij daar destijds was, niet toen ze naar hem op zoek waren. Dan hadden ze hem gevonden.'

'Waar dan?' vroeg Teresa somber.

'Stel nu dat Alessio om de een of andere reden niet terug naar huis durfde?'

Ze trokken een bedenkelijk gezicht.

'Laat me even uitpraten,' zei hij en daarna schetste hij zijn gedachtegang.

De meeste wegen vanaf de top van de Aventijn zouden voor Alessio Bramante niet aanlokkelijk zijn geweest. De Clivo di Rocca Savella was ongetwijfeld te steil en aan alle kanten ingesloten en zou een bang kind dat voor zijn eigen vader vluchtte daarom niet aanspreken. De straten die naar de Via Marmorata in Testaccio leidden zou hij niet hebben durven nemen omdat ze te dicht langs zijn eigen huis liepen.

Hij kon eigenlijk maar één kant op zijn gegaan: naar het Circus Maximus en de enorme menigte die daar op dat moment was verzameld, een zee van mensen waar een angstig jongetje stellig in kon verdwijnen.

'Hij zou in het vredeskamp terecht zijn gekomen. Hij kon nergens anders heen.' Costa keek even naar Teresa. 'Emily vertelde me dat jij aan dat soort dingen hebt meegedaan toen je jong was. Ze dacht dat je er misschien bij was geweest.'

Teresa Lupo bloosde onder de verbijsterde blik van Peroni. Costa begreep onmiddellijk dat dit stukje van haar verleden bij hen nog niet aan de orde was geweest.

'Ik had destijds een rebels trekje,' bekende ze. 'Dat heb ik nog steeds. Ik weet het alleen goed te verbergen.'

'O ja, joh?' zei Peroni met een gelaten zucht. 'Was je erbij toen ze dat vredeskamp hielden?'

Ze huiverde.

'Nee. Sorry. Ze hadden me gevraagd. Maar ik was op dat moment in Lido di Jesolo waar ik een zeer klein tentje deelde met een harige medische student uit Ligurië die – ten onrechte, laat ik dat wel zeggen – meende dat hij een godsgeschenk was voor het vrouwelijk geslacht.'

Peroni schraapte zijn keel en bestelde nog een kop koffie.

'Zelfs Lenin had wel eens vakantie, Gianni,' zei ze ter verdediging.

'Niet met harige medische studenten in een tent,' bromde Peroni.

'Lieve hemel,' snauwde ze. 'Neem me niet kwalijk, zeg. Ik had een leven voor we elkaar leerden kennen. Sorry, hoor. We bestonden allemaal al een tijdje. Of niet soms? Wat deden jullie veertien jaar geleden? Nee, laat maar, Nic. In jouw geval weet ik het antwoord wel. Jij zat op school. En jij?'

Peroni keek hoe zijn macchiato werd gemaakt met de zilverkleurige machine.

'Wij hadden pas ons tweede kind gekregen. Ik was net als Leo een sovrintendente die op wilde gaan voor het inspecteursexamen. Ik had drie weken ouderschapsverlof, meer dan me toekwam, maar een paar hoge jongens stonden bij me in het krijt. Het was prachtig weer, van mei tot september, aan één stuk door. Ik weet het nog precies. Ik dacht...' Hij trok een grimas. 'Het leven was nog nooit zo mooi geweest en ik dacht dat het gewoon altijd zo verder zou gaan.'

Costa herinnerde zich dat jaar ook. Het was het jaar dat zijn vader mysterieuze afspraken met artsen begon te maken, het begin van een stapsgewijze, onopvallende persoonlijke tragedie die zich over meer dan tien jaar zou uitstrekken.

'Het was een mooie zomer,' beaamde ze. 'Behalve als je toevallig aan de andere kant van de Adriatische Zee woonde. Ik heb twee weken in die stomme tent gezeten, met een lul die ik niet eens aardig vond. Weet je waarom? Ik kon er niet meer tegen. Alle verschrikkingen uit die tijd. Ik wilde er niet aan denken. Het was nog niet zo lang geleden dat de Berlijnse Muur was gevallen en we hadden allemaal een paar jaar zitten wachten op het wereldomvattende paradijs van geluk en overvloed. En wat kregen we? Oorlogen en bloedbaden. Elke dag een beetje meer gekte. Gewoon een klein lokaal conflict op de Balkan, een kleine herinnering aan het feit dat de wereld niet het veilige, prettige oord was waar we allemaal van droomden. Sindsdien is de tijd omgevlogen en ik kan me met de beste wil van de wereld niet veel herinneren van wat er in die tussenliggende jaren is gebeurd.'

Ze schudde haar hoofd.

'Ik zat in die tent omdat ik de boel wilde ontvluchten. Sorry.'

'Maakt niet uit. Het was een wilde gok.'

'En of. Er moeten daar duizenden mensen zijn geweest!'

Dat had Costa ook nagekeken.

'De autoriteiten zeiden tweeduizend. De actievoerders zeiden tienduizend.'

'De autoriteiten liegen. Dat doen ze altijd.'

Ze at het laatste stukje van haar gebakje op.

'Maar tien is wel wat veel. Dacht je echt dat ik me een kind zou herinneren dat er een beetje verloren bij liep? Je bent niet bij veel demonstraties geweest, hè? Daar zie je allemaal verdwaalde kinderen, van alle leeftijden. Het is net het echte leven, alleen uitvergroot. Chaos van begin tot eind.'

'Dat zal best...' zei hij peinzend.

Peroni staarde naar zijn nieuwe kop koffie. 'Wat gaan we nu doen?'

Falcone zou meer bereikt hebben. Hij zou niet alleen bedacht hebben waar Alessio naartoe kon zijn gegaan. Hij zou vooruit hebben gekeken, geprobeerd hebben na te gaan of dit feit uit de wazige, verloren gegane wereld van veertien jaar geleden tevoorschijn kon worden gepeuterd.

'Er zijn natuurlijk foto's genomen voor de krant,' zei Costa, bijna zonder nadenken. 'We zouden in de krantenarchieven kunnen kijken.'

'Nic,' kreunde Peroni. 'Hoeveel tijd kost dat wel niet? En hoe behulpzaam zullen ze zijn voor twee politiemensen buiten dienst en een nieuwsgierige patholoog-anatoom?'

'We hebben net drie journalisten een geweldig verhaal gegeven!' wierp Teresa tegen.

'Daar hadden we onze eigen redenen voor,' ging Peroni verder. 'Ze zijn niet achterlijk. Ze denken heus niet dat we dat uit liefdadigheid hebben gedaan.'

'Aasgieren,' foeterde ze, zo hard dat de ober geschrokken hun kant op keek.

'Aasgieren vervullen een nuttige sociale functie,' merkte Peroni op. Toen zat Teresa echter al met grenzeloos enthousiasme op haar stoel op en neer te wippen, zodat de kruimels van haar gebakje alle kanten op vlogen.

'Jullie tweeën hebben echt een beschermd bestaan geleid. De media zijn meer dan een stelletje politieke meelopers in snelle pakken. Wat dachten jullie van de radicale pers? Die was er beslist bij.'

Peroni schonk haar zijn meewarigste blik.

'Je bedoelt langharige mensen zoals dat individu waar je een tent mee deelde? Teresa, luister nou eens, lieverd. De radicale pers haat ons nog meer dan de rest.'

'Niet,' zei ze sluw, 'als je in gezelschap van een kameraad bent.'

7

De krant was gevestigd in een klein kantoor op de eerste verdieping boven een dierenwinkel in de Vicolo delle Grotte, een halve minuut lopen van het Campo dei Fiori, in een deel van Rome dat in rap tempo werd ingenomen door expats en toeristen. Mopperend beklom Costa de steile binnentrap. Een paar jaar geleden had hij hier vlakbij gewoond en had de huur toen al bijna niet kunnen opbrengen. Hij mompelde iets in de trant van dat dit een kostbaar onderkomen was voor een weekkrant die ten doel had de onderdrukte massa te bevrijden.

'Je begrijpt het patricische slag van Italiaanse socialisten verkeerd,' verklaarde Teresa. Kennelijk popelde ze om het contact met dit verloren stuk van haar verleden te herstellen en ze liep met twee treden tegelijk de trap op. 'De bedoeling is het proletariaat tot hun standaard te verheffen, niet zelf af te zakken naar het niveau van het plebs.'

Boven aan de trap stond een lange, broodmagere, wat oudere man met een lang, aristocratisch gezicht en dunner wordend, onhandelbaar grijs haar. In zijn benige handen had hij een dienblad met vier volle wijnglazen. Het moest nog elf uur worden.

'Als het carabinieri waren zou ik ze niet binnenlaten, hoor,' verklaarde hij met een schelle stem waaraan je kon horen dat hij van hoge komaf was. 'Ik heb nog altijd principes. Ik ben Lorenzo Lotto. Ja, ik weet wat jullie denken. Is dit die vent waar je zoveel over leest in de krant? Rijke zoon uit dat geslacht van smerige onderdrukkers dat Veneto vervuilt met zijn fabrieken? Ja, inderdaad. Ze zouden iets beters moeten zoeken om over te schrijven. Je kiest je eigen ouders niet uit.'

Hij duwde hun het blad onder de neus.

'Ik dacht eigenlijk aan de schilder,' zei Costa.

De kraaloogjes van Lotto namen hem van top tot teen op.

'Wat uitzonderlijk, Teresa,' verklaarde de man. 'Echt iets voor jou om die ene politieman in Rome te vinden die nog een beetje hersens heeft. Die Lorenzo is berooid gestorven en schilderde op het laatst cijfers op ziekenhuisbedden om zijn brood te verdienen, hoewel hij een beter mens – en een betere kunstenaar – was dan Titiaan. Ik ben maar een revolutionair, een klein maar belangrijk radertje in het proletarische geheel. Drink op, jongen. Tem dat intellect van je, anders zit je straks de rest van je leven paperclips te tellen in de Questura.'

'Het is een beetje vroeg voor ons, Lorenzo,' merkte Teresa op.

'Kom, kom. Deze is afkomstig van de privéwijngaard van dat smerige geslacht. Je kunt hem niet eens in de winkel kopen. Bovendien moet men altijd alcohol drinken bij een ontmoeting met een voormalige geliefde. Het verdooft de zintuigen en God weet dat we dat allebei nodig hebben.'

Teresa bloosde.

'Het wordt steeds mooier vandaag,' bromde Peroni en hij liep voor hen uit naar binnen.

Ze hadden vooraf gebeld om te vragen welk materiaal de krant had uit de jaren negentig. Teresa had hoopvol geklonken. *La Crociata Populare* was, zijn naam ten spijt, niet populair, hoewel de welgestelde eigenaar de strijd niet opgaf. Maar er werd zeer zorgvuldig omgesprongen met de veertigjarige historie van de krant en de bladzijden werden niet uitsluitend gevuld met eindeloze kolommen onleesbare, dichte tekst. Verschillende bekende fotografen waren hun carrière begonnen bij Lorenzo Lotto, voor een hongerloontje, het absolute minimum. Zelfs Pasolini had tijdens de korte bloeiperiode van de krant, in het begin van de jaren zeventig, soms materiaal aangeleverd.

Toen Lotto hen rondleidde over de zogenaamde redactie – een armoedig vertrek met vier bureaus, waarvan drie onbezet – begon Costa de hoop op te geven. Hij had *La Crociata* zelf af en toe gelezen. De foto's waren goed. En talrijk. Er moest toch een hele bibliotheek zijn om alle negatieven, contactafdrukken en afdrukken uit de loop der jaren onder te kunnen brengen.

Lotto nam hen mee naar de hoek waar het enige zichtbare personeelslid, een kleine, enigszins timide jonge vrouw, voor een enorm beeldscherm zat te werken aan iets wat eruitzag als het volgende nummer. Een kop over de corruptie van de overheid knalde in felrode, dikke letters van het scherm af.

'Katrina,' zei hij zacht. 'Het is de hoogste tijd dat je gaat winkelen.'

Haar ogen vlogen verbijsterd, met een zeker ontzag, naar zijn gezicht.

'Hier.'

Lotto stak een hand in zijn zak en haalde er een stapel bankbiljetten uit. Ze nam ze aan, glimlachte en draafde naar de deur.

'De herverdeling van rijkdom,' zei Lotto kalm. 'Ik betaal ze wat de vakbonden eisen. Maar het zijn in feite mijn kinderen. De enige die ik heb.'

'Foto's, Lorenzo,' herinnerde Teresa hem.

'Ik weet het.'

Hij drukte op een paar toetsen en gebaarde dat ze dichterbij moesten komen. Op Lotto's verzoek nam Costa plaats op de stoel van Katrina en keek naar het scherm. Er stond iets met de titel 'Bibliotheek' op. Hij klikte erop en zag een invoerformulier.

'En nu?' vroeg hij.

'De staat zal ten onder gaan door de onbekendheid met de moderne technologie,' merkte Lotto op. 'Als ik een kind van dertien van de straat pluk, zou hij er nog meer van afweten dan jij.'

Sleutelwoorden, dacht Costa. Aanwijzingen. Die voerde je in. De stomme computer probeerde te raden wat je bedoelde.

'Elke foto die ooit door onze handen is gegaan, zit ergens daarin opgeslagen,' pochte Lotto. 'Niet alleen de foto's die we hebben gepubliceerd. Alles. Van drieënveertig jaar. Het heeft me een fortuin gekost. Maar zonder die database zou zelfs ik deze zaak niet drijvende kunnen houden, ben ik bang.'

'Ben je nu een fotoagentschap?' vroeg Teresa.

'Ook... En waarom niet? Engels was kantoorbeambte in Manchester toen hij in het onderhoud van Marx en zijn gezin in Londen voorzag. Vlijt en investeren, Teresa. Uit de mode, ik weet het...'

Costa typte: *vredeskamp*.

Er verschenen piepkleine footootjes op het scherm. Het leken er wel een miljoen.

'Typisch lui liberaal denken,' verklaarde Lotto. 'Dialectisch materialisme, jongen. Ideeën komen uitsluitend voort uit heel concrete materiële omstandigheden. Niet uit vage algemeenheden.'

'U lijkt mijn vader wel,' snauwde Costa.

'Ah,' antwoordde Lotto, hartelijk, voor het eerst. 'Ik dacht al dat jij het was.'

Hij boog zich naar Costa toe en fluisterde in zijn oor.

'Weet je een jaartal?'

'Uiteraard.'

'En een datum?'

'Exact.'

'Mooi. Waarom probeer je dat niet?'

Costa voerde de exacte datum in.

Het scherm stroomde weer vol, met evenveel foto's.

Lotto boog zich naar voren en keek naar het scherm.

'We hadden in die tijd vijf verschillende fotografen die materiaal aan ons leverden. Iedereen wil zijn foto in de krant, nietwaar?'

'Hoeveel?' vroeg Costa.

'Kijk dan naar het scherm! Achthonderdachtentwintig. Dertien rolletjes van zesendertig opnamen, inclusief de onbelichte en de mislukte natuurlijk. Het kost meer om die ertussenuit te halen dan om ze erin te laten zitten. Je mag jezelf nog gelukkig prijzen. We zijn nu helemaal digitaal. Vergeet de kwaliteit, maar denk eens aan de aantallen. Het zou tien keer zoveel zijn als je een recente foto zocht.'

Costa klikte op de thumbnail van de eerste foto. Hij vulde in één klap het hele scherm. Wat ze zagen had van alles kunnen zijn. Een rockconcert. Een demonstratie. Een weekendkamp. Honderden en nog eens honderden mensen, rustig, schijnbaar tevreden in de zon.

'En het tijdstip?' vroeg Costa.

'Sorry. Dat werd nooit op film vastgelegd.'

'En als je nou tegen dat ding zegt: "Zoek een jongetje voor me in een bijzonder T-shirt?"' vroeg Teresa.

'Het is een apparaat,' zei Lotto streng. 'Drinken jullie mijn prosecco nog op, of hoe zit het?'

'Straks,' zei ze.

Hij bromde iets onverstaanbaars en liep weg. Teresa en Peroni pakten allebei een stoel erbij en begonnen naar de hopen thumbnails op het scherm te kijken.

'Als we er vijf per minuut kunnen bekijken, zijn we in minder dan drie uur klaar,' zei Peroni, op een toon alsof dat goed nieuws was.

Costa begon door de rolletjes van de eerste fotograaf te klikken. Zeker een derde van de door Lotto's apparaten gedigitaliseerde

opnamen waren niet te gebruiken: onscherp, per ongeluk genomen. Het overgrote deel van de rest was nietszeggend. Een paar
waren zonder meer mooi: scherpe, opmerkzame, onopgesmukte
foto's van mensen die niet wisten dat de camera er was; spontane
foto's waarop de oorspronkelijke zomerse kleuren, bevroren in de
tijd, nog straalden.

Na een halfuur drukte Costa, wiens rechterhand moe begon te
worden, op de toets en toverde weer een ander rolletje op het
scherm. Het licht op de foto's was nu anders, later, goudkleuriger,
het soort licht dat op Rome viel als de dag ten einde liep.

Hij klikte nog vijf opnamen door en stopte toen. Een moment zeiden ze geen van allen iets.

Het kind stond midden op de foto en voor de verandering was dit
een onderwerp dat recht in de camera keek. Hij had het T-shirt dat ze
allemaal met deze zaak waren gaan associëren nog aan, met de zevenpuntige ster van de Scuola Elementare di Santa Cecilia. Dit was
Alessio Bramante, ergens aan het begin van de avond van die nood-
lottige dag, toen iedere politieman in Rome, staatspolitie en carabinieri, naar hem op zoek was.

Hij hield de hand vast van een onverzorgde, zwaarlijvige vrouw
van middelbare leeftijd. Ze had een wezenloze, nogal beduusde uitdrukking op haar nietszeggende, kleurloze gezicht. Ze droeg zo'n
lange roze katoenen hemdjurk die Costa bij dit soort evenementen
verwachtte, en grote sandalen. Naast haar stond een graatmagere, zo
te zien ziekelijke man van een jaar of vijftig, misschien ouder, met een
smal, gebruind gezicht en een vlassige baard in dezelfde kleur grijs
als de paar op zijn schedel geplakte plukken haar.

Geen van beiden kwam hem enigszins bekend voor van foto's van
getuigen of andere bij de zaak betrokken individuen die Costa had
gezien en in zijn hoofd had proberen te prenten.

Maar dat was niet het ergste. Peroni bracht het onder woorden.

'Allemachtig,' zei de grote man met een zucht. 'We hebben het al
die tijd bij het verkeerde eind gehad, nietwaar?'

Ze staarden naar het scherm, blij dat hij de moed had het te zeggen.

'Ik dacht dat we op zoek waren naar een lief kind,' maakte Peroni
hun gedachtegang af.

'Het is maar één foto,' waarschuwde Teresa hem.

En of. Eén foto van een kind, niet ouder dan zeven, dat zich omdraaide om in de camera te kijken. Het had zijn gezicht vertrokken in

een uitdrukking van pure haat, van een onvoorstelbare, woordeloze agressie recht in de lens gericht.

'Hij was Giorgio's zoon,' merkte Peroni op.

'Misschien is hij dat nog steeds,' voegde Costa er zacht aan toe.

8

In de Questura kreeg Bruno Messina intussen het gevoel dat hij de touwtjes weer in handen had. Hij zat aan het hoofd van de tafel in zijn eigen vergaderkamer, een kleiner, intiemer vertrek dan de grote zaal waar Falcone altijd met zijn staf overlegde. Messina geloofde in delegeren, in strak toezicht op zijn directe ondergeschikten die zijn wensen, en hete adem, vervolgens – in het gangbare jargon – 'cascadeerden' naar de mensen onder hen.

Bavetti was er met twee mensen van zijn keuze, evenals Peccia, het hoofd van de speciale wapeneenheid en zijn plaatsvervanger. De forensische afdeling had, tot Messina's grote ergernis, besloten zich te laten vertegenwoordigen door Silvio Di Capua van het pathologisch lab, in plaats van de afwezige Teresa Lupo. Hij zou, dacht hij, wel eens een hartig woordje met haar spreken. Er hing een opstandige sfeer in dat gedeelte van de Questura en dat was ongetwijfeld voor een groot deel aan haar te wijten. Formeel vormden ze echter een aparte afdeling, die verantwoording aflegde aan burgerlijke autoriteiten. Het zou hem enige tijd en overredingskracht kosten om daar iets voor elkaar te krijgen.

Di Capua had een slungelige, kale, merkwaardig uitziende kerel van de universiteit meegenomen naar de vergadering. Hij stelde zichzelf voor als 'doctor Cristiano'. Dit vreemde stel was aan komen zetten met een laptop, een stel kaarten van de stad en een rapport dat de vorige avond voornamelijk door Peroni was opgesteld.

'Ik wil er nog eens nadrukkelijk op wijzen,' zei Messina, die de vergadering opende, 'dat mijn eerste prioriteit in dit onderzoek de veilige en snelle vrijlating van inspecteur Falcone is. We zullen niets sparen om dat te bereiken. Geen geld, geen middelen. Is dat begrepen?'

De politiemensen knikten ernstig.

Silvio Di Capua, die duidelijk veel had opgestoken van zijn bazin, sloeg zijn ogen ten hemel en verklaarde: 'Nou ja, zeg! Haalt u me van mijn werk om me dat te vertellen?'

'Ik wil dat onze prioriteiten duidelijk zijn,' hield Messina vol.

'De levenden – als Leo inderdaad nog leeft – gaan vóór de doden. Dat zal ik in het vervolg proberen te onthouden.'

'Wat hebben we, Bavetti?' zei Messina om hem de mond te snoeren.

De inspecteur schraapte zijn keel en zette zijn officiële stem op.

'Prabakaran wordt door twee gespecialiseerde vrouwelijke agenten ondervraagd. Dat is een langzaam proces waarvoor geduld nodig is, zoals voorzien in de procedures.'

'Ik wil niet dat het te langzaam gaat en te lang duurt,' merkte Messina op.

'Natuurlijk niet.'

'Heeft ze al iets gezegd?'

'Ze zegt heel veel, commissario. De agent is uitzonderlijk behulpzaam in de omstandigheden. Prabakaran is een dappere en plichtsgetrouwe politievrouw –'

'Ik vind het vervelend de hagiografie te moeten onderbreken,' interrumpeerde Di Capua, 'maar heeft ze toevallig enig idee waar ze werd vastgehouden?'

'Zover zijn we nog niet,' zei Bavetti, van zijn stuk gebracht omdat hij door iemand van de forensische afdeling ter verantwoording werd geroepen.

'Wat stel je haar dan in godsnaam voor vragen?' wilde Di Capua weten.

'De vrouw is verkracht. Ze is in gezelschap van twee agenten die speciaal zijn opgeleid voor dit soort gevallen. Ze nemen heel voorzichtig door wat er is gebeurd –'

'Prima,' ging de patholoog-anatoom verder. 'Mag ik dan twee dingen opmerken? Ten eerste weten we dat ze is verkracht en we weten wie het heeft gedaan. Ten tweede wordt Falcone vermist. Die arme vrouw vragen stellen over de verkrachting is niet zo zinvol als we hem willen vinden. We hebben locaties nodig. We hebben feiten nodig.'

Bavetti haalde zijn schouders op.

'Volgens de procedures –'

'Rot toch op met je procedures!'

Di Capua keek smekend naar Bruno Messina.

'Hoe,' vroeg hij bars, 'denkt u dat ze zich zal voelen als Leo het er niet levend afbrengt? Met name als er ergens in haar hoofd iets verstopt zit wat hem had kunnen redden?'

Messina knikte.

'Hij heeft een punt,' zei de commissario. 'Met de gebruikelijke charme van de forensische afdeling naar voren gebracht, moet ik zeggen, maar hij heeft een punt.'

'Dank u wel,' hernam Di Capua en hij knikte naar Peccia en zijn collega. 'Nu die mensen van de wapeneenheid. Leg uit.'

'Wij zijn hier op verzoek van commissario Messina,' antwoordde Peccia koeltjes.

'Waarvoor? Voor een schietoefening? We hebben geen flauw idee waar Giorgio Bramante is. Moeten jullie nu echt op dit moment cowboytje gaan spelen?'

Messina's gezicht liep rood aan.

'Als Leo Falcone nog in leven is wil ik dat zo houden. Koste wat het kost. Als we hem opgespoord hebben, ga ik niet met dat monster in de slag. Als ze hem goed onder schot kunnen krijgen, gaat hij eraan.'

Peccia knikte en keek alsof dat idee hem wel aanstond.

'Zijn er geen "procedures" voor het neerschieten van mensen?' vroeg Di Capua sarcastisch.

'Vergeet de –' begon Messina, maar hij corrigeerde zichzelf. 'Je bent hier om een forensische bijdrage te leveren. Verder niets. Heb je iets te melden?'

Di Capua pakte de stapel papier voor hem op en smeet hem op tafel.

'Het rapport van Peroni –'

'Van het rapport van Peroni worden we niets wijzer,' merkte Bavetti op. 'Het is een lijst met ondergrondse locaties waar Bramante de afgelopen week op een bepaald moment geweest zou kunnen zijn. Het is een schot voor de boeg.'

'Dat zijn de meeste dingen,' antwoordde Di Capua. 'Vertel het ze maar, Cristiano.'

Doctor Cristiano trommelde achteloos op het toetsenbord van de computer en zei: 'We weten aan de hand van de planaria die we al hebben, dat de plaats die is gebruikt om het lichaam uit Ca' d'Ossi te bewaren, zich ergens bevindt waar de universiteit nog nooit naar genetisch materiaal heeft gezocht. Gisteravond hebben uw agent en ik geprobeerd het aantal archeologische locaties op de lijst die aan deze beschrijving zouden kunnen voldoen, te reduceren. Getalsmatig komt het neer op –'

'Dagen werk,' zei Bavetti. 'Weken. En waarvoor?'

'Om een van de weinige feiten waarover jullie beschikken na te trekken,' zei Di Capua. 'Het lijk uit Ca' d'Ossi werd bewaard op een plaats die bekend was bij Bramante, in de buurt van water, met een platwormenpopulatie die niet door La Sapienza is geregistreerd. Wat doen jullie dan?'

Bavetti nam het op zich het onderzoek te verdedigen.

'Buurtonderzoek. In heel Testaccio en op de Aventijn. Iemand moet hem hebben gezien. Eén aanknopingspunt is alles wat we nodig hebben.'

Di Capua sprong bijna uit zijn stoel.

'Wat? Een wónder is alles wat jullie nodig hebben! Denk je dat hij in een huurhuisje in Testaccio op jullie zit te wachten? Wat weten we van deze man? Denk nou eens na. Hij doet alles onder de grond. Leven. Moorden. Plannen voorbereiden ook, denk ik. Dat is zijn terrein. Uit het zicht in een ondergrondse stad die wij niet eens kennen. En jullie doen een buurtonderzoek, laten mensen foto's zien? Ongelooflijk.'

De man van La Sapienza schudde zijn kale hoofd en zei: 'Heren, ik ben geen expert in deze zaken. Maar het lijkt me een beetje onlogisch.'

'Wat doet die engerd verdomme hier?' vroeg Peccia woest.

'Hij probeert jullie iets te vertellen,' snauwde Di Capua. 'Luister naar me en probeer het te begrijpen. Jullie weten niets, wij weten niets. Maar het niets dat wij weten is kleiner dan het niets dat jullie weten, en ik denk dat we het nog kleiner zouden kunnen maken. Zo klein dat het met een beetje hulp en een beetje geluk misschien op een bepaald moment iets zou kunnen worden.'

Messina luisterde inderdaad.

'Wat wil je dat we doen?'

'Prabakaran weet waar ze is gekidnapt. Ze moet enig idee hebben hoe lang het duurde om er te komen achter in dat busje. Vraag dat. Het is een begin.'

De commissario zweeg een moment, richtte zich vervolgens tot Bavetti en mompelde: 'Ga vragen.'

'Commissario. De bedoeling is dat het slachtoffer de mogelijkheid krijgt haar verhaal –'

'Ga vragen!'

De daaropvolgende vijf minuten gebruikte Messina om te luisteren naar een uitgebreidere uitleg van het rapport waar Peroni de vorige avond aan had gewerkt. Terwijl hij dat deed was hij zich bewust van een onprettig inzicht: hij had Peroni's ideeën verworpen omdat ze onderdeel waren van Falcones onderzoek, zo'n vergezochte, fantasievolle sprong die in zijn ogen kenmerkend was voor de inspecteur. Hij was jaloers op dat talent en dat had zijn gedrag beïnvloed. Het was slecht politiewerk. Erger nog: het was slecht leiderschap.

Bavetti kreeg een telefoontje terug. Ze wachtten en luisterden.

Hij legde de telefoon neer en zei: 'Bramante is om te beginnen ergens met haar naartoe gereden wat daar vlakbij was.'

'Dichtbij?' vroeg Di Capua ongelovig. 'Kom bij mij niet met woorden als "dichtbij" aanzetten. Minuten? Seconden.'

'Eén minuut. Twee hoogstens.'

'Dus ze waren nog in Testaccio? In de buurt van de markt?' vroeg Di Capua en hij vouwde een kaart van de stad open op tafel.

'Ja. Daarna, veel later, 's avonds, hebben ze niet meer dan een minuut of acht à tien gereden.'

'Hard, of was er veel verkeer?' wilde Di Capua weten.

'Heel hard. Zonder te stoppen. Heuvelopwaarts, daarna heuvelafwaarts.'

Toen hij dat hoorde, moest de jonge patholoog-anatoom glimlachen.

'Hij ging van Testaccio door naar de Aventijn. Daar is hij bekend.'

'En daarna?' vroeg Messina.

'Laten we aannemen dat hij in noordelijke richting doorreed.'

Di Capua haalde een rode viltstift tevoorschijn en tekende een cirkel op de smetteloze kaart. Deze liep van de voet van de Aventijn langs het Circus Maximus, strekte zich uit voorbij het Colosseum naar de Cavour in het noorden, vervolgens naar de Teatro Marcello in het oosten en helemaal tot aan de San Giovanni in het westen.

'Niet goed,' bromde Cristiano. 'Daar zit evenveel onder de grond als erboven.'

'Hoeveel op onze lijst?' wilde Di Capua weten.

De man van de universiteit hamerde op het toetsenbord.

'Zevenentwintig. Sorry.'

Messina schudde zijn hoofd en mompelde: 'Onmogelijk.'

'Heb je daar ook archeologische gegevens in staan?' vroeg Di Capua.

Cristiano knikte heftig van ja.

'Uiteraard.'

'Hoeveel van die zevenentwintig hebben een mithraeum?'

De benige vingers vlogen.

'Zeven.'

Di Capua liet zijn blik over het computerscherm gaan.

'Eén daarvan is de San Clemente. Ik denk niet dat hij zich verstopt heeft in een drukke kerk naast het Colosseum, zeker niet met al die Ierse priesters die daar rond krioelen. Dan blijven er zes over.'

Hij tekende kruisjes op de kaart en schoof hem naar Messina toe.

'Tenzij jullie een beter idee hebben,' voegde Di Capua eraan toe.

Bavetti begon woedend te protesteren.

'We zijn nog niet eens op een derde met ons buurtonderzoek!'

Silvio Di Capua spreidde zijn handen in een gebaar van wanhoop.

'Dit is alles wat ik heb, commissario Messina,' zei hij zacht. 'En weet u? Het is ook alles wat u hebt.'

Messina had een hekel aan Teresa Lupo en haar collega's. Ze waren bemoeiziek en onverantwoordelijk. Ze wisten ook nooit wanneer ze hun mond moesten houden. Slechts één ding was hun redding. Ze hadden gelijk, vaker dan enige forensisch afdeling die hij ooit had meegemaakt, vaker zelfs dan de overbetaalde teams van de carabinieri die over alle computers en moderne snufjes beschikten die de Italiaanse staat zich kon veroorloven.

'We moeten iemand hebben die deze locaties kent,' merkte Messina op.

Di Capua knikte.

'We hebben al met Bramantes vervanger gesproken. De Amerikaanse archeologe, Judith Turnhouse. Ze kent deze opgravingen, waarschijnlijk even goed als hij. Ik kan haar bellen.'

'Nee, ík kan haar bellen,' zei Messina. 'Ik wil je beste mensen hebben, Peccia.' Hij keek naar Bavetti. 'Buurtonderzoek. Hoe kom ik erbij? Ik neem nu zelf de leiding. We beginnen bij de San Giovanni.'

Silvio Di Capua fleurde op en werd helemaal blij.

'Mogen wij mee?' vroeg hij hoopvol.

'Nee,' verklaarde Messina en hij wees naar de deur.

9

Toen ze Lotto's foto vergeleken met de afdruk die Peroni uit het archief van de Questura had gehaald, werd duidelijk dat Alessio's lange haar slordig was afgeknipt, mogelijk slechts enkele minuten voor de foto was genomen. Iemand probeerde zijn ware identiteit te verhullen, met zijn medewerking, althans daar leek het op. Toch was er niet veel waar ze iets mee konden. Normaal gesproken zou Costa de Questura hebben gebeld en alles hebben doorgegeven aan de afdeling Informatie. De tv en de kranten zouden de foto binnen een paar uur openbaar kunnen maken. Als het een Italiaans paar was, moest iemand hen kennen. Als ze niet uit Italië kwamen, konden ze waarschijnlijk toch nog worden opgespoord via Europese en internationale kanalen.

Er waren twee problemen: tijd en Bruno Messina. Met een paar namen naar de media rennen werd uiteindelijk altijd een langdurige kwestie. Eventuele aanwijzingen moesten uit honderden, soms wel duizenden telefoontjes worden gezift. Bruno Messina zou geen interesse hebben. Vandaag niet, niet zolang hij met een politievrouw zat die zwaar was mishandeld en met een inspecteur die onder zijn neus was weggelopen. Messina wilde Giorgio Bramante te pakken krijgen en, oppervlakkig gezien, zou informatie over de verblijfplaats van de zoon van de man niets opleveren wat die taak kon vergemakkelijken.

Ze namen de mogelijkheden door en kwamen geen stap verder. Daarna bekeken ze de opnamen op het filmpje waarop Alessio voor het eerst voorkwam. Hij stond op nog twee foto's, met hetzelfde stel, niemand anders. Deze kwamen na de eerste. Hij stond niet meer dreigend met een blik vol haat naar de fotograaf te kijken. Ze hadden het opvallende T-shirt uitgetrokken en hem een eenvoudig rood shirt gegeven met een hamer en sikkel op de voorkant. Hij keek nog steeds niet vrolijk. Costa vond dat hij eruitzag als een kind dat tot het uiterste was gedreven, een kind dat op dat moment alles zou doen – hoe gevaarlijk, hoe stom ook – enkel om te bewijzen dat hij het kon.

Teresa mompelde iets en liep weg om Lorenzo Lotto te halen. Hij kwam terug met het meisje, dat nu een nieuwe stralend witte katoenen bloes aanhad en keek alsof ze zeer ingenomen met zichzelf was.

'Leg het probleem eens uit,' zei Lotto nors.

Costa opende de oorspronkelijke foto op het scherm.

'We moeten weten wie die twee mensen bij dat kind zijn.'

Lotto keek hem achterdochtig aan.

'Hoezo?'

'Het kind wordt sinds die dag vermist,' antwoordde Teresa, op de rand van wanhoop. 'We willen graag weten wat er van hem is geworden. Dit is geen kapitalistische samenzwering of zo, Lorenzo.'

Hij schoot in de verdediging.

'Je kunt niet van me verwachten dat ik het zomaar vertrouw. Katrina?'

Het meisje gebaarde naar Costa en legde haar vingers op het toetsenbord.

Katrina deed haar mond open, voor het eerst. Ze had een accent. Het klonk Scandinavisch.

'Ik kan het uitzoeken.'

Ze deed iets met de computer, tekende een rechthoek op de stof van de hemdjurk van de vrouw, drukte vervolgens met vlugge vingers op andere knoppen. Toen klikte ze op iets wat Costa in het korte ogenblik dat het op het scherm stond herkende als het woord *overeenkomst*.

Tientallen thumbnails verschenen op het scherm, de meeste van situaties die ze nog niet waren tegengekomen, op andere films, van andere fotografen. De vrouw kwam op alle foto's voor. Katrina had haar met behulp van de unieke kleur en het patroon van haar kleding opgespoord.

'Nee, maar!' riep Teresa uit.

'Ik heb het je toch gezegd!' mopperde Lotto. 'Het is een machine. Stel de goede vragen en dan krijg je misschien een antwoord.'

'Bij wie hoorden ze?' vroeg Costa.

'Ik mag deze man wel,' verklaarde Lotto. 'Ik mocht je vader trouwens ook. Katrina...'

Ze klikte door de foto's, sneller dan Costa ze kon tellen. Na een minuut concentreerde ze zich op een reeks van vier. Het stel stond bij een kraampje. Er werden publicaties verkocht en er hing een grote banier achter, met een anti-Amerikaanse slogan en de naam van een linkse groepering waar Costa nog nooit van had gehoord.

'Ooo.' Op het gezicht van Lorenzo Lotto verscheen een uitdrukking van grote afkeer. 'Ik was helemaal vergeten dat die mensen ooit hebben bestaan.'

'Wie zijn het?' vroeg Costa.

'Het wáren een stelletje bomen knuffelende idioten. Wilden dat we allemaal terugkeerden naar het bos en bladeren aten. Zeg dat maar eens tegen een arbeider van Fiat in Turijn die binnenkort zijn baan verliest aan goedkope arbeidskrachten in de Filippijnen.'

'Lorenzo!' zei Teresa berispend.

Maar hij was al aan de telefoon en sprak op een zachte, intieme fluistertoon, zodat ze hem geen van allen konden verstaan. Het gesprek duurde nog geen minuut. Toen legde hij de telefoon neer, krabbelde iets op een blocnote en gaf het vel papier aan Katrina.

'Je moet alle vier de foto's naar dit adres e-mailen.'

Peroni schuifelde ontevreden met zijn grote voeten.

'Krijgen we nog te horen naar wie je ons bewijsmateriaal toe stuurt?'

Lotto's grijze wenkbrauwen schoten ongelovig omhoog.

Hij boog zich naar voren en wees naar een grote, bebaarde man die achter het kraampje, voor het banier zat. Op een van de foto's was hij met het stel in een gesprek verwikkeld. Het licht was feller. Het was vroeger op de dag, voor de komst van Alessio.

'Onze soort leeft tegenwoordig in een kleine wereld,' zei Lotto slechts, terwijl hij Teresa een verwijtende blik schonk. 'Naar hem heb ik het gestuurd.'

Ze zwegen. Toen ging de telefoon. Lotto nam op en wandelde bij hen weg tot zijn stem weer onverstaanbaar was. Hij bleef minstens een minuut aan de lijn en maakte voortdurend aantekeningen.

Na afloop van het gesprek kwam hij terug met een fijn glimlachje op zijn gezicht.

'De man heette Bernardo Giordano. Hij is twee jaar nadat deze foto's werden genomen, overleden. Kanker. Wat wil je ook, als je op bladeren leeft. Geef mij maar alcohol en tabak.'

'En de vrouw? Had ze kinderen?' wilde Costa weten.

'Ze hadden een neefje dat enkele jaren geleden bij hen in Rome is komen wonen. Het schijnt dat hij heel lang bij hen is gebleven. Problemen thuis, naar verluidt.' Lotto huiverde. 'Het was een vreemd stel. Zelfs voor het Vegetarisch Revolutionair Front of hoe ze zich ook noemden. Ze wilden blijkbaar absoluut geen moderne dingen in hun leven. Zelfs geen telefoon.'

'Is die vrouw er nog?' vroeg Teresa.

'Ja, maar misschien is het niet hetzelfde kind. Niet de jongen van de foto,' waarschuwde Lotto. 'Er zijn nog honderden foto's waar jullie niet eens naar hebben gekeken. Ik begon het net leuk te vinden dat jullie er waren.'

'Ik zal de foto's doornemen,' beloofde Teresa.

Hij zuchtte en scheurde een stuk papier van zijn blocnote.

'Ze woont nog steeds op hetzelfde adres. In Flaminio. Ze heet Elisabetta en kort haar naam maar niet af, want dan vermoordt ze je. Drie minuten met de auto, zoals jullie rijden. Verwacht er niet te veel van. Het "neefje" is een tijdje geleden het huis uit gegaan. Bovendien schijnt ze een beetje gek te zijn. Een dieet van bladeren...'

Costa pakte het stukje papier dankbaar aan en keek op zijn horloge.

'Ik wou dat wij zo snel konden werken,' bromde hij.

'Ach,' antwoordde Lorenzo Lotto, 'ik ben juist blij dat jullie dat niet kunnen.'

10

Hij leek klein tegenwoordig, maar de weg van Flaminius was een van de oudste en belangrijkste wegen in Rome, een drukke route naar de stad. Hij was twee eeuwen voor Christus aangelegd en liep rechtstreeks van het Capitool door de Appenijnen naar het moderne Rimini aan de Adriatische Zee. Een halve kilometer verderop ging hij de Tiber over bij de Milvische brug, een historisch monument dat iets te maken had met de obsessie van Giorgio Bramante, schoot Costa te binnen. Dit was de plek waar het christendom oppermachtig werd in Rome. Hier, niet ver van de moderne trams en de bussen die het voortdurend met gefrustreerde automobilisten aan de stok hadden, werd zo'n achttien eeuwen geleden in een beslissende slag een groot deel van de geschiedenis van de westerse mensheid bepaald. Het verleden bepaalde het heden; het was altijd zo geweest, dat zou altijd zo blijven en zijn kijk op de wereld, zowel beroepsmatig als privé, was door dat gegeven gevormd. De lijn van daar naar hier was alomtegenwoordig; het was onder andere zijn taak het verloop van die lijn in de omliggende duisternis te onderscheiden.

Het was opgehouden met regenen toen ze bij het adres in Flaminio kwamen dat Lorenzo hun had gegeven, een smal steegje achter de doorgaande weg, dicht bij het punt waar de trams keerden met veel gepiep en gekerm van metaal op metaal. Het was een oud, smerig blok. De vrouw woonde in een huis dat een makelaar een tuinappartement zou hebben genoemd. In werkelijkheid was het de kelder, een donkere, troosteloos uitziende woning onder aan een glibberig stenen trapje. Peroni deed het verroeste hek met het naambordje GIOR-

DANO open, keek langs het groen uitgeslagen trapje omlaag naar de vlekkerige rode deur die achter twee vuilnisbakken zat en mompelde: 'Ik weet niet hoe het met jou is, Nic, maar ik ben nooit erg dol geweest op katten.'

Overal hing de lucht van kattenpis. Hij steeg als een stinkende, onzichtbare wolk van achter het trapje op en leek door de recente stortbuien nog sterker te ruiken dan anders.

Elisabetta Giordano weigerde niet alleen een telefoon aan te raken, ze reageerde ook niet op de deurbel. Peroni hield zijn wijsvinger zeker een minuut op de knop boven aan het trapje en hoorde niets. Misschien deed de bel het niet. Ze konden hem in elk geval niet horen. Er waren ook geen buren te zien aan wie ze konden vragen of de vrouw thuis was, tot ze halverwege het trapje waren. Toen dook achter hen een oude man op, die met een magere vuist in hun richting zwaaide.

'Zijn jullie tweeën vrienden van de oude heks?' vroeg hij bars.

'Niet echt,' antwoordde Peroni. 'Is ze thuis?'

'Wie denk je dat ik ben, de maatschappelijk werker of zo? Waarom moet ik die idioten trouwens in de gaten houden? Waar betaal ik dan belasting voor?'

Costa begon zijn geduld te verliezen. Er was in de woning niets te zien. Je kon van het vuil en het stof niet door de ramen naar binnen kijken. Hij zag alleen een paar smoezelige gordijnen hangen, maar kon onmogelijk zeggen of er iemand thuis was.

'Hebt u de laatste tijd veel belasting betaald, meneer?' vroeg hij langs zijn neus weg en daar kreeg hij onmiddellijk spijt van.

'Ik heb in mijn leven een fortuin betaald, jochie! En wat krijg ik ervoor terug? Niets. Ik heb dat zootje van jullie twee dagen geleden al gebeld.'

De mannen keken elkaar aan.

'Wie gebeld?' vroeg Peroni. 'Waarover?'

'De sociale dienst! Daar zijn jullie toch van, stelletje uitvreters. Ik herken jullie soort uit duizenden. Goedkope kleren en vervelde gezichten. Je zou toch verwachten dat die knul van haar af en toe komt helpen. Niet dat jongeren tegenwoordig voor iemand nog een poot uitsteken.'

Costa liep drie treden omhoog naar de man toe. Die bleef rustig staan, leunend op een zware stok. Hij liet hem zijn politiekaart zien.

'We zijn niet van de sociale dienst. Waar belde u voor?'

De man scheen een beetje van zijn stuk te raken toen hij besefte dat hij met de politie te maken had.

'Wat denk je? Waar we allemaal al jaren over klagen. Het lawaai. Gek wijf. Draait dag en nacht muziek. Loopt de hele dag te gillen. En dat noemt ze zingen. Dat mens kan niet meer op zichzelf wonen. Dat hebben we ze al ik weet niet hoe vaak verteld.'

'Ze zingt voor zichzelf?' vroeg Peroni.

'Ja! Ze zingt. Klinkt nog erger dan die stomme katten van haar. Zou jij daar naast willen wonen?'

'Nee,' zei Costa en hij borg zijn kaart op.

'En dan' – de stok kwam omhoog en haalde gevaarlijk dicht bij Costa's gezicht uit – 'het ging niet alleen om het zingen. De laatste keer was ze aan het krijsen en het schreeuwen, erger dan ooit. Waarom denk je dat ik heb gebeld?'

Costa keek hem aan.

'Hoe aan het krijsen en het schreeuwen?'

Hij zocht naar de juiste woorden.

'Alsof ze in problemen was of zo,' zei de oude man schoorvoetend. 'Maar ga mij nu niet van alles verwijten. We hebben al die jaren ik weet niet hoeveel geslikt van dat mens. Als ik elke keer belde als ze weer hysterisch werd, zouden jullie hier drie keer per dag zijn.'

'Hebt u haar sindsdien nog gehoord?' vroeg Costa.

Hij keek beschaamd.

'Nee...'

'Waar woont u?'

De man keek Costa aan en leek opeens niet meer zo zeker van zichzelf.

'Op nummer vijf. Eerste verdieping. Bijna recht erboven. Ik woon er al tweeëntwintig jaar.'

'Ga naar huis,' zei Costa. 'Misschien willen we u straks nog spreken.'

Hij wachtte niet af of de oude man deed wat hem was gezegd. Costa liep het trapje af, ging voor Peroni staan en staarde naar de deur.

Het stonk verschrikkelijk. Peroni snoof en vertrok zijn grote, kalme gezicht.

'Ik hoop dat ik me vergis,' zei hij somber, 'maar ik ben bang dat dat niet alleen katten zijn.'

11

Lorenzo Lotto had gelijk: de Questura zou dit speelgoed moeten hebben. Ze hadden het waarschijnlijk ook, maar alle gebruikelijke obstakels – procedures, bureaucratie, interne strijd – zaten in de weg. De fotoarchieven vielen onder de afdeling Informatie, een stelletje zwijgzame, chagrijnige computerfreaks. Die konden geweldig werk leveren, maar uitsluitend op hun voorwaarden, en alleen als zij en niemand anders op de knopjes mochten drukken. Grote organisaties liepen vast in hun eigen vet, of het nu politiekorpsen of bedrijven waren. Zo was het gewoon. Teresa wist dat al jaren. Ze had alleen nooit beseft hoe snel de techniek en vakkennis vooruit waren gegaan in de echte wereld, waar machines en werkmethoden ingang vonden zonder dat er comités en langdurige adviesprocedures aan te pas kwamen. Lorenzo en Katrina kregen in een paar minuten voor elkaar wat haar dagen zou kosten. En dat was op zichzelf al een goede reden om niet naar de Questura terug te sluipen, haar verontschuldigingen aan te bieden omdat ze de dienstdoende commissario een oplawaai had verkocht – een primeur voor haar, maar overkomelijk – en dan haar medewerking te gaan verlenen aan de zoektocht naar Leo Falcone.

Ze hield van speelgoed. Het intrigeerde haar. Ze was benieuwd naar de mogelijkheden.

Nadat Costa en Peroni waren vertrokken, nam Teresa veertig minuten de tijd om met Katrina de foto's van Bernardo en Elisabetta Giordano door te nemen. Ze vond nog een paar opnamen waar Alessio Bramante op stond, maar werd niets wijzer. Hij zag er niet zo boos uit als op de andere. Maar helemaal normaal zag hij er ook niet uit.

Er was die dag iets met dat kind gebeurd. Het had hem ertoe had gebracht de Aventijn af te stuiven, voor iets op de vlucht te slaan, wat, als er in deze zaak zoiets als logica bestond, alleen zijn eigen vader kon zijn geweest. Het was ook, meende ze, niet meer te achterhalen. Kinderen liepen allicht wel eens weg. Ze hadden dan waarschijnlijk een zuur, verbitterd gezicht, net als Alessio. Het was mogelijk dat Alessio de verkeerde kant op was gerend. Dat een paar ziekelijke linkse bladereneters als de Giordano's kinderlokkers waren, of, erger nog, alleen hadden gewacht op een kans om hun volgende slachtoffer op te pikken.

Maar dat ging er bij haar niet in. Ze had Lorenzo zo ver gekregen dat hij nog een paar mensen belde om informatie over hen in te winnen. Overal kregen ze hetzelfde te horen. Het waren eenzelvige, fatsoenlijke, hoewel uiterst eigenaardige mensen, die een hekel aan de moderne wereld hadden, niet graag met andere mensen omgingen buiten bijeenkomsten met andere bomenknuffelaars. Wanneer er echter een beroep op hen werd gedaan, konden ze bijzonder menslievend zijn, voor zover hun armzalige positie in de maatschappij dat toeliet.

Bernardo was zijn hele leven trambestuurder geweest. Zijn vrouw had in een bakkerij gewerkt. Het woord 'gewoontjes' deed hun geen recht. Maar ze hadden ook jarenlang een 'neefje' onderhouden, een joch dat puber werd en toen vertrok. Over slechts twee feiten aangaande de jongen scheen overeenstemming te bestaan: hij ging niet vaak uit, ook niet toen hij ouder was. En Elisabetta gaf hem, mogelijk bijgestaan door enkele bevriende bladereneters, thuis les.

Er moest meer zijn. Teresa had een van Lorenzo's glazen prosecco gedronken – het smaakte haar zo lekker dat het haar moeite kostte een volgend glas af te slaan – en hem daarna weer het bos in gestuurd. Eén vraag zat haar echter dwars. De eeuwige: geld. Zelfs bladeren waren niet gratis. Toen Bernardo dood was, vertelde een van Lotto's informanten, had Elisabetta haar baan bij de bakkerij opgezegd. Daar klopte iets niet. Het pensioen van een trambestuurder zou niet genoeg geld opleveren om van te leven. De meeste vrouwen in die omstandigheden, met name een vrouw met een opgroeiend kind, zouden juist op zoek zijn gegaan naar een bijbaantje, in plaats van hun baan te hebben opgezegd.

Lorenzo kwam terug en schudde zijn hoofd. Niemand wist waar ze haar geld vandaan haalde en er waren er genoeg die daar nieuwsgierig naar waren. Ze had nooit veel. Ze zat nooit zonder. Het was een van de mysteries van het leven.

'Nog een om op de lijst te zetten,' bromde ze en ze keek naar Katrina, die verveeld uit haar ogen begon te kijken. Er waren geen foto's van Elisabetta's lelijke hemdjurk meer te vinden. Het apparaat kon op basis van een gezicht geen betrouwbare informatie vinden. Mensen zagen er vanuit verschillende hoeken bekeken te anders uit. Het verstand was eraan gewend in drie dimensies te werken. Stomme brokjes silicium niet.

Ze keek naar de laatste foto van Alessio. Hij hield gelaten, een beetje chagrijnig, Bernardo's hand vast – of, beter gezegd, Allessio werd door Bernardo vastgehouden, want van de greep van de man ging zonder enige twijfel een ferme bezitterigheid uit, alsof hij wilde zeggen: deze zal niet meer weglopen.

'Om te beginnen het T-shirt dat hij aanhad,' mompelde Teresa. 'Dat met die zevenpuntige ster.'

Ze keek even naar Katrina, die vrijwel ogenblikkelijk een foto met het T-shirt op het scherm toverde.

'Is dat te lastig voor een apparaat?'

'Ik weet niet...' antwoordde ze. 'Ik kan het proberen.'

Het toetsenbord klikte. Een onzichtbare digitale arbeider begon aan zijn snorrende werk.

'Zeven is een magisch getal,' zei Katrina, zonder enige aanleiding.

'Alleen als je in dat soort dingen gelooft,' mompelde Teresa.

Het scherm lichtte op. Vrijwel alle foto's die ze eerder hadden gezien kwamen tevoorschijn. Katrina deed iets om ze weg te halen. Nu bleven er slechts drie over.

Teresa Lupo staarde ernaar en vroeg zich toch opeens af hoe ze nu eigenlijk over het onderwerp magie dacht.

'Je moet er zijn, je moet er zijn,' fluisterde ze, terwijl ze op de sneltoets van haar telefoon drukte.

Ze hoorde het duidelijke, idiote piepje: niet aanwezig. Ze vloekte. Mannen.

Dit kon niet wachten. Ze belde Silvio Di Capua op zijn privémobiel.

'Gegroet, dienstknecht,' zei ze. 'Pak een stuk papier en schrijf op.'

'Wat is er gebeurd met: "Hallo, hoe gaat het met jou vandaag?"'

'Dat bewaar ik voor later. Ga met deze namen naar Furillo van Informatie. Zeg hem dat ik nu om de gunst vraag die ik nog van hem te goed heb. En als hij tegen iemand iets zegt zonder mijn uitdrukkelijke toestemming, dat ik hem dan kan garanderen dat zijn kleine, maar zeer gênante medische geheim aanstaande maandag op alle mededelingenborden in de Questura staat.'

'Subtiele manier van overreden. Daar hou ik wel van. Messina is trouwens de deur uit. Hij gaat de locaties langs die Peroni had uitgezocht. Heb ik persoonlijk voor elkaar gekregen.'

'Gefeliciteerd. Zeg tegen Furillo dat hij overal naar kijkt. Schuldeisers. Strafblad. Wegverkeer. Sociale dienst. Alles waar hij zijn nieuwsgierige handjes op kan leggen. Ik wil precies weten wat er is vastgelegd. Met name over connecties.'

'Komt voor elkaar. Namen.'

Ze gaf hem Bernardo en Elisabetta Giordano, en hun adres, en begon te duimen. Zelfs bladereneters moesten van tijd tot tijd over de schreef gaan.

'Nog meer?'

Ze keek naar de foto's op het scherm. Ze waren niet geweldig. Het was een gok, misschien een verkeerde. Maar toch...

'Nog één ding,' zei ze.

12

De opgraving die ze het eerst bezochten in San Giovanni had meer van een bomkrater dan van een archeologische vindplaats. Hij lag dicht bij het drukke ziekenhuis op de piazza; een grote verzameling gebouwen, oud en nieuw door elkaar, waar al zo'n zestien eeuwen in een of andere vorm medische hulp aan de inwoners van Rome werd verleend. Peccia en zijn mannen hadden zich omgekleed in hun voorkeurstenue: zwarte, alles bedekkende overalls en, voor het handjevol dat klaarstond om tot actie over te gaan, bivakmutsen. Ze hadden slanke, modern uitziende machinepistolen bij zich. Messina, een man die zich altijd verre had gehouden van vuurwapens, had geen idee wat voor type het was en waarom Peccia er de voorkeur aan gaf. Ze zagen er gewoon dodelijk uit. Dat volstond, nam hij aan.

Er was vanzelfsprekend een procedure. De inwendige indeling van het doelwit werd vastgesteld. Er werd een aanvalsplan afgesproken. Daarna deed een klein aantal mannen – Peccia had er twaalf in totaal – een eerste inval, onder dekking van de overigen.

Bruno Messina keek nerveus toe toen het team de lage, groen uitgeslagen tunnels van de opgraving naast de afdeling Spoedeisende Hulp van het ziekenhuis binnenging. De mannen bewogen langzaam en mechanisch als getrainde robotten. Ze verplaatsten zich schokkerig door de gangen en half verborgen ruimten van een oude, ondergrondse tempel alsof ze meespeelden in een computerspel. Nu begreep hij waarom Bavetti liever agenten van de uniformdienst, mannen en vrouwen met zichtbare gezichten, de stad in stuurde om vragen te stellen. Het leek menselijker, meer een echte reactie dan dit marionettenspel.

Aan de vrouw had hij ook niet veel. Messina had haar persoonlijk

gebeld op haar werkadres op de Piazza dei Cavalieri di Malta, hetzelfde plein, wisten ze inmiddels, waar Falcone vroeg in de ochtend
door een taxi naartoe was gebracht om zijn lot af te wachten. Alles in
deze zaak scheen om de Aventijn te draaien. Het irriteerde hem dat
Judith Turnhouse geen geschikte locatie op de heuvel zelf kon verzinnen waar Bramante zou kunnen zijn – de opgraving onder de Sinaasappeltuin was al snel van de hand gewezen. Daarom had hij haar op
laten halen en naar de Questura laten brengen om de selectie van de
forensische afdeling door te nemen. Toen ze de lijst met namen zag
had ze instemmend geknikt en ze had er zelf een als mogelijkheid aan
toegevoegd.

Ze was een magere, harde, gevoelloze vrouw, vond Messina. En er
was ook een voorbehoud.

Ze stonden boven de verlaten opgraving te kijken hoe twee in het
zwart geklede personen zich voorzichtig een weg baanden naar iets
wat een grot bleek te zijn die onder de drukke doorgaande weg doorliep. Een van de mannen rolde een soort rookgranaat het duister in.
Er was een kleine explosie, gevolgd door een sliert witte rook. Verder
niets. Geen personen die theatraal met hun armen in de lucht naar
buiten kwamen.

'U hebt me toch gehoord, commissario,' snauwde de Amerikaanse
vrouw. 'Ik doe dit op voorwaarde dat er geen schade aan deze locaties wordt aangericht. Geen enkele schade.'

'Een van onze mensen wordt vermist,' antwoordde Messina, bijna
smekend.

'Dat is niet mijn probleem. Deze archeologische vindplaatsen zijn
uniek. Er wordt toch al te weinig zorg aan besteed...'

Peccia, die zijn team gadesloeg met de koele distantie van een leger-
generaal, boog zich naar haar toe en zei: 'Het is maar een beetje vuur-
werk. Een kleine flits en een knal om iedereen die binnen is een beetje
te overdonderen.'

'Er is niemand!'

'Hoe weet u dat?' vroeg Messina.

Ze schudde haar hoofd.

'Dat weet ik gewoon. Ik heb mijn halve leven in opgravingen doorgebracht. Je krijgt er gevoel voor. Of ze nog regelmatig worden bezocht. Of iemand ze al jaren geleden heeft opgegeven. Deze locatie'
– ze keek omlaag in de kuil met puin en afval dat er van de weg in
was gewaaid – 'voelt verlaten aan. U verspilt uw tijd.'

Bavetti trok de kaart tevoorschijn en duwde die onder haar neus. 'Waar zou u naartoe gaan, als u Bramante was?'

'Rechtstreeks naar het dichtstbijzijnde gesticht. Die man is gek. Waarom zouden we ons in hem proberen te verplaatsen?'

'Hier schieten we niet veel mee op,' zei Messina. 'Denkt u alstublieft na.'

'Ik kan niet denken als Giorgio. Dat kon niemand. Als u de locatie zoekt die archeologisch gezien het interessantst is, dan moet u bij de Cavour gaan kijken. Als u aan ruimte en privacy denkt, moet u die in de buurt van de San Stefano Rotondo nemen. Loop ze na. Stuur uw actiemannetjes naar binnen en kijk wat ze vinden. Zolang u maar niets beschadigt.'

Drie mannen van Peccia, leden van het team dat achter de hand was gehouden, stonden met hun wapen in de aanslag mee te luisteren. Zwarte maskers, zwarte wapens, zwarte kleding. Ze zagen er helemaal niet uit als politie. Messina begon te twijfelen aan de hele onderneming.

'Wat is de meest voor de hand liggende plaats?' vroeg een van hen. 'De eerste waar u heen zou gaan?'

'Dat is makkelijk,' antwoordde ze. 'De opgraving aan de oostkant van het Circus Maximus. Waar het grenst aan de Viale Aventino. Iedereen in de archeologie kent die.'

De mannen wisselden een blik met elkaar.

'Maar hij is voor iedereen zichtbaar,' waarschuwde ze. 'Je bent daar in het centrum van Rome. Er liggen grote wegen aan beide kanten. Je kunt er van kilometers in de omtrek in kijken, vanaf het gras, overal vandaan.'

'Geldt dat voor de hele opgraving?' vroeg Messina.

Ze probeerde het zich te herinneren en dacht een moment na.

'Eigenlijk niet. Ik ben er al jaren niet geweest. Als je weet waar je naar op zoek bent, is het in sommige opzichten wat het mithraïsme betreft een van de interessantste vindplaatsen die we hebben. Nu jullie die op de Aventijn hebben vernield. Er zijn nog een aantal ondergrondse vertrekken. Er is een...'

Ze stopte toen ze besefte dat dit een spoor voor hen kon zijn.

'Wat?' wilde Bavetti weten.

'Er staat een heel mooi mithraïsch altaar. Giorgio heeft een lange strijd geleverd om het daar te houden, te voorkomen dat het naar een museum ging. Hij wilde dat het op zijn plaats bleef staan.'

'De kaart, snel,' zei Peccia.

Een lid van het team doorzocht de documententas die ze bij zich hadden en kwam met een ingewikkelde bouwkundige kaart aanzetten. Het was een grote kaart; twee van de mannen in het zwart hielden hem strak zodat iedereen kon kijken. De ogen van Judith Turnhouse zogen zich vast aan de ingewikkelde tekening.

'Ik heb daar niet vaak gewerkt,' bekende ze. 'Het is veel groter dan ik me herinner. Drie niveaus. Al die kamers.'

'De gangen zijn smal,' zei Peccia. 'Het kost meer tijd om zoiets te doorzoeken. We moeten voorzichtig zijn. Ik moet eerst een klein team naar binnen sturen.'

Messina kneep zijn ogen tot spleetjes en keek naar de illustratie op de rand van de kaart. Het was, nam hij aan, een tekening van het altaar: een gehelmde man die een stier aan zich probeerde te onderwerpen en een korte dolk in de keel van het stervende dier stak.

'Hij reed met Prabakaran eerst een stukje heuvelopwaarts en daarna omlaag,' merkte hij op. 'Dat klopt als we aannemen dat hij over de Aventijn is gegaan.'

Judith Turnhouse knikte instemmend. Heftig. Ze had nog iets bedacht, begreep Messina.

'Ja?' vroeg hij.

'Wat me te binnen schoot,' zei ze. 'Giorgio's vroegere huis. Dat stond boven dit deel van het Circus. Als je in zijn tuin zat en omlaag keek in de richting van de Palatijn, dan zag je het.'

Peccia hipte nerveus van de ene voet op de andere. Het reddingsteam had sinds mensenheugenis niet meer zo'n klus opgeknapt. Messina vroeg zich heel even af of hij meer specialistische hulp moest inroepen. Maar het ging om één man. Een man die de staatspolitie nu twee keer te schande had gemaakt. Zij, en niemand anders, moesten ervoor zorgen dat hij zijn verdiende straf zou ondergaan.

13

Costa pakte zijn wapen, duwde tegen de deur, duwde nog iets harder en gaf toen een trap tegen het oude, bladderende hout. Het gaf niet mee. Dit was geen film. In de echte wereld kon je niet zomaar met een simpele schouderstoot overal naar binnen.

'Laat mij het eens proberen,' bood Peroni aan.

'Nee, we doen het op de makkelijke manier.'

Costa liep naar het dichtstbijzijnde raam en brak het bovenste ruitje met de kolf van zijn pistool. Toen stak zijn hand naar binnen om het haakje los te maken en wist met veel moeite de onderste helft omhoog te schuiven. Daarna klom hij erdoorheen en kwam in een stinkend, donker hol terecht.

Het stonk er zo verschrikkelijk, dat hij eigenlijk niet wilde ademhalen.

Hij liep terug naar de deur en vond het lichtknopje. Slechts drie zwakke, kale peertjes straalden een zacht geel licht uit toen hij het omdraaide. Het was een puinhoop in de woning: troep op de vloer, kranten en kleren, etensresten ook. Hij zag de grendel op de deur en maakte hem van binnenuit open. Peroni kwam binnen en keek om zich heen.

'Ik wou dat je vriendin hier was,' mompelde Costa. 'Dit ruikt als haar pakkie-an.'

'Inderdaad,' antwoordde Peroni.

Hij speurde de kamer af, zonder naar de vloer te kijken. Costa was zich, zoals altijd, bewust van Peroni's gevoelige kant.

'Wat zoek je?' vroeg Costa.

'Iets persoonlijks. Weet ik veel.' Hij liep naar de kachel en bekeek alles wat op de schoorsteenmantel stond: goedkope prulletjes, een piepklein vaasje met plastic bloemen. 'Het liefst zou ik een foto hebben. Zie jij er een?'

Er was geen enkele foto in de kamer, niet zichtbaar in elk geval. En het was tijd rekken. Ze waren inmiddels lang genoeg binnen om te weten wat hun wachtte...

Aan de andere kant van de kamer stond een deur half open, waarschijnlijk die naar de enige slaapkamer in de woning. Costa nam vier weloverwogen stappen en duwde hem helemaal open. Hij werd begroet door een warme, afschuwelijke geur, een wolk vliegen en, in de hoek, verschillende paren fonkelende kattenogen.

Hij stak zijn hand uit naar het lichtknopje.

Peroni, die – griezelig stil voor zo'n grote man – achter hem aan was gekomen, vloekte. Toen draaide hij zich om en liep terug naar de voordeur, waar stank van de kattenpis de overhand had.

Costa bleef staan en nam alles in zich op.

Er bevond zich een lijk in de kamer. Het lag stijf, op de rug, op het bed. De vrouw was gekleed in een ochtendjas en haar handen zaten strak om haar keel.

Eén stap dichterbij en hij had genoeg gezien. Het mes zat nog in haar lichaam, diep in haar strottenhoofd gestoken. Haar vingers hadden het heft en het lemmet vast. Rond de hals van haar smoezelige nachthemd zat een zwarte koek van geronnen bloed. Terwijl hij stond te kijken rende een van de katten de kamer door, sprong op haar borst en begon op een bezitterige, dreigende manier te likken. Het beest bleef Costa strak aanstaren, alsof het hem uitdaagde in te grijpen.

Costa gaf een schreeuw en joeg het beest weg met een wild gebaar. Het rende een donker hoekje in en ging stil zitten loeren.

Hij probeerde zijn adem in te houden, terwijl hij de kamer rondkeek. Daarna ging hij naar de voordeur, waar Peroni stond. De stank hing daar ook, onmiskenbaar: kattenpis en oud opgedroogd bloed.

'Is het wat ik denk?' vroeg de grote man.

'In de keel gestoken. Waarschijnlijk terwijl ze op bed lag. Zoals je ziet, zijn er nergens foto's. Alleen deze...'

Hij overhandigde Peroni het fotolijstje dat hij in de kamer had gevonden. Het glas was gebroken. De helft van de foto was eraf gescheurd. Op het resterende deel stond de ziekelijk uitziende Bernardo Giordano, ergens buiten, fier glimlachend, zoals een man zou doen als hij werd gefotografeerd naast iemand, een kind misschien, op wie hij ongelooflijk trots was.

'Wat heeft dit in godsnaam allemaal te betekenen, Nic?' vroeg Peroni. 'Waarom zou Giorgio Bramante een of andere gekke oude vrouw hier willen vermoorden? Wist hij het van Alessio?'

Costa schudde zijn hoofd. Een mes in de keel? Verscheurde foto's?

Peroni liep een stukje de trap op. Daar vond hij een plekje in de beschutting van de muur dat redelijk droog was gebleven. Hij ging zitten en keek zijn partner aan.

'Als we dit alleen maar melden en verder niets doen, krijgen we het met Messina aan de stok. Dat kan mij geen barst schelen. In tegenstelling tot jou zou ik het misschien zelfs wel leuk vinden. Maar hij zal ons óf in een cel gooien voor zolang als hij daar zin in heeft, óf dwingen weer aan de slag te gaan. Dan zullen we moeten wachten tot hij en Bavetti eindelijk het instructieboekje hebben gelezen over hoe je een moordonderzoek opzet. Als Leo al tijd heeft, dan toch niet in die hoeveelheid.'

Peroni sloeg de spijker op zijn kop. Zoals altijd. Costa vroeg zich af of hij ooit met een andere politieman zou kunnen werken als de grote man uiteindelijk aan de verleiding toegaf en met ontslag ging.

'Ik ben het met je eens,' zei Costa.

'Dus wat gaan we doen?'

'Als we iets hebben waarmee we iets kunnen, gaan we eropaf. En dan melden we het wel als we onderweg zijn.'

Peroni knikte.

'En wanneer hebben we iets, denk je?'

'Zodra we met de oude man hebben gesproken.'

Peroni glimlachte. Hij was niet traag van begrip. Hij had het ook opgepikt. Hij wilde alleen dat Costa het verband legde, het aanknopingspunt oppakte waarvan hij al wist dat het er was.

'"Je zou toch verwachten dat die knul van haar af en toe komt helpen."'

'Precies.'

Eindelijk kwam er beweging in. Zijn hoofd voelde licht en helder, zoals altijd wanneer er schot in een zaak begon te komen.

Ze liepen het trapje weer op, dankbaar voor iets wat bijna voor frisse lucht kon doorgaan. Toen Costa bij de bovenste tree was ging zijn telefoon.

14

Giorgio Bramante richtte de zaklantaarn op zijn horloge en fronste. Falcone zat op het brokkelige stenen muurtje in zijn cel en volgde zijn bewegingen in het halfduister.

'Heb je haast, Giorgio?'

'Misschien vinden ze het wel best en laten ze je stikken,' antwoordde Bramante zonder enige emotie.

'Misschien wel,' beaamde hij.

Voor zover hij kon nagaan – Bramante had hem op de piazza gefouilleerd nadat de taxi was vertrokken en hem zijn horloge afgenomen – zat Falcone zeker al een halve dag in deze ondergrondse gevangenis, opgesloten achter een ijzeren traliedeur in een ruimte van baksteen, rotsen en aarde die zo oud leek als Rome zelf. Hij werd koel maar respectvol behandeld, wat hem enigszins verbaasde. Geen geweld, niet veel dreigementen. Het was net of Bramante er eigenlijk met zijn hoofd niet bij was, bezig was met andere zaken, en dat het gevangennemen van Falcone slechts een stap was in een groter geheel.

Hij had een deken en wat water gekregen en was uren alleen gelaten, hoewel Falcone het gevoel had dat Bramante nooit ver uit de buurt van de opgraving ging. De man had een mobiele telefoon en een verrekijker. Misschien liep hij alleen naar de verderop gelegen ingang waar ze op weg naar binnen langs waren gekomen, om te zien of ze nog alleen waren. Misschien wachtte hij...

Nu hij terug was wekte hij de indruk dat hij niet meer weg zou gaan. Hij zat voor het ijzeren hek op een rechtopstaand stuk van een oude, gecanneleerde zuil en pakte een panino uit de supermarkt uit.

'Ik zou ook wel iets lusten,' merkte Falcone op.

Bramante keek hem aan, bromde iets, brak het broodje doormidden en gaf een stuk aan door de tralies.

'Is dit het laatste maal voor een ter dood veroordeelde?' vroeg Falcone zich af. 'Ik heb me altijd iets substantiëlers voorgesteld.'

'Je bent een nieuwsgierige klootzak, hè?'

'Dat is,' antwoordde Falcone met een knikje van zijn hoofd, 'een van mijn vele tekortkomingen.'

'Je was al die jaren geleden ook nieuwsgierig.'

'Naar jou vooral. Er was heel veel dat ik niet begreep.'

'Zoals?'

Falcone nam een hap van het stukje brood.

'Waarom je Alessio daar mee naartoe genomen had.'

Bramante keek hem donker aan.

'Jij hebt geen kinderen.'

'Vertel.'

Hij keek nogmaals op zijn horloge.

'Een zoon moet opgroeien. Hij moet leren sterk te zijn. Te wedijveren. Je kunt ze niet overal bij weghouden. Dat werkt niet. Op een dag – en die komt altijd – ben je niet in de buurt. En dan gebeurt het.'

'Wat?'

'Wat mensen beschouwen als de echte wereld,' antwoordde Bramante voorzichtig.

'Dus van alleen gelaten worden in een grot. Ergens waar hij bang was. Daarvan zou Alessio sterker worden?'

Bramante keek boos en schudde zijn hoofd. Er was iets wat Falcone, tot zijn wanhoop, nog altijd niet begreep.

'Ik heb nooit de moed gehad om het vaderschap te overwegen,' bekende hij. 'Toen ik trouwde was dat een van de eerste dingen die mijn vrouw over mij te weten kwam. Je zou denken dat ze het daarvoor al in de gaten had gehad. Het vaderschap vereist naar mijn idee een grote mate van onzelfzuchtigheid. Om een kind op te voeden terwijl je weet dat je het uiteindelijk zijn eigen weg moet laten gaan. De touwtjes moet doorsnijden. Los moet laten. Misschien ben ik te bezitterig. De paar dingen die ik liefheb wil ik graag houden.'

De laatste zin verraste hem. Falcone vroeg zich af of hij het echt meende. Hij vroeg zich ook af hoe Raffaela Arcangelo zich voelde. Het was een wrede, hardvochtige manier van afscheid nemen geweest. Het bleef knagen.

Toen hoorde hij boven iets, een hard, hoog geluid. Het gillen van een politiesirene.

'Maar op zijn zevende?' hernam Falcone. 'Dat was te vroeg, Giorgio. Zelfs een man als ik weet dat. Je was zijn vader. Jij zou toch... Ik kan het nog steeds maar moeilijk geloven.'

Bramante stak zijn hand in zijn jaszak en haalde er een vuurwapen uit. Hij richtte het tussen de tralies door en hield de loop een handlengte van Falcones schedel vandaan.

De inspecteur nam nog een hap van het broodje, de laatste.

'Ik haat smeltkaas,' zei hij. 'Waarom kopen mensen die rotzooi?'

'Wat is dat toch met jou, Falcone?' snauwde Bramante. 'Weet je niet hoeveel mensen ik heb vermoord?'

'Wel zo ongeveer,' antwoordde hij. 'Maar je hebt Alessio niet vermoord, ook al heb je ergens het gevoel dat je dat wel hebt gedaan. Niettemin roept dat bij jou het sterkste schuldgevoel op. Je ziet de ironie toch wel?'

Bramante verroerde zich niet.

'Ik zou willen dat ik hem had gevonden,' ging Falcone verder. 'Niet alleen voor jou. Ook voor zijn moeder. Voor ons allemaal. Als een kind op zo'n manier verdwijnt, verstoort dat de natuurlijke orde op de een of andere manier. Het is alsof iemand graffiti op iets moois heeft gespoten, op iets waar je elke dag langskomt. Je kunt jezelf wijsmaken dat het niet zo erg is. Maar dat is het wel. Tot iemand die vlek weghaalt, voel je je nooit helemaal gelukkig. Je kunt je niet neerleggen bij wat er is gebeurd.'

'En jij haalt die vlek weg?'

'Dat hoor ik te doen. Ik heb gefaald. Sorry.'

'En hij is en blijft dood,' zei Bramante op stellige toon.

'Dat weet je niet zeker. Ik in elk geval niet. We hebben overal gezocht. Ludo Torchia heeft nooit gezegd dat hij dood was. Niet tegen mij. Tegen jou ook niet, geloof ik. Heeft Ludo iets gezegd? Je hebt hem zo hard geslagen. Ik had verwacht –'

'Alleen maar leugens. Leugens en onzin. Mijn zoon is dood,' herhaalde Bramante.

'Zoals iemand ooit heeft gezegd: dat zijn we op den duur allemaal.'

Hij moest bijna lachen. Het wapen ging omlaag.

'Een politie-inspecteur die oude Engelse economen citeert. Wie had dat gedacht?'

'Ik ben nu eenmaal leergierig.'

Hij hoorde nog een sirene. Mogelijk meer dan een. Dichterbij.

Falcone haalde diep adem. Hij wist dat hij het moest vragen, ook al kon hij de gevolgen niet overzien.

'Toen je seks had met Ludo in die cel... Was dat de eerste keer? De enige keer?'

Giorgio Bramante kneep zijn ogen samen. De vraag stoorde hem kennelijk niet. Hij dacht rustig na over zijn antwoord.

'Die vraag had ik veertien jaar geleden verwacht. Niet nu,' zei hij uiteindelijk.

Falcone haalde zijn schouders op.

'Lijkschouwers maken ook fouten. Deze besloot je de schande te besparen. Hij voelde met je mee, denk ik. Dat deden veel mensen.'

'Maar jij niet?' vroeg Bramante op koele, emotieloze toon.

'Nee,' gaf Falcone toe. 'Gezien de informatie waarmee ik werd geconfronteerd niet nee. Heb ik me vergist? Was het de eerste keer?'

'De tweede, geloof ik,' zei Bramante. 'Of de derde. Ik weet het niet meer. Ik heb veel studenten meegemaakt op de universiteit. Er deed zich wel eens een gelegenheid voor, voor beide partijen. Het was niets. Voor mij niet in elk geval.'

'Alleen,' merkte Falcone op, 'hield hij zich niet aan zijn deel van de afspraak.'

Het gezicht van de man betrok.

'Hij lachte me in mijn gezicht uit en zei dat hij het nog steeds niet wist. En dat het hem ook niet kon schelen.'

Falcone knikte.

'Hetzelfde wat hij tegen ons zei.'

'Het maakt niet uit!'

'Ik –'

Bramante haalde het wapen ratelend langs de ijzeren tralies om hem het zwijgen op te leggen. Toen draaide hij de deur van het slot en wenkte met het wapen. Falcone begreep het. Dat hij op dat bepaalde moment was teruggekomen, had een reden. Hij wist dat ze eraan kwamen. Misschien was hij gebeld, door iemand van buiten. Misschien...

Falcone dacht aan het ritueel en de mysteriën, de ideeën waar Giorgio Bramante – en Ludo Torchia – zich al die jaren geleden mee hadden beziggehouden. Hoe krachtig ze ook waren, het bleven mythen. Hij was er nog altijd van overtuigd dat Alessio uit de wereld was weggerukt door iets wat reëler en tegelijkertijd gruwelijker was.

Langzaam schuifelde hij op stijve, pijnlijke benen de cel uit en toen hij voorbij de tralies was, legde hij zijn hand tegen de muur om zich staande te houden. Met een gevoel van walging trok hij hem ogenblikkelijk weer weg. Er zat iets: een dikke witte worm ter grootte van een pink, die bijna licht gaf in het donker, kroop langzaam langs het klamme groene steen omhoog.

Falcone draaide zich om om Bramante recht in het gezicht te kijken.

'En als ik hem alsnog zou kunnen vinden?'

Bramante aarzelde. Heel even. Net lang genoeg om te laten zien dat er ergens, diep in de donkere kluwen van haat en verwarring die Giorgio Bramante was, nog altijd een sprankje hoop, een vonk geloof bestond.

'Het is nu te laat.'

Bramante duwde hem voor zich uit, naar iets wat uit het halfduister opdoemde.

Falcones blik viel op het achterste gedeelte van het vertrek, een stuk dat deels werd verlicht door bleek, grijs daglicht dat naar zijn idee naar binnen viel door een gat in de grond erboven.

Daar stond iets dat bij hun aankomst in het donker niet te zien was geweest. Het was laag en lang en had de kleur van goed marmer. Een soort tafel voor ceremoniële gelegenheden. Een altaar, besefte Falcone.

'Doorlopen,' snauwde Bramante – de oude Bramante weer – en hij duwde hem vooruit met de loop van het wapen.

Falcone deed vrijwillig een paar wankelende stappen. Voor hem bevond zich op heuphoogte een gladde witte hardstenen plaat, stoffig, maar nog indrukwekkend. Op het in perfecte staat verkerende marmer – uit Istrië, meende hij – zat een bijna geometrisch patroon dat afstak door zijn donkerrode kleur.

Leo Falcone had genoeg plaatsen delict gezien om dit patroon te herkennen. Het waren klassieke bloedspetters, vers ook, dacht hij.

'Rechercheur Prabakaran,' mompelde hij. 'We hadden een afspraak.'

'Ze is veilig,' zei Bramante nadrukkelijk. 'Veilig en ongetwijfeld druk bezig mijn naam te vervloeken. Niet zonder reden. Ik had geen reden tot klagen.'

Bramante liet zijn hand over de vlekken glijden en veegde door het stof en het bloed.

'Ik had nog een appeltje te schillen met iemand anders. Niet iemand die jij zult missen.'

'Zeven rituelen, zeven sacramenten,' mompelde Falcone zacht, bijna alsof hij er nu pas aan dacht. 'Ben je er nog niet?'

'Niet met degenen die belangrijk zijn,' antwoordde hij en hij bukte zich om iets te pakken dat onder het altaar lag, een rol touw, en nog iets anders. Een lang, smal mes, met een golvend lemmet. Een ceremonieel ding, dacht Falcone. Een ding, besefte hij toen hij naar de vlekken op het mes keek, dat onlangs nog was gebruikt.

15

'Nic?'

Ze zei enkel zijn naam en kreeg in ruil daarvoor een stortvloed van woorden terug, die haar onmiddellijk tot zwijgen bracht. Emily kende dit inmiddels van Costa. De zaak had hem in zijn greep. In dit geval een zaak die een veel persoonlijkere weerklank had dan de meeste.

Ze kon niet veel meer doen dan luisteren. En nadenken. Arturo had zijn invloed aangewend. Ze had een privékamer die uitkeek op een smal laantje dat naar de Duomo liep, en een zorgzame verpleegster die zich al had verontschuldigd voor het feit dat er tot de volgende dag niets meer te eten zou zijn. Hij zat alleen op de gang.

En Nic ging helemaal op in de gebeurtenissen in Rome, werd helemaal in beslag genomen door de pogingen het lot te achterhalen van de man die in de loop der jaren een plaatsvervangende vader was geworden. Ze benijdde hem. Dat soort bedrijvigheid had haar, toen ze nog als wetshandhaver werkte, altijd het gevoel gegeven dat ze leefde. Je verdween in de zaak. Dat was een van de redenen dat je het werk deed.

Er was nieuws ook. Niet over Leo, maar over een persoon die mogelijk de sleutel zou blijken te zijn voor het antwoord op de vraag waar hij was. Ze luisterde aandachtig en vroeg tot haar eigen verbazing onwillekeurig toch: 'Leeft hij nog?'

Het was zo onwaarschijnlijk. Verontrustend ook, te oordelen naar de paar bijzonderheden die Nic gaf.

Alessio Bramante was, om redenen die nog onduidelijk waren, blijkbaar van de Aventijn naar het vredeskamp op het Circus Maximus gelopen. Daar had hij een eigenaardig echtpaar van een van de linkse groeperingen ontmoet en was, naar het scheen, niet alleen met hen vertrokken, maar bijna als een geadopteerd kind door hen grootgebracht tot hij, zo'n vier of vijf jaar geleden, ergens halverwege zijn puberteit het huis uit was gegaan.

Ze herinnerde zich wat Nic over ontvoerde kinderen had gezegd. Hoe ze opgingen in de omgeving waarin ze terechtkwamen. Dat was, besefte ze nu met een steek van schrik, allemaal heel begrijpelijk. Normaliteit was voor een kind de situatie die hij of zij in het dagelijks leven meemaakte. Als een kind niet binnen een paar weken naar zijn echte familie terugkeerde, zou hij ongetwijfeld voorgoed weg zijn. Alessio Bramante was zeven geweest toen hij verdween. De herinneringen die hij nog aan zijn leven met Giorgio en Beatrice Bramante had, zouden volledig zijn gekleurd door het beeld van de wereld dat was geschetst door de mensen die in hun plaats waren gekomen. Het was mogelijk, dacht ze, met stijgende ontzetting, een kind te ontvoeren en het, met voldoende doorzettingsvermogen, in een heel ander wezen te veranderen. Er waren in de geschiedenis genoeg voorbeelden van dictators die hun eigen leger van bewonderaars hadden geschapen in het schoollokaal.

'Je zult hem nooit vinden, Nic,' zei ze met overtuiging. 'Als hij zich zijn echte ouders al herinnert, haat hij ze. Het lijkt voor hem waarschijnlijk meer een droom dan iets anders. Je mag er echt niet van uitgaan dat je Leo hiermee kunt helpen.'

'Nee?'

Hij klonk geamuseerd, zoals hij altijd klonk wanneer er meer informatie aan zat te komen.

'Vertel op,' beval ze.

'We hebben het van een van de buren. Ze zagen het kind vrijwel nooit. Het stel ging met niemand om. Na de dood van de man helemaal niet meer. De buurman kende Alessio's echte naam niet eens. Hij dacht dat hij Filippo heette. Maar we weten wat er met hem is gebeurd. Hij is op zijn zestiende het huis uit gegaan. Een tijdje later kwam hij op bezoek.'

'En?'

'In uniform. Hij was politiecadet geworden, Emily. Tenzij hij om de een of andere reden ontslag heeft genomen, is Alessio Bramante – of hoe hij zichzelf tegenwoordig dan ook noemt – agent bij de staatspolitie.'

Ze wist niet wat ze moesten zeggen.

'We gaan in de Questura de boel op stelten zetten tot ze ergens mee komen. We weten bij welke lichting hij moet zitten. Zelfs als het hem is gelukt een andere naam te gebruiken...'

'...moeten er nog adressen, referenties zijn,' opperde ze. Ze wilde dat ze bij hem was, nu ze de adrenaline voelde stijgen bij het horen van dit concrete aanknopingspunt.

'Precies.'

'Waarom zou zo iemand bij de politie gaan?'

Er viel een stilte aan de andere kant. Toen vroeg Nic: 'Zo'n vreemde beroepskeuze is dat toch niet?'

'Nee. Je weet dat ik dat niet bedoelde. Het is alleen zo... merkwaardig. Waarom zou iemand met zo'n problematische achtergrond politieman willen worden?'

'Misschien juist daarom. Ik weet het niet.'

'Ik ook niet. Je kunt hem maar beter gaan zoeken.'

'Uiteraard.' Hij aarzelde. Ze kon de gêne aan de andere kant van de lijn bijna voelen. 'O, sorry. Ik vergeet het bijna te vragen. Hoe was het in het ziekenhuis?'

'Ze hebben alleen een paar routineonderzoekjes gedaan,' zei ze snel. 'Het gewone gedoe. Ik begin er al aan gewend te raken. Er is niets om je zorgen over te maken. Spoor jij je vermiste schooljongen maar op. En Leo. Daarna...'

'Ik kan niet wachten,' zei hij snel.

De deur ging open. Een van de nonnen kwam binnen en keek boos naar de mobiele telefoon. Emily nam afscheid en stopte het toestel terug in haar tas.

'Is het zover?' vroeg ze.

'Si,' zei ze met een knikje. 'Ik moet even iets doen. Een klein prikje.'

Emily schoof de mouw van het groene ziekenhuishemd omhoog en keek de andere kant op.

16

Bruno Messina wierp een vermoeide blik op de Viale Aventino. Het was opgehouden met regenen. Een zwak zonnetje leverde strijd met het schemerlicht van de namiddag. Achter hem stond het verkeer helemaal vast tot aan de Viale della Piramide. In oostelijke richting stond een aaneengesloten, nijdige rij auto's tot aan de rivier. Voertuigen trokken door de stad als bloed door aderen. Alles greep in elkaar. Eén opstopping in het zuiden kon chaos veroorzaken in het noorden. Hij wilde niet weten wat er elders gebeurde. Messina had zijn pieper uitgezet, omdat hij geen oproepen van de Questura wilde krijgen. Dit was te belangrijk.

Het eerste team dat op de locatie was gearriveerd, had een vrouwenhandtas gevonden die dicht bij de ingang was neergegooid. In de tas zat de politiekaart van Rosa Prabakaran; een domme fout, misschien kenmerkend voor de geestestoestand van de man. Het aantal opties dat Bramante had slonk snel. Messina was vastbesloten dat er hier, aan de zuidoostkant van de lange, grazige rechthoek onder de blik van de Palatijn, voorgoed een einde zou komen aan de bloederige avonturen van de man.

Hij gaf Bavetti opdracht de omgeving af te sluiten om verkeer, toeschouwers en de media uit de buurt te houden, een taak die paste bij diens talenten. Voor alle andere dingen zou hij op Peccia vertrouwen. Die was helemaal opgeleefd door de uitdaging die hem wachtte, een uitdaging waarvoor zijn mannen jaar in jaar uit hard en lang hadden getraind, met heel weinig echte gelegenheden om hun waarde te bewijzen.

Messina reed hier elke dag langs op weg naar zijn werk en had er, zoals de meeste Romeinen, nooit enige aandacht aan geschonken. Het was, besefte hij nu, veel meer dan de simpele strook braakliggende grond die het leek te zijn.

Hij stond bij de lege tramrails, keek uit over de lengte van wat ooit een groot stadion was geweest en probeerde te begrijpen wat hij zag. Aan zijn rechterkant stonden de honingkleurige ruïnes van de voormalige keizerlijke paleizen, nu verworden tot een tegen de heuvel oprijzende raat van op elkaar staande bogen. De kapotte bovenkanten leken net puntige tanden, maar ze waren nog hoog genoeg, groot genoeg om tot de top te reiken. Zoals zoveel Romeinse schoolkinderen was hij hier vroeger op excursie mee naartoe genomen. Hij herinnerde zich nog het uitzicht op het Forum en het Colosseum en de Markten van Trajanus, aan de andere kant van de afschuwelijke moderne, door Mussolini aangelegde verkeersweg. Het was of je vanuit een adelaarsnest neerkeek op de stad. De groenere zijde van de heuvel, aan de zuidkant, leek altijd serener, leek bij een andere, oudere plaats te horen. Een plaats, bracht Messina zichzelf treurig in herinnering, die Giorgio Bramante beter kende dan de meeste mensen.

Wat ooit de arena van het stadion was geweest, was nu een grasveld met een door de voeten van amateurhardlopers uitgesleten renbaan. Aan de overkant, vanaf zijn huidige positie gezien, werd het uitzicht op de Tiber belemmerd door een lang, laag kantoorgebouw. Aan zijn linkerhand lag het park dat naar de Aventijn leidde. Voor hem, voor de ondiepe kuil van de renbaan, zag Messina iets wat hem in bijna vier decennia eigenlijk nooit was opgevallen: een kleine toren – net het overblijfsel van een gekrompen middeleeuws kasteel – die eenzaam in een veld met hoog gras stond.

Van het stadion afgescheiden door een hoog groen gaashek lagen de bekende brokstukken van archeologenwerk: stukken wit marmer van ongelijke grootte, waarvan sommige nog de sporen van cannelures droegen; onduidelijke rijen lage bakstenen muurtjes die als oude botten uit de grond omhoog kwamen; verroeste ijzeren hekken die met elkaar een patroon vormden dat vanaf het grondoppervlak gezien onbegrijpelijk was. Ze bakenden een onderaards netwerk van ruimten en doorgangen af dat in de vette, vochtige aarde en het gesteente daaronder was uitgegraven.

En aan zijn linkerhand, aan de kant van de Aventijn, het lage, platte dak van een belangrijkere opgraving, roestend blik boven de half zichtbare ingang naar god mocht weten wat. Als kind was Messina in het binnenste van het Colosseum geweest en hij had begrepen dat de oude Romeinen graag onder de grond bouwden, het een ontvankelijke plaats vonden voor praktijken die het daglicht niet konden velen. Achter de kleine gewelfde ingang – niet veel meer dan een grot, die zichtbaar was vanaf de plaats waar hij nu stond – kon zomaar een ondergrondse enclave ter grootte van het oude stadion liggen.

Dat wist Giorgio Bramante ongetwijfeld. Misschien had hij deze plek juist daarom uitgekozen. Misschien, schoot Messina door het hoofd, was hij niet van plan verder te vluchten, niet na het beslissende sterfgeval, het laatste offer aan zijn verloren zoon.

Messina kon het beeld van de tas van Prabakaran, die achteloos bij de ingang van de opgraving was achtergelaten, niet uit zijn hoofd krijgen. Het was bijna een uitnodiging en die gedachte vond hij bijzonder verontrustend.

De Amerikaanse geleerde stond de kaarten te bestuderen die ze door iemand van de universiteit had laten brengen. Messina ging bij haar staan, bekeek de ingewikkelde doolhof van gangen en vertrekken dat beschreven was, op verschillende niveaus naar het scheen, en vroeg: 'Weet u hoe deze locatie in elkaar zit, professor Turnhouse?'

Ze keek naar de kaart en trok een zuur gezicht.

'Ik heb met dit project nooit rechtstreeks te maken gehad, zoals ik al zei. Giorgio werkte eraan toen hij nog studeerde. Er is al jaren vrijwel niemand meer geweest.'

Ze tuurde naar het papier met samengeknepen ogen.

'Deze kaart is bovendien vijfentwintig jaar oud,' ging ze verder. 'Hij klopt niet meer. De opgraving is sindsdien veranderd. Ik meen dat er een instorting heeft plaatsgevonden die hier niet op vermeld staat. Het is lastig.'

'Wat is het eigenlijk?' vroeg Peccia.

Ze keek hem aan. Op haar gezicht stond een lichte ergernis te lezen.

'Ik denk wel eens dat deze stad niet besteed is aan de Romeinen,' verklaarde Judith Turnhouse. 'Dit was een deel van de kazerne van het dertiende cohort van de Pretoriaanse Garde. Dezelfde militaire eenheid die de tempel op de Aventijn had. Ze werden van de aardbodem gevaagd toen Constantijn Rome binnenviel. Giorgio heeft daar altijd iets mee gehad.'

Peccia keek verbaasd.

'Een ondergrondse kazerne?'

'Hij zal in die tijd niet helemaal onder de grond hebben gelegen,' antwoordde ze. 'Maar slechts gedeeltelijk. De tempel. De rituele vertrekken. Het bodemoppervlak van de stad is in de loop der jaren een stuk hoger komen te liggen. Is u dat nooit opgevallen?'

Messina schudde zijn hoofd.

'Is hier ook een tempel?'

'Het waren soldaten. De meeste soldaten, met name die van de Pretoriaanse Garde, waren volgelingen van Mithras. Dat is zogenaamd ook de reden dat Constantijn hen heeft afgeslacht. Het waren opeens ketters.'

'Wat worden we hier wijzer van?' vroeg Peccia kwaad.

Ze keek hem aan, niet onder de indruk van zijn agressie.

'Als u me hier niet nodig hebt,' zei Judith Turnhouse langzaam, 'dan ga ik met alle plezier weer verder met mijn eigen werk. Ik had eigenlijk de indruk dat u wilde weten waar Giorgio zou kunnen zitten in dit konijnendoolhof. Er zijn drie lagen met tunnels. Waarschijnlijk bijna honderd verschillende zalen en voorvertrekken van verschillende afmetingen. Deze kaart laat u misschien voor tachtig procent zien hoe het nu is. U zou er de komende twee dagen alleen maar rond kunnen dwalen. Of ik zou op grond van mijn kennis een gok kunnen wagen. U zegt het maar.'

'Dus u weet waar deze man is?' vroeg Peccia, met een kinderachtige hoeveelheid sarcasme.

Ze schudde haar hoofd.

'Nee. U wel?'

'Zou hij hier kunnen zijn?' vroeg Messina. Hij was vastbesloten deze woordenwisseling weer de goede kant op te leiden en wees naar het symbool op de kaart: de afbeelding van het altaar, met de sterke figuur die de stier aan zich onderwierp. 'Dit is toch de tempel?'

'Lees de kleine lettertjes. Ik zei toch dat het daar veranderd was.'

Ze staarden naar het papier. Er was inderdaad iets onder geschreven.

'Ik geloof trouwens,' ging ze verder, 'dat dat Giorgio's handschrift is. Er staat dat het altaar is verplaatst. Oorspronkelijk stond het daar.' Ze wees in de richting van de Palatijn. 'Kijk, waar je kunt zien dat de grond is ingezakt. Ik weet niet wat ze er gevonden hebben, maar het is niet naar een museum gegaan, anders zou ik het wel weten. We kunnen er dus rustig van uitgaan dat het ergens anders in het complex is gezet.'

Ze keek hen allebei recht aan.

'En voor wat het waard is: ja, ik denk dat Giorgio daarheen zou gaan. Het is voor hem een soort ritueel, nietwaar? De mensen offeren die hij verantwoordelijk houdt voor Alessio. Waar zou hij anders moeten zijn?'

Messina staarde naar het labyrint van lijnen op de kaart. 'Waar moeten we in godsnaam beginnen?' vroeg hij aan niemand in het bijzonder.

Judith Turnhouse tuurde naar de kaart en bestudeerde iets wat leek op een onontwarbaar doolhof.

'Ik kan u wel vertellen hoe ik beneden te werk zou gaan. Ik weet waar een professionele archeoloog naartoe zou willen. Als ze dat altaar hebben verplaatst, kan het niet zo ver weg zijn.'

'Waar dan?' vroeg Messina.

Ze lachte hem recht in zijn gezicht uit.

'Daarvoor moet ik binnen zijn. Zoiets kun je niet van een kaart aflezen. Ik zou moeten zien hoe het erbij ligt.'

'Nee, nee, nee, nee,' begon Peccia. 'Die man is gewapend. Ik wil geen burgers in de buurt. Dat kan echt niet.'

Messina kon de blik van de vrouw niet ontwijken. Ze wilde dit om de een of andere reden doen en het kon hem geen barst schelen wat die reden was. Het enige wat hem interesseerde, was Giorgio Bramante. En, bracht hij zichzelf in herinnering, het lot van Leo Falcone.

'Professor,' zei hij. 'Dat aanbod van u zou wel eens gevaarlijk kunnen zijn.'

'Giorgio haat júllie,' zei ze nadrukkelijk. 'Hij heeft geen reden mij iets aan te doen. Ik geloof zelfs niet dat die mogelijkheid bestaat, werkelijk niet. Als ik er ben, iemand die hij kent, misschien kan ik hem dan een beetje tot bedaren brengen. Ik kan het in elk geval proberen. Ik zou niet durven zeggen dat we zulke goede vrienden waren, maar hij heeft tenminste geen hekel aan me. Wilt u die kans werkelijk voorbij laten gaan?'

'Commissario –' begon Peccia.

'Als de professor wil helpen,' onderbrak Messina hem, 'zou het dom zijn haar aanbod af te wijzen.'

Ze mompelde een kort bedankje.

'Ik eis wel dat u de bevelen van Peccia's mannen strikt opvolgt,' vervolgde Messina. 'Daar moet ik van op aan kunnen.'

'Ik ben niet van plan mezelf te laten vermoorden. Daar hoeft u zich geen zorgen over te maken.'

'Mooi.' Messina priemde met een vinger naar de kaart. 'Ik wil binnen twintig minuten een team beneden hebben. Bekijk deze kaart. Luister naar signora Turnhouse. Ga naar de plaatsen die zij voorstelt. Jouw mannen voorop. Voortdurend, Peccia.'

'Commissario...'

Peccia scheen nog iets anders te verwachten.

'Hoe luidt de opdracht?' vroeg hij.

Messina begreep de vraag niet helemaal.

'Als Falcone nog in leven is haal je hem eruit.'

'En als Bramante zich verzet?'

'Dan doe je maar wat je goeddunkt. Als er na afloop een lijk is, zorg dan wel dat het dat van hem is. Niet dat van iemand anders. Hoor je me?'

Peccia keek hem koel aan.

Er vloog een grote zwarte helikopter over en het gebulder van de rotorbladen was zo luid, dat het het harde, wanhopige timbre dat Messina in zijn eigen stem kon horen, overstemde. Hij wenkte Bavetti en beval hem de patrouillevluchten af te gelasten. Die waren beslist niet meer nodig. Daarna gaf hij Peccia opdracht om aan de slag te gaan. De man bromde en liep weg naar een van de donkerblauwe bestelbusjes, elk met een woud van antennes, van waaruit zijn eenheid opereerde. Hij kwam terug met vier individuen, allemaal in het zwart gekleed, allemaal met hetzelfde korte, dodelijk uitziende machinepistool dat Messina al eerder had gezien, een zeer mobiel wapen leek het, met een opengewerkte metalen greep.

Ze waren allemaal ongeveer even lang; jong, alert, emotieloos. Ze leken helemaal niet veel op politiemensen. Meer op soldaten, klaar voor de strijd.

'We hebben geen idee wat jullie daar zullen aantreffen,' zei Messina. 'Inspecteur Falcone kan nog in leven zijn, maar evengoed dood. In geval van het eerste wil ik dat graag zo houden.'

'Onderhandelen we?' vroeg een van hen.

'Als je merkt dat dat een optie is, zeker,' verklaarde Peccia.

Messina schudde zijn hoofd.

'Die man zal niet onderhandelen. Als hij dat beweert is het gewoon een list. Hij heeft Falcone ontvoerd om hem om te brengen. Net zoals hij de anderen heeft omgebracht.'

'Mensen veranderen wanneer ze in een hoek zijn gedreven,' zei Peccia.

'Giorgio Bramante verandert niet. Beveel hem zijn wapens neer te leggen en zich over te geven. Als hij daar geen gehoor aan geeft, handelen jullie dienovereenkomstig. Ben ik duidelijk?'

De mannen knikten. Een van hen keek naar de vrouw, met een verbijsterde en agressieve blik op zijn gezicht.

'Wie is die burger?' vroeg hij.

Ze stak haar hand uit. Hij drukte hem niet.

'Ik ben professor Judith Turnhouse,' zei ze. 'Ik ben archeoloog. Ik denk dat ik jullie kan helpen hem te vinden.'

De vier mannen wisselden een blik met elkaar. De leider trok een grimas.

'We kunnen hem zelf wel vinden,' mompelde hij en vervolgens haalde hij een zwarte bivakmuts uit zijn zak en trok hem over zijn hoofd.

'Dat betwijfel ik ten zeerste,' zei Messina streng. 'Professor?'

Ze pakte de kaart en spreidde die voor hen uit. Haar dunne, vaardige vingers begonnen zich over het papier te verplaatsen. Ze volgden elke lijn, reisden door het doolhof en verkenden elk vertrek, elke doorgang, elk doodlopend pad.

17

Het kostte hem vijf minuten om zich te oriënteren. Het touw lag exact waar hij dacht, op de grond, precies op de plaats waar de student van wie hij nu wist dat het de grote, stomme, maar sterke Andrea was, hem in het donker te pakken had gekregen.

Ze werden allemaal stil toen hij het vond. Ze waren allemaal blij, zelfs Torchia. Aan alle spelletjes, alle rituelen, moest een keer een einde komen.

Hij kon zich werkelijk niet voorstellen wat Giorgio zou zeggen als hij erachter kwam wat ze hadden gedaan. Alessio had slechts een enkele keer een echte woede-uitbarsting van zijn vader meegemaakt en was ervan geschrokken. Eén keer had hij gezien dat zijn vader zijn moeder sloeg, een daad die te erg was, zodat hij met vliegende vuisten, miniatuurnabootsingen van die van zijn vader, tussenbeide was gekomen in een poging hen uit elkaar te halen. Vrouwen waren zwak en moesten beschermd worden. Daar twijfelde de jonge Alessio Bramante geen moment aan. Wat zij – zij alle drie – moesten doen, was hun levens door elkaar vlechten, de band hechter maken, zo stevig, dat er nooit meer iets tussen hen kon komen.

Er was, bedacht hij, een sacrament nodig, en het gelukkige toeval, of wellicht een bestemming die het kind in dit labyrint had gevonden, had hem er een bezorgd: zes domme studenten die dachten dat ze zich ongestraft op verboden terrein konden begeven; die droomden dat ze een geheime, heilige plaats in konden sluipen, deze met hun onhandige riten konden ontheiligen en dan als vrij man ongeschonden naar buiten konden lopen.

Vol vertrouwen bij zichzelf glimlachend ging hij verder en liet het touw tussen zijn vingers glijden, terwijl ze langzaam de gang door wandelden. Er was nog geen licht te zien. Maar als hij nog even doorliep zou het er beslist zijn. De zon. Een ontsnapping. Vrijheid voor de indringers. Ze zouden net als de lafaards die door Theseus werden gered niet dankbaar zijn voor hun bevrijding. Ze waren het niet waard gered te worden.

Zijn adem stokte. Dit was zo'n zwaarwegende beslissing, een die de rest van zijn leven zou bepalen. Ludo en zijn medestudenten, onzichtbaar voor Giorgio, ongedeerd de heldere, warme dag in laten vluchten. Of hen zonder dat ze het wisten uitleveren aan zijn vader en zijn beslissende oordeel.

Alessio bleef staan. Dino Abati, die dicht achter hem liep alsof hij nog altijd een soort beschermer was, botste tegen hem op.

'Zie je hem?' vroeg Dino. 'De ingang?'

'Nog niet,' antwoordde Alessio en hij trok stiekem hard aan het touw, voelde het op enige afstand voor hem meegeven, op de grond vallen, als een veer langs zijn blote benen op weg naar de stenige grond omlaag zweven.

Nog één ruk. Hij liet los. Het was weg.

Zeven deuren, zeven gangen en een web van in elkaar grijpende tunnels ertussen. Sommige die naar het paradijs leidden. Andere die naar de hel leidden. Het leven was een reeks keuzes, goede en slechte, makkelijke en moeilijke. Ze waren niet te vermijden.

In het licht van de zaklantaarn van Dino kon hij een doorgang zien die hem was opgevallen toen hij, lachend, uit het vertrek bij de ingang was gerend waar ze nu nog geen dertig meter bij vandaan moesten zijn.

Hij meende dat hij de aanwezigheid van zijn vader in dit gedeelte kon voelen – en misschien was dit verbeelding – zijn ademhaling kon horen, zwaar en gespannen in het donker, verveelvoudigd, terugkaatsend van de muren.

Misschien was hij langer weggeweest dan hij dacht en was Giorgio na al die tijd rusteloos geworden, waarna boosheid snel zou volgen.

Of ík sleep de prijs in de wacht, of zij, dacht hij bij zichzelf.

'Deze kant op,' zei hij en hij zwenkte naar links naar de rechthoekige doorgang.

Alessio Bramante hoefde niet achterom te kijken. Het waren schapen. Wanhopige schapen. Ze zouden volgen, zelfs een kind, een jongen wiens moed wankelde, beefde als een blad in de sterke winden van de herfst dat zich vastklampte aan de tak en zich afvroeg hoelang zijn greep op het leven nog zou duren.

18

Emilio Furillo was in de overtuiging dat de omschakeling van actief politiewerk naar het beheren van het informatiesysteem van de Questura een goede, veilige stap in zijn carrière was. Hij zou niet alleen van de vuisten van dronkaards op straat verlost zijn, maar ook van de woede van ontevreden superieuren op het bureau. Nu keek hij naar de priemende vinger van Teresa Lupo en vroeg zich af of het tijd was dat standpunt te herzien.

'Ik vind het,' zei hij op gekwetste toon, 'bijzonder wreed dat jij een privégeheimpje gebruikt om met voorrang toegang te krijgen tot het archiefsysteem. En dan nog wel via een derde.'

Drie maanden geleden had hij haar stilletjes benaderd met een probleem waar hij in zijn huwelijksleven mee te maken had gekregen en de vraag of een bepaald geneesmiddel een oplossing kon bieden. Hij had het vrijwel weten te verdringen, totdat Silvio Di Capua die ochtend grinnikend was binnengekomen met een onsubtiele herinnering, vergezeld van de eis dat hij de wachtrij mocht overslaan.

Ze keek hem nu boos aan.

'Wat?' blafte de patholoog-anatoom.

'Ik dacht dat er zoiets bestond als het spreekkamergeheim.'

'Ik heb geen spreekkamer. Jij bent mijn patiënt niet. Jij bent iemand die naar me toe kwam in de hoop dat hij via mij goedkoop Viagra kon scoren.'

'Moet je luisteren,' ging ze verder. 'Dat is niet de reden dat ik hier ben. Je hebt de namen. Dat ding dat voor je staat is een computer. Probeer ze voor me omhoog te krijgen; sorry dat ik het zo zeg.'

Het verzoek van Di Capua was in strijd met alle ingestelde procedures. Het systeem was er voor de Questura, niet voor het mortuarium.

'Dit is bijzonder ongepast...' mopperde hij.

'In godsnaam, Emilio. Weet je dan niet wat er aan de hand is? Leo Falcone is gekidnapt door dat moordzuchtige beest dat hij jaren geleden achter de tralies heeft gezet. Ik probeer te helpen.'

'Dat is de taak van de politie,' snauwde hij.

'De namen,' drong ze aan. 'Kijk nou even...'

Het werd nog erger. Twee andere mensen die hij niet wilde zien, kwamen binnen.

Tegenover dit stel durfde Furillo meer.

'Ik heb het gehoord van jullie,' zei hij tegen Costa en Peroni. 'Nadat zij de commissario vanochtend een klap had verkocht, zijn jullie weggelopen. Resultaat? Jullie zijn geschorst. Dat weet iedereen hier. De groeten.'

'Maar het is belangrijk –' begon Costa.

'Alles is belangrijk!'

'Bovendien,' protesteerde Teresa Lupo, 'was ik hier eerder.'

De twee trokken een stoel naar zich toe en zagen er niet uit alsof ze snel zouden vertrekken. Furillo vroeg zich even af of hij de wachtcommandant beneden zou bellen om te vragen of dit trio uit zijn kamer kon worden gezet.

'We denken dat we hem kunnen identificeren,' zei Peroni. 'Hebben we nu een streepje voor?'

Teresa schoof heen en weer op haar stoel. Ze had duidelijk geen zin haar plaats op te geven, maar ze was ook benieuwd.

'Hebben jullie een naam voor Alessio?' vroeg ze.

'Niet precies,' merkte Costa op. 'Maar we weten wat er met hem is gebeurd.' Hij zweeg even. 'Alessio is bij de politie gegaan. Hij is cadet geworden. Dat was zo'n vier jaar geleden. Een van de buren heeft hem in uniform gezien.'

Ze keek hen aan en was even met stomheid geslagen.

'De politie?' vroeg ze. 'Zoals jullie?'

'Zoals wij,' beaamde Peroni.

'Emilio,' zei Teresa Lupo. 'Zet me alsjeblieft even in de wacht. Zoek alle cadetten van vier jaar geleden met een huisadres in Flaminio op.'

'Dit is niet –' begon hij.

Ze keek hem kwaadaardig aan. 'Ach,' ging ze verder, 'als je het te druk hebt, kunnen mijn vrienden en ik altijd even in de kantine een praatje gaan maken.'

Furillo mompelde woest iets onverstaanbaars, hamerde op het toetsenbord en draaide het beeldscherm om zodat ze konden meekijken.

Er waren dat jaar zevenenzestig nieuwe cadetten met een adres in de stad. De enige uit Flaminio was een vrouw.

'Tevreden?' vroeg hij.

Ze bogen zich naar voren en keken naar de namen en adressen op het scherm. De twee mannen raakten zichtbaar ontmoedigd. Teresa Lupo knikte en zei niets.

'En de rest van Italië?' vroeg Costa.

Furillo voerde iets in.

'Hoeveel tijd hebben jullie? Het zijn meer dan achttienhonderd namen.'

Toen glimlachte hij. Dit gaf een goed gevoel.

'Nog meer vragen?' vroeg Furillo.

'Waar zijn verdomme de gegevens waar ik om heb gevraagd, over míjn vrouw,' wilde Teresa Lupo weten en ze sloeg met haar mollige vuist op het bureau. 'Waar zijn de...'

Hij drukte op de juiste toetsen.

'Hier,' antwoordde hij. 'Die had ik al opgezocht. Ik wilde je er alleen vriendelijk om horen vragen. Daar wacht ik nog steeds op.'

Daarna gaf hij een samenvatting van wat hij had gevonden. Er was geen enkel verband, zei Furillo, tussen Elisabetta en wijlen Bernardo Giordano en de andere vrouw.

Peroni schudde zijn hoofd.

'Dat is trouwens ook wijlen Elisabetta,' zei hij. 'We hebben de zaak net overgedragen aan de paar rechercheurs die nog boven aan het werk zijn. Wie is "de andere vrouw" in godsnaam?'

'Maar...' ging Furillo verder, hoewel hij volkomen werd genegeerd.

'De vrouw die ik op Lorenzo's foto's heb gevonden nadat jullie waren vertrokken,' legde Teresa Lupo uit. 'Ze was met Alessio in het vredeskamp voor hij de Giordano's ontmoette. Ik vermoed dat zij degene is die Alessio naar hen toe heeft gebracht. Daar lijkt het wel op. Ze was lid van hun rare groepje trotskistische bomenknuffelaars. Dat heeft Lorenzo uitgezocht.'

Costa en Peroni wisselden een blik met elkaar.

'Wélke vrouw?' wilde Peroni weten.

Daarop verscheen dat irritante, wijsneuzige glimlachje weer op haar gezicht en aan de blikken van de mannen te zien, ergerde het hen evenzeer als Emilio Furillo.

'De naam die ze mij vroeg na te trekken,' merkte Furillo op, 'was Judith Turnhouse, als dat je wat zegt.'

'Dank je wel,' beet ze hem toe. 'Verpest mijn verrassing maar weer!'

Costa schudde verbijsterd zijn hoofd.

'Wil je zeggen dat Judith Turnhouse Alessio die avond heeft meegenomen naar het vredeskamp?'

'Wel meer dan dat. Ik heb haar opgezocht in het telefoonboek. Ze woont in een piepklein flatje achter het Termini-station. Smerige buurt voor iemand van de universiteit, vinden jullie ook niet?'

Costa dacht aan de kleren die ze aan had gehad bij hun eerste kennismaking. Goedkope kleren. Academici van haar kaliber werden helemaal niet slecht betaald. Het geld moest ergens naartoe gaan.

'Via Tiziano, 117a,' zei Furillo, terwijl hij naar het scherm wees en door iedereen werd genegeerd.

'Op een van die foto's,' ging ze verder, 'lijkt het of Judith Turnhouse hun geld geeft. Stel dat ze die jongen niet alleen daarheen heeft gebracht. Stel dat ze al die jaren zijn weldoenster is geweest. Van haar eigen salaris voor zijn levensonderhoud heeft betaald. Elisabetta had dat natuurlijk nodig, zeker nadat haar echtgenoot was overleden.'

Ze zweeg even.

'Is Elisabetta ook dood?' vroeg ze.

'Vermoord,' antwoordde Peroni. 'Drie avonden geleden. De rest is allemaal... speculatie.'

'Verdomme, Gianni!' Teresa haalde de afdrukken tevoorschijn die ze bij Lorenzo had gemaakt. 'Kijk dan. Durf eens te zeggen dat ze het niet is.'

De twee mannen leunden opzij en bestudeerden de foto's.

'Ze is het,' beaamde Peroni ogenblikkelijk. 'Maar wat zegt dat? Op dit moment helpt ze Messina Bramante en Leo op te sporen. Ik snap er niets meer van.'

'Signora Turnhouse...' begon Furillo.

Teresa Lupo zwaaide met haar dikke armen in de lucht.

'Ze beschermde Alessio tegen zijn vader! Wat anders?'

'Tegen wat precies?' vroeg Peroni. 'En waarom? Al die jaren?'

'En nu is het welletjes!'

Emilio Furillo schreeuwde nooit. Als je een harde stem opzette had je in zijn ogen al verloren. Maar er waren momenten...

Ze keken hem verbaasd aan en beseften hoe zeldzaam deze onverwachte uitval was.

'Emilio?' vroeg de patholoog-anatoom.

'Ik heb jullie verteld dat er geen verband was tussen die signora Turnhouse en de Giordano's. Niet voor zover ik kon zien.'

Ze zwegen.

'Dat wil niet zeggen,' ging hij verder, 'dat ik niets gevonden heb.'

'Voor de dag ermee,' beval ze.

'Een paar jaar geleden is die vrouw bij Verona aangehouden wegens te hard rijden. Ik heb het volledige rapport in het systeem...'

'Vat maar samen,' zei Peroni.

'Ze kreeg een bekeuring. Naast haar in de auto zat echter een man. Hij moest zijn papieren laten zien. Normaal gesproken worden dat soort dingen natuurlijk niet genoteerd...'

Ze zwegen.

'Bij deze gelegenheid,' ging Furillo verder, 'is dat wel gedaan. De man was een gevangene met weekendverlof.'

Ze keek hem verbaasd aan met open mond, als een net binnengehaalde tonijn.

'Het was Giorgio Bramante,' verklaarde Furillo. 'Om je tijd te besparen heb ik de datum naast de incidenten gelegd op de lijst die Falcone heeft rondgestuurd. Het was het weekend dat die agrariër, Andrea Guerino, verdween. Hij werd later vermoord teruggevonden. Niet ver van Verona. Zie maar wat je ermee doet.'

Het duurde even voor iemand iets zei.

'Judith Turnhouse hielp Giorgio?' vroeg Peroni uiteindelijk stomverbaasd. 'En onderhield zijn zoon?'

Costa's gedachten keerden telkens terug naar die eerste ontmoeting met de Amerikaanse archeologe, en hoe die tot stand was gekomen. Het was allemaal te makkelijk geweest.

'De aanleiding voor ons gesprek met haar was een zeer luidruchtige, openbare ruzie tussen haar en Giorgio, binnen gehoorsafstand van de carabinieri die buiten stonden,' merkte hij op. 'Die agenten stonden daar altijd. Die twee moeten hebben geweten dat iemand het verband zou leggen. Er zou iemand komen en dan kon zij ons meenemen naar het lijk dat Giorgio bij de rivier had neergelegd. Hij wil dat zijn slachtoffers worden gezien. Niet voorgoed verborgen blijven.'

Peroni knikte en haakte direct aan.

'Ze vertelde ons dat ze zou hebben gebeld als we niet waren gekomen,' merkte hij op. 'Ik weet zeker dat dat de waarheid was. Dus we hebben al die tijd alleen maar kruimeltjes lopen oprapen dat dat stel voor ons liet vallen. Maar hoe zit het dan met Alessio?'

'Tiziano...' zei Furillo, hoewel nergens uit bleek dat Costa hem hoorde.

'En nu,' ging de jonge rechercheur verder, 'leidt ze Messina rechtstreeks naar Bramante.'

'Waarom?' wilde Peroni weten.

'Omdat Bramante dat wil,' antwoordde Costa onmiddellijk. 'Zij heeft onze aandacht gevestigd op het feit dat hij op zoek was naar die kaarten. Daar laat Messina zich door leiden. Dit is...'

Het was helder in zijn hoofd. Het ontbrak hem alleen aan de juiste woorden.

'Een soort toneelstuk. Zijn laatste akte. Leo is zijn finale. Giorgio Bramante wil gevonden worden. De man moet een publiek hebben.'

Hij wierp een blik op zijn partner.

'Giorgio Bramante heeft echt Elisabetta Giordano niet vermoord. Hij wist niet eens dat ze bestond. Maar als Judith Turnhouse een dubbelrol speelde... de vrouw jarenlang heeft betaald... Misschien zelfs nog toen Alessio al het huis uit was. Ze had een reden om ervoor te zorgen dat Elisabetta haar mond hield. De beste die er was. Het had alles kunnen ondermijnen.'

Costa sprak met gezag en een rap, scherp inzicht, vond Furillo. Zijn manier van doen deed de oudere man aan Falcone denken.

'We moeten Messina op de hoogte brengen,' voegde de jonge rechercheur eraan toe, terwijl hij naar een telefoon reikte. 'Direct.'

Furillo hief een vinger.

'Er is een gijzelingssituatie. De commissario heeft een radiostilte bevolen voor iedereen behalve de controlekamer en ik zou jullie drieën ernstig willen aanraden je gezicht daar op dit moment niet te laten zien. Zoals ik al zei, Tiziano –'

'Alessio moet inmiddels rechercheur zijn,' zei Teresa Lupo. 'Volledig ontwikkeld, pas uit de cocon gekomen. Waar is hij?'

'Tiziano!' krijste Furillo. 'Luisteren jullie nog, of ben ik een soort verlengstuk van de computer?'

Teresa Lupo boog zich naar voren en gaf een klopje op zijn rechterhand.

'Emilio,' zei ze liefjes. 'Je bent nooit een verlengstuk. Niet voor mij. We zijn alleen een beetje... van slag.'

'God, ik wou dat ik dat op film had,' verzuchtte Furillo. 'Judith

Turnhouse woont op Tiziano 117a. Als je hier kijkt' – hij wees naar het scherm – 'zul je zien dat een van de rekruten van vier jaar geleden, Filippo Battista, op zijn sollicitatieformulier hetzelfde adres heeft ingevuld. Misschien is hij een onderhuurder. Ik weet het niet. Hoe dan ook, hij werkt nu bij...'

'...de luchthaven,' las Peroni van het scherm.

Costa was het nummer van het politiebureau op Fiumicino al aan het draaien. Ze keken zwijgend toe toen hij een spervuur van vragen loste en daarna de telefoon neerlegde.

'Filippo Battista woont nog in Tiziano,' zei Costa zacht. 'Volgens de sovrintendente woont hij samen met een of ander verwaand Amerikaans vriendinnetje dat bijna twee keer zo oud is als hij. Een beetje dominant, volgens de verhalen althans.'

'Heeft hij dienst?' vroeg Peroni.

Costa trok een grimas.

'Hij had een vrije dag tot Messina vrijwilligers opriep. Op de een of andere manier is hem dat ter ore gekomen en heeft hij zich bij het team naar binnen gepraat. Hij zit bij de gewapende bijstandseenheid die op zoek is naar zijn vader.'

Het drietal liet dit enkele ogenblikken bezinken. Daarna zag Furillo hen halsoverkop de kamer uit rennen.

'Graag gedaan,' mompelde hij opgelucht en een beetje beschaamd dat dit hun probleem was, niet het zijne.

19

Deze tunnels waren nieuw voor hem. Geen geruststellend touw om door zijn vingers te laten glijden. Alleen zwarte vochtige muren die kronkelend als een slang eindeloos in de heuvel door leken te lopen. Alessio ging voorop, het zestal volgde, struikelend omhoog over de ruw uitgehakte rotsbodem, ogen gericht op de lantaarn in de hand van het kind, een cirkel van geel licht dat zwakker werd naarmate de batterijen leeg raakten.

Toen een scherpe hoek, een hoek die hen allemaal verraste. Iemand viel hard op de stenige vloer en slaakte een zachte, bange vloek. Het elektrische licht flakkerde, kreeg eerst de bleke tint van droog stro, daarna de donkere, gesluierde okerkleur van de maan aan een vervuilde nachthemel in Rome.

Daarna niets meer. Het donker slokte hen op. Ludo Torchia begon te vloeken, begon weer buiten zinnen te raken en schreeuwde om iets wat het duister voor hen kon doorboren.

Er was niets meer. Geen batterijen die het nog deden. Enkel twee lucifers, die door Toni LaMarca vlug achter elkaar werden afgestreken. Ze werden echter direct uitgeblazen door een snelle luchtstroom die op hen toe warrelde, hoewel hij niet kon bepalen van welke kant hij kwam.

Torchia begon nu agressief te worden. Alessio herkende de klank in zijn stem: angst en woede in gelijke hoeveelheden. Ze maakten ruzie met elkaar. De fragiele band van wederzijds lijfsbehoud die hen bij elkaar had gehouden, spatte in dit alles verterende donker uiteen.

Ook hij was ook bang. Het beetje vertrouwen dat de lantaarn hem had ingeboezemd, was verdwenen. Alessio Bramante kon zich niet verschuilen voor de wetenschap dat hij diep in de stenen pens van een oude heuvel verdwaald was, met mannen die hij niet aardig vond en van wie ten minste één hem kwaad wilde doen.

Maar het ergste zat in zijn verbeelding. Op dat moment voelde hij de honderden tonnen steen en dode rode aarde op zijn hoofd drukken, van alle kanten op hem af komen, door zijn kleine, verkrampte keel naar binnen schieten om de lucht uit zijn longen te stelen.

Zo was het graf, dacht hij. En dit wás ook een graf, voor velen vóór hem.

Toen hij probeerde te roepen – *Papa! Papa!* – kon hij zijn eigen stem nauwelijks horen. Enkel het spottende geluid van Ludo Torchia ergens achter hem, een boosaardige, gehate aanwezigheid, die uit de stenige ingewanden van de Aventijn oprees.

'Papa! Papa!' riep Ludo. 'Waar is hij nu, hè, jochie? Waar zijn wij...?'

Verdwaald, wilde hij zeggen. Verdwaald en hulpeloos in het hol van het beest, achtervolgd door de Minotaurus, die geen echt monster was, dat was Alessio Bramante inmiddels gaan begrijpen. Het was alleen maar een misvorming die sluimerend in een mens aanwezig was tot de katalysator voor zijn geboorte verscheen.

Alle hoop op een overwinning, dat hij hen als buit kon overdragen, was verdwenen. In zijn kleine, trillende lijf had bravoure plaatsgemaakt voor doodsangst. Hij wilde zijn vader zien. Hij moest voelen hoe die sterke hand de zijne greep, naar buiten geleid worden naar het licht en de veiligheid, zoals alleen een vader dat kon.

Hoelang was hij alleen gelaten?

Hij wist het niet meer. Ze konden tien minuten of een uur in de ondergrondse gangen zijn geweest. Het was niet te zeggen. Hij wist alleen dat hij de stem van zijn vader niet had gehoord. Niet één keer. Hij had hem nooit horen roepen, een poging horen doen een einde aan dit spel te maken.

Je geeft niet om me, fluisterde Alessio Bramante zacht. Je hebt nooit om me gegeven. Je geeft alleen maar om jezelf.

Er kwam een beeld bij hem op. Giorgio en zijn moeder die ruziemaakten, hem de kamer uit stuurden als het te erg werd. En, daarna, op zijn hurken bij de deur, een stiekeme spion, die zich afvroeg wat er ging gebeuren.

De geluiden zwollen aan in zijn hoofd. Hij had de hele tijd geweten dat dat zou gebeuren. Zo klonk geweld. Nu hoorde hij het twee keer: in zijn geheugen en in de chaos die achter hem ontstond, een boos gewoel van vuisten en voeten, die hem probeerden te volgen, probeerden te vinden om een soort brute, onnadenkende revanche te nemen, want dat deden bange mannen als ze nergens anders aan konden denken; dat was de meest primitieve oplossing.

De geluiden kwamen ook ergens anders vandaan. Uit het duister voor hem.

Een hand greep zijn schouder. Hij sidderde van angst.

'Alessio...'

De stem klonk gespannen, maar niet onvriendelijk. Hij herkende hem. Dino: de zwakke.

'Er komt lucht deze tunnel in,' zei Dino. 'Het is een weg naar buiten. Ren gewoon tegen de luchtstroom in. Snel!'

Hij aarzelde niet. Hij kende de geluiden die ze maakten te goed: het dierlijke gegrom van redeloze overlevingsdrang, van mensen die voor hun leven vreesden.

Alessio Bramante ademde de klamme luchtstroom in die in het donker net waarneembaar was. Hij probeerde te bepalen uit welke richting hij kwam en zette het op een lopen, woest, zonder zich druk te maken over de stenen en scherpe randen in dit verborgen labyrint, want hij wist dat er slechts één kans op redding was. Die lag buiten, in het licht, onder de felle, vergevingsgezinde zon, in de bekende straten die hem thuis konden brengen, bij zijn moeder, die zich klein maakte bij de gedachte aan de toorn van Giorgio Bramante wanneer hij terugkeerde.

Pater.

Het woord glipte uit zijn verborgen geheugen en kwam in zijn gedachten. Dat was wat Giorgio had willen zijn, en niet was geweest. Een echte Pater beschermde zijn kinderen. Hij stelde hen op de proef en sloeg hen vanuit de schaduwen gade, klaar om in te grijpen als dat nodig mocht zijn.

Je hebt me alleen gelaten, dacht de jongen bitter, terwijl hij voortstrompelde. De stroom bedompte lucht werd sterker en er zat nu een vleugje frisheid in. Er begon zelfs, terwijl zijn voeten een voorsprong namen op hen die volgden, iets zoets – als sinaasappelbloesem, de frisse, welriekende geur van het leven – uit de warme wereld in deze akelige, koude tombe door te dringen.

Toen werden die geluiden die in zijn hoofd hadden gewoed echt en verschenen voor hem.

Hij bleef staan. Iemand botste tegen hem op. De dwingende, gedempte stem van Dino keerde terug.

'Doorlopen!'

Hij liet zich door Dino's arm vooruit duwen, riep zichzelf een halt toe en bleef opnieuw staan. Er waren twee stemmen, hoewel de geluiden die ze maakten, hem niet bekend voorkwamen. Het waren geen woorden die hij kon verstaan en interpreteren, maar een ondoorgrondelijk verhit en geëmotioneerd babbelen en een harde, woeste dierlijkheid die hij nooit had begrepen.

Na een nieuwe duw strompelde hij naar voren. Hij zag licht nu, het bleke, zwakke schijnsel van echte elektriciteit. Er waren niet meer dan drie stappen nodig om in het vertrek te komen. Ze volgden, struikelend over elkaar, en botsten tegen hem aan, een zee van kiftende, wanordelijke stemmen, die stilvielen. Ze zagen, zoals hij.

Zagen.

Niemand zei iets. Niemand durfde.

Alessio Bramante staarde met grote ogen naar het tafereel voor hem, dat eruitzag als een waanzinnig tot leven gekomen schilderij; twee lichamen stijf tegen de muur, die op een vreemde, onmenselijke manier bewogen. Hij hield zijn adem in, weigerde zijn longen te laten bewegen en vroeg zich af of hij dit schouwspel, als hij het maar hard genoeg probeerde, helemaal uit zijn leven kon schrappen. Of hij de tijd kon terugdraaien tot het moment die ochtend dat hij door het sleutelgat van het paleis van de Ridders van Malta tuurde, door de stomme facetbril een veelvoud aan werelden zag, die geen van alle het geruststellende koepeldak bevatten van de Sint-Pieter, groot en majestueus op zijn troon aan de overkant van de Tiber.

Het lukte niet en hij wist waarom. Dat was kinderspel en van nu af aan zou hij – kon hij – geen kind meer zijn.

Soms, besefte hij, hoefde de Minotaurus helemaal niet op jacht te gaan. Zijn slachtoffers bezorgden zichzelf vrijwillig, als geschenken, als sacramenten, bij het hol van het beest.

20

'Praat tegen me, Nic,' beval Teresa Lupo. 'Speel Leo. Ik kom er niet uit.'

Costa had zijn best gedaan zo snel mogelijk met de rode Fiat met gillende sirene en een blauw zwaailicht dat haastig op het dak was gezet, van de Questura, over het Forum, langs het Colosseum naar de opgraving bij het Circus Maximus te rijden. Het verkeer was een verschrikking; erger had hij het nog nooit meegemaakt: het stond overal muurvast. Costa had vrijwel de hele tijd over de brede trottoirs gereden en de geschrokken voetgangers alle kanten op gejaagd. Bij het Colosseum had hij de weg helemaal voor gezien gehouden.

Daarna was er niet veel meer te kiezen. Er liep vanaf dit punt slechts één weg en daarop stond een oneindige rij stilstaand metaal dat vieze uitlaatgassen in de bewolkte, vochtige lucht van de naderende lente pompte. Costa's hoofd stond op barsten. Er zat meer informatie in dan één mens kon behappen en ook een knagend, stil schuldgevoel: Emily lag in het ziekenhuis. Costa was, kort na het laatste telefoontje, tot het besef gekomen dat het gesprek volkomen eenzijdig was geweest. Hij had nauwelijks naar haar geïnformeerd. De zoektocht naar Leo Falcone was ontbrand. Het leek op dat moment het enige ter wereld. En dat, wist hij, was een illusie. Wat er ook met Leo gebeurde – of al was gebeurd – er zou een nieuwe dag komen, een toekomst om met elkaar te delen. Hij snapte niet hoe dat zo makkelijk op de achtergrond van zijn bewustzijn kon zijn geraakt, alsof dit wrede en stomme geheugenverlies aangeboren was, een geschenk van de genen.

Hij kon zich daar op dat moment onmogelijk het hoofd over breken. Hij keek naar de zee van voertuigen voor hem en zette de motor uit.

'Ze kunnen het niet allebei geweten hebben,' zei Costa, hardop na-denkend. 'Als Giorgio had geweten dat zijn zoon nog in leven was, zou dit allemaal niet zijn gebeurd.'

Peroni keek kwaad naar het stilstaande verkeer. Ze waren nog bijna een kilometer verwijderd van de brede strook groen achter de Palatijn.

'Mee eens,' zei hij. 'Dus wie heeft hier de touwtjes in handen? Ju-dith Turnhouse. Zij heeft Giorgio al die jaren geholpen die studenten te vermoorden. Waarom? En waarom de jongen in hemelsnaam? Wat heeft hij ooit misdaan?'

Costa was lang genoeg bij de politie om te weten dat de simpelste redenen altijd de beste waren, de redenen die al een paar millennia oud waren: liefde, haat, wraak, of een combinatie van die drie.

Het was eruit voor hij het wist.

'Met hem had ze een middel in handen,' zei Costa en hij gooide het portier open.

Een paar meter verderop stond een koerier, die rustig op zijn motor een sigaretje rookte. De man zat echt te lanterfanten; zijn gestroom-lijnde, snelle Honda had makkelijk tussen de auto's door gekund, als hij reed zoals de meeste inwoners van Rome.

Costa stapte uit en liet zijn politiekaart zien.

'Ik vorder deze motor,' zei hij en hij pakte de bestuurder bij de revers van zijn leren jas en trok hem van het zadel. 'Gianni. ga jij achterop?'

Teresa was ook uitgestapt.

'En ik?'

'Sorry,' zei Costa verontschuldigend.

De koerier richtte zich op tot zijn volle lengte, tikte op zijn borst en zei: 'En ik?'

Toen keek hij eens goed naar Peroni en bond in.

'Je laat me wel heel, hè?' zei de man.

Costa draaide het sleuteltje om, voelde de motor omlaag zakken toen Peroni's grote gestalte de zitplaats achter hem innam. Proberend zich te herinneren hoe je zo'n ding moest besturen liep hij, gadege-slagen door de ontstelde eigenaar, knarsend alle versnellingen door.

Hij reed voorzichtig het brede, onverharde voetgangerspad op dat van het Colosseum naar het Circus Maximus liep, de route van tram 3, een stille, lommerrijke verbindingsweg, een aangename plek om te flaneren voor het avondeten.

Iets verder stond een fotograaf. Een vrouw in een witte trouwjurk poseerde naast haar nieuwbakken echtgenoot met het Colosseum op de achtergrond. Costa reed langzaam om hen heen om geen modder te laten opspatten en draaide toen de gashendel open.

De motor reed met een gestaag gangetje van vijftig kilometer per uur over het onverharde pad onder de kale bomen aan deze rustige kant van de Palatijn.

Het kostte slechts een paar minuten. Ze kwamen vrijwel niemand tegen, alleen een paar toeristen, een handjevol nieuwsgierigen en, toen ze het braakliggende stuk grond naderden, een toenemend aantal politieauto's, agenten en een chagrijnige kliek bij elkaar gedreven journalisten.

Uit eigen beweging haalde Peroni zijn politiekaart tevoorschijn en ging een beetje schuin op de motor hangen, zodat iedereen zijn grote, opvallende gezicht kon zien, dat bij iedereen in het korps bekend was.

Niemand hield hen staande, tot ze bij het gele lint kwamen dat iedereen de weg versperde. Ze bevonden zich aan de rand van het Circus Maximus. Hij kon net de kaal getrapte renbaan op het grasveld onderscheiden met een stel blauwe politiebusjes op een kluitje ervoor en een kleine drom mensen, sommigen in uniform, sommigen in burger.

Wederom mochten ze dankzij de verschijning van Peroni zonder iets te hoeven zeggen doorrijden. Costa kwam tot stilstand en liet Peroni afstappen. Met moeite wist hij de zware motor op de standaard te krijgen en hij speurde de groep politiemensen af. Toen hij Messina in zijn mooie donkere kostuum in het vizier kreeg liep hij naar hem toe. De man straalde de statische, nerveuze energie uit die leidinggevenden altijd hadden wanneer ze wachtten op de resultaten van een operatie waartoe zij het bevel hadden gegeven.

'Waar is Judith Turnhouse?' wilde Costa weten.

Messina keek hem boos aan.

'Jij bent geschorst, jochie. Val me niet lastig. Ik heb al genoeg om je straks mee om de oren te slaan.'

Hij keek niet zo zelfverzekerd als hij probeerde te klinken. Peroni duwde Peccia achteruit, die hen met zijn ellebogen opzij probeerde te dringen. Toen haalde Costa een keer diep adem en vertelde Messina, zo beknopt en nauwkeurig als hij het kon samenvatten, wat ze inmiddels wisten.

Het bloed trok uit het getaande gezicht van de commissario bij het horen van het verhaal. Peccia werd ook stil en bleek.

'Waar is Filippo Battista?' vroeg Costa bars.

Peccia's ogen gingen naar de ingang van de ondergrondse opgraving achter de zee van uniformen.

'Laat me raden,' merkte Peroni op. 'Hij hoorde bij de vrijwilligers. Nic, genoeg gepraat.'

De twee mannen waren klaar om te gaan. Peccia begon bevelen te blaffen: meer wapens, meer mensen.

'Nee!' riep Costa. 'Begrijpt u dan echt helemaal niets van de situatie?'

'Vertel het mie, rechercheur,' zei Messina kalm.

'We zijn hier omdat Giorgio Bramante – en Judith Turnhouse – ons hebben geroepen. Misschien voor Leo, in Giorgio's geval. Wat de vrouw betreft... weet ik het niet.' Hij zweeg even. 'Maar één ding weet ik wel. Hoe meer mannen en wapens u daar naar binnen pompt, des te groter de kans dat ze worden gebruikt. U zult al een slechte indruk maken als u straks met een dode inspecteur opgezadeld zit. Wilt u Alessio Bramante ook dood hebben?'

Peccia's ondersteuningsteam stond klaar. Ze hadden allemaal een machinepistool met een metalen greep in hun handen en een zwarte bivakmuts over hun hoofd. Peccia had zelf ook een wapen. Hij keek Messina met nauwelijks verholen minachting aan en zei: 'We lossen dit wel op.'

'Je hebt daar beneden al vier mensen, waarvan eentje de zoon van die man is!' brulde Messina. 'En die vrouw...'

'Ik heb toch gezegd dat we die vrouw niet nodig hadden. Battista is een van ons. Wij lossen dit op –'

'Leo Falcone is mijn vriend,' interrumpeerde Costa onverwacht fel, zodat het tweetal er het zwijgen toe deed. 'Ik wacht niet langer.'

'Nee,' antwoordde Messina zacht. Hij sloot zijn ogen en zag eruit alsof hij op het punt stond in te storten.

'Moet je luisteren...' begon hij.

'Ik heb geen tijd. We hebben geen tijd,' antwoordde Costa.

'Luister, verdomme!' schreeuwde Messina.

Hij had een sombere, verloren blik in zijn ogen. Costa keek op zijn horloge en dacht: heel even dan.

'Het spijt me,' ging de commissario verder. 'Mijn vader heeft deze zaak veertien jaar geleden verknald omdat hij op zijn intuïtie afging.

Ik hoopte dat recht te zetten door objectief te blijven, wat dat ook moge betekenen. Ik wilde niet...'

Hij schudde zijn hoofd en staarde naar de goudkleurige muren van de kapotte paleizen op de groene heuvel alsof hij wilde dat hij ergens anders was.

'Hoe blijven jullie en Falcone in godsnaam overeind in dit soort zaken? Het is niet... normaal.'

'We doen het gewoon,' antwoordde Costa ogenblikkelijk. 'Als u me nu wilt verontschuldigen.'

Peccia voegde zich bij hen toen ze in actie kwamen.

'Hier blijven,' beval Messina. 'Dit is mijn verantwoordelijkheid. En van niemand anders.'

Een van de mannen in het zwart bleef abrupt staan. Vervolgens stak hij het korte, dodelijk uitziende wapen uit: een geschenk.

Messina woof het weg met zijn hand.

'Er zijn beneden drie gewapende mannen op wie ik zou moeten kunnen vertrouwen. Dat vind ik wel genoeg wapens voor één dag. Rechercheur?'

Costa was al op weg naar de ingang. Hij bleef staan.

'Gun mij de eer, alsjeblieft,' zei de commissario ferm en hij nam de kop over.

21

Het mes van Giorgio Bramante ving een straal wegstervend zonlicht op uit een spleet in de grond boven hun hoofd. Falcone keek er onbewogen naar. Hij dacht na. Bramante had zijn handen op zijn rug gebonden en net zolang aan hem gesjord tot hij op de plaats stond waar hij hem hebben wilde. Zo zou een man die op het punt stond te sterven niet worden behandeld, meende hij. Bramante had iets anders in gedachten. De aanwezigheid van Falcone in dit benauwde, vochtige ondergrondse vertrek, naast het altaar, was voor deze gebeurtenis van belang. Maar hij was een rekwisiet, niet de hoofdrolspeler, zoals hij ook in Monti een rekwisiet was geweest toen Bramante hem leek te willen ontvoeren. En in de Questura, eergisteravond.

Er klonk een zacht geluid in de gang, de route waarlangs ze zouden komen, naar hij vermoedde. De opening in het gesteente was smal, nauwelijks breed genoeg voor twee mannen. Falcone wist weinig over aanvalstactieken, maar hij begreep wel dat het onmogelijk was deze ruimte in te nemen. Iedereen die het vertrek binnenkwam, zou onvermijdelijk en ogenblikkelijk gezien worden door Bramante. En ze zouden een weids, ongehinderd uitzicht op het tafereel voor hem hebben: twee mannen bij een altaar, één kennelijk op het punt te sterven.

Toen klonk er een opvallend geluid: een vrouwenstem, haar Italiaans nog altijd licht gekleurd door een Amerikaans accent. Judith Turnhouse. Falcone herkende haar harde monotone manier van spreken van hun korte gesprek op de oever van de Tiber van de vorige dag. Hij begreep werkelijk niet welke reden ze had om hier te zijn. Waarom zou een politieteam, dat toch heimelijk en met een zeker verrassingseffect te werk zou willen gaan, haar op deze manier de stilte laten verbreken?

Hij en Bramante stonden rechtop voor het altaar te wachten, als personages op het toneel. De stem van de vrouw drong af en toe nog tot hen door en kwam steeds dichterbij. Toen het politieteam er bijna was, pakte Bramante Falcone bij zijn jas, hield hem naast zich, hield het mes op zijn keel, ogen op de ingang gericht, beide lichamen in de vuurlinie.

Falcone verzette zich niet. In plaats daarvan zei hij kalm: 'Je bent een slecht acteur, Giorgio. Ik vind het een prettig idee dat er ook dingen zijn waar je niet goed in bent. Dat maakt je menselijker.'

'Stil,' mompelde Bramante zonder zijn blik van de donkere grotopening te halen. Daar danste een enkele zaklantaarn, als een vuurvliegje in de verte, een tweede signaal dat hun komst verried.

Falcone had de opmerkingen van Teresa Lupo bij de rivier de vorige avond – toen hij heel even had geloofd dat ze het raadsel van wat er van Alessio Bramante was geworden misschien hadden opgelost – niet uit zijn hoofd kunnen zetten. Evenmin als de woorden die Giorgio zelf tegen hem had gesproken in Monti toen hij bijna was ontvoerd. Toen had hij, als Falcone eerlijk tegen zichzelf was, ook daadwerkelijk meegenomen kunnen worden, als Bramante had doorgezet.

'Het zevende sacrament,' zei Falcone, met zijn blik op het gezicht van Bramante, dat nu enige angst verried, en ook dat maakte hem iets menselijker. 'Het gaat helemaal niet om mij, hè? Het gaat om jou, Giorgio. Daar gaat het al die tijd al om. Is zelfmoord niet genoeg? Is dat dode kind in je verbeelding zo hongerig, dat het ook het bloed van zijn vader nodig heeft, naast al het andere?'

De persoon aan zijn zijde kromp ineen.

'Als hij dood is,' zei Falcone om druk uit te oefenen, 'heeft hij dit spektakel beslist niet nodig. En als hij het niet is, denk je dan dat hij er blij mee zou zijn?'

De donkere, intelligente ogen vlogen even zijn kant op.

'Je snapt er niets van,' mompelde Bramante. 'Je hebt geen idee wat er in mijn hoofd omgaat.'

'Ik wil er met alle plezier naar luisteren,' zei Falcone. 'Als we dit gesprek al die jaren geleden hadden gehad...'

Het gezicht van de man werd uitdrukkingsloos.

'Dan zou je me nog meer haten dan je al doet, Falcone. Het is heel eenvoudig. Zij doden mij. Of ik dood jou. Dat is alles. Wat heb je liever?'

Falcone zei niets en dacht een moment na over zijn lichamelijke toestand. Het probeerde moeizaam te genezen. Eén ding was deze laatste drie dagen met name duidelijk geworden: hij was niet zwak; hij was enkel, in onpeilbare mate, beschadigd.

Een zee van geel licht stortte zich de kamer in: vier zoekende, tastende zaklantaarns.

Met alle resterende kracht die hij kon opbrengen, draaide Falcone zich abrupt om op zijn goede enkel. Hij sleurde zijn lichaam rond in een snelle, krachtige draaibewegingen, rukte zich los uit Bramantes greep. Toen rolde hij naar links, rolde door, in de wetenschap dat de aandacht van de man nu verdeeld was, tussen de gevangene die hij was kwijtgeraakt en de groep voor hem: zwarte pakken, zwarte maskers, vier mannen en Judith Turnhouse, wier ogen schitterden van opwinding, als een furie die hen de weg wees.

'Geen wapens!' blafte Falcone, terwijl hij nog twee keer omrolde op de grond en nu zo ver uit de buurt van Bramante was dat deze hem niet zomaar kon pakken. 'Geen wapens, verdomme! Dat is een bevel!'

De donkere gedaante stond nog voor het altaar, beduusd, niet wetend hoe te reageren.

Vier zwarte lopen kwamen op een rij omhoog en werden recht op de man met het mes gericht die als bevroren voor hen stond.

De vrouw krijste iets wat Falcone niet kon verstaan.

'Ontwapen de gevangene,' beval hij. 'Pak het mes. Een van jullie. De rest geeft dekking.'

Eén gemaskerde gedaante kwam eigener beweging de rij uit. Hij liet zijn machinepistool zakken en deed één stap naar voren.

Bramante hield het zilverkleurige lemmet voor zich uit, met de punt naar boven zodat het leek alsof het alle kanten op kon gaan.

'Leg dat mes neer, verdomme,' blafte Falcone tegen Bramante, terwijl hij overeind krabbelde, tegen de ruwe rotsmuur aan de zijkant van de kamer leunde en de lucht weer in zijn longen voelde stromen. Hij voelde zich goed, als hij eerlijk was. Hij dacht al aan de Questura. Een verhoorkamer. Hij zou de leiding hebben. De tijd die hij met Messina had afgesproken was nog niet voorbij. 'En een van jullie hierheen om die touwen door te snijden.'

Falcone sloot zijn ogen, probeerde zijn gedachten op een rijtje te zetten en dat kostte enige tijd. Hij was er altijd trots op geweest dat hij zich zelfs in de meest benarde omstandigheden snel terug kon klauwen naar een zekere bekwaamheid, een snelle, vurige schranderheid. Dat was een speciale vaardigheid, een gave die hij tegen alle verwachtingen in niet was kwijtgeraakt.

'We moeten dat gesprek hebben, Giorgio. We gáán dat gesprek hebben. Ik wil dat hier eens en voor altijd een einde aan komt...'

Hij opende zijn ogen, vastbesloten de situatie meester te blijven. Toen viel hij stil. Het tweetal was zo snel, zo zacht te werk gegaan, dat hij tijdens zijn korte, zelfvoldane dromerij niets had gehoord. Drie in het zwart geklede politiemensen werden nu zonder wapen, met de handen in de lucht, naast Bramante geduwd. Een van hun pistolen lag als vanzelfsprekend in de handen van Judith Turnhouse en was op hen gericht. De andere twee lagen op de grond, buiten bereik. Het vierde lid van het team zwaaide zijn wapen langzaam heen en weer, van Bramante naar zijn collega's en terug.

Judith Turnhouse keek met een bittere kwaadaardigheid in haar blik Falcones kant op.

'Dacht jij dat je me dit kon afnemen?' beet ze hem toe. 'Na al die jaren?'

'Neem me niet kwalijk,' antwoordde hij naar waarheid. 'Ik had werkelijk geen idee.'

Hij keek even naar Bramante, die een voor hem ongebruikelijke hulpeloze indruk maakte.

'Maar ik ben niet de enige,' ging Falcone verder. 'Signora Turnhouse –'

Het donkere, dreigende wapen in haar handen zwaaide opzij en wees recht naar zijn hoofd. Tot zijn verbazing kwam Falcone tot de ontdekking dat hij, voor het eerst sinds hij de vorige avond de Questura had verlaten, oprecht voor zijn leven vreesde.

'Nog één woord,' mompelde ze, 'en dan schiet ik dit hele ding in je hoofd leeg, met genoegen, ik zweer het je.'

Ze liep naar voren en pakte zonder een woord te zeggen het mes uit Bramantes hand. Hij maakte geen geluid, geen gebaar van protest.

Bramante schudde zijn hoofd en hief zijn handen. Hij keek eerst naar haar, wierp toen een blik op Falcone en staarde opnieuw naar de vrouw.

'Wat krijgen we nu?' vroeg hij verbijsterd, terwijl een lichte boosheid zich aftekende op zijn gezicht. 'We hadden een afspraak.'

'Ik moet je iets laten zien,' zei ze en ze knikte naar de man naast haar.

De persoon in het zwart klemde het wapen onder zijn linkerarm en trok toen met zijn vrije hand de bivakmuts van zijn hoofd.

Hij was een knappe jongeman, dacht Falcone. Een beetje jong voor zijn taak. Een beetje naïef, niet helemaal tegen de situatie opgewassen. Hij stond rechtop in het halfduister, was van Bramantes lengte, had dezelfde bouw ook. En dezelfde trekken, maar dan vrij weergegeven, overdreven op sommige punten, zodat de gelijkenis alleen opviel als je ze naast elkaar zag.

Alessio Bramante liet de bivakmuts op de grond vallen en nam het wapen weer in zijn handen, richtte het – onwillekeurig? onzeker? dat kon Falcone niet bepalen – op de gedaante voor het altaar.

'Kijk, Giorgio!' beval Judith Turnhouse met gespannen en opgewonden stem en ze scheen met haar zaklantaarn op het gezicht van de jongeman voor hem. 'Kijk dan!'

Bramante keek toen haar handen op Alessio's donkere hoofd neerkwamen, zijn dikke zwarte haar streelden, omlaag gleden over zijn lichaam, naar zijn kruis grepen; toen haar lippen zich vochtig, hongerig in zijn jonge hals drukten, een gebaar waaraan hij zich overgaf. Intussen lieten de ogen van Bramante hem geen moment los.

'Hij heeft jouw ogen,' mompelde ze. 'Jouw lippen. Jouw gezicht.' Ze glimlachte, haar witte tanden een blinkende glimp in het duister. 'Alles. Ik heb hem grootgebracht om jou te zijn. Ik heb hem grootgebracht om van mij te zijn en je had geen flauw idee.'

De jongen – Falcone kon hem niet anders zien – uitte een zeer zachte kreet van protest. Ze hoorde het niet eens.

'Alessio?' vroeg Bramante met gebarsten stem en hij stak met zijn gezicht vertrokken van ontzetting en verbijstering zijn handen uit. 'Alessio?'

De gedaante in het zwart deinsde achteruit en zwaaide met het wapen heen en weer.

'Noem me geen Alessio! Waag het niet me zo te noemen!'

Het bloed stolde Leo Falcone in de aderen. Een afschuwelijke gedachte begon tot hem door te dringen toen hij dat vreselijke geluid hoorde.

De stem was verkeerd, te hoog, bijna een falsetstem, getekend door onvoorstelbare pijn en zorgen, en hij sloeg over door een innerlijke woede die uit zijn borst probeerde te ontsnappen.

De liefkozing van Judith Turnhouse veranderde in een klemmende greep. Hard en vastbesloten begroeven haar vingers zich in het fijne zwarte haar en draaiden zijn gezicht naar het hare.

Ze pakte het wapen in de handen van de jongeman vast, duwde het hard tegen zijn borst en zei: 'Nooit vergeten.'

22

Een zeven jaar oud kind staat stijf rechtop, met de voeten vastgenageld aan de koude rode aarde, een straal ijskoud zweet langs zijn ruggengraat, roerloos, als een levend standbeeld, verstard in een ruimte die schimmig wordt verlicht door lantaarns. Een kale kamer, zonder ceremonieel, zonder versieringen, die helemaal niets ouds heeft.

Een alledaags vertrek, een zijkamer, een latere toevoeging in een geheim doolhof van wonderen. Een plaats om je te verbergen, om heen te vluchten om heimelijke, beschamende redenen.

Hij kan niet spreken. Op de achtergrond van zijn gedachten gaan wezens wild tekeer, oeroude figuren die zich daar vanaf zijn vroegste herinneringen hebben schuilgehouden en hebben gewacht op het juiste moment om tevoorschijn te komen.

Deze primitieve beesten scheuren zijn dromen aan stukken. Ambities verschrompelen en worden bittere, dorre fragmenten van een verloren wereld.

Dromen...

...dat hij een geschenk, een sacrament, aan zijn vader zou brengen.

...dat in die waardevolle offergave iets zou zitten wat hen – moeder, vader, zoon – zou helen. De ruwe, kneedbare, vormloze klei van hun broze familie zou bakken, stevig zou maken, jong aan oud, oud aan jong. Een band die natuurlijk was, een leven lang zou meegaan, tot de toorts werd doorgegeven, zoals steeds gebeurde, op een zwarte dag wanneer een leven werd uitgedoofd en de enige overblijvende vlam de herinneringen waren die brandden in het hoofd van degenen die achterbleven.

Al deze intieme emoties, al de diepste, geheimste verlangens van een kind sterven op dit moment in deze halfverlichte nietszeggende ruimte.

En deze kleine dood is geen eenzame aangelegenheid. Anderen zijn getuige en verergeren de schande.

Achter zich hoort het kind Alessio Bramante hen.

Schapen.

Bange schapen, giechelend van angst, en, in de veelbetekenende stem van Ludo Torchia, enige dreiging, enige duistere kennis ook. Net als de jongen begrijpen ze dat wat ze nu zien, hen voor altijd zal tekenen, dat het hun leven zal binnendringen, met het gif van een herinnering die nooit kan worden gedoofd.

Vanaf dit moment zal niets meer hetzelfde zijn, denkt het kind, dat niet bij machte is zijn blik los te trekken van wat hij ziet, niet kan geloven dat het doorgaat, hoewel zijn vader...

Giorgio, Giorgio, Giorgio.

...weet dat er iemand is, hun aanwezigheid heeft erkend met een enkele blik achterom over zijn schouder, met wild rollende ogen, als die van een beest, voor hij weer met het tegen de muur gedrukte lichaam begon te worstelen.

De twee personen staan tegen elkaar aan op de lichtgrijze steen, rechtop, halfnaakt, verwikkeld in een strijd om één te worden.

Zijn vader...

Giorgio.

...spietst haar van achteren met al zijn kracht, en zijn rug beweegt, pompt in een snel, meedogenloos ritme. Zijn ogen, in het korte moment dat ze zichtbaar zijn, zijn die van een uitzinnig beest, een stier in pijn, die vecht om verlost te worden.

Haar gezicht, half omgedraaid, achteromkijkend van het gesteente, gekweld door een mengeling van extase en pijn, herkent hij. Een studente van de universiteit die Alessio zich herinnert. Die heldere dag in mei toen hij alleen was gelaten op de Palatijn, een uur lang, mogelijk langer, en zich had afgevraagd of hij door de geest van Livia zou worden opgeëist.

Naderhand was zij daar, toen Giorgio hem kwam ophalen, en ze had geglimlacht op een vreemde, afwezige manier. Inwendig tegen zichzelf, had hij destijds gedacht. Net als hij: een beetje bang, maar ook opgewonden.

Een detail schiet hem te binnen: toen stond er ook zweet op haar voorhoofd.

En in het schemerlicht in de grot richten haar glanzende, uitzinnige ogen zich op hen, met enige schaamte op haar gezicht. Dat een beetje is gehavend, geschonden, met bloed bij haar mondhoek, dat opzwelt, als een bel leven, die uit haar wordt gedreven door de brute opeenvolging van zijn stoten.

Ze schreeuwt.

Nee, nee, nee, nee, nee!

Woest, niet tot een einde gekomen, scheurt Giorgio zich los en draait zich naar hen om, een strakke, kale gedaante van huid en haar, vertrouwd en toch vreemd, en hij schreeuwt met zijn gezicht vertrokken tot een beeld uit een nachtmerrie, een demon omhoog gekomen uit de diepten.

Het kind staart zijn vader met open mond aan, beschaamd, verbijsterd door deze onverwachte, lichamelijke aanwezigheid die hij moet zien, die hij niet kan ontwijken. Hij herkent deze boosheid ook. Het is dezelfde woede die hij en zijn moeder thuis hebben meegemaakt, in het schijnbaar volmaakte huis met uitzicht op het Circus Maximus. Het is de gewelddadige razernij die het gevolg is van een inbreuk op zijn vaders privéwereld: van werk, van boeken, van concentratie, van zichzelf.

Er zit een dier in de man, een stier onder de huid. Dat is altijd zo geweest. Dat zal altijd zo blijven.

Met grote ogen kijkt Alessio woedend naar hun naaktheid en herinnert zich de geruchten op school, uit het gefluister en de kleine verhalen die kinderen aan hun gelijken doorgeven. Over dat moment dat de lage, primitieve daad tussen twee mensen de rede te buiten gaat en er iets ouds in het bloed opborrelt.

Het is de razernij van de Minotaurus, in een hoek gedreven in zijn labyrint, van de valse god die wordt geconfronteerd met zijn leugens.

Van de Pater die zijn familie teleurstelt.

De woede omvat hen allemaal. De schapen die achter hem wegkruipen zweren dat ze het nooit, nooit zullen zeggen, hoewel de stem van Ludo Torchia ongetwijfeld niet meeklinkt in deze bezweringen. Hij zit in de vrouw ook, die zich heeft omgedraaid en tegen het gesteente leunt, haar gescheurde kleren van de grond heeft opgeraapt en tegen zich aan drukt.

In de man, meer dan in ieder ander.

En in de jongen...

...de jongen, roept ze, met wilde ogen die naar hem kijken, met een zweem medelijden, een gedeelde scherf pijn waardoor hij ogenblikkelijk ophoudt haar te haten.

Niets brengt de man in zijn toorn tot stilstand. Zijn vuisten ranselen en dreigen. Hij is, begrijpt het kind, een primitief wezen dat werd onderbroken tijdens een oeroude privéceremonie, bedoeld voor het donker; nu dubbel vervloekt omdat hij zowel geopenbaard als onvoltooid is als een verpest sacrament, een bedorven ritueel.

Een steen zit in haar hand. Ze zwaait naar voren, slaat hem tegen het hoofd van zijn vader, geen krachtige slag, een elfenvuist tegen het monster.

Stomverbaasd valt Giorgio Bramante op de rode aarde, is een moment stil, met wazige ogen die niet zien.

De schapen vluchten, voeten galmen tot niets, in een gang verlicht door de ketting van zachtgele gloeilampen die van deze akelige en dodelijke plaats wegvoert. Alessio wil achter hen aan. Zomaar een kant op rennen, als hij deze verborgen tombe maar voorgoed achter zich kon laten.

Overal naartoe behalve naar huis, waar Giorgio zal terugkeren. Een bedorven droom van verloren herinneringen en ingewikkelde misleidingen.

Terwijl zijn vader half bij bewustzijn in het stof kronkelt, bukt de vrouw zich. Ze kijkt Alessio in het gezicht en een moment staat zijn hart weer stil. Het is net of ze zijn gedachten kent, of er niets gezegd hoeft te worden, want in haar ogen staat een boodschap die ze allebei begrijpen: wij zijn eender. Wij zijn wat hij bezit, wat hij gebruikt.

Het bloed is droog op haar mond nu. Ze kijkt hem smekend aan. Vraagt om zijn vergiffenis misschien, die hij graag schenkt aangezien ze, begrijpt hij, ook een deel van de schade van zijn vader is.

En zijn hand, die zich verenigt met de hare, stevig, zodat het bloed van de geslachte offergave van Ludo Torchia hen aaneen smeedt. Met die band komt ten slotte een belofte van veiligheid, misschien zelfs van verlossing.

'Vlucht,' spoort ze hem zacht aan en zijn ogen schieten naar zijn vader, die nog nauwelijks bij bewustzijn is, maar zich snel herstelt. 'Vlucht naar het Circus. Nergens blijven staan. Wacht daar. Ik kom naar je toe.'

'En dan?' vraagt de jongen gedwee, angstig en hoopvol tegelijk.

412

Ze drukt een kus op zijn wang. Haar lippen zijn vochtig en welkom. Een plotselinge warme stroom valt over haar wang omlaag en dringt zijn open mond binnen, een sacrament gemaakt van zout en pijn en tranen.

'Dan red ik je voor altijd,' fluistert ze in zijn oor.

23

Nooit vergeten...

De pijn van onderen, het verrukkelijke geweld, de smaak, het gevoel van bloed die eerste keer dat hij haar nam, met brute, snelle kracht, in een eenzame opgraving aan een uitgestorven landelijk laantje in Puglia.

Judith Turnhouse had die dag haar onverschillige maagdelijkheid verloren, in de restanten van een stoffige, oninteressante dionysische tempel, terwijl de overige studenten nog geen vijftig meter verderop buiten in de zon onwetend met hun troffels en hun kwastjes in de weer waren. Die toestand was haar in niet meer dan drie of vier woeste minuten afgenomen, alsof hij werkelijk zonder betekenis was, een weg naar een kort moment van genot wat hem betrof, een die buiten haar eigen kleine individualiteit lag, het bestaan ervan zelfs loochende.

Ze was slechts het werktuig, het fysieke pad naar dit slot en dat maakte het op de een of andere manier allemaal nog meer de moeite waard. In haar vernedering en zijn dierlijke vuur zat een werkelijkheid die zo hard en jammerlijk en krachtig was dat ze hem later kon koesteren, het gevoel bij zich kon houden in de koude eenzame nachten wanneer ze aan hem dacht, alleen aan hem, voortdurend.

Nu, hier, in het mithraeum onder het Circus Maximus, op de plaats waarover ze het altijd eens waren geweest, kon ze zich alles uit de laatste veertien jaar herinneren, elke keer na dat eerste moment dat ze gepaard hadden, elk woest, bloederig treffen, onder de grond, tegen ruwe stenen, het vechten, het neuken... Het was allemaal eender en dat was het van het begin af aan geweest.

Die daad was voor haar het toppunt van extase, een ritueel dat haar van zichzelf bevrijdde, bont en blauw geslagen engelen door haar hoofd deed vliegen en haar vervolgens uitgeput, biddend om een volgende keer, achterliet.

Nooit meer.

Dat had hij al die jaren geleden gezegd, voor de wereld een keer nam.

Het was een leugen geweest, van beide kanten. Ze had zijn zoon die ochtend door het sleutelgat op de piazza van Piranesi zien kijken, was hen heimelijk gevolgd toen hij het kind meenam naar de opgraving.

Ze had zijn aandacht getrokken, hem van het kind weggelokt. Ze hadden bijna in stilte geruzied, uit de buurt van de jongen. Ze hadden weer gevochten. En toen, met de belofte dat dit de laatste keer was – geen hard, gewelddadig treffen in het donker meer, geen vochtige, muffe aarde in haar haar meer – had ze gewonnen, gezegevierd door de brute lichamelijkheid die hen verbond.

Geen liefde. Dat was een te alledaags woord, en er zat nauwelijks affectie in, laat staan respect.

Dit was pure behoefte en die laatste keer, toen hij zo hard in haar stootte dat ze haar schedel tegen de rotswand had voelen slaan, had ze geweten dat hij het haar zou ontnemen, haar enige genot, want zo was Giorgio Bramante: hard en koud en naar zijn eigen idee oppermachtig, een man om over alles en iedereen te heersen, om dat wat zij het kostbaarst vonden van hen af te pakken, enkel omdat hij het kon.

Zelfs op die warme dag in juni, toen zij zijn kracht in zich voelde, en een geestloze, extatische pijn die samen met elke stoot opkwam, had ze begrepen dat hij alsnog zou nemen wat hij hebben wilde. Hij zou haar daar achterlaten, zou naar buiten lopen met zijn vreemde kleine kind, naar huis gaan, naar zijn zielige, mishandelde vrouw, in de overtuiging dat er niets echt was veranderd, dat hij naar zijn wereld van boeken en studeren, het leven van een succesvolle, intellectuele academicus kon terugkeren en dat niemand ervan zou weten, zelfs niet als het weer gebeurde, met een andere naïeve student ditmaal, een ander werktuig dat haar plaats kon innemen.

Giorgio Bramante was met alles in oorlog: met haar, zijn gezin, de wereld. Maar bovenal, wist ze, was hij in oorlog met zichzelf. En daar lag zijn zwakte...

Hij was nauwelijks bij bewustzijn toen de jongen vluchtte. Hij was nog niet helemaal bij zijn positieven toen ze tegen hem was uitgevaren vanwege zijn woede en zijn bedreigingen, hem had gezegd binnen te blijven, waar geen van zijn slachtoffers hem kon zien.

Toen hij bijkwam dacht hij nauwelijks na over het feit dat ze hem had geslagen, dat ze waren gezien, in elkaar verstrengeld tegen de muur, dat hun geheim was buitgemaakt, gestolen.

'Alessio,' kreunde hij, terwijl zijn ogen angstig de ruimte afspeurden. Het was allemaal zo makkelijk geweest.

'Die studenten hebben hem meegenomen,' had ze gezegd. 'Ze zijn bang voor jou, Giorgio. Laat het maar aan mij over. Ik ga wel met ze praten. Ze zullen hun mond houden. Ik zal Alessio vinden. Blijf hier. Maak je geen zorgen.'

Ze kon een plekje zoeken om het kind een dag te verbergen. Misschien langer. Iemand zou een lesje worden geleerd. Er zou een afspraak worden gemaakt. Dat gebeurde ook, hoewel niet de afspraak die een van beiden had verwacht. Giorgio's woede, en de manier waarop deze zo'n onvoorspelbare reeks gebeurtenissen in gang zette, hadden daarvoor gezorgd. Maar tegen de tijd dat Ludo Torchia dood was, was alles veranderd. Alessio kon niet aan de wereld worden teruggegeven, niet zonder dat alles wat ze bezat kapotging. En Giorgio was weg, voor haar verloren, door zijn eigen stomme arrogantie, door moordzuchtig en suïcidaal te worden binnen zijn eigen verdriet en schuldgevoel en buitensporige zelfhaat.

Er was geen weg terug. Niet toen, niet die eerste keer in de gevangenis dat hij vroeg of ze hem wilde helpen hen op te sporen, een voor een. Niet nu, bijna aan het einde, een slot waarnaar hij verlangde omdat hij alleen in die finale daad, het opofferen van zichzelf, rust zou vinden.

En in zijn plaats had zij een ander gevonden. Terwijl Giorgio Bramante in de gevangenis steeds verbitterder, waanzinniger werd, was zijn zoon onder haar handen tot volle wasdom gekomen, van kind tot jongeling tot man. Hun band was in de loop der tijd steeds intiemer geworden, tot hij volledig de hare was, zoals zij van zijn vader was geweest, aan elkaar gebonden door de harde, brute kracht van haar karakter, een koude devotie die hen allen tot gevangenen maakte.

In haar gedachten was er geen hiaat in de tijd tussen toen en nu, tussen het bloed en zweet in een grot in Puglia en dit einde, het einde waar hij op uit was, het einde dat zij zou brengen, op een manier die hij nooit had verwacht, onder de Romeinse aarde. Het was een continuüm, verbonden, aaneengesmeed door de wrede onontkoombaarheid geboren uit de kronkelende, brute hartstocht die hen ooit had verenigd.

Ze gebaarde met het wapen naar hen, naar de drie mannen in het zwart, de inspecteur, die hulpeloos op de vloer zat gehurkt, naar Giorgio, die pathetisch met uitgestoken handen stond te smeken.

'Hij heeft je laten stikken,' zei ze tegen zijn zoon, gealarmeerd nu, omdat er nieuwe mensen aankwamen. Er was nog maar weinig tijd. 'Hij heeft mij laten stikken. Hij is oud, waardeloos en gebroken. Doe het!'

Judith Turnhouse stond zichzelf één blik op Alessio toe, probeerde de juiste emoties op haar gezicht te toveren: kracht, gezag, vastberadenheid. Het was uiteindelijk allemaal een kwestie van willen.

'Hij is hier gekomen om te sterven,' zei ze zacht, zonder enige emotie.

Ze zag zijn vuurwapen omhoog gaan. Giorgio verroerde zich niet. Toen klonk achter haar een stem die haar bekend voorkwam.

Judith Turnhouse pijnigde haar oververhitte hersens en probeerde hem thuis te brengen.

24

'Ze heeft Elisabetta vermoord.'

Costa deed twee stappen om zich voor Messina en Peroni op te stellen, op slechts een armlengte van de jongeman die het machinepistool op borsthoogte hield, in de aanslag, zoals hem was geleerd.

'Alessio?' herhaalde hij. 'Heb je me gehoord? Ze heeft Elisabetta Giordano vermoord. Ze kon het risico niet nemen dat wij erachter kwamen. Dat wist je niet, hè? Alessio?'

Het kostte Costa moeite niet te laten merken hoe hij schrok. De persoon voor hem leek zo sterk op Giorgio Bramante: dezelfde scherpe trekken, dezelfde kop donker haar. Maar er zat een besluiteloosheid in hem, een onzekerheid, die zijn vader stellig nooit had gehad. Alessio Bramante was opgevoed door vreemden, ontvoerd naar een wereld die hem onbekend was. En daarna, toen hij oud genoeg werd, verstrikt door degene die hem had meegenomen, en, terwijl hij in schijn volwassen werd, ingewijd in een slavernij die moest doorgaan voor liefde.

Giorgio Bramante viel op zijn knieën. Zijn handen vouwden zich in gebed. Hij keek op naar zijn zoon, niet bij machte iets te zeggen, hoewel uit zijn vochtige ogen een woordeloze smeekbede om vergeving leek te spreken.

Judith Turnhouse richtte haar wapen op het rotsplafond en vuurde een salvo af. Stof, steen en puin regenden neer op hun hoofden. Bramante dook niet in elkaar. Costa evenmin.

'Kijk dan naar die zwakke oude man!' gilde ze. 'Schiet hem neer! Schiet hem neer!'

Bramantes ogen konden zijn zoon niet loslaten. Zijn lippen bewogen alsof hij een door niemand gehoord gebed mompelde.

Toen zei hij eenvoudigweg: 'Vergeef me.'

De vrouw vloekte. Haar wapen zwenkte naar de gedaante op de grond. Geweervuur galmde door de grot, overal om hen heen ketsten hulzen af tegen de muren. Door het bovenlichaam van Bramante ging een bloedige stuip, terwijl de kogels op hem af vlogen.

Costa was bijna bij haar toen Alessio losging met het machinepistool. Het strijkvuur reet haar lichaam van onder tot boven open. Het tilde haar op onzichtbare handen op en wierp haar dwars door de sombere ruimte op de kale stenen vloer, waar ze in een rommelig hoopje bleef liggen, een roerloos, gebroken hoopje mens.

Een vreemde rust daalde over de ruimte. Van buiten kwam het geluid van naderende mensen. Flikkerende lichtjes in de gang, stemmen, een soort van realiteit.

Peroni stortte zich ogenblikkelijk op Alessio Bramante, wrong het wapen uit zijn handen. Het was nauwelijks nodig.

Costa liep naar de vrouw en boog zich over haar heen. Judith Turnhouse staarde met dode ogen naar het stoffige plafond. Ze had een gapende wond ter grootte van een kindervuist in haar voorhoofd. Hij stond op en ging naar Bramante. Falcone en Peroni stonden daar al bij. Ze keken naar Alessio, die op zijn knieën zat met Giorgio's hand in de zijne.

25

Een warme dag in juni, in een wereld halfweg tussen de levenden en de doden. Giorgio Bramante is degene die bij de deur van het huis van de Cavalieri di Malta op zijn hurken zit. Met zijn oog tegen het sleutelgat gedrukt spant hij zich in om de laan met cipressen af te zien, over de Tiber te kijken, naar de grote koepel van Michelangelo, het bleke, majestueuze koepeldak, drijvend op de ochtendnevel, een eeuwige geest, altijd aanwezig, soms onzichtbaar.

Hij haalt diep adem. Dit is moeilijk, pijnlijk.

'Zie je het?' vraagt een stem die overal vandaan lijkt te komen, van boven, van beneden, van binnenuit. Een stem die bekend is, niet langer verloren in de donkere, bittere diepten van versleten herinneringen. Een stem die warm is en vlakbij en hoopgevend.

'Ben jij Alessio?' vraagt hij en hij herkent de moeizame, schorre klank van zijn eigen stem niet.

'Ja.'

Hij hoest. Een warme zilte vloeistof komt in zijn keel omhoog. Een sterke, zachte hand grijpt de zijne. Hij kan nu weinig meer onderscheiden dan schaduwen, nevelig in de echte wereld.

'Ik ben een slechte vader geweest,' hijgt hij met brekende stem en hij probeert voorbij de poel van duisternis te kijken die zich als een inktwolk door de stoffige, bedorven lucht verspreidt.

In de nevel voor hem danst een schim, die langzaam een bekende vorm aanneemt. Hij kan het nog niet helemaal zien. Hij heeft geen pijn en voelt niets behalve de troost van de warme vingers van een jongeman die de zijne vasthouden.

'Ben je werkelijk Alessio?'

'Dat heb ik toch al gezegd. Zie je het?'

'Ja,' zegt Giorgio Bramante en hij weet niet zeker of hij deze woorden uitspreekt of uitsluitend denkt. 'Ik zie het. Ik zie het. Ik zie...'

Uit het donker groeit het, een visioen aan de overkant van de rivier, voorbij de bomen, wit en luisterrijk, en het wenkt hem, vervult hem met vreugde en vrees, terwijl het stormenderhand zijn verkwijnend zicht vult.

Epiloog

Ze lag in de helderwitte kamer in het ziekenhuis in Orvieto en had een constante, diepe pijn in haar zij; het vreemde, knagende gevoel dat er iets ontbrak. Er was al enige tijd verstreken sinds ze was bijgekomen uit de narcose. Elk kwartier kwam een verpleegster langs om haar toestand te controleren, haar bloeddruk te meten en een elektronische thermometer in haar oor te stoppen. Precies op het hele uur, aangegeven door de dreunende klok van de kathedraal, kwam de arts, Anna – ze kon haar in gedachten niet anders meer noemen – binnen. Ze sloot de deur achter zich en liep vervolgens naar het raam om naar de kinderen op straat te roepen. Er was een groepje aan het voetballen, op dit late tijdstip nog, vrolijk aan het gillen terwijl ze de bal van muur naar muur schopten, zoals kinderen hier waarschijnlijk al generaties lang hadden gedaan en nog vele generaties zouden doen.

Anna leek jonger dan die ochtend toen ze elkaar voor het eerst hadden gezien. Misschien had de operatie iets van haar eigen schouders genomen. Misschien was het praktiseren van geneeskunde, een remedie leveren voor een lichamelijke onvolmaaktheid, op zichzelf al een beloning.

Ze voerden het postoperatieve gesprek. Ze voelde zich helemaal niet zo slecht. Het ergst was het schuldgevoel, de schandelijke opluchting. Het was alsof iets slechts wat zich in haar had schuilgehouden, nu was weggesneden. Iets wat in andere omstandigheden een kind zou zijn geworden, een kind waar zij en Nic naar hadden verlangd. De tegenstrijdige gevoelens zouden haar nog lang bezighouden.

Toen kwamen de details. Ze had nauwelijks geluisterd toen de arts vóór de operatie de mogelijkheden op een rijtje had gezet. Nu kon ze er niet meer omheen. Ze hadden op haar een salpingectomie uitgevoerd, een van haar eileiders verwijderd door middel van een laparoscopie. De andere eileider was intact. De kans op een geslaagde zwangerschap in de toekomst was nu teruggebracht tot iets meer dan veertig procent.

'Je zult dat nu nog niet zo zien,' ging Anna verder, 'maar je hebt heel veel geluk gehad. Als je niet naar ons toe was gekomen, had het werkelijk zeer ernstig kunnen worden. Een paar jaar geleden zou dit een grote buikoperatie zijn geweest, met de nodige risico's. We worden een elk jaar een beetje beter. Nu moet jij aan de slag.'

'Wat moet ik dan doen?' vroeg ze verbaasd.

'Leren omgaan met wat er is gebeurd. Je hebt een kind verloren en het feit dat het een ongeboren kind was, zonder enige overlevingskansen, maakt het niet minder moeilijk te verdragen. Zo zitten we in elkaar. Het maakt deel uit van het proces als je probeert kinderen te krijgen. Omdat je een sterke, jonge intelligente vrouw bent, zul je jezelf voorhouden dat het helemaal niets voorstelt. Gewoon een van de tegenslagen uit het leven. Je gaat hier de deur uit, laat het achter je, gaat terug naar je vriend en begint opnieuw. En dat zul je ook doen, dat weet ik zeker. Maar je zult ook angstig en verontwaardigd zijn en een algeheel gevoel van verbijstering hebben dat zoiets wreeds jou kon overkomen, jou nota bene. Dat is allemaal normaal. Je mag altijd langskomen om te praten als dat helpt. Wanneer je maar wilt. Orvieto is niet ver van Rome. Je kunt altijd bellen.'

Ze glimlachte. Iets aan het gedrag van de vrouw – een simpele, onuitgesproken zin: 'Ik begrijp het' – zorgde ervoor dat Emily zich alweer een beetje beter voelde.

'Je gaat trouwen in de zomer,' voegde ze eraan toe. 'Dat zou een goed moment zijn om aan een nieuwe poging te gaan denken. Luister naar een goede raad van een suffe, ouderwetse katholieke plattelandsdokter. Het leven is een reis, geen race, Emily. Heb geduld. Wees een rebel. Probeer als een van de weinigen uit jouw generatie een kind te krijgen ná je huwelijk. Ik stel voor dat je dit met je oom bespreekt. Hij wil dolgraag binnenkomen. Als je dat goedvindt.'

Emily schudde haar hoofd.

'Mijn oom?'

Anna's glanzende ogen vlamden van verontwaardiging.

'Ik wist dat die oude bok loog! Messina zei dat je zijn nichtje was! De dochter van een Amerikaans familielid van hem. Hoe denk je anders dat je een privékamer hebt gekregen?'

'Ah,' zei ze zacht. 'Mijn oom. Ik wil hem graag zien.'

Het was onvermijdelijk dat het gesprek, na de korte medische formaliteiten – hij scheen al evenveel van haar toestand te weten als zij – onverbiddelijk over zou gaan op de gebeurtenissen in Rome.

Hij legde haar onomwonden, met de precieze, kalme nauwgezetheid die ze verwachtte van een man met zijn achtergrond en ervaring, uit wat hij wist – wat niet weinig was. Toen hij klaar was, draaide Arturo Messina zijn gezicht de andere kant op en staarde naar de straat buiten. Daar was het nu donker, met slechts één lantaarn om de oude muren van het klooster aan de overkant te verlichten, terwijl de avond opnieuw werd gelardeerd met het geluid van bal tegen baksteen en het flauw hoorbare gelach van de jongelui.

'De boosheid van een vrouw is anders dan die van een man,' zei hij. 'Wij ontsteken van het ene op het andere moment in woede. Bij een vrouw kan het voortsudderen. Toenemen soms. Als ik toen op tijd had ontdekt wat er van die jongen was geworden, was dit allemaal niet gebeurd.'

Ze pakte zijn hand. Hij zag er moe en oud uit.

'Dat zou je over zoveel dingen kunnen zeggen, Arturo. Als Bramante een betere vader was geweest, of zijn drift en zijn zwakheden onder controle had kunnen houden. Als die vrouw in de loop der jaren bij zinnen was gekomen, en haar haat niet samen met die van hem had laten groeien.'

'Dat zou allemaal niets hebben uitgemaakt, als ik hem had gevonden,' zei hij ogenblikkelijk.

'Nee. Maar we zijn niet volmaakt. Je hebt gedaan wat je het beste vond. Wat moet je anders?'

Hij knikte en zei niets, hoewel zijn ongenoegen voelbaar was.

'En Alessio?' vroeg ze. 'Wat gaat er met hem gebeuren?'

Hij haalde zijn schouders op, alsof er een paar mogelijkheden waren die moesten worden overwogen.

'De juristen zullen daar nog een aardig centje aan gaan verdienen. Op zijn best, stel ik me voor, wordt hij beschuldigd van medeplichtigheid aan een poging tot zelfmoord. De dode vrouw kan, te oordelen naar wat ik heb gehoord, worden geïnterpreteerd als zelfverdediging. Met de andere moorden had hij niets te maken, althans dat zegt hij, en Leo schijnt hem te geloven, dus moet het wel waar zijn.'

Arturo zweeg even en keek haar aan.

'En het kind dat Giorgio als eerste heeft gedood? Ludo Torchia?'

Hij trok een grimas.

'Torchia was geen kind meer.'

'Waarom heeft hij jullie dan niet de waarheid verteld? Het zou zo makkelijk zijn geweest.'

Arturo Messina lachte en gaf haar een kneepje in haar hand.

'Weet je, jij hoort echt ergens in een politiekorps thuis,' merkte hij op. 'Zeg jij het maar.'

Ze overwoog de mogelijkheden.

'Omdat hij nog een kind was. In zijn eigen ogen. Ludo was op zoek naar volwassenheid en hij geloofde dat hij alleen volwassen kon worden door middel van een ritueel. Misschien maakte het niet uit welk ritueel. Alleen kwam Giorgio met iets geschikts aanzetten. Een ritueel dat hen aan elkaar verbond, in een soort stilzwijgende geheimhouding waarvan Torchia vond dat hij die niet mocht verbreken. Zelfs niet in dat soort omstandigheden.'

Hij knikte. Er zat een diep verdriet in deze man dat haar aangreep.

'Juist niet in dat soort omstandigheden, denk je niet? Wanneer wordt een krijger het zwaarst op de proef gesteld? In extremis. Wij, in onze wereld, vinden dat onzin. Maar het is niet aan ons een oordeel te vellen over wat zij geloven. Voor de betrokkenen was het echt en dat is het enige wat telt. Ludo was een miezerig mannetje. Ik vermoed dat er verder weinig echt voor hem was. Hij vertelde Giorgio de waarheid. Dat hij geen idee had wat er met Alessio was gebeurd. Giorgio geloofde hem niet.'

Het gezicht van Arturo Messina betrok.

'En ik evenmin.'

'Er is Leo tenminste niets overkomen,' zei ze, zoekend naar iets waarmee ze hem kon troosten.

'Dat was gewoon geluk. Ik kan me niet voorstellen dat het Bramante veel kon schelen of hem iets overkwam of niet. Hij wilde voornamelijk de politie op stang jagen, zodat hij het einde dat hij voor ogen had, kon bewerkstelligen, zodra zijn werk – als ik het zo mag noemen – erop zat.'

Hij schudde zijn grote hoofd.

'God weet dat hij er genoeg aan gedaan heeft om mijn zoon zo ver te krijgen dat hij hem dood wilde hebben. De Questura binnendringen op die manier. Leo ontvoeren. Die arme politievrouw zo toetakelen.'

'Ze waren gek, die Turnhouse en Bramante.'

'Hij misschien wel,' antwoordde hij. 'Als je iemand die gelijktijdig moordzuchtige en suïcidale neigingen heeft als krankzinnig beschouwt, en dat weet ik zo net nog niet. Waarschijnlijk vond hij zichzelf geestelijk even gezond als de rest van ons. Wat die vrouw betreft... Nee. Ze wilde de man die haar in de steek had gelaten de grootst mogelijke pijn bezorgen. Ze had hem tenslotte toen hij in de gevangenis zat, kunnen afhouden van die zinloze cyclus van wraak en ze had niet zijn medeplichtige hoeven worden. Ze wist beslist dat als je een kind conditioneert, als je het doet geloven dat er slechts één mogelijke kijk op de wereld is – de kijk die jij het aanbiedt – dat de arme ziel dan alles zal doen. Alles. Zelfs zijn eigen vader vermoorden. Je vroeg waarom Alessio die verhalen zou geloven. Omdat ze van haar kwamen en het waren de enige verhalen die hij had.'

'Maar ze heeft zich vergist, Arturo,' merkte Emily op. 'Uiteindelijk weigerde hij.'

Hij boog zich over het bed en keek aandachtig naar haar gezicht.

'Dat is waar. Toch moet ik je ergens op wijzen. Ik ben heel wat jaren een goede politieman geweest en slechts eenmaal een slechte commissario. Denk aan de feiten. Judith Turnhouse wilde niet alleen dat Alessio zijn vader neerschoot. Ze wilde dat Giorgio voor hij stierf twee dingen besefte. Dat zijn zoon nog in leven was en aan zijn leven een einde zou maken. En dat zij hem had gekaapt. Als kind en als man. Tot haar minnaar had gemaakt, als je het zo kunt noemen. Misschien behandelde ze hem zoals Giorgio haar vroeger had behandeld. Moet ik nog meer zeggen?'

'Maar...' Ze wilde bezwaar maken en merkte dat ze er de woorden niet voor had.

'We noemen het alleen maar krankzinnigheid omdat we niet onder ogen durven zien wat het werkelijk is,' zei hij stellig. 'Een ontaarding, een monsterlijke ontaarding, van de gevoelens die we allemaal hebben en in toom hopen te houden. Haat en wraakzucht. Verlies en afwijzing. Ze was obsessief, geslepen en gefixeerd. Maar ze was niet gek. Daar mogen we onszelf niet mee troosten.'

Arturo keek naar de klok aan de muur. Het was nu bijna halftien.

'Je jonge vriend zal nu wel snel komen, denk ik. Ik had bloemen mee willen brengen, maar ik wilde hem niet het gras voor de voeten wegmaaien. Hij zal zich schuldig voelen. Hij zal denken dat hij je heeft verwaarloosd op een moment dat jij hem het hardst nodig had.'

'Dat is niet waar,' antwoordde ze. 'Ik heb Nic helemaal niet verteld wat er aan de hand was. Ik wilde hem niet afleiden van waar hij mee bezig was. Hij kon hier toch niets uitrichten. Maar in Rome wel en dat heeft hij ook gedaan.'

Dat antwoord scheen Arturo Messina te bevallen.

'Luister naar een oude man. We zijn allemaal maar mensen. We zijn gemaakt om met het hoofd en met het hart te denken. Negeer je het ene, dan laat het andere je ook in de steek. Praat met Nic. Luister naar hem. Zorg ervoor dat hij ook naar jou luistert. Dit is een van die momenten dat relaties ontsporen. Ik spreek uit ervaring. De splijtzwammen, de twijfels, het schuldgevoel, onuitgesproken angsten... Ze dringen ongezien ons leven binnen en komen jaren later ineens bovendrijven, als oude zeurende wonden waarvan we dachten dat we ze vergeten waren. Wees voorzichtig, lieve meid. Jullie allebei. Als je die spoken één keer een kans geeft, zijn ze soms lastig te stuiten. Na verloop van tijd... helemaal niet meer soms. Raffaela en Leo Falcone zullen wel ongeveer dezelfde gedachten hebben. Ze is vast van plan bij hem langs te gaan, denk ik. Hoezeer hij zich ook schaamt over dat stomme telefoontje.'

'Natuurlijk wil ze hem zien. Ze houdt van hem!'

'Tja, maar liefde is niet het enige,' bromde hij. 'Giorgio hield van Alessio. Daarom was hij nog geen goede vader. Zonder een beetje meer – moeite, toewijding, aandacht – is het niet genoeg. Leo en die arme vrouw. Ik weet niet of...'

Hij had die verwijtende blik in zijn ogen die ze inmiddels van hem kende.

'Je moet je zoon bellen,' zei ze.

Hij stootte een kort, droog lachje uit.

'Inderdaad. Misschien herinnert hij zich waarom we al die tijd met elkaar op voet van oorlog hebben geleefd. Ik weet het echt niet meer. En' – hij hief zijn korte plompe vinger – 'we kunnen elkaar vertellen hoe het is om ontslagen te worden. Bij een lekker maal en een glas wijn, op zijn kosten. De gouden handdruk die ze tegenwoordig krijgen...'

'Arturo.'

'Nee, niet aandringen. Ik moet het doen. Ik zal het doen. Dat beloof ik.'

Ze drukte een kus op zijn stoppelige wang. In de grond was Arturo

Messina een eenzaam mens, dacht ze. En eenzaamheid was één vorm van tegenspoed die heel makkelijk verholpen kon worden.

Hij schraapte zijn keel en stond op om weg te gaan.

'Houden wij contact?' vroeg hij. 'Als je weer in Rome bent?'

'Er is een bruiloft deze zomer. Als je zou willen komen...'

Het gezicht van Arturo Messina fleurde op.

'Een bruiloft!' herhaalde hij verrukt. 'Een bruiloft! Daar zal ik vanavond op drinken. Op jou en je gelukkige jongeman.'

Ze keek om zich heen, de ziekenhuiskamer rond.

'Gelukkig?'

'Je leeft, je bent jong en je bent verliefd. Wat is dat vergeleken met een paar stomme medische feiten? Ja, ik beschouw jullie inderdaad als heel gelukkig. Het zullen prachtige kinderen zijn als ze komen. Ik popel om ze te ontmoeten.'

Hij haalde een oude blauwe baret tevoorschijn, zetten hem op zijn hoofd en grijnsde van oor tot oor.

'Arturo is trouwens een prachtige naam voor een jongen,' voegde hij eraan toe. 'A domani, Emily Deacon. Ik zal terugkeren – met bloemen – te gelegener tijd.'

Hij tikte tegen zijn baret en was weg. In de lege kamer keek ze hoe de kleine wijzer op de klok een tandje doorschoot: de tijd ging voorbij. Verloren momenten, kansen weggevoerd op de wind, voorgoed.

Dadelijk zou ze het geluid van Nics auto horen. Dadelijk zou ze de aanraking van zijn hand voelen.

Ze ging op het zachte witte kussen liggen en sloot haar ogen. Buiten speelden de kinderen op straat in het maanlicht, stemmen die vormloos opklommen naar de zwarte, met sterren bezaaide hemel, onschuldig en onwetend in hun zoeken naar een woord, een daad, een gedachte... naar wat hun leven vorm zou kunnen geven.

Noot van de auteur

Het mithraïsme ontstond in Perzië voor de zesde eeuw voor Christus. Vanaf omstreeks 136 na Christus werd het een van de belangrijkste culten onder Romeinse soldaten en overheidsbeambten. Ondergrondse mithraïsche tempels, gebouwd door keizerlijke troepen, komen in alle militaire grensgebieden van het rijk, van het Midden-Oosten tot Engeland, veel voor. Er zijn er alleen al drie gevonden bij de muur van Hadrianus in Noord-Engeland; meer dan tien, een vermoedelijk aantal van honderd of meer, zijn ontdekt in Rome zelf.

Tot de kern van het mithraïsme behoorden verschillende elementen die de militaire en bureaucratische geest schijnen te hebben aangesproken. De cultus was strak georganiseerd, geheim en beperkt tot mannen. Een absolute hiërarchische gehoorzaamheid – in de eerste plaats aan lokale, hogergeplaatste leden van de cultus en uiteindelijk aan de keizer – was vereist. Er werd ook gebruikgemaakt van een aantal verschillende 'sacramenten' waardoor aanhangers van een van de zeven rangen konden overstappen naar de volgende. Sterker nog, het woord 'sacrament' zelf, hoewel tegenwoordig religieus van aard, komt van de oorspronkelijke Latijnse term voor de eed van trouw die soldaten aflegden wanneer ze dienst namen bij het leger. Naar de inhoud van die sacramenten kunnen we vrijwel alleen raden. Er bestond echter voor elk van de rangen – van de laagste, Raaf, tot de leider, Pater – kennelijk een aparte initiatieceremonie, waarbij een eed werd afgelegd en in sommige gevallen een offer gebracht.

Het mithraïsme had enkele ideeën en elementen gemeen met het vroege christendom. Het idee dat de katholieke Kerk doelbewust dingen van de cultus kopieerde is waarschijnlijk echter overdreven. Er zijn evenwel geen mithraïsche geschriften bewaard gebleven, aangezien deze religie gedoemd was uit de geschiedenisboeken te worden gewist. Op 28 oktober 312, aan het slot van een burgeroorlog, kreeg Constantijn de macht over het rijk in handen door de slag bij de Milvische brug, een strategisch punt waar de weg van Flaminius de Tiber overstak naar Rome, en de locatie van verschillende andere militaire slagen in de eeuwen daarna. Hoewel hij zelf op dat moment een aanhanger van heidense gebruiken was, besloot Constantijn, waarschijnlijk om politieke redenen, het christendom uit te roepen tot de enige godsdienst van het rijk. Toen zijn troepen Rome plunderden, begon de onderdrukking van het mithraïsme.

Het meest zichtbare overblijfsel van het mithraïsme in Rome is heden ten dage de archeologische vondst van Ierse dominicaanse monniken tijdens opgravingen in de negentiende eeuw in de San Clemente-basiliek dicht bij het Colosseum. Hier is een complete ondergrondse tempel gevonden, met vertrekken voor plechtigheden en het mithraeum zelf, het middelpunt van de godsdienstbeoefening. Daar moet het ceremoniële altaar, met de afbeelding van Mithras die de stier slacht, hebben gestaan. De San Clemente is open voor publiek; veel andere ondergrondse locaties, inclusief andere mithraea, zijn open op afspraak. De rondleidingen, aangeboden door de vrijwilligersorganisatie Roma Sotteranea (www.underome.com) zijn de beste manier om de uitgestrekte verborgen stad die onder het moderne Rome ligt, te verkennen. Veel locaties zijn lastig te bereiken, gevaarlijk en verboden te betreden zonder een deskundige gids.

De geschiedenis wordt altijd door de overwinnaars geschreven. We hebben dan ook geen onafhankelijke verslagen uit die tijd over wat er op de dag dat de zegevierende Constantijn Rome binnentrok, is gebeurd. We weten echter wel dat hij de keizerlijke elitetroepen van de Pretoriaanse Garde, die partij hadden gekozen voor zijn opponent, Maxentius, ontbond en hun hoofdkwartier, de Castra Praetoria, dat speciaal voor deze troepen beschikte over een nabijgelegen mithraeum, volledig met de grond gelijkmaakte. Een indruk van de gebeurtenissen van die dag kan men krijgen in een minder bekend Romeins mithraeum, op de Aventijn, niet ver van de omgeving waar een groot deel van dit boek zich afspeelt. Tijdens opgravingen onder de kleine Santa Prisca in de jaren vijftig werd ontdekt dat het oorspronkelijke christelijke gebouw op de restanten van een mithraïsche tempel was gebouwd. Toen de archeologen doordrongen tot het hart van het mithraeum ontdekten ze dat het was ontwijd, waarschijnlijk kort na de overwinning van Constantijn, en dat beelden en muurschilderingen met bijlen waren vernield. Wat in deze turbulente periode met de gelovigen behorende tot deze tempel is gebeurd, is niet bekend.